公义与公器

——正义论视域中的公共伦理学

詹世友 著

人民出版社

责任编辑:陈寒节

责任校对:湖 催

图书在版编目(CIP)数据

公义与公器——正义论视域中的公共伦理学/詹世友 著
—北京:人民出版社,2006.12
ISBN 7 - 01 - 005852 - 0

Ⅰ.公... Ⅱ.詹... Ⅲ.公共管理 - 伦理学 - 研究
Ⅳ.B82 - 051

中国版本图书馆 CIP 数据核字(2006)第 114864 号

公义与公器——正义论视域中的公共伦理学
GONGYI YU GONGQI
——ZHENGYILUN SHIYU ZHONG DE GONGGONG LUNLIXUE

詹世友 著

人民出版社 出版发行

(100706 北京朝阳门内大街 166 号)

北京双桥印刷厂印刷 新华书店经销

2006 年 12 月第 1 版 2006 年 12 月北京第 1 次印刷
开本:710 毫米×1000 毫米 1/16 印张:26.75
字数:408 千字 印数:1 - 3000 册

ISBN 7 - 01 - 005852 - 0 定价:50.00 元

邮购地址:100706 北京朝阳门内大街 166 号
人民东方图书销售中心 电话:(010)65250042 65289539

目　　录

绪论　正义·方法·公共伦理

当前学术界对公共伦理学大致有以下看法：（1）公共伦理学有广狭义之分，狭义的公共伦理学论述的主题就是公共行政伦理，包括对公共行政主体即行政人员的道德要求和对公共行政客体即公共事务的管理过程的道德考量；而广义的公共伦理学则论述公共利益和公共事务对人们社会生活的合作体系的重要意义及其相应地发育的各种制度（它们在人们的社会生活中组成一个体系）的正义价值何在，从而使我们能够观照现在相应的制度安排是否体现了正义价值。① （2）还有些人认为"公共伦理"这个词听上去有点怪，因为我们不说有什么"私人伦理"，所以主张采用"公共管理伦理学"这一名称。② 依我看，"公共管理伦理学"这一名称显然有其优点，那就是非常明确地指明了自己的研究对象和研究范围，但是，显然它会限制对公共性问题的道德哲学讨论；而且，狭义的公共伦理学如果只研究公共行政伦理，就应该直接称之为"公共行政伦理学"，而不要使公共伦理学有广、狭义之分，因为这样容易使得公共伦理学研究对象模糊。我主张，公共伦理学作为一门道德哲学分支学科，一定得包括对公共性、制度的体系性存在、

---

① 高力在著作《公共伦理学》中主张："公共伦理学是研究公共管理中管理者和管理对象之间道德关系的一门交叉学科。"（高力主编：《公共伦理学》，高等教育出版社 2002 年版，第 17 页。）我认为，如果要在这个意义上来建立一门学科，直接名之为"公共管理伦理学"应该说更加明确。"公共伦理学"这个概念，所包含的内容更加广泛，而且是以伦理学为主。换句话说，是从道德哲学的层面上考察公共利益、公共性、公共领域的伦理价值特征，以及它们如何在各种社会制度中得到体现，从而为公共管理活动提供价值指导。从这个方向上开展对公共伦理的研究，当更能彰显这一学科的自身性质。

② 张康之就认为应该直接称作"公共管理伦理学"。但从写法来说，并未牵涉到多少管理学的内容，而是从行政范型的变革来看公共管理主体的伦理要求，并论述如何体现时代的伦理价值主题。见张康之：《公共管理伦理学》，中国人民大学出版社 2003 年版。

正义价值等的哲学探讨，从而使公共事务的管理者们明白自己职责的性质，公共行政机构自身的自由如何实现，它与其他制度的关联等，从而使之能很好地行使自己的权利和履行自己的义务。所以，我们不能把公共伦理学的任务仅仅局限在为公共行政人员颁布道德规条上。

一、本书的基础视野

为了整体地彰显公共伦理学的本质内容，我们应该采取一个恰当的理论视野。它关系到对公共伦理学的学科性质进行准确定位。我们认为，公共伦理学实质上是一种制度伦理，它并不着重研究道德心理、道德意识和道德美德的构成及其培养方法，而是对客观的人伦关系的制度性构成、性质及其构建所依赖的伦理价值进行研究。可以说，一种能体现和实现其伦理价值的社会公共制度，从本质上说有利于培养人们的公共美德。有正义价值的公共制度和美德之间的协同，是我们的立论基点。所以，本书的中心任务就是研究公共制度对人类的文明生活而言的必要性和必然性，其正义价值有何特点，如何把它体现在具体的制度存在及其运作之中；人们生活于其中，为何和如何受到其伦理教化。所以，本身的基础视野有两个：一是对道德与伦理进行区分；二是对公共制度的文明性和正义价值基础给予哲学说明。

1. **道德与伦理的分野**　在我的理解中，道德就是人们的道德意识和道德良心，它靠自己的主观意识来自我确证，比如社会理性会确定一些道德规范，人们自己也可以使用自己的理性来推论出一些道德规范，我们遵守了它们就自我评价为道德的；或者是良心情感的证实，比如不忍之情、同情之心的发用，对此可以得到一种自我肯定；还有，在这两个前提下，人们自觉地按照它们来涵养、陶冶自己的情感、欲望气质而形成道德美德。这些都属于道德。而伦理，则是指具体的人与人之间的客观关系，比如财产关系、家庭关系、经济关系、政治关系等人伦关系结构在相应的制度中得到具体的体现，并形成一种制度体系，把人们的日常生活行为都纳入其中。它们是人们的意志自由得以实现、行使权利、履行义务的制度环境，具有正义的伦理价值。而所谓不正义，在公共伦理学的层面上看，就是制度体系以各种方式侵害个人的权利，剥夺个人的自由。

　　的确，伦理没有私人伦理，只有公共伦理，但道德则既可以是私人道德，也可以表现在公共领域中，这就是公共道德。我们认为，只有在我们有了道德意识和树立了主体的道德人格之后，我们才会致力于使自己的社会关系伦理化；但是，道德若不以伦理为实体性归属，道德就只能始终停留在主观的道德意识和良心情感层面。我们知道，长期以来，我们对伦理学内容的理解是，伦理学论述道德的起源和本质，制定道德规范体系，并指导人们通过按照道德规范行动，通过长期坚持践履而形成道德习惯，培养起比较稳固的美德。所以，这种观点认为伦理学是以道德规范和道德美德为内核的学说。当然，它指明了伦理学相当重要的内容，那就是规范的制定和美德的涵养、教化。但是，我们必须明白，道德属于主观精神，也就是说，它诉诸个人的内在良心，它最后的依托就是心灵品质的教化成型。当然，塑造美德是伦理学的出发点和归宿点，但是，美德的塑造过程还应该在现实的客观的伦理关系中来进行，这样美德就有机地融合了客观的社会伦理关系中的现实活动要求并以此作为其实质内容。但一般的伦理学理论并不能自觉关注这一点，所以，它们的道德理论视野中的道德教化只有某种主观的性质，其美德学说也局限在主观精神的范围内，美德被仅仅看作仁慈、同情、良心等这些主观情感。

　　这些道德学说，在现实的社会伦理生活中，必然会有以下缺陷：其一，比较正规的道德规范学说，认为道德规范的制定只是靠理性推论，这样，它就追求普遍有效性，即想制定一些在任何条件下都不能容许有例外的道德律令，并促使我们的意志敬畏它，努力地纠正感性爱好的秩序而服从理性的秩序；或者以风俗惯例等作为我们的道德规范；或者凭借着自己主观的道德感受、形成道德自觉来确定什么是我们要遵守的道德规范等等。这些都是主观的；其二，至于仁慈、同情、良心情感，这些东西都是主观的，且不说任何这些情感在人们身上都是有限的，不能及于所有人，更重要的是，由于它们是主观的，所以，能否前后一贯地表现在具体的人际交往中，特别是在重大的冲突、利益诱惑面前，它们是否还能得到坚持，都是难以把握的。

　　把道德与伦理结合起来就能克服此类缺陷。也就是说，我们不仅应该进行主观心灵世界的涵养、塑造，还应该在现实的伦理关系中，通过在各个正义制度中实现自己的权利，获得自己的社会本质和公共人格，由此，我们还会获得一种有客观内容的伦理教化。这样形成的心灵美德，才真正是人们心灵的实有诸己的改变，是人们的心灵变得更为广阔、深厚、灵慧的标志，这对个人来说，更有助于实现自己的生活意义，而且培养美德本身也就是生活的重要意义；对社会来说，培养人们的公共美德，能够使人们的精神世界适应于客观的现实伦理世界，而能拥有社会伦理生活中的对、正当等价值标准，并能够形成正义之德，能够行事公正。在这时，我们的主观精神就进入到具体的实体性的社会制度生活中，认识社会交往活动的复杂性和制度的体系化性质，也认识到只有在这些实体性的社会制度中，我们的意志自由才能得以实现而获得一种现实的存在。比如在家庭、市场、行业协会、警察职务、自愿组织、行政机构和政治国家中，我们的意志内容是不同的，所享受的权利和承担的义务也是不同的。于是，在这些领域中，如果一味地诉诸对个人提出道德要求和依靠个人的主观道德修养，那么多半是靠不住的。即使个人主观道德意识很善良，其道德美德深厚而稳定，那么，在具体的伦理生活中，他也未必能行事正确，体现出该伦理制度的正义性价值。

　　我本人以前对黑格尔晚年的成熟之作《权利哲学》① 为什么把道德和伦理二分，把道德说成是主观精神领域，把伦理说成是客观精神领域，也颇为不解。现在想来，黑格尔的分析是非常有道理的。我们长期以来，以道德代替伦理，所以产生了许多认识上的误区，特别是在公共事物治理方式上的模糊看法。

　　2．正义的制度基础　在公共伦理学的视野中，所有的制度都可能被建立在两个不同的基础上，即自然的基础和非自然的、自由的自我决定的基础

---

　　① 现在中文译本有范扬、张企泰两位先生翻译的《法哲学原理》。由于时代的语境限制，现在看来，该译本的书名作《法哲学原理》是颇为不妥的。因为该书的论述，正是以抽象权利为入口，来展示权利如何在各种制度中具体化、特定化自身，这正是自由的实现过程，从而权利在其中客观化自身的各种制度就表现出了正义价值，故应该译为《权利哲学》。

上。这牵涉到我们构造正义论视域中的公共伦理学的方法问题，也关涉到我们的正义观是否更有力，在理论上更为自洽，成为一个各部分内容相互关联的整体，从而对人们生活中的正义问题作出更好的阐述，并更好地论述人们的公共权利和公共责任，以及公共权力的本质。

所谓"自然的基础"，就是指我们把生活于其中的制度仅仅看作是满足我们的自然需要的社会性设置，或者是从人们的自然需要、自然性的冲动中产生出来的。我们知道，"自然"的特点是人的本能欲望，它的本性是个别的、任性的、盲目的需要和冲动。一些人认为，自然的需要和冲动是野蛮的，不符合道德要求的；另一些人则认为，自然冲动中除了自利、以自我为中心的倾向之外，也有同情、仁慈的倾向，这是道德端倪，只要加以培养和发挥就能成就美德。但是，我们认为，真正说来，自然的状态是一种草莽的状态，它是与文明的状态相对立的。就算人们的自然冲动中有道德的倾向，它们也只能在文明的制度设置中才能得到培养和体现，否则就永远只是一种主观的"善心"。所以，我们的文明制度不可能建立在自然的基础上；而至于"非自然的、自由的自我决定的基础"，则是指我们要从人的文明素质的基点出发，也即从人的理性特质出发。人的理性内涵着自由，它要在社会领域中来形成我们作为人的本质，在这个意义上，自由就意味着要求我们能认同社会交往的普遍规则，并能吸收这种规则的理性本质，从而达到我们的自我决定性，也就是说，我们在社会的普遍规则中生活，不是总是觉得受到一种外在普遍规则的宰制，而是在它之中觉得安若家居，于是，我们作出符合社会普遍规则的行动，就是出于自我决定。这是一种文明素质。这就要求我们从我们作为一个理性存在者的抽象权利出发，来观察我们的公共制度是否具有正义性。因为正义价值的实现，就是我们各种权利在公共制度中得到了实现。

比如，如果认为家庭制度只是建立在自然的基础上，那就只能把家庭的组成看作满足自然性欲以及安顿其自然后果——小孩——的制度安排，假如是这样，那么，家庭就可以采取随便什么形式，只要能满足以上两种要求就行。比如采取群婚制、一夫多妻制、一妻多夫制，夫妇把孩子看作是自己的私人财产，可以任意处置，决定子女的婚姻甚至有着生杀之权等等，都是可能的，而且在历史上也实现过这种家庭制度。而实际上，家庭正义就表现在家庭是两个平等自由的异性公民的结合方式，孩子要成长为未来的自由平等的公民。这就要求家庭制度实现一夫一妻制（这是因为夫妇双方都有着同等的自由意志和人格权利），保障孩子成长为未来社会公民的各种权利；如果认为经济领域只是人们谋取经济利益、满足自然物欲的场所，那么，在经济活动中就可能充满着尔虞我诈、豪夺巧取、强买强卖等野蛮行径。实际上，经济领域也应该成为一个伦理的领域，它应该是平等自由的经济主体相互交换自己的产品和效用，促使社会物质财富增进的场所；如果认为国家是建立在自然的基础上，那么，国家的政治生活就是人们各种自然欲望相互角斗的场所，它就没有任何普遍的文明特征，而只是通过武力、权术、机遇等自然的方式来追求个人权力野心的满足。而实际上，国家是管理社会公共事务，实现公民的政治权利和自由的公共权威机构，它以向公民提供公共产品和服务为自己的中心任务，以保障人们的政治权利的行使，使公民们获得自己的公共人格，实现自己的政治本质为自己的存在使命。这是政治文明的根本特点。我们认为，人类的制度虽然立足于自然的某些任性因素中，但它们的重要特征是摆脱自然的羁绊。人们自由意志的行使和实现，可以客观化为一种制度环境。人类所有有正义价值的制度都是如此，所以，我们的出发点，不是人们的自然权利，而是抽象的自由权利。也就是说，正义不是依照人的自然天性，而是依照自由权利的自我决定性的展开而发展，于是，不是心理基础，而是理性基础推动着正义制度的进展。

二、追寻正义的方法论探讨

我们认为，正义是一种整体的公共伦理价值。那么，我们应该如何去追寻正义呢？对这个问题，有许多学者孜孜以求。正义作为一个公共伦理的价值概念，是与许多观念连在一起的。如大卫·P·列文（David P. Levine）在《自我的追寻和正义的探究》中就提到，我们是以连接不同用词的方式来谈论"正义"的，比如有"作为平等的正义"（justice as equality），"作为应得的正义"（justice as dueness），"作为公平的正义"（justice as fairness），"作为公正的正义"（justice as impartiality），和"作为尊重权利的正义"（justice as respect for rights）等。他说，"每一个用词都告诉我们一些关于正义的信息，虽然不同的用语带有某些不同的内涵，并也许表达着特定作者力图营造的不同精神气质（ethos)"①，这表明正义可以从多方面去追问。许多伦理学家和政治学家就是从不同的角度来理解正义，并构造正义原则的。

　　但是，我们认为，我们不能仅仅构造正义的一般形式，给出正义的一般原则，而更应该在现实的伦理生活和制度存在中来理解人与人之间的公共伦理关系，理解公共伦理关系有着什么样的结构层次、性质才是正当的，它们是如何体现出合理性的，在公共伦理的衡量中，它们有什么样的不自足，需要以什么样的制度生长和安排来弥补其不足，新的伦理实体有什么样的生活世界及其合理性何在等等。也就是说，从正义的实质性内容来看，不可能给出一个统一的公式，而是要在具体的制度中来衡量人们权利的实现形式，其实现途径是什么，有何特点等等。特别值得注意的是，不同的制度有其自身的伦理价值，更高的制度具有不可还原性的自身特点，这些特点，决定了在这些制度中正义价值的实现方式及其实质性内容。所以，正义价值的展开和权利的实现表现为一个历史过程，它与当时的社会现实包括生产力发展水平、生产方式的特点和社会伦理范型等的特质密切相关。我们看到，许多哲学家所提出的抽象的正义公式，实际上都是从当时的社会公共文化中所吸取到的观念。同时，正义问题的确可以从多方面来追问，这能深化我们对正义问题的理解，并从各个方面观察正义价值的特点。但是，我们认为，要全面地考察正义价值及原则，只有以具体的制度为现实依托才能做到，所以，我们追寻正义价值和原则时，就不能以某些预定的价值作为前提，而应采取其他合适的方法。

---

　　① David P. Levine, Self - Seeking And The Pursuit Of Justice, Ashgate Publishing Limited, Gower House, 1997, p. 1

（一）正义应该在制度的发展中展开其内容

为了更加全面地了解正义问题，我们认为，应该从探究社会生活的内在结构、制度的正当性和合理性入手，整体地理解正义之为何物。可以说，正义是一个整体性的价值概念，这就决定了我们理解正义问题可以而且应该取一个历史的视角和一个综合性的立场。我们也许只能这样回答"什么是正义"这一问题：所谓正义，是指我们人类的自由权利通过具体化为各种权利和义务而在各种制度中成为现实，这种制度和在这种制度中行使权利和履行义务的行为体现了正当性和合理性，这种制度就有正义性。而且，我们的各种制度还是相互关联的，一同实现人们生活的自我决定性也即自由和权利，它们在历史中展开，并不断去除制度加在人身上的他律，而使人类在制度现实中实现自律，这就是正义的不断实现的过程。因为这种正义观没有给出一种形式性甚至量化的衡量标准，所以，一开初看上去是不容易理解的。而历史上有许多思想家就着重于给出正义的形式性或量化标准，比如柏拉图就把城邦中三个等级各司其职，各尽其分，而又和谐统一作为正义的标准；亚里士多德则给出了三种公正，那就是交易公正、补偿性公正和分配公正（又有几何比例公正、算术比例公正），罗尔斯给出了正义的两大原则，诺齐克则注重持有公正，等等。他们的确都指出了正义作为公共伦理的总体价值的某些特点，但是似乎都难以揭示正义的全貌。

我们必须在追寻各种制度的正义价值的过程中，展开公共伦理问题的实质内容。我们认为，正义理论必须是权利哲学。这一点，即使是自由主义思想家也是同意的。只不过他们都把权利设定为一种预定的价值，要求利用各种制度安排实现它，所以，他们可以预先确定正义原则。最为著名的就是接过康德哲学立场的罗尔斯所提出的两大正义原则。而我们则认为，不能预先设定一些有特定内容的权利并从此中引申出正义原则，而只能站在辩证哲学的立场上，从空无一物的人的本质即自由意志出发，这种自由意志与抽象权利、平等是等同的。所以，在权利哲学的入口，黑格尔说，"平等只是一个抽象概念，而不是别的什么——在最初的水平上，它是生活的形式性思想，而且这种思想是没有现实性的纯粹理想。"① 但是，在现实社会生活中，抽象的平等权利立即就变成了不平等，表现在各个方面，比如财产拥有方面的不平等，社会的不平等，家庭生活质量的不同等等。于是，我们思考平等权利，就不能把平等权利设立为一个公共价值的既定标准，来评判一切制度设置，而是应该从抽象权利如何客观化自身来思考人们的自由意志如何在具体制度中得到实现，这些制度如何发展为一个体系，使权利的行使越来越成为人们意志自由的现实，从而实现人们的公共自由，获得正义价值。所以，这一思路，与自由主义的思路有很大不同。但是，在相关的制度阶段（特别是行政机构和宪政国家等制度）中，我们可以消化吸收自由主义正义观念的许多内容。

更进一步，我们发现，公共组织和公共利益是人们社会生活的内在需要。这是因为人们在社会合作体系中生活，能够获得单个人状态下所不能获得的各种益处。而在社会合作体系中生存，就必然会产生公共组织，其目的是为全体成员发现和创造公共利益，也即致力于使社会成员的各种权利得到实现，致力于实现正义。所以，公共性就内含着正义，或者说，正义价值的展开必然会要求公共组织体现出其公共性，公共组织的正义价值的实现，就表现在它们能发现和创造可普遍分享的公共利益，而不是致力于谋取特殊利益；同时，从其运作方式来说，公共组织的权力也是公民赋予的，所以，广大公民对于公共组织的公共决策过程应该享有广泛的参与权，这才能充分体现公共组织的公共性。

制度的公共性维度有着不同的表现，比如，家庭制度是立足于自然欲望上的制度，从其本身来说是私人领域，但是它也表现出公共性的方面，因为这种制度为所有人所采取，与社会经济制度相关联，并且其成员也是国家公民；市场制度也有其公共性，表现在它能扩展其秩序，而且需要信用这一公共联系纽带来维系；而公民社会的自愿组织的目的就是服务于公共需要

----

① C. W. F. Hegel, System of Ethical Life And First Philosophy of Spirit, edited and translated by H. S. Harris and T. M. Knox, Albany: State University of New York Press, 1979, p. 125

（这些公共需要所关联的范围有大有小）；国家和政府是一种握有公共权力、享有公共权威的组织，因为它们是全体国民公共利益诉求的最高对象，所以，国家和政府的公共性尤为重要，其正义性就表现在它们能够使其公共性在公共管理过程中得到实质性的体现。

（二）处理正义问题时的各种误区

近代以来，由于商品经济的发展，人们的交往、交易范围空前扩大，社会生活逐渐走出了古代的小型共同体和熟人关系，而进入到一种抽象、普遍的关系中。在这个时代，个人对小型共同体的归属意识变得较淡，从而抽象的平等和自由权利意识开始突显。所以，正义问题就集中到了交易的公平和社会国家对平等的个人权利的保障和社会义务的公平分担上。但是，如何在理论上论证这一点，并思考把一种社会制度评价为正当的正义价值观念是怎样的，许多思想家有过诸多探索，陷入了许多误区，也有许多启示。

1. **自然权利理论的误区**　自然权利理论在思考一个政治社会如何才能是正义的时候，不是从一个设定的最高概念中来预设正义的标准，而是转向基础主义，即回到一个最初的状况中，假定一些最基本的条件，然后从中引申出一些正义标准。霍布斯、洛克、卢梭等人的权利理论，给了正义理论以一种正确形式，即从权利出发。然而，他们一开初就把权利、自由、正义等所需要的自我决定的特征给去掉了。他们是从设想自然状态下自由的性质出发来设计如何保护和促进这些自由的社会制度和国家政治制度。他们通常遵循以下逻辑思路：人天生是自由的，并被赋予了平等权利，然而我们并不能生活在自然状态，也就是说，我们必然要生活在社会状态。那么，这就有以下可能性：A，自然状态下人们虽有自由和平等权利，但是由于人人对自然财富都有同等的主张权，而物质财产又有着排他性，并且自然财富又总是不够丰富，所以，必然引起争夺，那时又没有一个仲裁机构，所以，那种状态下一定会出现"人对人像狼"的局面。所以大家必须出让所有的权利给一个最高统治者，让他来组织政府和国家，获得足够的暴力手段，对人们的利益追求给予公平的保障。这就是霍布斯的思路；B，或者认为，自然状态是一个和平状态，人人都是平等、自由的，但是这种状态维持和保障起来很不方便，所以，人们应该出让一部分权利，推选公共机构来维护人们的基本自由权利即生命权、财产权和自由权。这些是个人的最基本权利，在订立社会契约时没有让渡出去，所以，它们是个人得以独立，抗拒外来非法干预的最后堡垒。这是洛克的想法；C，或者认为，人在自然状态是生活得很自由的，人与人之间的关系也是符合正义的。然而人是必须过社会生活的，但历史中的社会状态都是腐化的状态，原因就在于文明使人腐化，私有财产使人堕落，于是，就需要重新设计一个社会制度，在这种制度中，人人都让渡了自己的所有权利，但人人又可以在公共权力机构中行使自己的同等的政治权利，从而使自己的权利与自然状态相比一点也没有减少。这是卢梭改革社会的雄心。

也就是说，对这些思想家来说，后面的伦理制度实际上就包含在对自然状态的权利和自由的理解之中，所以，伦理结构就预先被权利概念所决定了，正义的标准也就被预先确定了，似乎社会以后就必须向这个方向发展，不这样走，就是不正义的。这样一来，虽然自然权利论者并没有设想一个最高的含有一切道义价值在内的概念作为前提和目标，而是挑选一个最基本的权利概念作为自己理解社会正义的基础，但是，他们却必须把这种权利在思想中加以具体化，使它们带有各种不同的政治价值意义，从而指导他们对社会制度的设计。在这个意义上，他们仍然是让权利概念外在地被决定，而不是被内在地自我决定。这就表明，他们的权利概念中有任性的成分，因为他们各自按照自己的想法来赋予它们以具体内容，实际上是把自由（freedom）还原为任意（liberty）了。正如理查德·迪恩·文菲尔德所说，在自由主义中，"任意（liberty），在它有先于意志的特定行为的确定本质的范围内，存在于一个由自然给予所有个体的共同选择的既定功能之中，不管这些行动会建立什么样的惯例。"① 自然权利论者的根本症结就在于：在自然状态中，意志只能是意欲的能力，它还没有对象性地占有，于是所有人的意志在性质

---

① Richard Dien Winfield, Reason And Justice, Albany, New York: State University of New York Press, 1988, pp. 78—79

上都是一样的，正是在这种意义上，他们说人与人是平等、自由的。然而他们处理的又都是社会性的正义，所谓"自然正义"只有在比喻的意义上才能谈到，比如"因果报应说"，"天惩说"等等。这就使得他们的社会（公共）正义观点依赖于自己对社会性的自由和权利的主观认定。

我们来分析一下，在自然状态中，人与人之间的关系大概只能是以下这些情形：A，每个人都有绝对的自我选择的自由；B，大家都没有建立任何协议和商讨机制，其选择就只能是基于任性；C，在这种状态下，相安无事是偶然，一切人反对一切人那是常规。因为在这种状态下，是每个个别性的、任性的人在交往，他们缺乏相互尊重。而实际上只有这种相互尊重才能为权利提供一种能保证其存在的光荣的责任，但这个东西却是不能建立在自然意志之上的。

于是，他们不约而同地想到了契约。因为契约这种设置，比较好地符合了在他们所设想的自然状态下产生人际关联的要求，因为他们要靠契约走出自然状态，而进入到社会状态。比如说，订约的人们是平等的，契约的内容是商定的等等。然而，他们赋予契约的理论任务过于巨大，以致难以承担而导致产生困境。他们的契约不只是双方交换商品的那种社会约定，而是要成立国家的公共权力机构，所以，严格说，他们的契约论不是"社会契约论"，而是"国家契约论"，而且是产生统治者和被统治者这样一种政治结构的大事。契约论承担得了这样重大的任务吗？不能。黑格尔曾经批评说，这等于把国家制度建立在任性的基础上。①

退一步说，就算可以通过契约来形成公共权威，自然权利理论家们仍然面临一个困境：自然权利理论主张，人在自然状态下的自由、平等是无限制的，因为自由的无限性会造成冲突或行使自然状态的自由的不方便，所以需要通过契约来成立公共权力机构，为人们提供公共秩序。但是能够订立契约，首先必须培养对契约的约束力的尊重，这已经不是自然状态下的任性，而是一种文明素质。契约性地组成公共权威就意味着我们尊重其统治有效性

---

① 参见黑格尔著，范扬、张企泰译：《法哲学原理》，商务印书馆1961年版，第255页。

和合法性。所以，契约性地组成的公共权威是外于或后于自然意志的自由的东西。这就是说，契约只能在自由的意志之间才能订立，这意味着自然状态的理论假设在逻辑上是无法为契约论提供前提的。

2. **康德自由理论的成就与局限**　康德发现，霍布斯、洛克、卢梭等无一例外都把权利看作自然赋予的权利，他知道，从自然出发，如果不借助人为的设计，我们实际上难以前进一步。于是，他认为，我们理解公共伦理关系，应该从道德人格出发，而不是从人的本性出发，从自然权利出发。公共领域、政治领域实际上是文明开化的领域，所以，应该有道德人格的基础。在他看来，道德人格就是人们能够让自己的意志听从理性的绝对命令，这样就能达到意志的自我决定。所以，他明确地意识到了：霍布斯、洛克、卢梭等人在思考政治伦理时，由于从自然权利出发，从人的本性出发，所以，他们的理论都不可能是自我决定的，而是一种前设条件的理论。因为自然状态与文明的社会状态实际上没有相通之处，可以说是两种不同的状态，怎么能从自然状态来观照文明的社会状态的有序和正义呢？所以，他们在思考公共伦理问题时，都没有获得一个恰当的立足点。康德有鉴于此，主张正义的社会状态实际上应该由有道德人格的个体所组成，他们才能通过契约的方式订立保障他们的社会政治权利、道德权利的法律，成立政府，在这么一个公共政治的领域中，每个人都作为一个独立的道德主体来参与社会公共活动。所以，霍布斯、洛克、卢梭等人的权利学说并没有耗尽其理论意义，只是需要把它转换成社会平等权利和道德平等权利。康德的《法（权利）的形而上学原理》，就是这么一部著作。他反对以前契约者把权利分为"自然的权利"和"社会的权利"，他认为，正确的划分是"自然的权利"和"文明的权利"，它们分别可以称作私人权利与公共权利。社会与自然并不构成二分，因为在自然状态下也可能有社会状态，但是，"在那里没有一个用公共法律来维护'我的和你的''文明'的社会结构。"① 也就是说，公共法律要维护那些超出个人所有物的东西。比如人身，它看上去是个人所有的，但

---

① 康德著，沈叔平译：《法的形而上学原理》，商务印书馆 1991 年版，第 51 页。

是人并不能随意处置自己的人身，更不可能对他人有这种关系，"因为他要对在他自身中的人性负责。"[①] 换言之，这不是属于他个人的权利。肯定这些权利的存在，实际上是从个人在文明状态的道德平等权利出发，主张对彼此权利的保护必须诉诸法律状态的公共正义。它要求的是："所有的人，如果他们可能甚至自愿地和他人彼此处于权利的关系之中，就应该进入这种状态。"[②] 在此种状态下，人们要遵守根据公共宪法所规定的人们共存的法律形式，而不是像在自然状态下，人们没有法律的普遍规则，只凭个人任性冲动而行动。这就要求，文明状态的标志是人们按照分配正义的条件组成一个法律的联合体。这是可以从相互的权利概念中加以阐明的，它与单纯作为暴力的力量截然相反。

然而，康德立场的这一转变，虽然克服了自然权利学说的诸多困境，特别是他们从自然状态过渡到社会状态（实际上是国家状态）时的那种无效逻辑，但是尚未达到理论出发点的自我决定。他的权利理论，只是平面展开为社会的各种特定私人权利和公共权利，而不是让它通过自我决定的自由展开为一个个自立存在的制度，这些制度又需要得到更高发展的制度来补充，从而表现为人的意志通过自我决定而不断追求自由的实现，体现出正义。

3. **罗尔斯正义理论的论证策略**　罗尔斯对以前契约正义理论所存在的问题有着深切了解，但他却把这些理论所存在的不足理解为它们的抽象程度不够。而他把契约理论提高到更高的抽象层次的办法就是把它限定为纯粹的选择程序，认为这样一来，他就没有援引任何特定的价值观念进入选择过程，从而不会干扰原初选择的公正性。在他的解释中，使法律和制度成为正义的不是它们预定的内容，也不是它们是否与人的本性相一致，也不是神的法律所理性地预定的目的，而仅仅是它们是否会根据原初状态中的选择程序而被选中。这为罗尔斯所说的纯粹程序性伦理学给定了一个基础，它能形成唯一的选择正义原则的程序。他成功了吗？

---

① 康德著，沈叔平译：《法的形而上学原理》，商务印书馆1991年版，第87页。
② 康德著，沈叔平译：《法的形而上学原理》，商务印书馆1991年版，第133页。

　　根据理查德·迪恩·文菲尔德的研究，罗尔斯由这种纯粹选择程序引出两大正义原则的想法是崩溃了的。

　　（1）对原初状态的描述依赖于对自由和平等的优先性的先在断定。这是一个声称只由纯粹选择程序进行选择的学说所不允许的，如果你设定了先在的实质性的价值内容，那么，你的选择就会围绕着这个先在的价值观念转圈子。当他争辩说，平等自由的原则在原初状态中的各派都会一致同意时，这个圈子就很明显了。而理性自利的人的假设和自尊的需要的假设，也是一种心理学的前设条件。即使这是真的，也不会改变以下事实：这些理由只是理性的审慎计算。所以，罗尔斯实际上是先设定了自由平等权利和自尊的需要等前提条件，然后从中引出正义的第一大原则。①

　　（2）差别原则能否逃避这些困难呢？麦金太尔认为，差别原则似乎建立在对需求平等的合法性的诉求上，而这与对自由的必要性的肯定性诉求是不可通约的。因为自由作为前提来说，并不能保证在竞争合作的过程中所获得的利益也有平等的结果。换句话说，经济自由、政治自由一定会带来社会经济地位的不平等，这是自由的必然结果。从自由中推不出应该对这种状况进行矫正的结论。所以，调节社会经济的不平等违背了个人的财产应得。但是，我们认为，这一反驳其实并没有击中要害。因为在这里，他忽视了，对自由的考虑并不是现在的课题。罗尔斯明确地认为，第二个原则并不是从第一个原则推论出来的，而是原初状态中的人们在展望合作体系中人们竞争的结果时会加以考虑的，并一致同意对这种社会经济的不平等加以必要的限制。当然，这种安排同样要由公共权力机构来加以实施。但是由于一致同意需要假定"无知之幕"，并且的确要以自由平等的个人为前提，所以，这一考虑，仍然不是自我决定性的。

　　而且，差别原则还要以市场经济为背景。但是，市场经济是一定社会阶段的生产和财产交换的制度安排，而不是人类社会的必然特征，所以，市场

---

　　①　Richard Dien Winfield, Reason And Justice, Albany, New York: State University of New York Press, 1988, pp. 121—124

经济也并没有独立的规范有效性，于是，罗尔斯的正义论就失去了其绝对普遍的理论性格。他的著作的名称是"一种正义理论"（A Theory of Justice）而不是"正义论"（The Theory of Justice），表明他似乎意识到了这一点。但实际上，他的目的却是要给出一个普适的公平正义的原则。

这就产生了一个矛盾，明明是论述一个社会阶段现实中的正义问题，却偏偏在论证时想把它弄成一个普遍的原则，并从方法上加以纯粹化、抽象化，所以，在理论上表现为一个"企求问题"（question - begging）的困境。其实，如果明确地说，我是以公民是自由平等的道德人的民主政体为政治制度背景，以自由的市场经济为经济制度背景，来论述在这么一个社会中如何保护和促进个人的平等自由的权利，以及社会和经济不平等应该如何安排，并由公共权威机构来实施（也包括动用公共资金来施行社会救济和福利计划），那么除了理论本身具有了为现实社会制度论证的这样一种性格之外，在理论原则上也是清楚明白的。但这样一来，契约论的特点却又被抹去了。

其实，休谟早就认为，"社会契约并没有约束力量，除非契约必须得到尊重和承认已经是一个确立了的原则。"① 但是，如果这个原则已经具有了规范有效性，则社会契约就失去了其作为伦理规范之源的特权角色；若没有确立这个原则，则社会契约的条款又未必有自己的合法性。这是社会契约论的内在困境。

诺齐克观察到了，任何想把规范建立于一个特许的过程中的理论，都是从不能由这个过程来自我证实的东西出发的。他的这一观点，的确击中了罗尔斯想复活社会契约理论的努力的弱点，然而，这实际上也是他自己的自由原则的阿基里斯之踵。因为，他把自由原则作为一个最高的原则而推论到底，从而不允许国家对人们自由竞争的结果作任何制度性调节，所以，为了个人的自由，社会的自由和政治自由都被看作是一种威胁，而不是对个人自由的成全。

---

① Richard Dien Winfield, Reason And Justice, Albany, New York: State University of New York Press, 1988, p. 114

　　后来，罗尔斯在各种批评意见的影响下，重新审视了自己的理论前提。他发现，原初状态、无知之幕、市场制度和民主政体、理性自利等假设作为一种哲学伦理学的前提的确是要求太多了，但是他并不打算改变这一切，而是通过把自己的学说改造成一种纯粹的政治学说来规避一种作为哲学体系的前提的自我决定性的要求。作为政治学说，我们可以从一种政治信念出发，来论证各种政治价值，并设计政治过程来使之得以实现。所以，他不再宣称他的学说是一种完备性学说，而只是一种政治学说，以组织良好的民主政体作为前提，这就已经蕴涵了每一个人都是平等自由的道德人这一前提。也就是说，他利用了社会文化发展中的现实政治价值作为前提，在这一点上，他已经不再是传统意义上的契约论者，对康德的哲学立场也作了某些修正，而吸取了黑格尔的某些思想。①

　　然而，他的这一做法却回避了真正的哲学伦理学问题：即如何从一种空无内容而又能自我决定的权利概念出发，来展现正义在各种制度现实中的实现过程。

(三)追寻正义,只能采取辩证论的立场

　　在对自然权利理论和契约论的社会正义观的诸多弊端作了全面的剖析之后,我们在追寻正义时,必须持一种辩证论的立场。

　　第一,我们应该把自由和平等权利作为规范性之源。的确,正义存在于有效行为的范围内,只能从没有自身基础的自我决定性的有效性出发,它将表明,正义其实关乎自由行动的实现过程。

　　正义理论必须从自由的最小结构开始。有资格作为开始点的因素,将通

────────────

　　①　本人在斯坦福大学哲学系访学期间，就有关问题与我的导师（mentor）Debra Satz 教授进行过讨论。我当初的想法是，罗尔斯全面承接了康德的契约论思路，故而他也把政治的文明状态的公民特点作为出发点，比如把在原初状态下的人们看作是有平等的道德人格和政治权利的公民，所以，其正义理论的出发点仍然是非自我决定的，而是有着预定的价值观念。理查德·迪恩·文菲尔德在他的著作《理性与正义》中也持这种观点。Debra Satz 教授说，理查德·迪恩·文菲尔德教授说罗尔斯的论证是失败的，其理由她不太赞同。她并不把罗尔斯视为一个传统的契约论理论家，而是把他看作一个在进行其理论建构时从公共文化中吸取观念的人。可以说，这里面包含了黑格尔哲学的某个本质方面。她对我说，她是一个罗尔斯主义者（Rawlsian）。这当然是一位西方哲学家个人的看法，可供我们参考。

过设立自我决定性的排他结构,把所有进一步的结构整合到自由的现实中去。换言之,正如黑格尔的《小逻辑》所认为的,哲学无所谓起点,无所谓终点。意思是说,哲学不能从一种预设的立场出发,更不能从一个最终的价值观念出发,而只能从一种存有却空无规定的纯粹概念出发。所以,他的第一个范畴就是"有",第二个范畴是"无",第三个范畴是"变"。按照我的理解,这实际上是人类思维结构即判断的三个形式,即肯定式、否定式、变化,它们空无内容,却要不断地特定化为各种具体判断,而且这些具体判断都要含有这些最基本的思维结构形式。同理,在人们的实践领域中,也应该从一个空无内容但又能通过自我决定性的发展而不断获得自己的现实内容的因素出发。这个因素就是自由权利。

人是有意志的动物,其意志是一种作出决定诉诸行动、造成社会现实的能力。这正是伦理的领域。这是人类超出自然状态的一个基本能力,没有意志,人就会混同于自然界的万物。因此,黑格尔说,意志的本性是自由,就如同物质的本性是重力一样。所以,我们追求公共正义,考察权利的实现过程,就必须从自由开始,因为自由在最初是一个抽象概念,空无内容,同时又必定能够特定化为一种现实。它一开始不是特定的价值,也不是崇高的理想,它只是我们人类行动的最小结构,它要在现实活动中一步一步地实现自己,彰显自己在具体的制度中的价值,即正义。

第二,自由必定需要进一步发展和现实化。自由不能设定任何既定的原则和价值,因为如果这样做,就意味着把它们作为一个标准,并设计各种制度来实现它们。但是,这些原则和价值是没有经过批判和追问的,所以容易遭到相对主义、怀疑主义和虚无主义的挑战。因而,我们所能做的应该是系统考察正义价值在各种制度中逐渐得到实现的过程,我们要在人类社会发展已经出现的制度中,找出自由相应的行为结构,这种结构会成为我们行为构成性的前提条件,并可以在自由的现实化过程中相互保障。①

---

① Richard Dien Winfield, Reason And Justice, Albany, New York: State University of New York Press, 1988, p. 155

黑格尔在这个问题上是有清醒意识的。他的伦理制度与亚里士多德的伦理制度有很大差别。亚里士多德的伦理制度是以目的论(Teleology)作为方法的,所以,家庭、村坊和城邦是部分之于整体的有机关系,家庭以村坊为目的,家庭和村坊又以城邦为目的,于是,人们的生活行为就都欲求城邦的政治生活,以此作为自己生活行为的最高目的。这样一来,城邦是公共利益的化身,因为城邦生活是人类所能成就的最高最广的善业。所以,亚里士多德认为,对城邦的政体应该是什么没有必要进行具体的规定,只要能够为公共利益服务就行。但是对什么是公共利益,怎样服务于公共利益,他却无法给出更多的说明。而黑格尔则认为,政治性的制度是正义的最高制度,前政治的自由制度只能存在于正义的国家之内,因为国家要求它们作为自己的组成部分。但是,它们要依靠自己而存在,即在正义的条件下存在。任何制度,比如家庭、市场、行业协会、自愿组织、民政政府、国家等等,都必须有自己的独立性。它们之间的关系是相互联系的,高级的制度必须包含较基本的制度,比如在国家中,就应该保护人们的财产权利、道德主体地位、家庭、市场、行业协会,并支持自愿组织等等,国家与这些制度的关系不是吞没和被吞没的关系。

第三,从方法来说,要从没有基础的决定性出发,它可以排除各种关于现实和知识的前提假设。自由权利只要变成系统,就能从空无出发而成功地为自己奠基。自由和权利的概念开头正是空无所有的。这里先辨析一下权利问题:权利从其形式因素来说,是一个人作为人的全部持有物,如果要用一句令人印象深刻的话说,就是尊重所有人为人。其形式规定就是平等。可以说,权利是一个最大的概念,正因为其最大,所以也最空洞。但也正因为如此,权利有赖于在历史发展和现实制度安排和人类活动中来实现。可以说,权利的实现,是公共伦理所关注的最高目标,而权利的实现所体现出的人与人之间的关系以及制度的价值性因素就是正义。若一种人与人之间的关系不能实现人的权利,反而漠视和损害人的权利的实现,那么,它就显然不是正义的。所以,正义问题也是随着历史的发展而不断展开的。它的本质不是别的,正是人们的制度安排能否逐渐实现其理性本质。所以,权利、正义与理性是密切关联着的。于是,正义论必定是权利的哲学,而不是一般善的哲学。人们如果不想借助任何价值前提来决定自己,而是进行自我决定的话,那么,就只能让我们的权利客观地分化自身,并在现实的制度安排中不断得到实现,这将表现为一种客观的合理性的进展。

所以,自由和权利在这里并不是被作为一个原则,而是一个将能够为自己奠基的空无。它不是意志的特定内容,意志的特定内容不可能是自我决定的,而必然是相互抵触的。意志要自由,就必须意愿着把与其他意志的关系作为它自我决定的一部分。于是,自由的意志就不是自然状态的自由,不能仅仅是否定性的选择自由,而是自由与自由相遇,自律与自律相容,它在与其他意志的关系中得到自由。因此,自由的意志是超出自然的。

自由最基本的现实结构就是财产关系。我们说过,自由意志超出了自然意志,而与其他意志处于一种相互关系之中,它要成为自由的,就要把与其他意志的关系作为自我决定的一部分。而财产就是一种最基本的文明和正义的制度。因为其中必定包含相互承认,否则,就不能说这是我的所有物。得不到相互承认,就是自己的身体也未必作得了主,比如奴隶就没有财产,甚至对自己身体的权利也没有。所以,自由的最基本结构,是与组成财产的原初承认的相互作用是相等同的。财产是一系列相互作用的成果,而不是前提。也就是说,要在相互作用中彼此承认对方的权利。黑格尔说,财产是一个人的定在,它是一个人自己意志的客体。这是基础。我们看到,这种财产制度仍然是一种抽象的制度,因为我们还只是看到,意志要成为自由的,只能进到与其他意志的关系之中,这种意志间的相互作用就撑开了一个最基本结构,那就是以相互承认为特征的财产关系。

第四,再进一步说,自由需要在现实的政治结构中得以实现。所以,政治领域将是一种有独立性的正义制度领域。问题是如何构造并运行这种制度。许多人提出,自由的政治体系和自我管理要求独立的、非政治的联合体的多元存在,它们可以在个人与国家之间起到缓冲作用。这当然是有意义的,但是,它却有某种权谋的色彩,到最后,多元的联合体本身是否能保持其为公共利益服务的初衷,那也很难说。况且,以一些非正规的缺少公共授权的组织来专门督促政府,从制度安排上说,未必是一个进步,它也有可能成为政府工作的掣肘。真正说来,只有在国家的政治伦理价值的框架下,多元联合体本身才有其活动的领域,那就是市民的自我管理,以及作为市民群体自我利益的保护和促进的手段,并且使市民形成单个人状态所难以获得的集体力量,它有助于增强市民社会与国家政府讨价还价的能力。另外,政府的公共决策要体现出民主的价值原则,也需要容纳公民的广泛参与,并与各种非政府公共组织广泛合作,从而更有效地提供公共产品和公共服务。在这个过程中,我们看到的是公民的社会权利和政治权利的实现。然而,我们必须懂得,"自由问题不能简单地被认为就是对政治权威的权力的限制。自由同样要由设计政治权威的框架来加以保护,这种框架要使得多个群体为了所有人的利益而协调、整体地行动成为可能。所以对自由的保卫需要与正义的框架关联起来,在某种意义上,这种正义的框架能保障在国家共同体的范围内公平地对待群体和个体,并反对对社会秩序的无理侵害……公共政策的伦理方面的考虑必须包括某些对在整个政治社会中的自由、平等和共同体的价值的适当、'正义'的分配的讨论",①也就是说,"从公共伦理学的立场看,合法性标志着政治——法律系统的规范性评价和辩护。"②

我认为,如果从以上角度理解正义问题,我们将能够更加条贯地把握正义的历史发展及其现实内涵,并能够把公共伦理学的研究置于一个坚实的基础上,从而对现实生活中各项制度的正义价值进行考察,这能够使我们在社会公共生活中更加自觉地形成一种正义关怀,全面地促进正义价值的实现。

三、公共伦理学的意义及其使命

公共伦理学有什么意义?我们认为,它所注目的根本问题就是各种制度层面上的公共自由和正义价值的实现。离开这一观察点,公共伦理就都只有想象性或乌托邦性质。

---

① Ronald. P. Hesselgrave, Public Ethics For A Pluralistic Society, International Scholars Publications, Bethesda, 1998, p. 18

② Ronald. P. Hesselgrave, Public Ethics For A Pluralistic Society, International Scholars Publications, Bethesda, 1998, p. 27

　　其一，所谓"人性假设"不是思考公共伦理学主题的合适理论。公共伦理学的根本任务是思考如何实现各个制度层面的公共自由。我们认为，为了更好地完成这个任务，公共伦理学的理论基础显然不是人的自然本性，而是人的意志自由。从人的自然本性出发，许多论者认为人性有根深蒂固的自利倾向，认为这是市场社会向前发展的根本驱动力；同时又认为，如果只是任由人们的自利冲动起作用，那么，就根本不可能有一种公共秩序，于是，他们又假设人的本性中有理性，理性会让大家一致同意授权公共机构为市场经济竞争和交易环境提供公共秩序，包括公共法律、警察等公共服务来维持市场经济的良好秩序。总之，理性自利是其基本的人性假设。然而，人的自然本性到底是什么谁也说不清，但是为了论证某种社会观念的正确性，只要需要假定人的本性有什么特性，就可以说它有什么特性。比如在以后的管理理论发展过程中，人们发现，如果只注重单纯的利益动机，那么管理就要侧重于严格的管理程序，考核与所得挂钩，从而使管理产生最大效益，所谓"科学"管理就建立在这种人性假设基础上，实际上是想要对人的行为进行量化管理；但以后又发现单是注重利益刺激并不能真正调动人的积极性和主动的创造精神和责任感，于是就出现了"社会人"的人性假设，注重人们的成就动机、受尊重的需要等等。但如果把这些特征说成是自然本性，那就显然不合乎道理，本性状态就是自然状态，是人的自然倾向和需求，所以，把社会文明成果说成是自然本性的特点，表明这种思维方法是牵强的。

　　公共伦理学当然不从所谓的"人的本性"的假设出发，它注重一个事实，那就是人的意志是自由的，从这一点上说，它就已经超出了自然。当然，自然的任性的特点是人生存的实情，人们的公共活动，在各种文明制度环境中的活动，都是立足于自然性的任性的基础上的，这是没有问题的。但是，我们文明制度的建设和发展不单是为了满足自然需要，而更是为了使我们的自由和权利得到具体化和实现，使之成为一种社会现实，从而能够持续存在，获得一种制度的外观，在这个过程中，当然我们的自然需要也得到了满足，但是，自然需要的满足不是其唯一目的，甚至也不是其最主要目的；同时，需要注意的是，在这个过程中，不是靠所谓自然本性的发用，而是人们的自由意志在相互作用，寻求相互承认、互惠合作,展示为家庭生活和生产、交换、分配、消费等经济制度,以及建立于它之上的公共权威机构即国家政权和政治体制等等。在这些制度中,人们进入了越来越复杂的伦理关系中,能够行使自己的权利和履行自己的义务,从而在越来越高的层面上实现自己意志的自由,而公共制度如果能够顺利运作并得到完善,就表明公共自由得到了实现,并体现为制度的正义价值。

其二,公共利益的制度实体性。我们国家是实行人民民主制度的国家,公民们在政治、道德上是自由、平等的公民,换句话说,公民的平等自由权利和民主参与的权利是受到国家宪法保护的,在法律许可的范围内,我们可以行使自己的公民权利。于是,对我们公民来说,就应该负起自己所应负的公共责任。所以,公共责任在公共伦理学中占有显著的位置,这对一个自由、平等、民主的社会的公民来说,有着特别的重要性。

阿列肯德尔·索尔琴尼津(Alekandr Solzhenitsyn)在 20 多年前就指出过,在西方社会,猖獗的物质主义,把自由还原为个人欲望的追求,而不顾社会、伦理和精神的目标,这些现象都证明西方民主制文化没有发挥自己应有的作用。[①] 可以说,公共伦理精神应该包括"基本的公民美德"(basic virtues of civility);"责任"(responsibility);"正义"(justice)和"节操或正直"(integrity)等,如果这种精神崩溃了,那么,政治就会沦为只致力于进行权力的争夺,个人也不会牺牲一些私人利益而为更伟大的"善"服务。为什么有这些更伟大的"善"呢?从表面上看,每一个人都是分散的、独立的个人,他们都拥有自己的个人利益。如果从一种原子式的个人主义的眼光看,则不存在高于个人利益的公共"善"——更伟大的"善",他们认为,没有不能还原为个人利益的公共利益,而如果认为有这种不能还原为个人利益的公共利益,那就是意识形态的欺骗,是以公共利益之名来剥夺合法的个人利益等等。果真如此吗?

这种观点,显然没有考虑到公共利益的制度实体性。个人的自我,只有在

---

① see Ronald Berman, ed., Solzhenitsyn at Harvard, Ethics and Public Policy Center, Washington, D. C., 1980, pp. 3—20

制度中发展为公共自我(public selfhood),才能使自己的意志自由获得更大程度的实现。所以,公共伦理学的一个重要任务,就是培养人们的公共伦理意识,促使人们从极端个人主义的泥潭中走出来,而获得对一种人群联合的纽带和相互协调行动的欣赏力,比如对群体、人民、政体的联合纽带的价值感。这种价值感是十分可贵的。在现代社会的私人领域与公共领域二分的背景下,要使个人获得自己的平等的政治权利和道德资格,这是现代民主社会所必须坚定地加以保障的私人领域,它是个人获得自主、独立意识,抵制公共机构对个人自由的侵害的堡垒。这个领域的存在界限,也划定了公共领域的存在范围及其功能定向。从逻辑上看,如果社会保障了个人领域的不受侵害,就能够使个人更自觉地维持公共领域的存在并促使其健康发展,因为他们能够理解到,人们作为个人的权利能否受到保障,显然与我们身处其中的制度实体所代表的公共善的水平以及它们是否有正义价值是密切相关的。假如一个制度(特别是政治经济制度)不正义,那我们个人的平等权利就不可能得到实现,从实质的意义上说,不但作为一个民主社会的公民的政治权利难以实现,就是作为一个普通市民的经济权利和人身权利也难以得到保障。所以,在这里,必须正确理解个人权利与社会中成体系的制度实体的关系。那种把个人权利与制度实体的关系看作是对立的观点和做法是有很大误导性的。因为脱离社会中各种制度的个人自由、权利显然只是抽象的,它们只有在现实的财产、家庭、市场经济、志愿团体、公共行政机构、政治国家等社会制度中才能得到实现。对高于个人的公共权力机构侵害个人应有权利的可能及其内在倾向抱有一种高度警惕,并主张以制度的方式加以防范,是一个民主社会公民基本的公共意识,但是要明白的是,由于公共权力机构是一种高度发展的政治制度,所以,我们应该承认其自我目的性的存在性质,并努力完善其制度设置,实现其自身的目的和价值,而不是反过来把它们仅仅看作一种维护个人利益的工具。因为如果公共权力机构只是一种工具性存在,那么,我们就不能在其中获得更高的伦理教化,我们的自由和权利就不能在其中得到更高的实现,这样,我们的自由和权利可能就是停留在对个人私利的追求的自由以及在满足自己的各种偏好时的自我决定、自我选择上。我们看到,这种思潮是有问题的,会造成个人主义思想的泛滥,他们无法理解更高的组织、群体的联系纽带对个人的自由的发展的公共伦理意义。

其三,如何思考公共伦理的知识性层面的内容,并进而确认其价值内涵,是公共伦理学的基础性内容。所有的制度都有一个"公共面孔"(public face),包括家庭这种看上去很私人性的制度,也有其公共性的一面,更不用说其他本身就有公共性的制度了。所以,本质上,制度的存在,是为了人群的相互关联的共同活动,它们服从一种集体行动的逻辑,这是我们对这些制度进行知识性考量的基础。这就是说,我们在考察公共伦理问题时,不能价值先行,即一开始就从某种价值学说中摘取某些价值观念,然后要求我们的制度来实现它们。这种做法有时可能导致非常悲剧性的后果,并且必然会遭到崩溃的命运。这里姑且举一个例子,以求说明问题。比如,柏拉图在从"善理念"的全面公共性出发思考家庭时,发现家庭中有许多私性成分,比如恋爱、婚姻的双方个人自主性和偶然性,家庭财产、教育等的非公共性质,都妨碍了全体国民最佳公共利益的实现,因而主张毁家、公妻、共子。这是一个反伦理的主张。因为在我们看来,社会制度必须是分化性的,并且各种制度之间相互关联并协调地起作用,这样社会才能体现出正义的价值。这是一种知识。如果价值先行,我们的公共制度运行必然会遭到挫败。如果我们从消除社会中的矛盾着手,把未来社会中所有人的绝对的平等、自由看作是一种社会和政治理想,主张在未来家庭这种制度可以取消,国家这种政治制度也会消亡,只剩下社会成员的自我管理制度,这恐怕也是违反知识的。虽然预言未来总是有着巨大风险的,但我们认为,设想在未来的社会中,家庭、市场经济、民政政府、各种人群联合体、政治国家、国际组织等等制度会发展得更加合理、更加成体系,个人的自由和权利在其中能够得到更大程度的实现,恐怕更加可靠一些。

其四,我们要看到,伦理与道德的用语有不同,道德的观念通常偏重于主观精神的自我证实的内容,如善、良心、道德感情、道德规范、道德原则、个人美德等等,而伦理则更多地与权利、平等、自由、正义、秩序、公共利益、公共美德等关联起来,这似乎与政治学的术语很相似。的确,公共伦理与政治学有诸多关联之处。我们也看到,亚里士多德论述旨在实现公共利益的制度设计的著

作就叫做《政治学》，所以，有学者指出，亚里士多德的《尼各马可伦理学》应该
是道德学，而他的《政治学》则是伦理学，这种看法十分有见地。① 我们认为，
由于从近代以来，政治科学更加偏重于对国家政体、政党制度、政权的运作原
则等等进行探究，并比较注意实证地分析具体政治决策的含义及其实施，所
以，具备了一种社会科学的特征，而其价值特征则留给了公共伦理学，它是对
自由和权利的实现、社会制度的合理性及其正义价值的哲学性探究。

　　社会中的各种制度都把人们的现实生活纳入其中，成为人们的自由、权利
的具体体现，所以，要发挥这些制度在实现人的自由中的作用，首先就要关注
制度的结构、制度发挥作用的过程，促使人们在大家的生活行为之间建立一种
相互协调、相互促进的有机联系和精神价值氛围，这可以名之为精神气质（e-
thos）。"精神气质"对一个制度体系来说十分重要，如果一个制度构架看上去
很合理，各种功能设计也很有匠心，但人们对它的运作过程没有行为习惯和情
感气质方面的呼应，那么，这种制度也是难以发挥作用的。所以，制度作为客
观精神，它们是人们生活行动的有机整体，是一种客观的社会现实，是一种能
够持续发挥功能的具有普遍合理性的有力存在。其次，它对个人的要求就是
必须培养起一种与这些制度的普遍合理性相适应的情感、欲望气质，即公共伦
理德性。制度的合理性要通过以下途径来得到实现：人们对其本质获得了自
觉认识，并且产生了情感认同，进而以这种制度的普遍合理性作为自己的欲望
定向，从而给个人的理性、欲望、情感以一种正确的秩序，只有这样，我们才能
够获得一种有着深厚的自由实现的关怀的制度背景。它是实现自由、权利、平
等、正义之路。

---

① 宋希仁教授主张伦理是一种客观的人伦关系结构，而道德则是人的主观道德意识、良知等等，
可表现为各种道德规范、原则，道德情感和道德行为等等。以这个区分看亚里士多德的伦理学和政治
学，就能发现亚里士多德的伦理学讲的是道德，而政治学则是考察客观的伦理关系和伦理制度。当然，
亚里士多德"把伦理关系归于政治关系，把道德主要看作个体品德和人生问题，因而也未能作出科学
解释"。而康德在伦理学中只对道德作形式的研究而不管伦理，"只有黑格尔真正重视了伦理和伦理关
系，并且建构了关于伦理的理论体系。他的《法哲学》就是他的伦理学"。（"论伦理关系"，载宋希仁
著：《伦理与人生》，教育科学出版社 2000 年版，第 41 页。）这是一种精彩点拨，特此致谢。

第一章　自由、平等权利的伦理哲学含义

为了展开公共伦理学的内容,我们必须对自由、平等权利进行一种哲理辨证,以确定它在公共伦理学中的出发点地位。正义理论一定要表现为权利哲学。这种作为出发点的权利只能是一种抽象权利,而不是各种具有实质内容的权利。所以,我们必须从生存论层次上彰显权利的存在,并确认它对各种善的优先地位。

第一节　对自由与平等的现代人伦的道德哲学阐释

自由和平等是人类长期为之奋斗的社会政治目标,同时它们也应该成为现代人伦关系的本质特征。所谓伦理,从本源上说,是有着深层人格、深层自由的个人们相互对待的道理,也就是尊重各自的自由意志和平等相待。自由和平等的现代人伦关系的合理性及其价值应该从道德哲学上得到彻底的阐释和确证,这能够让我们在人的生存论层次上来感受自由、看护自由、培育自由,并在社会政治层面促进人们的自由和平等,从而从道德上彻底摒弃古代的等级特权和统治型的人伦关系。

一、对自由的道德哲学阐释:深层自由与社会自由

近代西方对个人自由的论证有着某种宗教性前提,即从所谓“天赋人权”出发,也就是认为“人生而自由”,从而树立起自由的信念。在政治学理论上,对自由和平等的论证多从所谓“自然状态”出发。洛克、孟德斯鸠和卢梭等人都认为这个前提所导致的是个人之间自由平等状态。洛克的说法最为典型:

他认为,自然状态是一种"完备无缺的自由状态,他们在自然法的范围内,按照他们认为合适的办法,决定他们的行动和处理他们的财产和人身,而无须得到任何人的许可和听命于任何人的意志。"另外,他又认为,"这也是一种平等状态,在这种状态中,一切权力和管辖权都是相互的,没有一个人享有高于别人的权力。"①他们都认为要保卫个人的基本平等权利,即生命权、财产权和自由权,需要人们订立契约,建立国家,国家的主要作用在于供给公共法律和抵抗外来侵略,即保卫社会的内外安全。

许多批评者认为这种状态从来不是真实的状态,并不存在每个人对自己都有绝对主权的原始(自然)状态,国家的建立起初也许是强力或野蛮威权的结果,所以契约论学说被视为凭空穿凿之论。

我们认为,契约论的确是非历史性的,然而,它却指明了人的基本尊严之所在,也指明了个人的自由和平等是人类所要争取的普遍的价值目标。并不是因为历史上存在这么一个状态,我们才要重新回到这么一个"黄金时代",而是因为这是人类的一个现实理想,所以,我们要尽力追求它。它并不是人的本性的产物,而是应该这样去理解:与等级制度和统治型的人伦关系相比,它去除了野蛮、粗鄙的成分,成为理性、教养、文明、人性丰满的标志。

但是,从政治学的层面对自由和平等进行论证是为了适应当时新兴的资本主义生产方式的要求,所以,这种论证是政治性的,而没有落实到生存论的层面上。比如说,天赋人权或"人生而自由"说更多地带有政治宣传的意味,而利用假定的"自然状态"来论证的"自由"和"平等"则只是一个理论模型,所导向的契约论同样是一种关于国家起源和国家职能的政治学说。但是,这种学说却坚定地、毫不含糊地捍卫人的自由与平等,把它们看作最高的政治目标和社会理想,所以,才会有"不自由,毋宁死"的铮铮誓言,才会"生命诚可贵,爱情价更高。若为自由故,二者皆可抛"的矢志不渝。

我们看到,在整个西方近代时期,对于自由和平等的论证都局限在政治学层次上,引起了许多问题,本质上说,这些问题是由于没有根本解决自由和平

---

① 洛克著,瞿菊农、叶启芳译:《政府论》下卷,商务印书馆1985年版,第4页。

等的哲学基础所必然会出现的。比如自由的性质和范围问题,如果你持洛克等人的个人自由思想,那么,你就会认为,个人生活于其中的社会和国家,不能以集体的名义来干预个人自由;但如果你持卢梭的"人生而自由,但无往不在枷锁中"的观点,你就会认为应该借助于集体的力量来迫使个人自由;而至于平等,则更是难以在多种多样的社会、政治、经济要求中达成共识。比如:既然人人都是平等的,那么社会职位为什么不能平均分配,为什么不能对社会财富平等分配等等。事实上,人与人之间在自然和社会意义上有许多是不平等的,如遗传素质、遗产、机遇和个人努力等等都是不相同的。那么,真正意义上的自由和平等是什么意思呢? 我认为,在进入到社会政治层面的自由和平等之前,我们先应该论述作为人伦关系的自由和平等,它的恰当基础应该是生存论哲学。只有通过生存论的考察,我们才能在人生存的深层次上同自由和平等相遇。这就要从道德哲学的高度证明自由与平等为什么是人伦关系的正常状态。这是一种公共伦理知识,需要广泛传播。

平等与自由是一对孪生兄弟。但在我看来,自由在生存论层次上来说更为根深。自由本身有某种难以洞穿的秘密,这就是为什么关于"自由"的学说如此纷纭复杂的原因。我认为,只有在最深层次上与自由相遇之后,才能达到对自由的真正理解。

从理论上说,有两个层次的自由。一个是个人内在意志的自由,一个是个人在社会现实生活中的政治、经济、社会自由。前者要向后者开放,后者以前者为根源。从实质上说,自由是人的最深存在,不是理性所能认识的,或者说,理性只是向外,在应付人类认识外在世界、形成工具合理性和社会交往、形成共识等方面大有功效;而在内,对生命的亲证,就只能靠体验和直觉。在思想界一直有学者把人的最深存在悬搁起来,从而使关于人的心理和行为的理论自然科学化,比如说新老行为主义学说就是如此。他们认为,人的道德行为与动物通过"刺激—反应"机制而获得某些行为习惯,在原理上是相同的,这就意味着可以在伦理道德领域中完全取消自由意志问题。我们认为,虽然在人受到"刺激—反应"的因果机制支配的层次上,这种关于人的行为的知识是有效的,特别是在一个高度社会化、个人处于平均化状态、并由科学和技术来提供我们的欲望和需求的时代是很有效的,但是,就人的存在本质来说,这种知识是有缺陷的,因为它漠视人的行为现象的本源自由。

于是,我们应该探讨一下我们的深层自由问题。在这个层次上,自由的含义是我们的存在不受到任何其他东西的支配,也就是说,去存在、去活(to live)是最本源的。在我们脱离开日常的行为打算和理性求知方式,而直接面对生命本身、体验生命之流时,会有各种超越感性和理性的意愿,它们是不能被理性所理解的。对于我们的日常知性来说,这个层次是一种混沌,或是一种虚无。但是我们知道,它就是我们的生命本身。除了人的生理基础以外,它是各种观念、欲求、情感、情绪、意向等的流动的、渗透性的、生长式的整体。我们的外在环境因素、社会交往因素、各种文化教育因素等等都会渗透到我们的深层存在之中,组建着我们的人格。

我们认为,柏格森对这个问题有着深刻的洞察。在他看来,在深层自我的层次上,自由就意味着自我生长。深层自我的生长方式是我们的理性所不能清楚地理解的。柏格森对自由意志做了非常原则性的阐述,包括以下几层意思:(一)自我不是意识状态的堆积,而是心理状态相互渗透、溶化、变化生长着的整体。与联想论不同,生命哲学认为,各种情感如同情、怨恨、厌恶等如果充分深入,它们每个都可以构成整个的灵魂,因为灵魂反映在它们每个里面。(二)所谓自由动作,是指这动作是整个内在心灵的外在表现,"因为只有自我是这动作的创作者,又因为这动作把整个自我表示出来。"①这表明,自我作为一个整体,并不是受某种意识状态的支配,而是自足地作出动作,是自我决定。因为自我就是情感、意识状态相互渗透、溶化的整体。(三)然而,这种自由不是绝对的,而是有着程度上的差异。也就是说,自由的程度取决于各种意识状态的相互渗透、溶化的程度,因为各种意识状态的融合并不像一滴雨水溶化在湖水中那么容易。意识有深层与浅层之分,也就是说,在社会层面上,自我要经常与形式化的、空间性的东西发生关系,这样,自我也会在表面上发展,这上面可以长出各种彼此无关的杂物。如果种种漂浮在意识表层的因素老是不能

① 柏格森著,吴士栋译:《时间与自由意志》,商务印书馆1958年版,第112页。

与自我的整体完全混合在一起,就会使得我们的基本自我之内形成一个寄生的自我,后者不断侵犯前者,这种生活就很难说得上有多大自由。

这种自由意志学说启示我们,第一,人的深层心理如果是一个相互渗透、融合、生长着的整体,则它就是我们行为的整体的、起始的原因,而不受其他东西的支配或决定。这就说明,我们的深层自我是自由的。如果我们的理智观念等等没有与深层心理融合在一起(而理智观念又很容易漂浮在深层自我的表层),就会对深层自我的自由造成妨碍;第二,我们的自我、人格、灵魂是需要教育的,因为它要成长变化,得到塑造,但是,教育要得法,那就是要用各种办法使教育所灌输的观念与情感跟整体灵魂打成一片,这样灵魂就成功吸收了教育内容而得到生长,从而使我们的自由程度增大,因为引起人们做出自由决定的正是整个的灵魂。我们的基本自我越活泼、越丰富、越能表现自己,我们的动作就越自由。

自由意志由对深层自我的体验而被感觉到。诚然,在日常生活中,主要是表层自我在活动,因为社会活动特别需要形式性的、空间性的东西,即要把意识状态和观念弄成固定的、僵硬的,为的是要传达给他人,而语言也在加强这一趋势,因为语言一说出来,就已经是普遍的,它所反映的情感、事实就失去了活力和自我成长性。这种日常生活的表层自我会逐渐形成包裹深层自我的厚壳。对深层自我的体验通常能发生在面对紧急关头而做出决定的时候,在某些时候,我们在对最合理的劝告进行最合理的考虑的同时,另外还有一种什么东西在进行活动,这就是我们深层自我的意识状态在不知不觉地酝酿着,所以,我们有些时候会没有明显理由地突然改变主意。这似乎是不可理解的,然而,这样做出的动作却可能有着最好的理由:它们"符合我们全部最亲切的情感、思想、期望,符合那能代表我们整个过去的人生观,简言之,符合我们个人关于幸福与荣誉的看法。"①它们不是那种肤浅的、几乎外于我们的、清楚而易于说明的观念,而是我们的最深层自我。

可以说,柏格森对深层的自由意志问题作了非常明确的阐述。这种学说

---

① 柏格森著,吴士栋译:《时间与自由意志》,商务印书馆 1958 年版,第 116 页。

的功绩就在于它证明了个人意志的高度私人性、独特性和难以公共化的特质。它是个人内在的生存意愿,需要加以高度尊重,并促使它得到自由的生长。

所以,意志的深层自由意味着个人的独特性,而个人的独特性意味着个性的内在尊严。另外,这种深层自由也是我们的政治、经济和社会自由的基础,政治、经济和社会自由就是一种公共自由。这种公共自由本质上应该为深层自由服务,也就是说,给个人的深层自由提供一种能得以自由生长和表达的社会环境和制度体系,反过来,这种自由环境和制度又能促使经济的繁荣和丰富多彩的精神文化之花的盛开,从而能很好地渗透并溶化到个人的深层自我之中。

这些公共自由包括公民自由、财政自由、人身自由、社会自由、经济自由、家庭自由、地方、种族和民族自由、国际自由、政治自由和人民主权等①。其本质是在公共法律的前提下,人们有表达自己愿望的自由,比如说,不受到任何强制地处分自己财产的自由、婚姻自由、基于共同目的而组成团体的自由、宗教信仰自由、在国内迁徙的自由等等。自由是以公共法律的约束为前提的,也就是要对自由的无限任性的一面进行限制,从而使无限自由变成有限自由,这表明公共法律能对自由意志加以公共理性的限制和引导。所以,在公共生活的层面上,自由的意义是让个人能够获得个人自己的独特经验,从而渗透到深层自我之中,并源源不断地滋养着深层自我。于是,个人内在心灵的生长就会更加强健,并更有责任能力,从而使个人成为更加平等的个人;如果失去了社会自由,而处处是社会强制,那么,个人所获得的经验都将不是本己的,而是强加的。强制所影响的就只是表层的自我,并最终封闭表层自我与深层自我的沟通渠道,导致个人人格的委顿,责任感的丧失和责任能力的缺乏,而对敏感的人来说,强制引起的只是痛苦的感觉。这就能理解,为什么在一个相对自由的社会中,人们思想的深度会增加,精神之花也会更加丰富多彩,而在一个思想受到钳制的时代,精神文化领域就会经历某种程度的荒漠化。另外,在目前这么一个经济与技术时代,经济生活中的物质文化、技术活动中的工具理性,

---

①　根据霍布豪斯的总结,见《自由主义》第二章,朱曾汶译,商务印书馆1984年版。

都有把个人拉平为一个个平均数的倾向,也就是说,由这种追求普遍有效性、标准化、批量化的方式所形成的文化,其本质是越来越适应公共交往秩序不断扩展的趋势的,从而具备了某种文化专制的倾向(这种专制是不知不觉中形成的,并且曾是社会的目标)。这种经济与技术文化的主要特征就是非个人性的普遍理智观念,在它们成为一个社会体系性的观念存在,而且塑造着人们的生活方式并对人们的行为有宰制倾向的时候,就不能与个人的深层心理很好地融合。在这个时候,有着深厚自由思想传统的思想家们就会感觉到这种工具理性、平均化的文化的形成,将对人们的自由造成一种剥夺,从而损害人们的深层自由,于是发出了强烈的反异化呼声。由此我们也可以理解,为什么在一个个人自由观念还不太深入人心的社会体制中,人们会几乎是非反思地把发展物质文化和技术文化当作自己社会的最重要目标;而在注重个人自由的社会体制中,物质文化和技术文化却时时受到反省与批判,人们要求在这么一个时代更加深入地体验本真自我、自由地追求多元性价值。

二、人伦的平等:超越信念层面而进入知识性考量

在上面对自由的哲学阐释的基础上,我们才能更加清楚地理解人与人之间的平等。西方在古代、近代对平等的论证,基本上停留在信念层面,而没有从生存论层面来理解平等。我们看到,西方平等人际关系的观念有悠久的传统,比如在古希腊城邦民主制度下的公民政治权利的平等;在中世纪上帝文化的熏陶下,西方人也培养了一种平等意识,那就是在至高无上的上帝面前人人平等,人都是上帝卑微的造物,都带有原罪,所以,人人在上帝面前有一种"负"的意义的平等;而以文艺复兴为开端的西方近代启蒙则追求人与人之间的"正"的意义的平等。近代启蒙学者以感性生活的个人性、理智思考的独立性反对神性统治,获得个人的自决权利。这种个人平等自由的信念,实际上成为了近代的社会化生活特别是经济秩序的扩展,以及民主政治和国家生活的文化基础。所以,他们对平等的关注与自由问题一样,都是政治信念上的,而没有深入到存在层面,不能真正维护个人的个人性,所以还不是一种直达根本的知识。

政治信念层面的自由和平等如果缺乏生存论层面的自由的基础视域，就有可能无法体验到个人的真正自主和自由，最后发现个人不足以保卫自己的自由和平等，所以诉诸"公意"或所谓"绝对精神"、作为"地上的神物"的"国家"来塑造个人的本质，而这种信念最后导致黑格尔式的国家高于个人，"个人的最高义务是成为国家的一员"的伦理定位，导致把个人视为社会机构的零件的观点，这从原则上说，是在伦理本质上把社会组织包括国家看作高于个人，从而使个人的独立和平等受到社会组织的僭夺。

深层人格和自由意志学说揭示了一点：每个个体的深层人格是独特的、不可通约的、高度私人性的。当然，人们必然要进行社会交往，而人们进行的经济交往、理性理解、语言沟通等所能达成的共识就是公共领域的可能空间，然而，这种公共空间必须尊重个人的深层独特性、独立性、本真自由。要确立个人的真正平等，从知识的要求来说，就应该证明个人深层人格的独特性甚至不可传达性。从这个意义上说，自由是平等的存在条件，而平等是自由的社会表现。现代西方人文哲学的大多数派别都在力图证明这一点。

叔本华和尼采的意志主义认为世界的真正本质是意志，它是不可用理智范畴或概念来理解的，是一种不可名状的、盲目的冲动。人也有意志，感性、知性和理性认知都只不过是对这种意志的表象。他们虽然没有直接提出本真的个人性问题，但是他们反对了抽象理性一统天下的企图，从而使个人性问题有得以提出的可能。

柏格森则明确认为，人的智力认知方式是一种空间化方式，很适合认识死的、特别是固体的东西，它不能认识活生生的东西，对生命只能象征性地表述。它适于表达一种公共的意见，有着社会性的可传达性，语言也加强了这种特点。但是人的深层自我却是众多的意识状态相互渗透、溶化的自我生长，各种意识状态不能被分割和固定，它们之间没有明确的边界，所以，根本就不能诉诸理智的理解。换言之，智力天生就不适于理解生命。这就意味着人的深层自我有着高度私人性。

存在主义思想家们也体验到了个人的内在、深层的孤独。这种孤独是个人的个人性的真实写照，他们认为，个人只有在面对那属己的、超不过的可能性——死的时候，才会从社会的链条中被震开，而成为一个孤零零的个体。只有有这种体验的人，才能成为一个真正的个体。萨特说"他人是地狱"，并不是从"他人处处对自己是祸害"这种社会学意义上说的，而是从"个人之间有真正深层的隔绝"这个哲学伦理学意义上说的。然而，他们对个人的内在个人性的探索，当然不是让大家始终停留在个人性的内部混沌中，而感受海德格尔所说的"畏"、"烦"、"向死而在"，体验基尔凯廓尔所揭示的"恐惧与颤栗"或萨特所说的"虚无"感、加缪所说的"荒谬"，而是要在体验这种不可传达的个人性的基础上，向社会性的生存敞开。这类哲学为个人在社会生活中的人伦平等奠定了坚实的哲学基础。

现代西方哲学中的人文主义派别都在铆足劲地剖析个人的独特性的存在基础，并唤醒人们对自己的"个人性"的意识。[①] 个人性是可贵的，是一个人的存在原点，是不能以任何理由加以剔除的。它既是一种意识，也是一种存在姿态，同时也是一种品质。它从哲学的高度论证了每个人都有其不可让渡的独特性，个人的深层人格是独立、自主的。

上面的哲学知识才是我们在现实的公共领域中人与人之间的平等关系的坚实基础。既然个人的个人性是自主的、可珍视的，于是，就应该尊重个人的自由意志，人们都应该自尊而尊人，并从个人性的不可让渡性的高度来理解人与人之间的平等性。从个人领域进到人伦领域，必须立于个人自己的独特性的基础之上。人伦现象是生活的必然，其本质是要追求物质生活条件的提升，寻求保护，并获得精神成长的环境。个人的力量不足以获得不断发展的利益，也不能保护自己的利益，因而需要合作，需要组成社会。公共领域是一种人们协同行动的领域，它注重可传达性，并进行普遍性的价值追求。其典型意象就是合同或契约。无怪乎一说起社会的和平交往形式，很多人就会信奉社会契约论，把国家看作人们出让某些权利、缔结契约而形成的，并期望国家保护个人的自由和平等。

---

①　可以说，这是对西方近代启蒙思潮的再启蒙。如果说，西方近代启蒙思潮是启神性对人性之蒙和封建等级制度对人的社会平等之蒙，那么，现代西方人文哲学的主流就是启近代哲学对个人性造成的社会性之蒙。

　　社会平等主要表现为基本社会权利的平等,比如说在自己国家范围内,选举权和被选举权的平等,国家对每个国民给予平等的国民待遇,其实现过程要求规则的公平。当然,它不是指结果上的平等,因为天赋、教育、努力和机遇等因素而引起结果上的不平等是必然的。但结果上极端的不平等则是国家要加以扶正的,比如要抑制严重的两极分化,对经济上的贫困者的生活应予以基本的保障。对此,要站在为未来社会培养、储备人力资本的高度来重视。这种做法似乎违背了规则公平的原则,也的确有学者(如诺齐克)对这种做法提出了异议,但是,国家的公共目标与规则平等的市场制度应该处在某种平衡之中。这是一种公共伦理知识,在公共领域变得越来越广大的当代,应该为人们广泛知晓。

　　平等权利可以分为两大类:一类是公民固有权利,包括人格尊严权、自决权、工作权、组织权和结社权、社会保障权、生活权、教育权;一类是公民权利与政治权利,包括生命权利、人身权、迁徙权、法律平等权及其他权利①。有关公民权利的知识的教育和传播,是对特权或者某种权利不平等现状的最好抵制,也是一种最深层次的变革。我们能为了某些理由(比如为了城市生活秩序而歧视外来务工者)而漠视这些平等权利吗? 不能,这种漠视只能是特权的游戏,表面上是为了维持公共秩序,或者提高经济效率,但实际上这种做法是短视的,也是狭隘的,而且会付出沉重的社会代价。

　　所有这些平等权利,都是就个人作为社会成员而言的公共权利。在这方面的平等,其基础是个人的深层自我、深层人格的独特性。国家要尊重、保护这种独特性,所以,在社会公共生活的层面上,必须赋予个人以政治和社会的平等权利。不平等,扭曲的是个人的深层自我和人格;而平等,则能让个人在自由发展自己的能力、表达自己的愿望、偏好,自决地选择生活道路的过程中丰富自己的内在经验,从而能更好地塑造自己的深层自我。外在的强制、压迫,对于被强制者、被压迫者来说,会让他们获得一种痛苦的经验;而对于强制

①　根据仲大军的论述,见《国民待遇不平等审视》第4章所列举的国际公约视野中的公民权利,此书由中国工人出版社2002年出版。

者、压迫者来说，则会让他们获得居高临下的权力感。这二者都将会极大地扭曲人们的深层人格。

三、深层自由和平等概念的伦理学意义

从生存论的角度论述了人的深层自由和平等，确证了个人的真正个人性之后，我们就获得了对自由和平等权利的基本认识。这一认识在伦理学上有十分重要的意义。

第一，自由和平等是我们个体存在的实情，也就是说，我们的深层自我是自由和平等的，自由和平等是我们存在的本己特征，而不只是一种政治伦理信念。我们不能概念先行，也不能预先设定一种价值。从存在论到价值论，我以为这是一个合理的理论进路。自由和平等的伦理学价值来自我们深层自我的存在特征。这一学说告诉我们，只有我们的深层自我是自由的，因为作为我们的各种心理观念、状态相互渗透、融合、生长着的整体的意志是我们行为的初始动因，所以，它是自由的。于是，它可以要求社会公共生活也有各种公共自由，在这种公共自由中，我们能够从自己最本真的意愿出发，来进行选择、生活和创造，并从社会生活和文化传统中吸收符合自己最亲切的价值观和人生观的思想观念，使之渗透、融合进我们的深层自我之中，促使其生长、发展。伦理学必须关心这一点，那就是如何使人们的深层人格得到统一性的发展，而不是让深层人格与表层自我处于一种相互分裂的状态。从这个意义上说，我们把自由和平等权利作为公共伦理学的起始概念，就是要让权利在现实的公共生活中得到制度化的实现，从而在越来越高的层次上塑造个人具有内在统一性的公共人格，丰富其社会本质，它们向人们的深层自由开放，并渗透到深层自我之中，参与组建个人的自由人格。

第二，近代西方对自由和平等权利的论证主要是在政治信念的层次上进行的，从而只能把它们作为一个假设的前提：要不就是认为上帝就把人创造成平等自由的，要不就是假设在自然状态下人是自由平等的。这些看法都会遭到反驳。人们甚至也可以说，人天生就不是自由平等的。论证等级制度具有合理性的思想家通常就采取这种立场。他们可以认为自己的观点有经验的证

据,比如人的天生智力和气质有高下,所谓"上智与下愚不移",所谓"气质有清有浊"等等。我们现在在人的深层自我的生存论层面确证了人的自由和平等,就可以使各种否定人的本源自由和平等的思想无处遁形,也为我们展开公共伦理学说找到了一个最初空无内容,却要在社会公共生活中吸取其本质内容的前提——即自由和平等权利。

第三,人的本源自由和平等权利对社会公共生活、制度的伦理价值有着实质性的规范力量。也就是说,它要求我们的公共制度如家庭、市场、各种自愿团体、同业协会、政府、政治国家等等制度,从理想层次上说,应该具备如下人道的伦理性质:即它们要去除其强力、野蛮的特征,而能够具备和平、文明的特征;要适合人的人格生长的需要,要能与人的深层心理相互渗透、融合,从而它们需要有一种人际的情理联系,有着人道情怀,尊重人的权利,并促使人的权利得到多层次的整体实现。这一切,构成了公共制度的正义性价值。

从这个角度,我们就可以检讨西方近代以来的自由主义和社群主义思潮的弊端。自由主义学说的眼光只集中在个人的社会自由和平等上,从而割断了个人深层自由与社会公共制度的伦理价值的血脉联系,因而导致了个人对社会群体的疏离,人们习惯于关注个人的权利和利益、个人的独立和自由,从而导致了个人游离于社会群体的原子化状态,公民的参与度大大降低。普特南就十分深入地研究了这一点。他认为,美国从上世纪60年代以来,由于对官僚的政治品德产生了疑虑,特别是在水门事件以后,公民对政治的关注在持续地淡化,这样,社会有可能失去它的团结性,而陷入一种一盘散沙的处境之中。[①] 许多政治哲学家对此给予了严重关注。

西方许多哲学家对此进行了学理上的说明。他们特别强调利用人们各种自然的本性倾向来强化共同体意识。在实际行动的层面上,他们主张可以采取以下三种做法:一是利用家庭成员的自然血缘纽带来培养家庭成员之间的

---

① 普特南说,"自从60年代(谋杀、越南战争、水门事件、伊朗门事件等等)以来,政治悲剧和丑闻越来越令人乏味,或许这已经在美国人中间激起了对政治和政府的可以理解的厌恶,并且进而导致了他们的退缩。"他说,"最近10年或20年中,每一年都有上百万人退出社群的事务。"见李惠斌、杨雪冬主编:《社会资本与社会发展》,社会科学文献出版社2000年版,第169页。

相互关爱、相互信赖之情。二是利用人们的合群本性,广泛建立大量的自愿组织。这一点在意大利一些地方是有成功的范例的。意大利各种活跃的社群生活培养出了崭新的个人精神面貌,他们每天都急切地打开报纸,了解社群事务的消息,为公共事务在忙碌。这是自愿组织起来、自我管理、自我发展的社团的崭新气象。其实,托克维尔在观察 1832 年的美国时,就说美国当时的志愿性社团非常广泛,那些社团依靠无官无职的个人的能动性形成和维持,它们自主成立、自我管理,关心并参与各种公益事业,从而培养了美国公民非常活跃的公民性格。① 三是诉诸个人的想象,在对一种更大的社会共同体如自己的省份、国家的想象性参与中,培养起爱集体的感情和爱国主义、对国家的忠诚等。可以说,那些长期受到这些意识、情感的熏陶和培养的人,一定更能信任他人和相互信任,并形成共同的价值态度。这是一种补救措施。

从哲学伦理学的层面上,出现了自由主义和社群主义的热烈争论。其症结就在于:自由主义者认为个人的独立存在优先于社会群体,社会群体的存在目的是为了使个人得到更好的发展。社群主义则认为,没有群体归属和文化环境的个人在理论上是一种抽象,个人是在自己所在的群体生活中形成自己的人格的,所以,社群要优先于个人。社群主义的主要用意在于强调个人不能脱离开具体的社群生活。社群当然要以个人更好的生存和发展为目标,也只有通过建立社群、优化社群,营造社群内部统一的价值态度,才能给个人的人格以更好的塑造。所以,积极的公民参与是我们个人形成道德品质的最为现实的途径。

我们认为,社群主义的群体、文化关怀是重要的,然而,自由主义的坚持也是大有深意的。从表面上看,它们二者似乎无法统一。但是,从深层次上说,自由主义和社群主义都没有追溯到人生存的更为本源的基础。我们已经说明,个人的深层存在有着高度的私人性和难以公共化的特质,所以,个人的深层自我应该向社会公共生活敞开,以接受社会文化和群体生活中形成的健全

_____

① 托克维尔是较早关注自由和平等之间的矛盾的思想家,其名著《论美国的民主》就专门考察了美国的民主制度是如何取得自由和平等之间的平衡的。此书由董果良先生翻译,商务印书馆 1988 年出版。

价值态度的熏染和陶冶,这样才能更好地组建我们的深层人格。于是,在社会层面上,社会自由和个人平等是一个基本前提,但是社群生活又是必要的。自由主义由于担心团结紧密的社群生活会导致个人独立性的丧失和个人自由以及平等的被剥夺,所以,它只能抽象谈论社会生活,从而使人感觉到生活的文化氛围的稀薄以及个人的游离状态,这正是社群主义所忧虑的。我们认为,自由主义与社群主义都应该向个人的深层自我开放,一方面坚决尊重和维护个人深层自由和人格、个性,并进而保卫人们的社会平等与自由,另一方面,个人的深层人格是需要涵养和塑造的,它需要向公共的社会生活开放,而如果能生活在一个有着人际情感联系的群体中,那么这些普遍性的情理就能够较好渗透到我们的深层自我之中,从而促使主体人格的自由生长。所以,自愿地组建社群,关注和参与公益事业,这对扩展我们的伦理眼界、塑造人格是十分重要的途径。当然,这种社群生活要避免社群组织的外在化和形成统治性格,这就需要以高度尊重个人的自由来对组织的漂浮化倾向进行限制。若能做到这一点,现在各种自愿性组织的大量出现,就是我们正在行使自己的社会自由的证据。所以,我们认为,只有在个人的深层自我的基础上,自由主义和社群主义才能得到统一。也就是说,公共伦理学要以探究深层人格自由的生存论伦理学为基础。

理解个体的自由和平等有一个历史过程,一方面,它会受到历史传统的影响,另一方面,又会受到现实社会组织的复杂结构的遮蔽。然而,个体自由和平等是一种基本权利,它有深厚的生存论基础。关于个人自由和平等的思考之所以成为公共伦理学的一种基础知识,原因也在于此。舍此,公共伦理学就根本难以建立。

在这个意义上,我们对个人自由和平等权利的启蒙还要经过艰苦的努力。但这种知识的传播却是首先要进行的。当然,这里还需要一个致思方向的转变,即在生存论层次上形成个人不可让渡的独特性的意识和对个人人格尊严的自觉,其哲学基础在现代西方某些人文主义学派那里得到了深入挖掘。但是,我们对他们工作的最高宗旨却仍然有点雾里看花,甚至指责它们是唯心主义、反理性主义。实际上,对这类哲学,我们应该体味出其最核心的内涵,那就是极力彰显个人在生存论层次上的不可让渡的独特性,与人的深层自由相遇,从而为公共伦理学获得一个存在着的然而又是空无内容,蕴涵着实现自己,在社会的公共制度层面特定化自己的自由、平等权利的起点。

第二节　"权利优先于善"的价值学理据

在发掘了个人本源意义上的自由和平等之后,我们终于明白,自由和平等在生存论意义上是存在的,只是它们本身是空无内容的,必须借助社会公共生活才能特定化自己。在这个过程中,它们首先表现为基本的自由和平等权利,也就是说,在人伦关系中,人们要彼此尊重对方为人,除此之外,没有任何具体规定,这确实有一种文明特征,而不是自然的特征。也就是说,基本权利作为一个概念,它一开始也不能有具体的内容,而只能作为人们组成社会的一个前提条件。这就是说,它们在逻辑上要优先于在社会中对各种具体的善的追求。

罗尔斯在《正义论》和《政治自由主义》中都强调了一个基本的原则立场,那就是"权利优先于善",这个原则的含义十分丰富;同时,社群主义者又大力反驳这个原则。所以,这个原则会引起某些思想上的疑惑。我认为,这是个十分重要的公共伦理学的原则,可以从价值学的角度加以证明。我们一般习惯认为,"善"是伦理学的中心概念。这主要是因为我们现在的伦理学通常是规范伦理和美德伦理,前者的主要任务是以获得人的行为的善的价值而推论出道德规范体系,后者的主要任务是探讨如何获得善良意志,如何进行涵养,达到心灵的善(好)的状态,即美德。所以,善是伦理学的中心概念。而且,摩尔的《伦理学原理》把"善"看成是不可定义的,这从元伦理学上把对"善"的分析逼入了死角。但是,随着制度伦理学、公共伦理学的发展,我们发现,"善"并不是中心概念,我们所追求的各种各样的善还有一个"正当"与"不正当"的问题,它们只有在受到一个更基本的公共价值即"自由平等权利"的指导的情况下才能是正当的。即是说,权利是一个前提词、条件词,而善则是一个目的词、结果词。若是能从价值学上证明这一点,那么,我们对公共伦理问题的理解就大大进了一步。

的确,"权利"概念并不是个有着古老渊源的神圣事物,①而是西方近代民主思潮的产物。然而,这并不妨碍权利概念成为公共伦理的基本概念。古代道德学一般都以善为中心来设计社会道德教化和个人自我教化,以使人们形成与善的价值观念相适应的正常欲望,政治则是用以实现各种预定的善价值的制度设置。正是由于这一点,古代政治的道德化倾向尤其明显。在伦理的考量中,古代道德论把社会伦理关系的等级制结构视为当然,从而失去了对伦理关系结构的价值特征的批判视野。而近代政治哲学的突破就在于:虽然缺乏对个人的本源自由和平等权利的确证,但它以政治信念确立了个人的地位,并为个人赋予了一种作为社会的一员的某些先决资格,它不再是所谓"人禽之别"的道德意识,而是政治独立意义上平等的个人权利,从而对社会伦理关系的价值特征进行批判的审视。这种权利曾经被启蒙学者说成是"天赋权利",也就是说,只要是一个人,就已经拥有这种神圣不可侵犯的权利,它是政治社会所应保障的一种基本资格,是组成社会的前提。这就意味着,在社会、国家为民众争取美好生活的时候,基本权利是一个不能以任何其他善的目标来挤兑的前提性价值。其他一切善的价值都要在尊重、保卫基本平等权利的基础上去努力争取。

一、古代社会的权利意识缺位及其"善"中心论

古代政治哲学着力论证的是,从人的自然需求出发,要获得各种利益、好处、善,就要组成一个有差等的等级秩序的结构,这样才能把社会组建起来,按个人在社会中所处地位来分配社会之善和义务,这里包括偶然的幸运,如战争

---

① 在古代民主政体中,没有类似于近代意义上的权利概念。比如在古希腊城邦中,公民的政治生活优于个人的私人生活,而权利包括个人的财产权利、人身权利等都是受到自然的必然性制约的,所以不是自由精神的领域,城邦的公共善必须优先于这些个人所有物。当然,古希腊的城邦生活并不彻底剥夺个人的所有物,但是这并不是因为公共权力尊重个人的权利,而是因为个人必须拥有一些基本的生活必需品,包括住房、生活资料等必需品,这是他们进入公共生活的基础,无此,他们就不能在世界中占有自己的位置。(参见汉娜·阿伦特著,刘锋译:《公共领域和私人领域》,载汪晖、陈燕谷主编:《文化与公共性》,读书·生活·新知三联书店1998年版,第63页。)

中的获胜者、门第出身等,当然也预留了一些人们取得他们超出自身的地位的某些空间。权利在这里不是前提,也不是组成社会的基本条件。组成社会的条件是不平等的义务之网的结构秩序。古代主流思想家都极力论证这种等级结构的合理性。比如中国古代的礼制,其实质就是明贵贱等级。荀子在这个问题上说得明白,那就是认为因为物资有限,但人的欲望无限,所以需要明分,而要明分,就要使这种"分"合乎"义",而"义"就是等级贵贱秩序,如:"少事长,贱事贵,不肖事贤,是天下之通义也。"①"贵贵、尊尊、贤贤、老老、长长,义之伦也。"这里是讲尊卑贵贱各得其所。他认为,那种节俭的主张,是"不知壹天下、建国家之权称,上功用、大俭约而僈差等,曾不足以容辨异、县君臣。"②认为过分节俭,会带来轻视等级差别和无视君臣上下的严重后果。

　　但是,在我们看来,从社会应该有秩序这一点并不必然能推论出等级制度的合理性,因为如果人们拥有某些根本的平等权利,而分工合作,并拿各自的产品进行交换,和平地进行交易,也能够使社会得以组织和形成秩序。尊卑贵贱等级可以说只能是有某些野蛮色彩的法则。对尊卑贵贱等级的合理性,古代思想家们通常是使用功能论的方法来进行论证的。比如孟子以"物之不齐"为前提推出"劳心者治人,劳力者治于人"的等级论;亚里士多德则从所谓目的的实现需要手段来论证奴隶制的天然合理性,认为这种制度安排有助于达成社会生活中的各种"善"。更值得注意的是,即使是那些反对等级制度的理论论证,也都不是从基本权利是组成社会的条件出发的,而是追求着其他"善"的价值,比如道家认为最高"善"是能够体"道"——那生天生地的、前理智状态的整一的道,所以才主张泯灭各种差异,以一种哲学性的思辨超越理智的对立、世间的伦常等级秩序,从而指向政治方面的无为而治,或个人内在超越的生命自由;古希腊的智者派也只是反对所谓有天生的奴隶的说法,指出奴隶制度的强权性质,并没有提出个人权利的概念。总之,古代的意识形态都是以善为中心来设计社会结构,并以这种善为目标来损害和剥夺处于下层等级

----

① 《荀子·仲尼》,见《诸子集成》(第2卷),上海书店1984年版,第71页。
② 《荀子·非十二子》,见《诸子集成》(第2卷),上海书店1984年版,第58页。

的劳动者的基本权利,甚至生命权。

　　进一步,古代思想家们还从等级制度有利于道德,有利于人格、德行的塑造和培养等方面来论证等级制度的合理性。这是从情感和欲望塑造的角度来论证等级制度的合理性,从而给出了古代道德教化论的伦理关系前提。这种社会结构必然要求培养等级情感即下层等级对上层等级的敬畏和服从,同时利用人的血缘纽带、亲情伦理来比附等级秩序,力图使这种自然情感也能转型为政治性的等级情感,这就是古代道德教化的立足点。它的另外一面就是用严刑峻法来严格约束下层人们不去冲破等级秩序,所谓禁止"犯上作乱",还有"刑不上大夫,礼不下庶人",就典型地刻画了这种等级制度的实质。在这个时代,人们不知权利为何物。与此对应的是,在这种等级制度所造成的压迫特别沉重时,就会激起反抗甚至起义。但反抗者的心目中同样没有权利意识,而只是想着把这种等级秩序给颠倒过来,而这种等级结构却依然如故,只不过是"改朝换代",只不过是"一朝天子一朝臣",社会继续在这种等级制度的结构内部运动。而所谓"王侯将相,宁有种乎!"并不是一种平等的权利意识,而是这种等级制度所必然会积累起来的反抗力量的释放方式。在一个"君要臣死,臣不得不死,父要子亡,子不得不亡"的等级社会中,不可能有个人权利观念,也不可能有整体的社会公平观念。它只能在同一等级内部实行平等和公平,在等级之外则无平等、公平可言,而且,在意识形态层面上,还把严分尊卑贵贱等级的制度看作是公共道义的具体体现,或者把它看作一种天然合理的社会秩序。

　　现在我们的问题是:为什么在古代会出现这种等级制度的意识? 为什么在古代难以出现权利意识? 我们认为,原因在于,等级秩序的建立和维持说到底依靠的是暴力,是暴力的制度化。这跟以下历史事实有关:国家通常起源于暴力斗争,胜利的一方建立国家制度之后,就要通过奴役战败者而获得自己的物质利益和教育、文化等方面的精神利益,所以,国家起初都必然采取等级制度的结构体系。等级制度本质上是国家的私有性的制度,所谓"普天之下,莫非王土,率土之滨,莫非王臣"。它所珍视的"善",从根本上说是由特权阶层的"好"、"利益"来确定的,维护这种等级秩序显然只对特权阶层有好处,这就是他们所说的"公善";或者从人性的完善方面来确定什么样的心灵状态或品格是善的,此所谓"私善"。由于所谓"公善"是由特权阶层掌握的,所以通常集中在国家政治、行政权力中,不能进入这种权力结构之中,似乎就无法服务于公善。当然,对个人来说,好在还有私善可以追求。这就能理解,为什么大多数古代士子都抱着一种"达则兼济天下,穷则独善其身"的处世准则。所谓"达",就是进入了国家的权力结构之中,从而获得服务"公善"的资格和机会,为王朝见用,便是得志,便是遂愿,便是获得了施展抱负的一席之地。而对国家来说,鉴于天下之大,乃储才之所,特权阶层的子嗣未见得优秀,所以,黜世袭而行选举,广开求才渠道,也是必然之举,这为天下士人进入权力结构准备了通道,从而在一定程度上纾解了等级制度内部和外部的压力,而引进了某种竞争机制。于是,对统治者来说,是"天下英雄,尽入吾彀中兮!"对于广大士人来说,则是"学得满身艺,售予帝王家"。所以,有悬梁刺股、皓首穷经的专注,有"朝为田舍郎,暮登天子堂"的得意,有乘马夸官,衣锦还乡的荣耀,当然也就有了白头贡生的失意与范进中举的痴迷和癔症发作。另一方面,在入仕无门的情况下,有些士人则是或隐居乡野,或啸傲山林,修身养性,全性保真;也有人视功名利禄、仕途经济为畏途,修持为己之学。这种独立意识,或者是所谓"遗世"独立,或者是修持个人的心灵,形成德性,追求个人内在完善,唯独不能形成个人权利意识。

等级制度的逻辑是,进入国家,就是把自己置于一个义务之网之中,把自己当作一个纽结,并努力争取成为其中较为重要的纽结。国家权力只能以所谓"奉天承运"之类的抽象宣传来确立,从而使其合法性得到辩护和证明。可以说,权利意识的缺位,与等级制度的国家权力构成是互为因果的。在等级制度的背景下,个人的权利、个人的自由、财产甚至生命都会受到不同程度的侵害,所谓"三纲(君为臣纲,父为子纲,夫为妻纲)",以及毛泽东同志所揭露的套在旧中国农民身上的"四大绳索"——君权、父权、夫权和神权,都是这种政治意识的产物。在权利意识缺位的情况下,政治伦理的"善"的含义就会表现为对等级制度的维护上,即为它寻找一种超验的基础,以此作为等级制度的辩护手段。比如,"伦",在古代的含义就是差等、伦次、辈分等,并把这种差等的现象看作"天下之通义"。伦理之善与伦理等级秩序是相应的。他们认为,事物就其存在性质和价值来说就是有伦有脊,物有不齐,并且上升到"天高地下"、"天尊地卑"这种天定的"差等"秩序,并认为正是这种虽然有高下、差等却又阴阳和谐的秩序,使得天道运行不息,大化流行,万物生生不已。我们现在可以认为,这种自然的差等秩序从存在上说是一种理智事实,但它并不能直接转为一种制度性的价值安排,这样的论证,至少在理论上是一种逻辑的跳跃。但中国古代哲学却从"惟象思维"①的特点出发,认为天道秩序是人道秩序的榜样和最高的价值皈依,从而认为人间世界要能够获得和谐和秩序,并能够"生民",就应该在人间实行尊卑有等、贵贱有序的等级制度。他们认为,人之为人的尊贵性就表现在人能体认天道秩序并能自觉地仿效。这种秩序背景就是所谓"天德",是天然的"善",它是人间之善的榜样,所以,人间之善就体现在要维护这种等级秩序的稳定与和谐。

正因为在古代存在着这种等级秩序的社会现实,所谓中国古代哲人特别注意对和谐的追求。他们认为,没有不同,就不能达到"和",只有存在着各种不同的元素,在政治生活中,就是要有各个不同等级,让他们各自发挥自己的功能,并使之相互补充、彼此协调,此即史伯所说的"以他平他谓之和"②,孔子所说的"和而不同"③,荀子所说的"群居和一之道"④等所反映的伦理理想,也是"乐合同,礼别异"⑤,实现天地之大"和"所追求的教化理想。对"和"的追求,确实使中国伦理文化能较好地分配不同等级者的伦理义务,并营造一种尊

---

① 这是冯天瑜先生的概念。他认为,"惟象思维"是中华元典所特有的思维方式。"象"在中华文化系统中是指客观事物的形象和意象,可以引申为各种精神价值的象征。观物取象不仅是中国文字的造字原则,而且也是中国古代人们的基本思维方式。《周易·系辞传下》说:"易者,象也。"又说,"象者,象此者也。"这就意味着在古代中国人的思维方式中,可以以此象彼的方式,通过领悟天道的秩序和价值来比附人间的伦理秩序,并且造成人伦关系的实在。由于天道的崇高性和不可置疑性,所以,以这种价值为原则建立起来的人伦秩序也就有了合理性的保证。见氏著:《中华元典精神》,上海人民出版社 1994 年版,第 111—112 页。

② 《国语》,上海古籍出版社 1978 年版,第 515 页。

③ 《论语·子路》,见《诸子集成》(第 1 卷),上海书店 1984 年版,第 296 页。

④ 《荀子·荣辱》,见《诸子集成》(第 2 卷),上海书店 1984 年版,第 44 页。

⑤ 《荀子·乐论》,见《诸子集成》(第 2 卷),上海书店 1984 年版,第 255 页。

敬、忠诚、关爱、保护、和谐的人伦情感联系的氛围,人们靠成为等级义务之网中的纽结而获得社会感和安全。从某种意义上说,在古代,社会是一种风俗型共同体,个人并不能感受到整体社会的联系,而只能感受到与自己密切相关的人伦之网的存在。在那时,国家作为一种伦理实体,它的伦理性并不以保卫个人权利而获得,而是改朝换代的暴力的产物,它的存在可能能维持文化的统一,并成为一种民族统一的象征。古代所谓"华夷之辨"就是这种文化感知的表现。在中国古代,爱国主义在实质意义上,是文化的认同。

为了建构社会联系并获得对这种联系的感知,儒家理论出发点的设定就是:从生与死、自然血缘联系这样一些自然关系入手,发现自然等级有着某种天然合理性,其合理性几乎不需要论证;同时,这种血缘关系有一种自然的无私的情感联系,儒家把这作为道德化的关系的模式。儒家把子对父、弟对兄的"孝悌"情感作为一切德行之基,它们的无私和利他性质高于自利甚至功利主义的考虑。这种善从社会来说,可以扩展到社会上人与人之间的联系上,如"四海之内皆兄弟"、"老吾老,以及人之老;幼吾幼,以及人之幼",达到天下万家如一家的政治清明境界,从而有助于成就社会的善,这就是儒家重视孝悌的社会伦理谋划。关于为政问题,孔子的回答就大有深意。他说,在家"孝于父母,友于兄弟",这就是在为政。这里的逻辑是:从人伦的意义上讲,父——子是传递式的,也就是说,每个人都会成为父母或子女,这是可以将心比心的基础,也是可以接受这种人伦格局的自然前提。人同此心,心同此理的共情想象和推论,就是基于这种同等性;另外,每个人都有家,而家是国的基础细胞,于是,如果每个人都修身齐家了的话,则国就治理好了,甚至可以说,天下都得到了平治。这就是儒家的"修身——齐家——治国——平天下"的路线。总之,这里存在着逻辑上的传递和扩展。然而,儒家的政治学说还有另一套逻辑,它秘而不宣:即社会等级、国家政治伦理,特别是君主的全权地位的逻辑。诚然,君主也有父兄子女,也有家庭,这一点类同于常人,但在政治关系中,他又非常不同于常人。所以,在政治关系中,君臣之间、社会各等级之间的不平衡的义务,显示出了一种与家庭关系相当不同的伦理格局。那么,怎样才能自然而然地建立一种政治上的忠诚关系呢?

　　走出此类困境,可以采取两条理路:一条认为,任何一个社会都需要有管理者,每个人都可以通过各种合法的手段,或凭自己的优点、德能来取得这个地位。个别学者也走到了这条理路的入口,如孟子讲无道之君,就已经丧失为君的资格,成为一个独夫民贼,应该处死,所以,对武王伐纣这件事,孟子回答说,"闻诛一夫纣矣,未闻弑君也"①,即君主如果失德则失位。古代传说中"尧舜禅让"也的确有以德能来决定君位的政治文化含义。或者如《吕氏春秋·贵公》所说:"天下非一人之天下也,天下之天下也。"②从编纂者吕不韦本人的意思讲,包含篡位的野心,但他讲的道理从形式上说是对的,只是要通过合法的程序获得君主的地位。但是,儒家文化支配下的中国传统政治,从来没有使德能与在位建立起因果关系,而君位世袭的制度显然与德能标准有悖,这是把国家视为私有的必然结果。另一条理路则是一种权宜之计:儒家不是看不出政治逻辑与家庭逻辑的不同,但他们却必须维护由暴力产生的结果——王朝,并期待王朝的长治久安。为此目的,从理论上他们要从"孝"的情感推论出"忠"的情感,即完成"移孝作忠"的政治伦理情感的重构与重塑,从而使君臣关系自然化,使之达到类似于血缘关系那样自然而牢靠的程度。在这个问题上,儒家的理论构造是不够自然的。君臣关系与父子关系只能是一种类比,所以,难以自然地移孝作忠。这就要求在政治伦理领域找到一个更高的超越性背景来统一亲情与忠诚关系。董仲舒在这一问题上的理论谋划是用意深远的。那就是用比拟的方式把君臣关系看作是天然合理的,与天地的秩序相一致。他著名的"人副天数"的粗俗学说却有着重要的理论意义,比如把天子说成是天之子,论证了政治等级秩序的天然合理性和君权的神圣不可侵犯性。它所依赖的基础情感是恐惧和敬畏。对百姓来说,由对这种天然等级秩序产生的恐惧之感会形成服从的习惯,而对君主来说,董仲舒也施加了一种情感性的制约——即对"天之谴告"的恐惧,出于这种恐惧,君主有可能会检点自己的行为,甚至可以"夙兴夜寐,不敢荒宁"。这是对"有为"君主的期待,但这种

---

① 《孟子·梁惠王下》见《诸子集成》(第1卷),上海书店1984年版,第86页。
② 《吕氏春秋·重己》,见《诸子集成》(第6卷),上海书店1984年版,第8页。

制约只能是道德的主观制约。

在政治伦理领域中,一个关键的概念就是"义"。但在中国古代,"义"是一种道德性的"善"。权利意识的缺位,使得正义之善走向对社会等级制度的维护,走向对不平等的义务秩序的辩护。儒家、法家的"义",都是等级制度的"义"。一旦对这种等级秩序有所忽视,就会受到儒家学者的严厉指责。如孟子指责杨朱为我,是无君也,墨氏兼爱,是无父也。无君无父,是禽兽也。后来宋明理学家都指责老氏、释氏之出家是灭绝人伦。当然,杨朱、墨家、老氏、释氏也都没有权利意识。与儒家一样,他们也是从各自的善观念来形成对人伦关系之"应然"状态的理解。

二、善之一般及在古代社会中权利意识与善何以对立

善,从一般意义上,就是人们所欲求的东西,也就是说,欲望是善的基础,即所谓"可欲之谓善"。但人有物质需求和精神需求,于是善可分为两个层次——感性之善和精神之善。感性之善也许所有人都会自然而然地欲求它们,这是由我们的生理需求决定的。但是它的特点是消费性的,转瞬即逝的,并且无节制地追求,就会走向自己的反面。所以,对利益满足就有一个正确理解的问题。这包括两个方面,一是感性利欲的个别性证明它是不自足的,二是在追求感性利欲的过程中必须考虑手段。因为利益追求是在人际关系、社会中进行的,因而会牵涉到他人利益和公共利益,这就产生了一个是否应当追求和应当如何追求的问题。如果我们对利益的追求有恰当性和正当性,就表明我们获得了精神性的善,它牵涉到了理性理解和情操问题,所以精神之善是伦理之善、道德之善。

在理论的考量中,善总是指具有这样一些性质的东西,那就是:(一)能带来快乐与欲望满足的东西;(二)它能使一种结构发挥其功能,能维护其存在并促使其发展,而不是导致其衰退,使其走向解体,走向非存在。从以上的标准来看,善的确定最后都是要经过理性反思的,比如个别性的感性欲求之善就会走向自己的反面,从而不能凭自己保持其存在,因而是不自足的,故而需要

对此作出适当的节制,才能成就其善。所以,善可以"定义为合理欲望的满足"①。由于追求善是在一个社会共同体中进行的,所以理性的考虑就是要能够维护其既定的社会秩序,使之有效率,并能够和谐有序。这是指共同体的"善"。从以上可以看出,效果指向是"善"的根本特点。而要获得"善"的动机指向,就要么走向天赋道德论,如孟子、卢梭等人就是这样;要么走向意志与理性的一致说,主张人的善良意志就在于服从理性的绝对命令,如康德。可以说,这些观点都是从个人的德性入手,而没有上升到对一个社会的现实伦理结构进行思考的高度。

也就是说,这些"善"的观念并不考虑社会结构的前提的价值性质,比如说,它可以默认社会的等级制结构,并以此为前提来维护这个社会的稳定,从而把任何有助于维护这个社会稳定的行为、思想、情感都看作"善"。也就是说,这种善并不具有对社会人伦关系的价值性质进行批判的能力。因为这种善的目标依赖于社会共同体,这使社会共同体本身的性质得不到批判的审视。由于容许这种非批判性的前提的存在,故古代的"善"论充当着为等级制度进行辩护的角色。这是一种价值论的泥沼。因为古代道德论实际上是以等级制的伦理关系结构为前提的,而这种伦理关系结构却经不起理性的批判。

人伦关系的价值特征无非有两类,一类是平等权利在其视野之外而主张等级制的天然合理性,另一类则注重基本的平等权利而主张宪政的民主自由政体。两类人伦关系结构都可容纳对善的追求,但善在它们的价值学词典中却有不同的位置。前者认为善的观念是一切人类行为追求的目标,他们无法想象在一个主张平等权利的社会中如何产生秩序,从而把等级秩序视为一种基本的"共同善",认为这种等级秩序有利于培养贵族的荣誉感并发展各种各样的优美德性,同时把下层百姓的恭顺驯服看作是他们的美德。这样,这种观点就把善看作是平等权利的对立物。所以,要形成把平等权利看作是组成社会的先决条件的意识,必须经历一个漫长的历史过程。这种意识要得以产生,必定要能认识到个人的不可让渡的独特性、其固有价值和内在尊严,并形成把

①　罗尔斯著,何怀宏等译:《正义论》,中国社会科学出版社 1988 年版,第 27 页。

社会看作是由平等、独立的个人所自愿组成的这一前提性意识。

其实,善的逻辑也会违背那些主张等级制的天然合理性的人的初衷。比如说,人人都愿意贵而不愿意贱,因而贵对贱的阶层来说也是一种善,也是他们追求的对象,他们也希望贵为天子,富有四海。这就是为什么项羽在看到始皇帝出巡会稽时前呼后拥、冠盖如林、威风八面,会喊出"彼可取而代也"! 奴隶陈胜也发出誓言:"王侯将相,宁有种乎"! 等级论难道不是内涵着起义有理的逻辑吗? 当然,这不是他们愿意承认的。儒家学者告诉处于社会下层的人们:你们要严守自己的等级地位,不能贵贱逾等,犯上作乱。但是如果卑贱者起义真的成功了,这种学说就会转而为成功者辩护,于是有了刘邦的表演:在儒者叔孙通的主持下制礼仪,行仪礼,刻意营造那种隆重与肃穆的仪式和气氛①。儒家学说自觉地为这一家一姓的王朝的长治久安服务,敦促他们行仁政,得民心,孚民望。此其一。

其二,我们看到,由于古代社会没有平等权利概念,所以,在政治思想和伦理思想中,他们会以一个共同体生活所要达成的目的(善)来对个人的生活进行制度安排。比如在柏拉图所设计的理想国中,从功能、技能能发挥作用的原则出发,主张医术作为治病的技术应该对那种有小病或局部性疾病的人施以治疗,使他们尽快地恢复健康,而对那种有大病、全身性疾病的人,就应该放弃治疗,让他们自然地消失。而基于某种教育理念,即用于教育人们的教材应该充满和谐、美好、节制等的形象和描写,柏拉图主张对荷马史诗、诗人的作品进行严格的检查,并对之进行删改,可以说是一个对文化作品进行严格检查的制度,所以,在柏拉图的思想里,为了公共利益,城邦可以剥夺个人的权利。柏拉

---

① 《汉书卷四十三·郦陆朱刘叔孙传第十三》:当汉王刘邦平定天下之初,在定陶称帝。刘邦最初尽去秦仪法,为简易。但是这样一来,"群臣饮,争功,醉或妄呼,拔剑击柱,上患之。"于是,叔孙通提议应该"共起朝仪":"汉七年,长乐宫成,诸侯群臣朝十月。仪:先平明,谒者治礼,引以次入殿门,廷中陈车骑戍卒卫官,设兵,张旗志。传曰'趋'。殿下郎中侠陛,陛数百人。功臣、列侯、诸将军、军吏以次陈西方,东乡;文官丞相以下陈东方,西乡。大行设九宾,胪句传。于是皇帝辇出房,百官执戟传警,引诸侯王以下至吏六百石以次奉贺。自诸侯王以下莫不震恐肃敬。至礼毕,尽伏,置法酒。诸侍坐殿上皆伏抑首,以尊卑次起上寿。觞九行,谒者言'罢酒'。御史执法举不如仪者辄引去。竟朝置酒,无敢讙哗失礼者。于是高帝曰:'吾乃今日知为皇帝之贵也!'"(岳麓书社 1994 年版,第 938—939 页)。

图在《理想国》第二卷详细论述诗歌的检查制度,第三卷则严格检查乐器和曲调,并主张对某些危重病人根本就用不着治疗。第五卷中要求公妻,婚姻由国家安排,儿童公养,并把有缺陷的孩子秘密处理掉(据说斯巴达曾经实行过这种制度)。这种为了国家的公共善而肆意侵犯个人权利的制度,现在想来都让人不寒而栗,但却是以"国家利益"、"人的德性培养"等高尚的名义堂而皇之地进行的。① 这个所谓理想国,是从严格的合理性价值的角度来设计国家的政治体制和公民的等级制度,而根本不存在普遍的个人平等权利意识。在柏拉图看来,如果人人拥有平等权利,岂不是乱了纲常? 所以,他主张统治者、护卫者和农工阶级,应该严守各自的等级,不能混淆,只有各尽其职,各守其分,才能达到国家的最高善——公正。从这一点我们可以推知,个人的平等权利意识在古代社会中是如何与善相互对立的。

三、平等权利:一个公共伦理学的基础概念

人类在远古的原始社会中,其部落内部可能奉行一种成员之间平等的生活原则,主要是同等地劳动和平均分配劳动果实,这显然不是个人平等权利意识,而是部落的生死与共的血肉联系,这种社会必然会随着产品出现剩余、社会关系的复杂化而进入阶级社会。所以,平等权利意识并不是天生就有的,相反,正如我们曾经强调过的,在人类文明早期,人们认为平等权利是非伦理的。这就给我们一个启示,平等并不是一个自然事实,也就是说,不能认为,平等观念只是在历史上被遮蔽了,现在只需要揭开这层遮蔽就成了。

平等权利意识的产生是一种哲学思维的结果,因为平等权利意识不可能有经验事实来支持,而只有在超验层面上才能体验到个体之为个体的不可让渡的独特性和尊严,设计人人享有的平等权利,并把它视为一个前提。正因为平等是一个前提,所以平等不是某些人的平等,而是所有人的平等,是不容侵犯的权利。平等权利作为一个理念,只有在人类理想、人道这样的抽象层面上才能产生。我们知道,在古希腊,在公民等级内部,公民的政治权利也是平等

---

① 见柏拉图《理想国》的第 2 卷、第 3 卷、第 5 卷。(张竹明译:《理想国》,商务印书馆 1984 年版)。

的,但是这是在人群中某个范围内的平等,而不是全体人的平等,奴隶就根本没有任何权利可言。等级内部的平等实际上是全社会的不平等,这种平等权利实际上是特权。这种建立在不平等基础上的平等,是特殊利益的表现,而不是真正的公共利益,它不需要理性的抽象就能达到。所以,近代以来倡导平等权利的思想家选择了一种契约论作为自己的抽象工具,从订立契约的前提上主张人们应该是平等的,就是所谓人人平等的"自然状态",并把这种抽象的平等权利称作"天赋权利"。罗尔斯对这种理论前提作进一步的发展,"使之上升到一个更高的抽象水平",目的是让正义原则成为"那些想促进他们自己的利益的自由和有理性的人们将在一种最初状态中接受的,以此来确定他们联合的基本条件"。①

平等权利学说的本质不是在社会上消灭一切不平等,比如天赋的不平等、结果的不平等,因为这事实上难以办到。设置基本平等权利的目的是反对把人的一切都置于"善(好)"的支配之下,反对为了善的目标而可以牺牲个人的任何权利的观念,反对把社会地位的不平等制度化。换句话说,这些基本权利必须是受到社会保护的,要能够保证个人的生命不受到任何非法的剥夺,个人的基本自由不受干涉,个人的财产也不容侵占,而且个人有获得一切社会性的"好"的平等机会(当然他们应该以自己的才德来合法地取得)等。为了达到这个目标,首先要进行的就是一种思想启蒙,把人们的思想从认为等级秩序是天然合理的观念中解放出来,从而形成人人平等(人格平等、拥有自己的尊严和不可让渡的独特性)的意识,并进而对个人在社会生活中获得自尊的条件进行审慎的思考。近代西方的自然状态学说就是这样一种抽象。霍布斯主张,在自然状态下,人们对周围的所有物品都有平等的主张权。再往后,问题就复杂了,如果每个人对所有物品都有同等的主张权的话,那么,就会引起相互争斗,即所谓"人与人像狼"的"丛林状态",于是主张把自然状态下人们拥有的所有权利让渡给一个正规的、掌握合法权力的组织——国家,让国家订立法律来使大家在法律范围内进行利益竞争。这就是霍布斯的社会契约观念。

---

① 罗尔斯著,何怀宏等译:《正义论》,中国社会科学出版社 1988 年版,第 9 页。

这种观点会为集体组织侵犯个人的固有权利留下隐患;洛克则认为,其实说人在自然状态下对一切物品都有平等的主张权没有什么实际意义,因为自然状态作为一种抽象,是为了使所有人都能行使获得做人尊严的基本平等权利,由此定下了三条基本平等权利:生命权、自由权、财产权。生命权当然是一个基础,自由权则是个人能够自主决定如何发展自己的空间,财产权是一个人进行社会生活的物质基础。所有这些基本权利,都是总体地维护一个人在社会生活中的做人尊严的。社会契约的订立就是要保障每个人的基本权利不受任何非法侵犯。洛克对这一点有清楚的把握,他认为,自然状态是论证的一个出发点,是理智推论的一个前提,是制度设计的一个基础。所以,他断言,自由、平等就在自然状态中。他认为,即使不存在这么一个状态,承认人应该具有这些基本的平等权利也是理智所必然赞同的。但一落实到实践之中,平等问题就显得十分复杂,值得我们审慎地思考。

首先,我们要明白,平等权利只限于基本权利,如生命权、自由权和财产权等基本权利,从而保证人们在订立契约时是平等的。而至于社会和国家的组成,其目的都是为了公共利益,个人必须以自由、自尊的道德人格身份进入社会。但是这种平等权利不可能保证竞争的结果会是均等的,这种结果的不均等达到一定程度,只能由社会本身的扶贫济困的机制来加以缓解。这是从洛克、休谟、斯密到哈耶克、洛齐克等人的典型思路。

平等权利之所以优先于善的原因在于:平等权利并不是每个人各自凭自己的欲望、爱好来追求的"善",甚至可以说,平等权利并不是每个人都愿意追求的。显然,处于社会中较高等级地位中的人们不但不喜欢人人应该拥有平等权利的观念,反而谋求把等级制度稳固化,使之传之久远。通过长期的理论宣传和道德教化,下层的人们也可能认可这种秩序。统治者深深懂得,人除了有能独立思考的理智外,还有更重要的情感、欲望,他们在长期的制度压力下,在主流话语的影响下,在各种器物、仪式的熏陶下,就会形成一种习惯,而接受既定的等级秩序。这显然是上层社会的人们在竭力地维护有利于自身的"善"。在这种情况下,在下层的人们中,有些人就会因为受到教化而失去了追求平等的意愿,另一部人则会渴望进入社会上层,平等对他们来说同样未必是可欲的。这也告诉我们,美德的价值特征是受到社会基本结构的前提性限制和环境性的塑造的。任何一个社会,都要从事于塑造人们与这个社会基本人伦关系的性质相符合的德性,即统治者们认为是正常的欲望和气质。所以,平等与人们的愿望并没有直接的关系。它是一种抽象意识的产物,要争取的是普遍的平等权利。它关联着一种现代文明社会的政治伦理观念,必须使之取得一种前提地位,所以,它应该优先于对任何个别的"善"的追求。

平等权利不能直接地被视为一种"善",因为它不会是人们直接的"所欲",它是通过政治哲学的进步和人们的理性抽象而获得的,它关涉到一个民主自由的制度的基本前提,所以,虽然平等权利的持有者是个人,但从实质上看,它具有"公共性",它不是个人的"善",而是一种社会的基本价值。平等权利的存在与个人的具体善的存在遵循不同的逻辑,前者是把社会作为一个整体来思考一个民主、自由的社会的结合前提,通过理性的最初选择而得出的,而一般的个别性的"善"是指个人在自己理智的指导下追求自己具体的偏好。由于平等权利的这种前提性性质,所以,个人的具体选择就要在这个前提下来进行,他们必须在尊重、保卫这种基本平等权利的前提下来追求自己的"所欲",实现自己的人生理想,完善自己的社会人格。也就是说,是平等权利这种社会公共价值使得个人的追求成为正当的,所以,平等权利对善的优先性是必须确立的。

其次,在确立了基本平等权利的前提下,要继续考虑某种意义上的实质平等问题。也就是说,在进行制度设计时,要求国家制度设置要能够保证某种程度上的实质的平等,比如在平等竞争的过程中出现的结果上的不平等大到了一定程度,就主张由国家公共财政来加以弥补。这里牵涉到对自由和平等的限度等问题的理解。关于这一点,我们在第四部分会进一步谈到。

再次,平等是人的理智认识所获得的一个原则,但是现实中彻底贯彻这个原则也是很难的,勒鲁对这个问题有确切的了解。他的名著《论平等》的雄心在于"用卢梭没有运用的人类传统和用宗教的信条本身去证实平等。"[1]他认

---

[1]　皮埃尔·勒鲁著,王允道译:《论平等》,商务印书馆 1988 年版,第 8 页。

为,人的本性中有三个方面,即知觉、感性、知识,与之相应的政治本能与利益是自由、博爱和平等。值得深思的是,他直接指明了平等是认识的结果。他认为,人有一种官能需要得到满足,即"智慧就是认识事物的需要",对政治事物的认识,可以用来阐明"为什么我们人人都应该有自由的权利,为什么我们要有兄弟般的相亲相爱、互相帮助的义务,这第三个词就是平等。"①因为单是自由和博爱,还是有缺陷的,比如自由就是一个战斗的口号,博爱也可以成为战斗的理由,只有以平等的理念为基础,这三个词才能成为一个整体,这时,"它们才是真理和生命的最妙的表达形式。"②。

在他看来,平等是一个原则,是一个信条,它以理性抽象的普遍性原则确认:只要是人,就是平等的。它创造了权利,它先于习俗,并创造了习俗和构成了习俗。公民平等源于人类平等的信念。这样,平等原则就成了勒鲁批判社会不平等的准绳。在他看来,虽然所有人的平等权利都由法律规定下来了,但在现实中却充满了不平等。比如,立法权由贵族垄断,就是一种现实不平等,权利实际上是虚构的;所谓自由竞争的平等,实际上"占优势的是可怕的不平等。"③他认为,占有劳动工具的只有一小撮人,其他的人就在悲惨的情况下沦为工业奴隶。他认为在现实社会中产生不平等的原因就在于私有财产。他说,虽然平等作为一个原则和信念已经深入人心,凡平等的事物就是正确的、正义的,不平等的就是邪恶的、非正义的,但权利与事实在他那个时代是相反的,事实上的不平等触目皆是。于是,他只能呼吁让原则和理念尽早变成事实。勒鲁对平等权利的有力论述,的确让我们看到了:要使前提性的平等权利在现实中得到某种实质性的体现,必然有段漫长的道路要走。

第四,对平等的追求,最容易唤起人们的热情。当然这种热情一旦越过了理性的界限而走向极端时,就会陷入一种迷乱,比如要求国家能够保证每个人在结果上完全平等。他们认为,既然人生而平等,那就国家就应该以制度安排的形式来实现一切平等,从而走向空想;有的则认为,正是国家、政府的存在使

---

① 皮埃尔·勒鲁著,王允道译:《论平等》,商务印书馆 1988 年版,第 13 页。
② 皮埃尔·勒鲁著,王允道译:《论平等》,商务印书馆 1988 年版,第 17 页。
③ 皮埃尔·勒鲁著,王允道译:《论平等》,商务印书馆 1988 年版,第 27 页。

不平等制度化了,从而走向无政府主义。其中的逻辑耐人寻味。

在追求平等的过程中,人类实际上也出现许多充满荒诞意味的平等意识。他们把平等理解为绝对的平等,要求所有的社会物品只要有人在享用,一切人都可享用。这通常是无政府主义者对平等观念的表面理解。按路易斯·博洛尔的理解,他们的目标"不是道德上的和政治上的平等,而是社会平等以及在福利和物质需要方面的平等。埃利斯·热克卢斯写道:'我们必须使每一个人确信,他的需要和要求能够完全得到满足。'"①这种对平等的误解,滋生了对社会中的一切差别的仇恨,包括对财富、教育、美德等的仇恨。据说,列奥瑟尔(Leauthier)在实施犯罪之前,曾经在一家非常有名的餐馆订购了一桌极为丰盛的午宴,并且还喝了香槟酒。但是,酒足饭饱之后,他没有付款。当他被告知,如果消费不起,就不要喝香槟时,他反驳道:"富裕阶级依然在喝。"另有一个无政府主义者,订购一顿晚餐,包括一瓶香槟酒。当被问到既然没有钱,为什么还要喝香槟酒时,他回答说:"我喝香槟酒,是为了让那些喝了那么多酒的人少喝一点。"②这两位对财富的仇恨是无政府主义者错误的平等观念的典型表现。在法国大革命中,人们尽可能表现得行为粗俗,因为怕被认为是贵族。如果有人被人称作"皮肤白皙的先生",无异于被判处了死刑。

因此,剖析无政府主义平等观念的实质及其危害,的确是我们应该担负的责任。

四、现代平等与正义的关系

现代正义是在平等、自由的人伦关系的基础上进行思考所得出的结果。任何侵害基本权利的做法都不可能是正义的。正义理论必须承认权利对善的优先性,这是现代正义论与古代正义观念的原则区别所在。不理解这一点,就不可能理解现代正义。

(一)相对于效率这种善来说,平等权利应该取得优先地位。效率作为一

---

① 博洛尔著,蒋庆等译:《政治中的罪恶》,改革出版社 1999 年版,第 57 页。

② 博洛尔著,蒋庆等译:《政治中的罪恶》,改革出版社 1999 年版,第 57 页底注。

种利益,是一种"好(善)",但是,在现代平等自由的人伦关系的结构中,并不能为了效率的最大化而采取一切手段,相反,社会必须规定一些"非效率"的基本权利,当然,也不要由此得出结论说,平等权利是完全反效率的,实际上,在确立了平等权利的优先地位后,也可能带来效率的最大化,只是我们不能把效率的最大化看作一个根本目标。奥肯认为,这些平等权利优先的正当理由植根于三个方面:自由主义、多元主义、人道主义。

从自由主义的角度说,言论自由和宗教信仰自由应该是广泛的、无条件的。"对它们进行规定、限制或者歧视,就等于赋予政府随意的处置权。"①自由主义之所以拥护平等,并不是由于它重视平等,而是由于它格外关注政府所应受到的制约、政府的权力必须得到明确而又客观的规定。

多元主义的核心信念是:除了市场价值以外,还要有许多不能化为金钱的价值,还有一套包含人们自愿安排其相互关系的机制,是基于感情和博爱的——友谊、爱情,"这些多样化的机制使市场受到约束,同时使社会不致变成一架巨大的自动售货机,它们是把社会联合在一起的黏合剂。"②在这些问题上,不能受到金钱和权力的干预。即使我们把市场价值奉为社会的主要价值,我们仍然认为,市场价值只在市场交换中的过程中才是需要的,我们要坚决防止它从市场领域向公共政治领域和人类的自主的情感领域蔓延。

人道主义则强调承认所有公民的尊严。③人道主义认为,个人的生命必须得到最高尊重,个人的生命决不能受到非法的剥夺,无论以什么样的集体利益、公共安全等理由非法剥夺一个公民的生命都是一桩政治罪恶。同时,个人的人格权不容侵犯,哪怕是对待犯罪嫌疑人也应该保护其人格尊严;人们还应该获得在社会中自立的基本条件,从而获得自尊的基础。

这些基本的平等权利优先于效率,它们有自足的价值,不受效率标准的衡量。只有这样,我们的伦理观念才会是普遍的、公共的。

(二)确立这些平等权利的优先性,注目于两点:一是它们是每个个人在

---

① 阿瑟·奥肯著,王奔洲等译:《平等与效率》,华夏出版社1999年版,第10页。
② 阿瑟·奥肯著,王奔洲等译:《平等与效率》,华夏出版社1999年版,第14页。
③ 参看阿瑟·奥肯著,王奔洲等译:《平等与效率》,华夏出版社1999年版,第14页。

社会生活中获得作为一个文明社会成员的自尊,并在社会的普遍平等规则下获得自由发展空间的前提条件,二是给个人抵抗社会团体、国家组织的强势侵害构筑最后堡垒。因为它们是面向所有人的,是普遍可分享的,所以他们是公共的伦理性价值。这是社会正义的前提,也是其本质内容之一。一种制度安排要具有正义的价值,那么首先就得平等地分配这些基本权利,这即是罗尔斯的第一个正义原则所表述的内容。

经济与社会的不平等应如何安排呢? 一方面,从机会来说,应该平等地向每个人开放,另一方面,在政策的制定上,应该惠顾社会的最少得利者,实际上是在一定范围内利用公共政策杠杆减轻社会的不平等的程度。这即是罗尔斯关于正义的第二个原则。当然这仍然有着某种抽象原则的成分,其目的在于奠定一个普遍的价值基础,具体的政策措施应该以此为指导。也就是说,平等既有起点上的考虑,也有结果上的追求。因为不把某种程度上结果的平等作为追求的目标,所谓平等其实是不完善的。这就是说,公共权力机构所制定的公共政策的道德性、正义性就必须以这种公共利益为衡量尺度,这是对现存的不平等的改进。所以,米尔恩也说:“如果设立新权利对于消除社会成员实际享有的法定权利和他们应该享有的法定权利之间的差距来说是必需的,那么,它们就是正当的。”[①]

(三)在现代,要论证权利对善的优先性,其焦点已不在于论证等级制度的不合理,而在于要论证基本权利不能因为效率、金钱、功利的目的(这些也是“善”)而被忽视。所以,在这个意义上,权利是一种本身就好的东西,它比任何个别性的善更优先。但是,它不是个人的好,而是一种公正的制度所要保卫的公共价值,它要做的就是调节社会中的个人的地位,而对强势的人予以严格约束,对弱势的人则赋予基本权利并加以保护,从而使这个制度下的所有人都具有同样的最基本的平等权利。总结起来,有以下几点:

首先,我们看到,基本平等权利是普遍性的原则,由于它是组成现代社会

---

①　米尔恩著,夏勇、张志铭译:《人的权利与人的多样性》,中国大百科全书出版社,1995 年版,第49 页。

的前提,也是人与人之间交往中必须彼此尊重的基本价值,所以,它是伦理性的价值。它一经谨慎地确立,就有着客观的、普遍的意义。而善是多元的、个别性的,而且持不同宗教观、人生观的人也会持各种不可通约的善观念。善是多元的、个别性的,而且因为其结果性、功利性、有益性,有可能会侵犯权利。

其次,我们要特别指出,权利不受功利的审核,也就是说,对平等权利的保障,有时会降低效率,但就是在这种场合也不能为了功利而摒弃权利。因为功利指的是能满足特定需要的物品或利益,它是可量化的,通常可以化约为金钱,所以,要明确权利优先于善,首先就要明确:基本权利是不能进入交易的,也是不受金钱侵犯的。金钱作为经济社会最普遍的力量,必须受到限制,也就是说,权利领域必须拒绝金钱。虽然,我们也痛苦地看到,金钱其实在相当广泛的领域中侵犯着权利,金钱甚至能够买到生命。这种现实正是我们要努力加以改变的,这需要我们的社会制度和社会道德不断地演进。

再次,我们在论证权利对善的优先性时,要把它限制在政治公共领域中,这正是罗尔斯的《政治自由主义》着力告诫我们的。政治当然跟每个人有关,但从理论上说,并不是所有的善都直接与政治相关联,比如,我们可以思考个人的人生价值和美德以及人格的完善等,但权利问题并不直接与这些个人人生选择相关,而是与政治中被追求的各种善有关。罗尔斯说:"政治自由主义是为政治生活和社会生活之主要制度提供一种政治的正义观念,而不是为整个生活提供一种政治的正义观念。……它必须确认某些基本权利和自由,并赋予它们以某种优先性等等。"①

五、回应对"权利优先于善"的驳议

在当代,对"权利优先于善"这一原则提出最有挑战性异议的是社群主义。

第一,有些社群主义者就根本否定权利的存在。麦金太尔是其中的典型。麦金太尔这样议论道,对有理性的行为者来说,某些利益是必需的主张为什么

---

① 罗尔斯著,万俊人等译:《政治自由主义》,译林出版社 2000 年版,第 186 页。

与拥有某些权利的主张如此不同呢？原因之一在于，事实上后者是以存在有一套由社会确立的规则为前提的，而前者却没有这样的前提条件①。显然，这些规则是历史上某个阶段的产物，而不是人类状况的普遍特征。他反对这种观念：认为人作为人本身就具有的权利，以及作为理由被持有、从而使人们看到自己追求生活幸福的过程中不应受到干预妨碍的权利。在他看来，语言史也说明了这一点，因为1400多年以前，古典的希腊语、希伯来语、拉丁语、阿拉伯语中都没有任何恰当的说法可以用来表达这一概念，中古的英语中也没有，日语直到19世纪都不存在这么一个相应概念。麦金太尔很精细地分析道，从这一事实上并不能推论当时根本不存在自然权利这样的东西，而只能推论说，人们当时不知道有这样的东西存在。然而，他认为，虽然从逻辑上并不能够证明这种权利是否存在，但真理却是："根本不存在这种权利，相信这种权利与相信独角兽或巫术是一样的。"②

从哲学上如此直率地否定权利的存在，实际上是由麦金太尔的一种错觉所致。他当然也不能证明不存在权利，但他认为，到现在为止，所有论证有权利存在的努力都失败了。要断言权利的存在只能诉诸直觉，但这表明其论证就到了糟糕透了的地步。

麦金太尔的这一说法是不对的。首先，基本的平等权利不是一种理想，而是最低限度标准的概念。用米尔恩的话说："它是这样一种观念：有某些权利，尊重它们，是普遍的最低限度的道德标准的要求。"③这就是说，我们可以合乎理性地论证基本平等权利不是某个民族、社会所特有的，而是可以为所有民族、所有社会普遍拥有的。从这个意义上，它并不以所谓同质的无社会、无文化的人类为前提，相反，它是以社会和文化的多样性事实为前提的。米尔恩的这个观点，与罗尔斯的"公共理性"观念已经很接近了。德沃金则认为，不管是谁，总有一些大家一致认为是正当的东西，"无论你持什么哲学观点，如

---

① 麦金太尔著，龚群等译：《德性之后》，中国社会科学出版社1995年版，第86页。
② 麦金太尔著，龚群等译：《德性之后》，中国社会科学出版社1995年版，第87页。
③ 米尔恩著，夏勇等译：《人的权利与人的多样性》，中国大百科全书出版社1995年版，第7页。

果你认为酷刑不对,如果你认为不能听任儿童挨饿"①,我们就认识到了人们拥有某些基本的平等权利;其次,我们认为,权利不是一种物理事实或心理事实,它是一种价值。既然是一种价值,那么,它就允许理性的建构,所以,我们说,基本的平等权利观念是一种哲学抽象的理智成果,同时社会生产方式发展到了一定程度才会有这种内在需要。麦金太尔把权利与"独角兽"和"巫术"扯在一起,这是没有道理的;再其次,虽然权利的存在(或者更恰当地说"权利的正当性")可以被理性所论证,但是,要使之成为人们的政治——伦理信念,还是有一段相当长的路要走的,需要把它们具体化在国家法律之中,并化为公共权力机构的执政理念和实际措施,以及公民社会的广泛参与和认同。这也是我们论证"权利"优先于"善"的理论目的之所在。

第二,有些社群主义者并不否认权利的存在,他们在考虑权利如何实现的问题时,主张权利不能优先于公共善,而应该相反。他们的驳议分为两个部分:第一部分,他们也主张一种文明的国家应该采取自由政体,但他们的深层忧虑是:我们组成了共同体,国家就是最大的共同体(从人类历史来看,每个人不管愿意不愿意,都已经是一个国家的公民了),而且国家是一个握有公共权力的政治体,这种权力会遭到滥用。昆廷·斯金纳关注这个问题,他援引马基雅维里的观点,认为只要"对权力的野心"导致"一种遵从他们自己的意志的政体的建立",我们就可以说"他们夺走了人民的自由"。② 也就是说,不抑制这种政治的败坏,只能造成对公民的奴役。这就一方面要求公民有一种强烈的公民义务,形成一种公民德性意识。这种公民德性意识指向对共同体的公共善的维护,对权力的无限膨胀的趋势时刻保持一种高度警惕,公民们应该通过广泛的政治参与对权力的野心形成一种制约。也就是说,公民们要能够保卫自己的基本自由权利,首先得关注共同体的公共善。于是,他们提出:"如果我们不把个人自由的价值置于共同善之上,我们却会享受到最多的自由。坚持把个人自由置于共同善之上……是对善良公民的败坏,而败坏的代

---

① 德沃金等著,朱伟一等译:《认真对待人权》,广西师范大学出版社 2003 版,第 21 页。
② 达巍等编:《消极自由有什么错?》,文化艺术出版社 2001 年版,第 135 页。

价则总是奴役。获得个人自由的唯一途径就是通过公共服务的办法。"①由此，他们认为，共同体的"善"应该优先于个人的平等权利。

在社群主义观点所述及的这个意义上，我们认为他们的立场与"权利优先于善"的立场并不构成直接对立，对立只是字面上的，也就是说，社群主义者的意思其实是说对共同体的公共善的关注和捍卫，是获得个人自由权利的必要条件。实际上，他们说的仍然是：尊重和保卫个人的自由权利是我们关注和捍卫公共善的目的，故他们并不是一般地论证了"善优先于权利"。我们当然也同意应该阻止公共权力的腐败，这是保证公民的基本自由权利能得以行使的政治措施。而社群主义者所论证的正是：阻止公共权力的腐败是获得个人自由权利的必要条件。而我们主张"权利优先于善"，是在一般意义上论证：个人选择的善应该在尊重、保卫个人平等的自由权利的前提下来追求，在这个意义上，公共善之所以是正当的，正是由于它受到组成民主自由的社会的前提条件的限制，一种"公共善"假如不受到这种限制，就不能证明其正当性。试想，为什么我们认为公共权力的腐败是邪恶的，就是因为这会剥夺公民的社会自由，践踏公民的基本平等权利。

但是，这种社群主义由于强调共同体的安全是个人获得行使自由的必要条件，从而主张共同体有对个人来说的绝对控制权和要求个体为之无条件献身的绝对权力。如果说在国家安全处于十分紧张的情况下，赋予共同体以这种权力还可以理解，因为如果国家灭亡了，那么带给个体的命运必然是奴役；但是，我们也毫不犹豫地认为，如果把这种绝对权力看作是国家的正常权力，那无疑将会是灾难性的。

第二部分，有些社群主义者认为，其实并不存在一般的正义原则，实际上"正义"、"合理性"等价值都是在具体的共同体生活中形成的，或者与人们所处的社会地位、利益集团、文化价值观念密切相关，所以，在讨论这些问题的时候，必须追问"谁之正义，何种合理性?"（麦金太尔）在一个"善"观念多种多样、价值多元化的时代，有这种思潮当然可以理解。他们认为，在当代，要在一

---

① 达巍等编：《消极自由有什么错?》，文化艺术出版社 2001 年版，第 137 页。

个国家里形成一种普遍的具体价值的共识已无可能,人们只能在对其价值观念取得了共识的小型共同体中,才能获得自己生活方式、精神提升的价值营养。在这个意义上,共同体的价值传统和价值信念(即共同体的公共善)等等就居于人们的精神生活的前提性地位。

对这一部分的反对"权利优先于善"的观点,我们认为可以作如下的回应:首先,当代民主自由社会的价值多元化的现实,正是在尊重和捍卫个人平等自由权利的价值理念的背景下出现的。离开这么一种价值理念,社会的价值多元化状态不可能出现,即使有多样化的价值,也不可能公开地成为人们的正常生活所各自遵循的标准,因为一个没个人平等权利意识的政体,必然是等级的或专制的政体,也就是说,这种政体必然要加强意识形态的控制和灌输。其次,我们也认识到,各种各样的小型共同体之所以能出现和成长,也是由于有一种自由的社会环境。一个专制社会对民间社团也是抱有深层疑虑,一般是要强力打压的。社群主义者对这一前提似乎没有给予足够的关注和认肯。最后,至于说,个人的德性在紧密的共同体生活中才能得到更加有效的培养和塑造,这的确是事实。不过,主张"权利优先于善"对这一点并不造成阻碍,因为只有在个人是独立平等的个体时,我们才更能够本着自愿的原则成立社区、自愿团体,来锻炼人们的自我管理、获得组织生活的经验、实现自我的社会本质的能力,积极参加这种共同体活动,能够获得各种具体的荣誉和成就,也能够切实地培养人与人之间的情感相通和服务于公共善的意识和品行。

通过细致的论证,"权利优先于善"的原则可以得到有力的维护,有了这个前提,平等权利与善就会在一种更高的社会组织和哲理层面得到统一。平等权利意识在公民中普及之日,就是各种道德噩梦终结之时。

第二章 公共领域的类型及其伦理意义

我们已经讨论了为什么要把基本的自由、平等权利作为公共伦理学的出发点的原因,而且在我们看来,它们一开始都是空无内容的,是抽象的。但是,它们又是能够自我决定的,并表现为人们的意志自由在各种文明制度中不断得到实现的过程。这一过程也就是社会正义价值不断得到实现的过程。我们将会发现,在权利不断在各种制度中特定化的时候,实际上表现为一个私人权利和公共权利相互统一的发展过程。没有个人的真正独立,个人不能获得自主、自立和基本权利,那么社会公共领域也无法很好地发展起来,个人也会无法真正获得公共权利。而当公共领域得到了很好的发展的时候,个人才能获得更丰满的人格,能够更好地实现自己的社会本质。近代以来,个人的基本权利得到了国家公共权力的确认和保障,所以,现代社会中发展出了越来越广大的公共领域,出现了越来越多的公共利益,这就要求社会的公共机构能够真正体现出其"公共性"。以这个视角来观察中国古代的有关"公"伦理学说,我们就会发现其中蕴藏着一些内在悖论,并可以试图找到走出这些悖论的现实途径,合理地衡量中国古代"公"伦理学说的某些深层内涵对建构现代公共伦理学理论而言的意义和价值。

第一节 公共领域、公共利益和公共性

公共伦理学的主要论述对象就是在公共领域中的伦理范型及其道德含义。换句话说,它所处理的不是个人与个人之间的道德关系,而是公共领域对人们而言的道德价值。我们认为,人们在公共领域中的生活,所涉及到的最本

质关系就是公共利益的创造及其作用的发挥。我们知道,公共利益直接或间接地为所有公民所共享,所以,公共利益为一个"好社会"所必需。在创造公共利益的过程中,公共组织如何体现出其真正的"公共性"就是其公共伦理价值追求。

一、公共领域的分类及其发展

"公共领域"是由哈贝马斯所复活的一个富有意义的概念,在公共伦理学中发挥着很大作用,并得到了广泛的讨论。但是,这个概念在哈贝马斯的使用中,其意义有一种特定限制。在我们看来,这个概念所指涉的领域多种多样,大致可以说,一个生活领域如果是公开的,并且有着某种可共享性和可进入性,就是公共领域。公共领域的存在和发展,是建立在划分了明晰的私人领域的基础上,其最终目的不是仅仅为了使私人利益得到保障和促进,而更是为了让人们获得某种"公共人格"。从这个意义上说,公共领域有着其政治含义。

1. **作为公共场所的公共领域**　雷蒙特·戈斯(Raymond Geuss)说,"一个公共场所就是一个我能被任何'一个可能碰巧出现在那里的人'观察到,这就是说,被那些我没有私人交情的人和那些不需同意就能进入与我的亲密互动中的人观察到。"①比如,公共市场、公共学校、公共道路、商店等等就可以看作公共场所。在公共场所中,由于人们都是碰巧能进入任何人的视野的,也即是说,人们的外在行为都是暴露的,没有掩蔽的可能。在这样一些公共场所中,人们必须形成一些能够共同接受的行为规范。比如,行为得体,要符合一般的交往规则等等。

在古希腊,当然存在着政治公共领域,它可能会与某些作为公共场所的公共领域相冲突。比如,假如我对政治活动不感兴趣,或者我认为追求真理比参加政治活动重要,那么,我能决定去做别的事情而不参与政治活动吗? 参与政治活动与否是不是我的纯粹个人性的自我决定呢? 但是,在那个时代,公民们有义务参与公共事务,比如公民大会、投票、审判等等。而苏格拉底却逃避做

① Raymond Geuss: Public Goods, Private Goods, Princeton University Press, 2001, p. 13

这些事情,他说他最要紧去做的事情是去证实德尔斐神庙中的神喻即"苏格拉底是最智慧的",所以,他在雅典城邦中闲逛,挑选一些被公认为聪明智慧的人激起对话,来看看他们是否不如苏格拉底自己聪明。他认为,这件事值得他付出所有的时间和精力去做,所以,他远离政治事务,以便专心从事这件事情。这些对话通常是在公共场所比如市场中或其他地方中进行的,当他和某个人对话时,许多人就会聚拢在一起。换句话说,他造成了政治的公共领域之外的另一公共领域,即思想自由讨论的公共领域。但是,苏格拉底正是因为此种行为被雅典的公民大会审判为有罪,并被判处死刑。

2. 古代政治公共领域　值得注意的是,古代民主政体"实质上是没有限制的。原则上说,这么一个政治实体能规范任何事情。所有私人行为,包括公民们如何选择他们的职业或者他们的婚姻伙伴,如何教育孩子,或者把何种陶器放在桌子上,诸如此类的事情,原则上是,通常事实上也是严峻的公共思考和控制的主题。"①为什么公民们会把自己的私人行为自愿地交到政治权力的控制之中呢? 这是因为,这种政治权力是由那些在这种制度中的公民们直接行使的,而且他们可以经验到一种真正的快乐,比如公共荣誉和自豪,这种快乐超过了他们在私人领域中能够得到的任何快乐。公民的联合产生了某些新的东西,这些新东西能够把他们带到政治权力的控制之下,以致他们愿意实质性地成为国家的奴隶,以此努力去获得一种"公共存在"。这就是说,在古代民主政体中,公民们在公共生活中在一个更高的水平上实现了自己的本质。正因为如此,亚里士多德指出,一个恰当的政体应该服务于公共利益,他宣称"人天生是政治的动物"。一句话,在古代民主政体中,私人权利和自由在一定程度上被忽视了。在那时,没有近代意义上的个人自由和财产概念。这一点可由他们就如何使用劳利阿姆(Laurium)银矿作出公共决定的过程来说明:一个人建议把它平均分配给每个雅典公民,但色米斯托克勒斯(Themistokles)反对这一提议,并主张用银矿的出产来建设一支船队以抗击强国的入侵,最后这个建议被采纳了。结果这支船队后来在撒拉明斯战役中击败了波斯人。我

---

①　Raymond Geuss：Public Goods, Private Goods, Princeton University Press,2001,p. 2

们现在不知道那时人们处理由公民们提出的相互冲突的建议的机制是什么样的,但是有一点可以肯定,这种机制在古希腊确实存在。所以,在古希腊,共同体对个体来说是十分重要的,维护共同体与维护私人利益相比有着绝对的优先地位。

汉娜·阿伦特在更深刻的哲学层次上揭示了古希腊城邦这种政治公共领域的实质。她说,古希腊人的这种思想,与一个特殊的事实密切相关,即城邦的兴起。人需要合群,但这一点并非是人的本质特征,因为许多动物也合群。古希腊人对人的本质的认知在于人类有政治组织能力。他们认为,这种能力"不仅不同于以家(oikia)和家庭为轴心的自然关系,而且还直接地与之相对立。……在城邦建立以前,一切基于亲族关系的组织单位,如 phratria 和 phyle(原译文如此——引者注)都已经遭到了毁灭。"①于是,城邦的兴起对古希腊人来说,就意味着除了他们自己的私人生活之外,还接受了另一种生活,即政治生活(bios politikos)。在他们看来,只有两种生活是政治性的,即实践(praxis)和言语(lexis),因为这在他们看来是自由的事业,摆脱了一切有实用性和必然性的事物。正是这种自由和必然的截然二分,使得希腊人对私人财产、家庭等私人的事情并不给予严肃的理论关注。在他们看来,家庭领域有一个显著的特征,即人们是在匮乏和需要的驱使下才共同生活在一起。家庭是一种自然共同体,比如为获取食物而劳动,生育后代,这些活动都是出于一种必然性;另外,家庭还是一种严格的不平等领域,如家长的绝对权威,对孩子的统治,他们也认为是自然而然的。私有财产也是必然性的东西,虽然城邦并没有取消个人财产,但这"并不是由于他们尊重我们所理解的那种私人财产,而是由于这样一个事实:一个人假如不能拥有一所房屋,他就不能参与世界事务,因为他在这个世界中没有一个属于自己的位置。"②城邦的政治生活则是自由的。在这个领域中,人们从事的是自由事业,而且在这个领域中,公民都

---

① 汉娜·阿伦特著,刘锋译:公共领域和私人领域,载汪晖、陈燕谷主编:《文化与公共性》,读书·生活·新知三联书店1998年版,第59页。
② 汉娜·阿伦特著,刘锋译:公共领域和私人领域,载汪晖、陈燕谷主编:《文化与公共性》,读书·生活·新知三联书店1998年版,第63页。

是平等的,所以摆脱了一切必然性。

在古罗马,res publica 一词指的是公共事务。Publica 在原初意义上意味着那些"属于整体人民的东西"。在古罗马,res publica 的原初意思是"军队的东西",这是因为军队的财产,特别是军队所征服的土地是属于整体人民的,它为人们共同拥有。后来,res publica 逐渐获得了以下意义:(1)罗马公民的共同财产,包括神庙、水管网络、城墙、街道;(2)存在于罗马人中间的权力、地位等;(3)所有罗马人所共同关心的东西;(4)所有罗马人的公共善。① 这个概念逐渐变成了公民之间的共识。他们相信:保证公民们的团结对所有公民来说是最好的生活,因为这样做为促进城邦的繁荣所必需。明显地,在晚期罗马,res publica 对公民的私善有着显著的优先地位,而且公民们心甘情愿地服务于它。据说,在罗马共和国,政府的职位是无薪俸的,于是公民们要轮流来担任公职。一句话,在古代,人们认识到公善的重要性,并且能用它们来服务于公共目的。正是在这个意义上,公善与私善之间的冲突才显得格外严重。

3. 代表型公共领域 哈贝马斯认为,在资产阶级公共领域形成之前的公共领域形态是"代表型公共领域",它存在于从中世纪直到十八世纪。在那个时候,公共领域与私人领域是混合在一起的。但社会需要一个代表,所以,在这个社会结构中,只有那些拥有较高地位的人才能拥有代表性权力,这样一来,所有权就意味着公共性。公共身份就指领主的职业,一种代表型公共领域只是一种身份的象征而不是一个社会领域。"封建领主的地位,不管处于哪个级别,都和'公'、'私'等范畴保持中立关系;但占据这一地位的人则把它公开化,使之成为某些特权的体现。"②那么,他们是如何表现自己的代表性的呢? 一般说来有两个途径:(1)国王和贵族以一种礼仪性的方式在人民面前来展示其地位。他们在公众面前表现自己,在这里没有公共讨论和集体行动发生。公众只被要求来观看,国王和贵族以此来主张自己的治权。这样的仪式在法庭上是最典型的。根据哈贝马斯的意见,这类公共性的最好例子就是

---

① See Raymond Geuss,Public Goods, Private Goods, Princeton University Press,2001,pp.34—36
② 哈贝马斯著,曹卫东等译:《公共领域的结构转型》,学林出版社1999年版,第7页。

15世纪的法国布艮第宫廷;(2)他们用一些特定的标志来使公共领域具体化:权力象征物如徽章和武器,生活方式如服装和发式,行为方式如致意的方式和手势,还有修辞方式如称号和特殊用语等,一句话,就是一套关于高贵行为的礼仪。这种公共领域的意义是文化性的或象征性的,所以,这些贵族们特别注重所谓的"公共"节日,因为他们必须在公众面前表现自己的美德和才能,并展示他们作为领主的权力。在哈贝马斯看来,在那个时代并不存在一个真正的公共领域,因为在那个时代公共领域与私人领域是混合在一起的,而代表型公共性仅仅是公共领域的一个象征。

4. 资产阶级公共领域　代表型公共性和环绕于它的结构为资产阶级和资本主义体系的发展所溶解。首先,产品经济变成了商品经济,为了做生意,信息的传播是一种迫切的需要。从一开始,信息就直接与商业需要相连。商人需要关于各个国家的船只、天气和政治局势的信息,于是,商人们组成了公司,并开始促进他们的商业利益。所以,信息和商品在这个过程中起了主要作用。这一新公共领域的出现有赖于以下三个因素:(1)商品经济的发展在社会中形成了一个新的群体,也即那些有着自己商业利益的富人群体;(2)商品经济有一种与封建领主经济相当不同的新经济结构,自由和平等就成为了必需;(3)借助大众传媒(比如报纸),信息能够得到广泛传播。

国家权力对此的反应是建立一种公共权力领域,于是,代表型公共领域萎缩了,并为公共权力领域留下了空间。"公共权力具体表现为常设的管理机构和常备的军队;商品交换和信息交流中的永恒关系(交易所和出版物)是一种具有连续性的国家权力"①,但是对资产阶级个人来说,公共权力把他们排除在外,所以他们把这种公共权力感知为一种负面力量,并努力形成另一个公共领域来监督国家权力的行使。这种新的公共领域发源于家庭也即私人聚会,他们讨论一切出版物,并通过一些特定机构如期刊、出版物、咖啡厅等塑造这个公共领域,它深深植根于一定的经济和社会状况之中。这个公共领域不是作为一个社会领地之类的实际场所,而只存在于会话和商谈之中。所以,理

---

① 哈贝马斯著,曹卫东等译:《公共领域的结构转型》,学林出版社1999年版,第17页。

性的批判性讨论是这个公共领域的生命线。这种讨论发生在18世纪财产拥有者和有教养的阅读公众组成的公共领域之中。它先是集中于文学问题，然后集中于政治事务。由此，在这个公共领域中，私人意见就变成了公共意见。

也就是说，在哈贝马斯看来，"所谓'公共领域'，我们首先意指我们的社会生活的一个领域，在这个领域中，像公共意见这样的事物能够形成。公共领域原则上向所有公民开放。公共领域的一部分由各种对话构成，在这些对话中，作为私人的人们来到一起，形成了公众。那时，他们既不是作为商业和专业人士来处理私人行为，也不是作为合法团体接受国家官僚机构的法律规章的规约。"①于是公共领域是一种非强制性地形成公共意见的场所，与国家的公共权力是相互对立的。换句话说，公共领域以对公共权力的实践进行批评为主题，使公众能够对国家活动实施民主控制。

但是，历史发展到现代，这种理性的公共批判领域发生了变化。当代社会缺乏理性的批判性讨论，因为随着公共广播和公共电视的普及，公民们不再举行理性讨论并形成公共意见，他们为公共广播和公共电视界中的精英所引导。他把这种现象名之为公共领域的"再封建化"。他确认在现代社会民主国家中存在着这种现象，社会与国家存在一种逐渐融合的趋势，私人领域与公共领域的关系有些类似于封建国家中的情况，可以说是一种代表型公共性的复归。当然，哈贝马斯并不是真的认为现代国家正在回到中世纪，而仅仅是认为，在当代社会中某些封建的因素正在复归。那么我们到哪里去寻找解决办法呢？他主张，我们应该特别注意社群。因为在社群中，人们的关系是面对面的，并且可以自我组织、自我管理，在这种领域中，人们可以就国家公共事务展开广泛的理性的批判性讨论。他发展了一种商谈伦理学来复活民主社会公民中间的这种讨论。

5. 公共组织 一般说来，公共组织指那些致力于对社会中的公共事务进行管理并协调社会公共利益的组织。政府组织是最重要的公共组织，有广义

---

① 尤根·哈贝马斯著，汪晖译："公共领域"，载汪晖、陈燕谷主编：《文化与公共性》，读书·生活·新知三联书店1998年版，第125页。

和狭义之分。广义地说,政府组织包括行政机关、国家的立法机关和司法机关;狭义地说,政府组织只指行政机关。

政府机关曾经与国家一道把社会作为一个整体来加以控制,换言之,国家与政府绝对地统治社会。这样,社会就没有自我组织力量和自我管理的能力。比如,在古希腊的小型城邦国家中,公民们无法过一种相对发展了的社会生活,他们只有通过参与国家的政治活动才能获得公民身份。又如中国古代,在统治社会的过程中,国家和政府仅仅允许社会由家庭关系来形成和扩展,所以,中国古代社会组织有其内在限制:在范围上不可能太大,这是因为家庭(族)人口不可能增加到一个很大的数量,而且,亲属关系在相隔了几代后也会逐渐疏远。这样社会中就只有分散的血缘组织分布在国家领土之中,而缺乏一种社会性的横向联系。一个长时期以后,假如一些宗族组织变得很大并拥有了一种如此巨大的组织力量和动员能力以致使得统治者心中疑惧的话,那么国家和政府就会把他们分散得足够小以使之不会对国家权力构成潜在对抗性。这些事实表明,在古代,社会处于一种发育不良的状态。

随着近代经济的发展,社会逐渐成长起来并赢得了权利,所以社会经历了一个逐渐与国家和政府分离的过程,并获得了自我组织的力量,许多的非政府组织建立起来了,发挥着它们的功能。它们充当着社会自我管理的组织并在社会公共管理中发挥着日益活跃的作用。政府组织与非政府组织一道成为了公共管理中的主要角色,并肩负起了越来越繁重的服务于市场经济与社会的公共责任。公共组织有它们自己的结构并拥有它们自己的目标,这一点决定了它们应该如何发挥其功能以及它们应该符合什么样的道德标准。由于非政府组织关注的对象也是如何服务并促进公共利益,所以政府组织与非政府组织之间的关系应该成为合作的关系,非政府组织作为公民自我管理的形式,应该在提供政府所不能提供或不能很好地提供的公共产品和服务方面发挥自己应有的作用。

6. 家庭和市场:私人领域的公共化　随着社会的发展,许多原本是私人的领域如家庭和市场结构也表现出了它们的公共面孔。家庭当然仍然有其私人领域的性质即作为公民的自我决定的领域,比如,公民们可以自我决定要还是不要孩子,如何保持他们自己的财政平衡等,但是社会对家庭施加了很重要的影响,所以,家庭也具备了一张公共面孔。我们把家庭看作一个社会制度和我们社会的基本结构。夫妇应该被视为民主社会中自由平等的公民,孩子是未来的公民;市场经济好像是一个完全的私人领域,在这个领域中,个人可以自己决定自己的投资方向、数量和合作伙伴,同时,他们自己获得利益或承担失败,并对自己个人财产的使用有着排他性的权利。但是,市场一方面有着公共信用的联系外观,同时,市场本身并不能很好地行使其功能,经济人的自利倾向也有可能使市场解体,所以,在市场交易中,信用和信任是必须的。而且,它还需要各种公共设施和公共服务,甚至国家公共政策的引导等,这些组成了市场交易的外部条件,而它们是市场本身所无法有效供给的。

二、公共利益的构成和性质

公共领域为什么要存在,又为什么能存在? 这是因为它们能服务于公共利益,或者是因为,我们这些处于相互关系之中并形成一些群体的个体本身就需要公共利益。那么,什么是公共利益呢? 根据经济学家们的定义,不能排他地使用的利益就是公共利益,换言之,公共利益能为所有公民所分享。但是,在进一步的考察中,公共利益的构成及其性质实际上是十分复杂的,需要加以细致的分析。

1. **一个经济学——哲学的分析** 纯粹的市场经济理论认为,在市场经济中,人们能够把自己感知为平等自由的个体,而且预设地认为每个人都拥有平等的道德人格权,人们能通过交换各自的产品在市场过程中获得自己的私人利益;而且,市场可以通过"看不见的手"来达到公共利益的增进。于是,在他们看来,任何公共利益都可以还原为私人利益。但是,在我看来,这样看待公共利益的构成及其性质,只是在做一种简单的加法,实际上公共利益的情况远比这种加法复杂。

广义地说,公共利益并不仅限于一些可见的东西,它还可以包括公共法律和其他的公共制度。它们能为个体寻求自己的私人利益提供社会制度和物质的基础。在这个意义上,我们首先应该明白,公共利益与私人利益是相对独立的。根据古典政治经济学,个人没有追求公共利益的内在动机,因为他们预先设想自我利益的这个普遍的方面是不存在的。为了把每种自我利益看作一种独特的事件而不是看作利益自身的普遍现象的例子,他们彻底否认我们的自我利益会引导我们把他人的利益视为一个整体。但是,在我们看来,作为个体,人们能发现,假如他们在社会的劳动分工体系中特定化自身而不是仅仅追求自我利益的满足的话,他们所获得的利益会更多,所以,人们是相互依赖的,黑格尔名之为"需要的体系"。所以,自我利益这个观念既有特殊的方面又有普遍的方面。

从行为主体方面来看,我们能发现自我有一个普遍的方面,这个普遍自我并不专注于个体人格和生活道路的特殊目的。诚如大卫·P·列文(David P. Levine)所说,"在人们已经发展起一个有限制的、与人——我关系中的自我能够得到合理的安全的意义相一致的自我同一性的范围里,这个普遍自我就是所有个体所共同拥有的东西",①这就是说,自我的普遍方面和特殊方面是一个统一体,公共利益和私人利益也是一样。正义确定并保障这种自我界限,保证着每个个体都是他或她的人身(person)。这是一种理性的观点,而不是一种理智的观点。因为如果我们仅仅从理智的二元对立的立场上来观察问题,我们就无法在一个私人中发现自我的普遍方面。也就是说,假如自我仅仅是特殊的,那么我们就不可能认识到公共利益。实际上,我们的自我作为普遍性和特殊性的统一,是我们生活的社会性所塑造的。我们处于一种人——我关系中,只要我们能有效地建立这种关系,组成社会,就意味着我们的自我有一个普遍的方面。

在社会中,的确存在着一些矛盾:(1)文化的多样性和整个组织的统一性之间的矛盾;(2)公共组织的目的是寻求公共利益,而公共官员和行政人员又不能自动地超出他们自己私人的和特殊的利益;作为社会中的普通个体,我们也同样不能自动地做到这一点。这又是一个矛盾。这些矛盾是我们的生存同

---

① David P. Levine: Self – Seeking and the pursuit of Justice, Ashgate Publishing Company, 1997, pp. 21—22

时既有个体性又有社会性的表现。在我看来,这是我们理解公共利益的构成和性质的本体基础,也就是说,一个正确定义的公共利益应该可以包括私人利益。公共利益存在于规范个体寻求其私人利益的努力之中。另一方面,公共利益又可被用来为私人利益的追求提供基本的公共设施和普遍分享的价值。在这个意义上,公共利益又与私人利益处于紧密的关系之中。

公共利益的伦理价值就体现在这个事实之中:公共利益能为所有公民直接或间接地分享。比如,政府服务市场经济的功能包括提供竞争规则、公共秩序、公共设施等,这些可以说表现了自我的普遍性方面。所以,对政府的不信任集中表现于政府在保护和促进私人利益方面的失败上,这一点是合理的。但是,这种抱怨如果只是导致以公共利益的丧失为代价的私人部门的扩张,那么这肯定是错误的。

自我的普遍性是自我决定的理想。个体应该在公共生活中同化这个普遍性本质。比如说,我们可以从公共政治生活中如公民权利和政治参与中获得我们的政治本质。作为一个公民,我们并没有丧失我们的特殊性和多样性,相反,国家应该保护它们,因为特殊性和多样性是我们的自律和自我决定的本质特征。所以,大卫·P·列文说,"行事正义的国家坚持认为,以下两者是同真的:没有普遍自我,就不会有自我;没有特殊自我,也就没有普遍自我"。①

在纯粹市场理论中,"看不见的手"的假设并没有揭示公共利益的本质。"看不见的手"会自动导致公共利益的增进这个理想的说法是难以成为现实的,因为有许多令人头痛的问题是市场本身所无法解决的,比如贫困问题、教育问题、失业问题、福利问题、环境问题等等,都是如此。这些问题事关我们社会的纲维,它们的缓解恐怕得求助于政府组织或非政府组织,这是社会公正所要求的。诚然,市场在配置资源和促进经济发展方面有着一套很有效的机制,但是纯粹市场无法很好地发挥其功能,在一定场合中它甚至会失效。比如,市场难以有效地提供公共产品和公共服务。

---

① David P. Levine: Self–Seeking and the pursuit of Justice, Ashgate Publishing Company, 1997, p. 27。

2. 公共利益的分类　从上面的论述中可以看出,要为"公共利益"下一明确定义是非常困难的,我们所能做的是对它进行动态的和功能性的理解。根据公共领域的各种类型,我们可以大致为公共利益作出分类:

(1)首先,我们对公共行政在追求公共利益方面的功能作一阐述。正如简妮特·V·敦哈尔德和罗伯特·B·敦哈尔德(Janet V. Denhardt and Robert B. Denhardt)所指出的:"(公共行政)的目的并不是发现一些由个人选择驱动的快捷的解决办法。毋宁说,它是对可分享的利益和应分担的责任的创造。"①如何去创造可分享的利益和应分担的责任呢? 如我们所知,政府不能单凭自己的主观想象来提供公益物品和服务,而必须诉诸广泛的公共讨论和公共慎思。比如,个体公民的选择、组织性的程序和政治选举之间会产生许多相互作用,公共利益不是这些相互作用的偶然结果,毋宁说,主张和实现公共利益才是政府存在的首要理由之一。公共权威组织的目标是寻求公共利益并对这种益处在共同体中创造一种公平的分配方式。这并不意味着"所有人都有权得到同样的或平等的利益,而是主张,在利益的平衡方面每个人都能得到公平的对待。"②这一要求对公共组织产生了一种规范力量。以这个观点看,公共利益对政府的决策来说是一种道德标准。这暗含了一点:当某些东西对所有公众是有益的东西时,它们比起那些只对一部分公众是有益的东西是一种更高水平的善。这就是说,平等和公平的待遇是公共利益的基础价值。

(2)公共利益也存在于它的能增强公民与政府之间的沟通和交流这一功能上。假如公共利益能够发挥这一功能,那么,只要公民愿意参与公共政策的制定,就会有一个共享的价值背景。所以,公共利益显示为这么一个过程,它超出了特定利益的相互作用而把一些共享的民主的和宪政的价值包括了进来,这是建立公民对政府的信任和信心的途径。换句话说,以这种观点看,公共利益与所有能够进入理性的公共论争和公共讨论的东西相关。

(3)寻求公共利益是一种动态过程,并且必须依赖于一些由有共同利益

① Janet V. Denhardt, Robert B. Denhardt: The New Public Service, M. E. Sharpe Inc., 2003, p. 65

② See Janet V. Denhardt, Robert B. Denhardt: The New Public Service, M. E. Sharpe Inc., 2003, p. 69

和类似的心志能力的人们所组成的群体。懂得怎么获得一些公共利益比懂得什么是公共利益更为重要。换句话说,并没有一个统一的公共利益,所谓直接的参与也是不现实的和不可行的。通过形成群体,有相似利益和相似心志能力的人们,在制定政策的过程中,可以发出比他们作为分离的个体更大的声音。比如政党就能够综合并超越特定利益。早在1952年,E. E. 夏特施耐德尔(E. E. Schattschneider)就指出,"公共利益并不是特定利益的简单加和,它当然也不是组织化了的特定利益的加和。"①

三、公共性的伦理维度

公共性把自己归属于伦理价值,因为它与公共利益的产生和维护相关。从最基本的意义上说,公共性将具体体现在许多公共制度中,这些制度构成了我们社会生活的制度环境,所以,我们认为,凡是能导致公共利益关怀的制度都具有公共性。也就是说,能导致公共利益关怀的制度与私人性组织有着很大区别。这就要求我们理解公共性之区别于私人性的根本特征之所在。

(1)公共性首先表现为不可还原性。我们在上面说过,公共利益与自我的普遍方面相关,它保护私人利益,但是公共利益的功能不止于此。当我们组成一个公共组织,我们就在建立一个基础,以使我们能与共同体产生一种有意义的联结。其成员之间关系的性质超出了相互依赖性,事实上,我们都归属于它,并且从它身上得到一种新的本质,所以,公共组织体现的是群体自我的普遍方面。

一个共同体应该拥有一个适合于它的理想,并且能够把这个理想变成计划和行动。在这样做的过程中,我们可以使公共话题变得有意义。国家是最正规的公共组织。黑格尔坚持认为,国家行动的源头虽然并不外在于出自市民社会的特别是经济的利益,但国家有一个为其自身的缘故而存在的维度。所以,公共组织不能还原为分离的个体之总和,这就是说,公共性有一种不可

---

① E. E. Schattschneider: Political parties and the public interest, in Annals of The American Academy of Political And Social Science, 1952,280,p. 23

还原性。比如,公共领域有助于不同的群体在私人自律和社会总体的要求之间找到一种平衡,并解决那位于自从古希腊时代就有的市民社会思想核心中的二难困境。①

(2)公共性意味着从差异中寻求共同善。如我们所知,社会是一个差异的领域,比如在社会中有各种不同的信仰、种族、利益、观点和职业等。我们应该说,能对复杂社会进行治理和能对人们和平共处进行保护就是我们最大的公共利益。由于差异,在社会中就存在着许多个人之间或群体之间的冲突,所以,某些特殊性就应该"以跨越不同共同体的观点之上的规则、法律、规范和其他协议的形式"②来服从公共利益。这正是公共性本真的伦理价值。公共领域的公共性将在尊重多样性,并在它们之间达成某种共识中得到展示。许多政治哲学家,从阿伦特到迈可尔·沃尔泽,都把道德上的成熟视为愿意接受多样性,并在那些其利益至少在某些时候能达到他们自己和他们家庭范围之外的公民中寻求共同善。当然,为了实现这些目标,一个自由而开放的公共领域对公民来说是必需的,民主原则和宪法根本也同样是必需的。所以,假如一个公共组织不能表明其公共性,那么它就违背了它所应该达到的道德标准。以国家为例,国家应该促进所有公民的共同利益,假如它只是寻求某些特殊群体甚至政府官员自己的利益,那么它的公共性就受到了侵蚀。

另外,假如在公共领域中经常发生一些激烈的冲突,那么其公共性就得不到表现。于是,公共性只能在理性的争论与讨论中得到具体体现。在公共领域中,人们表达着自己的特殊性,但他们也能从事公共利益的创造并且能达到某些共识。在理性的公共争论和讨论中,公民之间的差异得到了展示,并且他们会试图去相互理解,由此,他们扩展了其视界,淬砺了其判断力,他们平等地发出自己的声音,并参与了具体的政策制定过程。这样,他们就不再只是作为一个分离的个体,而是作为一个公民在行动。这在我们的生活、人格和道德意愿中造成了一个深刻的转变。在这个过程中,公共领域展示了它们的公共性

---

① Michael Edwards: Civil Society, Polity Press, 2004, p. 61
② Michael Edwards: Civil Society, Polity Press, 2004, p. 62

特征。所以,公共领域延展出了一个公民可以广泛参与的广阔的公共空间。

(3)公共性还存在于公民的公共权利的具体化中,这是由政治集团赋予个体的一个新的本质。康德认为,存在着一种公共权利。他说:"立法权可以仅仅属于人民联合起来的意志。因为自从所有权利被认为从权力中解放出来了之后,它所给出的法律就必定绝对不能对任何人做不公正之事。"①这么一个国家的成员是"公民",他们必定不只是国家共同财富的一部分,而是它的一个成员,这就是说,他必须凭借自己的自由意志参与与其他人所组成的共同体。所以,公共权利就不同于任何其他种类的私人权利如财产权、生命权等等。换言之,我们应该在政治领域中行使公共权利,在这个政治公共领域中,我们应该公开地使用自己的理性。

这里也许是阐述自由主义的相关观点的恰当地方。在"公共的"和"私人的"之间作出区分的目的就是保护个人免于受到各种各样的侵害。人们拥有私人领域,是指人们有一些他们可以自己处理的事情,比如我的财政平衡是我个人的私人事务,而不是其他人的事情。也就是说,私人领域就是不应该以任何理由来加以干涉的领域,无论是他人还是社会的或政治制度和机构,都不能加以干涉。这就是说,自由主义者认为,有权威凌驾于个人之上的不是别的,正是社会的和政治的制度或机构,它们能甚至以公共利益的名义来侵害个体,而且,这些公共机构有一种侵犯个人的内在倾向。所以,他们在公共领域与私人领域之间划定一个清晰的界限,目的是限制前者而保护后者。但是如我们上面所论,公共领域与私人领域实难找到一个清晰的界限,而且两者是相互作用、相互渗透的。于是,要划分私人领域与公共领域的界限,就会陷入一种循环论证:他们先说应该受到保护的就是私人权利,但是要保护私人权利又需要有社会和政治制度或机构。于是,悖论出现了:自由主义试图防止私人权利受到社会和政治制度的侵犯,但是私人权利又必须由公共权威机构来保护。这是自由主义把国家视为一个纯粹的工具性的必要之恶的观点所必然导致的一个悖论。在我们看来,解决这个悖论,只能把社会和国家的公共机构视为我们

---

① Kant: Political Writings, edited by H. S. Reiss, Cambridge University Press, 1991, p. 139

个体发展自己的公共人格,获得自己的公共权利的一个具有自我决定性的自由制度。这样,我们就能把这些公共机构感知为一个能够发展自己的人格,提升我们个体的生命存在品质的制度,因而也是一种具有自身目的性的存在,而不仅仅是工具性存在。也就是说,在公共机构中生活,我们可以实现一种从个体到公民的转变。

作为政治——伦理关系,公共权利和私人权利是互为条件的,而不是相互分离的。至于为什么存在着私人权利与公共权利的区分,原因在于:(1)我们是个体,但我们却无法单独存在;(2)公共组织不能还原为单个人的加和,它们有其自己的本质。也就是说,我们同时既是个人性的存在,又是公共性的存在。公共组织不能排除个人,这是因为其功能只能由个人来行使。雷蒙特·戈斯问了这么一个问题:"'私人的'观念,难道当政治家被当选或被任用时就立即变成了一个'公共的'观念吗?"①显然,政治家仍然是一个私人,但是他接受了公共职位并肩负了公共责任。于是就出现了个体与公共组织之间的关系,这种关系是一种公共伦理关系。事实上,作为个体,我们的自我决定的行为,比如做生意或做学术研究等,也会产生公共效果。

个体的行为会追求私人的或公共的利益,也会产生私人的或公共的利益,这两种利益是相互交织在一起的。在现代社会,当经济生产和商品交换繁荣起来时,利益关系将会变得复杂起来,并且特定化和相互作用,这样就会产生越来越多的公共利益。在这个意义上,公共利益可以指为所有人所共享的利益,如公共设施、环境、公共法律、规则、公共秩序、公共安全等,更为重要的是,公共利益体现在由公共行政和其他公共组织所提供的公共产品和公共服务之中。公共官员和公务员是一些个体的人,他们也有他们的私人利益并会追求自己的私人利益。腐败的原因就在于,有些担任公共职位的人会利用他们手中的权力以损害公共利益为代价来谋取自己的私利。事实上,公共行政部门是一个私人利益与公共利益频繁地产生冲突的地方。这是公共权威部门的公共性的一个负面例证。所以,这里就出现了行政伦理学的要求:"它通过在每

---

① Raymond Geuss: Public Goods, Private Goods, Princeton University Press, 2001, p. 79

个行政的和政策的决定面前提出一个重要问题来服务于一个象征性的目的："你是在为着一个广阔的利益还是在为着一些有限的特定目的而行动?"公共利益概念在提醒我们:作为公共管理者,我们的伦理义务在面对前者而不是后者方面是最有用的。"①

公共权力机构必须存在,我们很少有人愿意回到无政府状态,因为政府能提供公共秩序、公共产品和公共服务。所以,公共伦理学有一个雄心,那就是阐明公共权力机构如何才能把自己的功能发挥得足够好。在制度的水平上,一方面,政府组织应该采取强有力的措施来惩治腐败;另一方面,政府应该支持其他公共组织甚至个人在提供公共产品和服务方面与之竞争。一般说来,非政府组织或个人有非常具体的目标,并且能以较低的成本和更灵活的时间安排来做一些具体的事情。他们是政府功能的必要补充。

所以,从伦理的角度说,公共领域是公共利益存在之所,也是我们追求公共利益之所。公共利益自身就有一种道德价值,因为它不能还原为私人利益的加和。这种不可还原性表明公共利益有其自身的本质,它是公共性的具体化。通过追求公共利益,公共组织应该提高社会所有成员所能分享的社会财富的程度,并且惠顾那些境况糟糕的人,缓解社会中的贫困现象,加强国防,等等。拿惠顾境况糟糕的人这一公共目的来说,当他们仅是接受来自私人慷慨捐献的金钱和物资时,他们会有一种羞耻感,而且,这种捐赠不是体系化的,所以,其作用也是相当有限的。但国家能采取有效措施来制度化地和成体系地缓解贫困,而且这些受惠者从国家这一公共权威机构接受救济一般不会产生羞耻感,因为这成为了公民的权利。

四、这三个概念的公共伦理意义

在我们所论及的 6 种类型的公共领域中,公共场所虽然有着公共领域的特征,但从本质上说,公共场所是视力、声音知觉的范围。在公共场所,我们仅

---

① Terry L. Cooper: Big Questions in Administrative Ethics: A Need for Focused, Collaborative Effort, in Public Administration Review, July/August 2004, Vol. 64, No. 4, p. 399

能知觉到他人,所以,对在公共场所中活动的人们的道德要求就是关于羞耻和得体方面的要求,它们外在地表现为人们的行为礼仪,内在地表现为人们的教养水平。因此,这不是公共伦理学的主要论题,因为它们并不直接与公共利益和私人利益、公共权威和公共服务、个人与群体等之间的实际伦理关系相关联。而其他 5 种公共领域才是我们论述的重心。

公共领域的复杂性具体体现在公共利益的复杂性之中。正如我们已经看到的,我们无法对"公共利益"给出一个坚实的定义,我们说公共利益可以为所有人所共享,但是,这个说法在实际中是不可行的。我们只能说,公共利益和私人利益并不能彼此独立,原因是我们既有特殊自我又有普遍自我。正如我们是在与公共利益交互作用中来追求自己的私人利益,我们的特殊自我也应该由运用我们的普遍自我的功能来得到保护和教秦。所以,我们有许多途径去追求公共利益,并且需要许多实践策略,比如由一些具有相似兴趣和心志能力的人组成群体来追求更加具体的公共利益。另外,几乎所有的公共组织都由有着自己的私人利益的个人来运转,所以,就必然会产生一个实际问题,即:如何使他们去服务于公共利益? 我们认为,正是在这个问题上,公共利益对约束和引导公共官员和公务员的行为有着实质性的规范力量。

公共利益与政体和治道的类型有关。全权国家意味着国家可以把所有利益都视为"公共的"利益,甚至可以剥夺公民的财产。以这种观点看,私人利益只有很低的价值,而公共利益则有着无上价值,这样一来,国家就可以吞没社会。这是一个关于公共利益的一个有很大误导性的概念。事实上,我们应该在一种相互关联的意义上来理解私人利益和公共利益。最重要的是,公共利益只有在民主政体中才能获得最好的表达和理解。这就是说,公共利益是关于共享价值的对话的结果。

公共性在公共伦理学中是一个核心价值。它将赋予公共行政人员以尊严和责任,它拒绝如下观念:行政人员应该对其要求进行回应的要么是"当事人"(clients),要么是"委托人"(constituents)或者"顾客"(customers)。假如公共行政或公共管理被仅仅看作一个等级制度体系或一个市场过程,那么,公务员就没有自己的独特本质和尊严可言,他们的职责也将是模糊不清的。他们应该与公民一道去决定什么是公共利益,以及如何追求公共利益,这是对公民的尊重,同时也是公共行政人员的尊严之所在。

第二节　中国古代"公"伦理的悖论及其现实出路

上节对公共领域、公共利益和公共性等进行概念分析和价值判定所得出的结论,对我们理解中国古代的"公"伦理的理论特点和实践对应物是一个很好的参照。我们将看到,在中国古代的"公"伦理中,实际上存在着一些内在悖论,对它们进行细致分析,将能够让我们更清楚地看出中国古代"公"领域的典型特点,并对我们如何发展当代公共领域提供借鉴。

一、问题的提出

梁启超在《新民说》中有一节专论"公德",认为公德是当时我国国民所最缺乏的重要素质之一。他认为公德是群体、国家赖以成立的根本,因为群体生活需要靠公德来"贯注"、"联络"始成。他从中国传统的道德价值体系中寻找中国人缺乏公德心的原因,认为这是中国古代伦理学重视私德而不重视公德的结果。他举出《论语》、《孟子》诸书中的德目表,认为中国人私德发达而公德阙如。他说,中国古代最主要的德性如温良恭俭让,克己复礼、忠信笃敬,寡尤寡悔,知止慎独等等,十之八九都是私德,公德只占十分之一、二。① 这就给人们一个印象,以为中国古代对"公"的要求是很少的。果真如此吗?

实际上,中国古代特别重视"公"德,我们这样说,并不是说中国古代不重"私德",而是说,这种种私德实际上只能在崇公灭私的政治伦理背景下才能理解,比如说"克己"作为"私德",目的在于为"公",这是梁任公所没有注意到的,他只说中国古代伦理关系的特点是"一私人对于一私人之事",而不重私人对群体的关系,因而公德不发达。众所周知,中国古代在政治和社会生活

---

① 梁启超著:《饮冰室合集》6,专集1—21,中华书局2002年版,第12页。

中,除了偶尔有一些极端的利己主义派别以外,几乎所有学派都倾向于崇公灭私,公的伦理道德价值被提高到无以复加的地步。但是,这种伦理道德的宣传和道德教化似乎并没有很好地培养起中国人的公德意识,这是悖论之一。中国古代崇公、尚公,却没有形成发达的公共领域和公共事业,倒是人们的"私"意识很发达,任人唯亲,在政治生活中搞裙带关系,不信任陌生人等等都非常普遍,这是悖论之二。所以,问题的关键在于:必须弄清中国古代的"公"领域到底有着什么性质,与这个"公"领域相应的"公"伦理有什么价值特点,其公共规范是什么。在获得了对上述问题的理解之后,我们才能探索古代"公"伦理悖论的现实出路。

二、中国古代"公"的含义

在西周时期,"公"主要是指人的身份。公是高级爵位,位于"公、侯、伯、子、男"五等爵之首。公又是最高的官阶。《易·小过》中说:"公弋取彼在穴"。王弼注解说:"公,臣之极也。"有些小官也冠以"公",如"公路"、"公行",但它们是因附属于大公而得名,是为"公"服务的小官。换句话说,"公"的名称在指人上为某一类人所垄断,所以它是"公"的而不"共"的,众人不能分享。从物来说,"公"是与指人的"公"相关的物,如"公族"、"公邑"、"公田"、"公廷"、"公堂"等。从事来说,"公"也与指人的"公"相关,如所谓"公事":《诗·召南·小星》说:"肃肃宵征,夙夜在公"等。

周朝虽有所谓"天下共主"的周天子,但各诸侯国的实际最高首领是"公"。在这种类似邦联制的松散的政治制度中,周天子并无实权,只是一个象征性的精神领袖,治理国家的实务都在国公身上,行政权力也统归到国公手中。这样,各国的最高首领得到"公"的名称也在情理之中,因为他们要管理国内的所有人民,确实有公的意义。

为了更好地理解此时"公"的境况,还应该分析一下当时的"私"的意义。"私"在当时指"私家",指"公"之下的贵族、卿大夫。这些人不能代表整个国家,所以不能称为"公"。私还有个人财产的含义,没有财产的人家不得称作私家,比如奴隶就只能是"私家"的附属。私家有自己的田地,即"私田",有自己的仆人、家丁，即"私属"、"私人"。诗经中说："私人之子，百僚是试"，又说："王命傅御，迁其私人。"毛诗注："私人，私家人也。"孔颖达疏:卿大夫"称其家臣为私人"。[1] 由于私是指有财产的人家，所以私获得了"属于己"的含义。《诗·大田》中说："雨我公田，遂及我私"，这个"私"就是指"私田"；《诗·七月》说："言私其豵，献豜于公"，《周礼·夏官·大司马》说，这是指"大兽公之，小兽私之"，也就是说打到的大野兽交给国公，小野兽留给自己。这是一种分配制度，其本质是下级阶层向上级阶层进贡。

这个时期的"公"是典型的代表型公共领域。所谓"代表型公共领域"，是借用哈贝马斯的概念，指中世纪中期到18世纪西欧的公共领域的状况。哈贝马斯认为那时西欧并不存在与私人领域相分离的公共领域，但是国王的所有权需要一种公开的代表形式，比如君王的玉玺就有"公共性"，国王也代表公共领域。它不是一个社会领域，而是一种地位的标志。这种代表型公共性垄断了一切崇高的价值，它靠特殊的象征物来公开表明自己，并发展出一套关于"高贵"行为的繁文缛节。[2] 代表型公共领域的本质是代表者的私人领域，因为他们把国看作是自己的私产，是自己受分封得到的或者浴血奋战而打下的。在周朝，这个代表型公共领域的代表就是国中的最高首领"公"。"公"垄断了道德价值资源，精心发展了一套特殊的待人接物的礼仪系统，所谓"经礼三百，曲礼三千"。这就是"公"、"私"概念形成初期的中国社会伦理关系的态势。

---

① 对古代"公"的这三种含义的论述遵循刘泽华先生的有关观点。见刘泽华、张荣明等著:《公私观念与中国社会》，中国人民大学出版社2003年版，第2页。

② 所谓"代表型公共领域"是借用哈贝马斯的著名概念，在他那里，这个概念是指中世纪中期到18世纪的"公共领域"的状况。他认为，作为制度范畴，中世纪中期的西欧并不存在与私人领域相分离的公共领域，但是公共领域需要一个代表，比如君王的玉玺就有"公共性"，国王也代表公共领域，因为所有权需要一种公开的代表形式。它不是一个社会领域，而是一种地位的标志。于是，这种代表型的公共性，垄断了一切崇高的价值；另外，它靠一些特殊的象征物来公开表明自己，发展了一套关于"高贵"行为的繁文缛节。(哈贝马斯:《公共领域的结构转型》，曹卫东等译，学林出版社，1999，第6—7页。)可以说，中国古代的情况与此很相类似。比如"公"垄断了道德价值资源，而且这些代表者们精心发展了一套特殊的待人接物的礼仪系统。

三、中国古代"公"概念的道德哲学创制

"公"的概念最初在以上意义上使用,它界定的是公家和私人之间的伦理关系态势和伦理义务关系。但这样的关系在哲学思维上不普遍,不抽象,也没有超越性的道德意义,这就需要后代的思想家在道德哲学上进行进一步的观念创制。

(一)"公"作为一个价值观念

先秦道家首先赋予"公"以超越性质的非个人(包括国君)的内涵。道家认为,所有人为的事物都有局限性,是相对的,内涵着对立的双方。只有超出人为,顺应天道自然,才能获得整体的德性,达到无为而无不为的境界。因为"道"自然而然,不假人为,所以无所偏倚,而自我完足,同时又是任何个别事物的源头,所以道是"公"而不是"私"。《老子》十六章说:"知常容,容乃公,公乃王,王乃天,天乃道,道乃久,没身不殆。"《庄子·则阳篇》说:"阴阳者,气之大者也,道者为之公","道不私,故无名"。这种思想后来向两个方向发展:一个被法家承接,将天道自然的思想改造成了法家的"公"伦理思想,形成了有客观公准的"法"观念。所以,依法行事就有了"公"、"正"的含义;另一个是公天下(而非王天下)的思想,或者说是"天下为公"的思想。

法家兴起于诸侯蜂起、竞相争霸的历史时代,他们要求采取中央集权,赋予国君至高无上的权力,营构有效率的行政体制,统一人们的思想,规范人们的行为,把民众的活动都引导到富国强兵的轨道上来。法家的基本理论假设是人性是自私自利的,但人的自私本性是可以利用的。就是说如果人们按照法的规范做对富国强兵有益的事,国家就给予奖励,而对破坏富国强兵大业的人,法律则加以严惩。这就是法家的"法"的本质。于是,法取得了"公"的价值资源,获得了有超越性的准则的意义。国家作为一个"公"的机构,为了"公"的目的,借助"公"的法,形成了统一的社会动员的权力。

法家"法"的公共性质首先表现为"信"。商鞅"徙木立信"以告诉人们,只要遵守法律就能得到法律规定的好处,而且也告诉公众,掌管法律的人一定会严格地依法办事;其次是"统一号令,听从指挥"。这本是对军队的要求,无

可厚非,但如果移用到社会日常生活中,人们的自由就会被剥夺殆尽;第三是"统一思想,禁止私议"。在法家思想中,所有国民都应该是国家这部机器的零件,都必须服从国家的统一目标,不允许有个人自由的思想和行动。它把一切游离于体制外的人和思想都看作是对秩序的挑战,因而要杜绝这类言行。

历来法家强调:"一言得而天下服,一言定而天下听,公之谓也",[①]主张禁私说,立公议。他们走向文化专制主义是必然的,秦始皇的焚书运动也是法家思想逻辑的必然。由于受到道家的道的超越性质的影响,管子、慎到,特别是韩非子等法家人物都注重把道与法联系起来,从而赋予法以超越性的普遍特质,使之成为法家"公"伦理的核心。《管子·任法》中说:"任公而不任私,任大道而不任小物"。韩非子的"解老"、"喻老"、"守道"3篇文章专门发挥老子"道"的思想,强调道的自然而然和规律性的特征,把"法"从作为宇宙规律的"道"中引申出来。韩非子认识到的道在人身上的体现就是人各自私,人各自利,所以,法就是要正视和利用人的这种本性,范导人们的目标,为富国强兵服务。因为人的本性是自私的,所以法的公性质就与人的自私本性成了鲜明对照。

这样一来,法的本质就变成对私人立场的超越,如果个人意志(哪怕是君主意志)参与进来,就难以保证法的公正不偏。于是,所谓法的大"公",就是要求人们不再从自己的私人立场(私意)出发,不再站在有利于自己(私欲)的角度看问题:"私意者,所以生乱长奸而害公正也",[②]"行私则离公,离公则难用",[③]"行恣于己以为私"。[④] 简言之,要做到公,就要"背私":"自环者谓之私,背私谓之公"。[⑤]

法家的"公"对君主也有约束力,《商君书·修权》就说:"君臣释法任私必乱。"他们甚至批评君王主宰的人治。在实行人治的时候,"则诛赏予夺,从君

①　《管子·内业》,见《诸子集成》第5卷,上海书店1984年版,第270页。
②　《管子·明法解》,见《诸子集成》第5卷,上海书店1984年版,第345页。
③　《管子·正世》,见《诸子集成》第5卷,上海书店1984年版,第261页。
④　《管子·重令》,见《诸子集成》第5卷,上海书店1984年版,第80页。
⑤　《韩非子·五蠹》,见《诸子集成》第5卷,上海书店1984年版,第345页。

心出矣",①是非全凭君主"心裁";②在实行法治的时候,则能够"官不私亲,法不遗爱。上下无事,唯法所在。"③可以说,人治就是私,法治就是公。

换句话说,法家的基本取向是法内取利,法外避利;处理事务,一断于法。在他们看来,最高的组织存在是国家,"公"就是它的价值标志。国家高于君主,君主也是私。但是这种逻辑并不能推行到底,因为君主是国家的最高代表,所以君主最终是法的主宰。这个难题是法家无法解决的,因为它深楔在法治与君主专制之间的内在矛盾中。

法家的问题在于,他们强调公,但把一切都纳入到了公的范围,使公完全排挤了私的领域,模糊了公私界限,并使公共领域泛化,使个人失去了自立自为的独立领域。以拔除私领域为代价而形成的所谓公领域,实际上只能是统治者的私领域。这就是代表型公领域的根本特点。它是"公",这是因为它在治权、领土上是人民的代表,但是它却是"公而不共"的,也就是说,这种"公"领域并不是人民可以参与治理和分享权利的领域。在一定时期内,法家思想似乎可以统一思想和行动,但是这样的公共领域无法长存。而且,由于私人的利益诉求和自由追求不能得到合法满足,人们就只能借助公共领域的躯壳来谋求私利,从而从根本上破坏了公共精神。

先秦道家"公"的思想的另一发展方向是杂家。这一发展更多地表现在观念形态上,或者说是对某种情怀境界的追求。它要求效法天地运行之象、之德,是一种"至公天下"的价值意象,比如"天无私覆也,地无私载也,日月无私照也,四时无私行也"。④ 也就是说,要对万事万物一视同仁而无所偏颇,完全出于公心,不夹杂任何私意。他们认为天下也不是一家一姓之天下,"天下者,非一人之天下,天下人之天下也。"⑤总之,"兼覆无私谓之公,反公为私"。⑥

---

① 《慎子·君人》,见《诸子集成》第5卷,上海书店1984年版,第6页。
② 《慎子·君人》,见《诸子集成》第5卷,上海书店1984年版,第6页。
③ 《慎子·君臣》,见《诸子集成》第5卷,上海书店1984年版,第6页。
④ 《吕氏春秋·贵公》,见《诸子集成》第6卷,上海书店1984年版,第10页。
⑤ 《吕氏春秋·重己》,见《诸子集成》第6卷,上海书店1984年版,第8页。
⑥ 贾谊:《新书》,中华书局1985年版,第82页。

这种思想并没有成为中国传统社会思想的主流,也难以实践,更多地是一种哲思和高举远飏的美文学的情感归宿。在这里,"公"的道德意识是一种价值诉求,思想家面临如何用制度来实现这种诉求的问题。杂家对此只有文学性的憧憬:《吕氏春秋》讲了一个"荆人贻弓"的故事,故事说,有一个荆国人丢掉一把好弓,连找都不去找。说:"荆人遗之,荆人得之,又何索焉。"孔子闻之,曰:"去其荆而可矣"。老聃闻之,曰:"去其人而可矣"。故老聃则至公矣。①

(二)"公"作为一种德性

作为一种德性,公的道德意义被无限地彰显。"公"在中国古代垄断了道德价值,以至于不把自己的价值观说成是公的就不能成为主流意识形态。这样,私的价值就被绝对地排斥了,所有与"私"搭配的词语都被打入了万劫不复的地狱,而公义、公利也就堂而皇之地成为君主制度的价值护身符,即富有等级身份和价值判断双重含义的正面范畴。

代表型公共领域实际上就是君主的私人领域,但由于国家的确与每个人息息相关,国家的存在和发展也是每个人之利,所以国家的确有公共性质。如果国家灭亡了,对每个人来说都是一种灾难,亡国意味着国民将受到外国的奴役,在国家中所能享受到的自主性(哪怕是很有限的)比如财产、人身,甚至语言的自主性都将失去。此为国家公共性之一端。另一方面,在国家内部,既要有政治结构功能的分化,又要有各种经济活动的组织和形式,当人们活动的复杂性增加,利益交往和政治要求不断深化时,就会出现越来越多的公共利益,并需要为这些复杂活动提供一种公共规范体系。道家的超越性、普遍性的"道"思想,法家的"法"的思想,和儒家的"礼法"思想的提出,都是这种社会局面的内在要求。

道家之"公"是指天道自然,无人为之私。人如果只从自己起念,就无法领悟到天道自然无为之本真,人只有超出自我,才能成就自我的本质,与道为一,"以其无私,故能成其私。"道家关注的是成己,即修道而成德于己,而"公"

①　《吕氏春秋·重己》,见《诸子集成》第6卷,上海书店1984年版,第8页。

正是道的本质特点。这种无为自然之"公"显然是一种哲学性的抽象和理想境界。在道家那里它只能走向思维中的自我证实,即摒弃一切人为的思维方式和行为,无为、无知,对"知"和"为"进行超越,而达到无有限制的状态。在政治观念上,道家则强调"无为而无不为",要求绝圣弃智,同乎大道,抱柔守雌,不争不为,一任自然。所以,道家不要行政管理技术,更不要刺激人们的争竞之心,向往的是无为而治,希望政治生活是个小国寡民的状态,"鸡犬之声相闻,民至老死不相往来。"此"公"即没有对立,超越有限,而进入无对的境界。道家的这种思想不可能发展出公共行政理念和公共性的概念。

法家虽然承认个人欲望和自利倾向,却认为那是恶的。更重要的是法家没有个人应该拥有表达思想和自我决定的自由和自立意识的思想。所以,在法家的思想中,所谓"自由"实际上是群体优先的自由,其根本要义是以公义对抗私利、私欲,在公共的政治安排中满足自己的利益。法家不认可游离于制度之外的私利和私欲,并要坚决清除之。法家提倡的制度完全以君主的目的为转移,个人不能有自己的独立意识,一切都要服从国家意志(实即君主的意志),因为这个意志高于个人意志,公高于私。因此,人们都应该遵公法、行公义,促进国家公利。当然,国家也会以奖赏的办法来分配给个人以利益,所以,法家特别重视奖赏和惩罚,把赏、罚视为"国之二柄"。由于法家要求人们所具备的德性与儒家的德性的要求不同,所期望的情感气质也不同,所以法家通常是抨击儒家德性的。法家的主张可以说是"任法(刑)不任德"。

法家明确地把公私对立看作是个人与公共权力实体的对立,不容许公共权力实体的目标之外的任何目标。这样一来,其公共德性就是对公共权力实体的非情感服从,它引起两大弊端:首先,它把人伦之根给完全拔起,因为重视家庭会妨碍对公共权力实体的无条件效忠,所以法家排斥家庭忠诚;其次,因为它所需要的德性没有人伦情感基础,而是以利益诱惑和刑罚的恐惧来形成,实际上无法真正形成。所以,纯粹的法家如韩非不讲德,而是完全依赖严苛刑罚。这是法家与儒家区别的关键。

儒家在"公"的问题上走了一条与法家不同的道路。儒家在"公"、"私"问题上经历了一个复杂的变化过程。在原始儒家那里(荀子是转折点),由于他们的学说并没有在任何一个诸侯国得到全面的实施,所以其学说处在坚持自己的道德见解和君子人格的层面上。儒家以"公天下"为最高政治理想,以把个人德性修养到"明通公溥"、"廓然大公"的成己之学为安身立命之本。在《礼记·礼运》中,作者一开篇就提出了"天下为公"的政治理想,那是一种没有私有意识、人人一心为公的时代。但是儒家对此虚悬一格,并不把它看作要马上实现的社会目标,也从来没有人作出政治设计来促进这种理想的实现。儒家学者在这个问题上比后人清醒得多。汉代以后的儒家虽然继承了原始儒家的基本学理路向,如重视家庭伦理(特别是亲子一伦),强调治家与治国的联系,重视道德教化和道德修养等等,但是在对待国家和其公共代表——君主的问题上,后世儒家就与原始儒家有了很大不同。

原始儒家并不遽然把"公"看作天然的正价值,而主张"公"是一种境界和品格,它的获得与人的德性成长相适应,也就是说,"公"的道德要有出自自然情感的根苗。所以原始儒家首先从家庭的血缘亲情出发,切实做到父慈子孝兄友弟恭,在这样的伦理情意和伦理义务的履行中涵养自己的德性,然后外推到社会的人伦关系之中,逐渐达到孟子所说的"老吾老,以及人之老;幼吾幼,以及人之幼"的理想,并且要让"天下鳏寡孤独,颠连无告者"都能有所养。孔子也曾说他的政治理想是"老者安之,少者怀之"。他们的政治理想中有很强的公共利益的价值诉求,但是这种理想需要社会经济的发展和社会力量、政府有效的行政管理制度和正义维护才能达到,遗憾的是,原始儒家在这方面并没有贡献许多政治智慧。

另外,原始儒家并没有把公与私绝然对立起来。可以说儒家对"公"伦理有着清醒的边界意识,对私领域也最尊重,对私人的利益追求给予了相当的关注。孔子就说过:"富而可求也,虽执鞭之士,吾亦为之。如不可求,从吾所好。"[①]强调的是取利要合义。原始儒家非常重视家庭,所以他们必然会允许私的存在,并在价值上对私有一定的肯定。原始儒家把国家看作是一个文化象征,而不仅仅是一个利益团体,所以他们不强调要把国家的刚性利益凌驾于

---

① 《论语·述而》,见《诸子集成》第 1 卷,上海书店 1984 年版,第 140 页。

个人之上。他们不要求国君争得一时的效验,而是希望他们能做百代的楷模。于是他们主张国君应该行仁政,从人情的实际出发,将心比心,设身处地,以不忍人之心行不忍人之政,这样治天下就能如运诸掌。"公"天下的理想虽然始终存在,但只是一个道德指引,而不是一个政治安排。在品德层面上,儒家用"私"来指局促于己而不能相通于人的狭隘的心灵情感状态,它急切、窄薄,没有宽度和厚度。"公"指外通于他人,及于天下所有人,甚至天下万物,是一种高明、广大、明通、公溥的心灵状态。在这种语境中,私不是指个人,公也不是公共领域或公共利益,而是指两种不同的心灵品质。儒家认为人都有善端和良知,只要不断涵养推扩,就能日进而无疆。"公"的德性是修养以后才能获得的。德性之"公"并不与个人相对,因为这种"公"也是个人所拥有的。儒家也用"私"指"个人"、"自己"(私人领域、私人利益、个人意见),比如说"退而省其私"。这个"私"与品德层面上的"私"是不一样的,但是儒家在概念上也有意无意地混淆了它们。

实际上,对"天下为公"理想境界虚悬一格,是儒家鉴于人情的实际而抱有的一种实践关怀。此"公"是理想,是一种衡量标准,现实中的"公"只能与之接近。在道德理论上,儒家走涵养心性的道路,力图实现德性之"公",即打通我与人之隔,我与物之隔,从而让天地之仁心在心性中沛然流行。这是一种向内超越而与"公"相合的路向。但是在现实中,儒家的思想也限制在当时的代表型公共领域中,而且儒家的"公"意识后来在政治伦理的层次上没有脱离过这种公共领域,所以把居上位者作为"公"的价值载体就是必然的。

四、古代"公"伦理观念结构的总体态势:以公灭私

"公"的概念的兴起,并在政治哲学上得到高度强调,与君主制度的加强和国家统一的现实趋势有关。战国时期诸侯争霸,强盛是每一个国君的政治目标,这要求国君得到"公"伦理的支持,他们对"公"的价值资源的要求就猛增起来。统治者知道,民众个人追求私利是必然的,而让人自然而然地为

"公"打算恐怕就比较难。韩非就说:"是以公民少而私人众矣。"①也就是说,为"公"之民少,为"私"之民众。在这种情况下,强调"公"的价值,提倡"以公灭私",就是统治者十分自然的政治道德选择了。

荀子的"公私"观念整合了儒法二家,虽然其总体思想倾向属于儒家,但他用法家的精神资源对儒家思想进行了嫁接,为儒家伦理输入了"公"的独立维度。这种变化与先秦后期君主意识的强化是同步的。荀子说:"天下无二道,圣人无两心。今诸侯异政,百家异说,则必或是或非,或治或乱。乱国之君,乱家之人,此其诚心,莫不求正以自为也。妒缪于道,而人诱其所迨也。私其所积,惟恐闻其恶也;倚其所私,以观其异术,惟恐闻其美也。"②在荀子那里,道的性质源自以事功为首要目的,故荀子主张"法后王"、"群有分"。他的著作《君道》、《臣道》、《王制》、《强国》、《富国》等都注目于现实目标,而不像孔子的道德教化寄望于"必世而后仁"。于是"公"就有了绝对的优先性,并有了压倒一切的分量:"明分职,序事业,材技官能,莫不治理,则公道达而私门塞矣,公事明而私事息矣。如是,则德厚者进而佞说者止,贪利者退而廉节者起。"③"公道"与"私门","公义"与"私事","公"与"私"以这样明确的对举方式出现,大大地突显了"公"的地位。荀子有一段话非常雄辩:"故明主有私人以金石珠玉,无私人以官职事业,是何也?曰:本不利于所私也。彼不能而主使之,则是主暗也;臣不能而污能,则是臣诈也。主暗于上,臣诈于下,灭亡无日,俱害之道也"。④

儒家"公"伦理的这个特点,在国家统一之后,可以十分容易地嫁接进大一统意识和君主专制的理论中。这个"公"虽然与法家的"公"所指不同,但是两者配合起来就全面了。这种儒法的合作和协同,在荀子那里就做好了充分的理论准备。后来儒家就明确地提出了"公忠",把忠于国君看作是"公"。儒法的嫁接就此完成,原始儒家的豪迈的知识精神和独立意识,合则留不合则去

①　《韩非子·五蠹》,见《诸子集成》第 5 卷,上海书店 1984 年版,第 350 页。
②　《荀子·解蔽》,见《诸子集成》第 2 卷,上海书店 1984 年版,第 258 页。
③　《荀子·君道》,见《诸子集成》第 2 卷,上海书店 1984 年版,第 157 页。
④　《荀子·君道》,见《诸子集成》第 2 卷,上海书店 1984 年版,第 160 页。

的人格气概则荡然无存了。

君主专制的本质是"家天下"，但是却要垄断"公"的道德资源。与国君有关的东西都要名之以"公"，只要是有利于统治的思想和行为就都属于"公"，芸芸众生却全部成了"私"。这个公领域高悬于私人领域之上并对私人领域构成重压，"以公灭私"的政治伦理观念就十分自然地出现了。在价值观念的灌输上，公高于私，公为正价值，私为负价值。能够存在的只是代表型的"公"领域，而不可能有由独立的个体的共同利益组成的公共空间。所以，"公"领域可以肆无忌惮地侵犯私人权利，甚至生命。我们可以说，这是伪公共领域。比如，在政治宣传上，首先要强化君主至高无上的地位，其他人都是他的臣民，并要设计一套严密的官僚体系网来管理社会，从而构筑一个金字塔式的结构来稳定其统治。所以，只要是有利于这种统治方式的思想和行为就都属于公。这样一来，"公"垄断了政治的、伦理的价值，私则作为其对立面而存在，这个公领域就成为了高悬于私人领域之上的一个领域并对私人领域构成了重压。由于这种政治伦理结构是压迫性的，所以，在宣传上就要垄断话语权，利用各种手段来向民众灌输这种统治方式的合理性，影响人们的思想、意志、信念，其方法就是在价值观念上突出"公"的绝对价值，并用这种价值色彩浸透这个代表型公共领域，从而使"公"领域获得了一种不可反思和怀疑的价值地位。为了突出这一点，把私人领域与在道德上备受批评的"私"相互浸染，使私人领域在价值上处于与"公"领域对立的地位。在他们的观念中，"公""私"被视为德与不德的分水岭。由于字面上相同，所以，很容易把道德上的公私与领域上的公私对应起来。真正使"私"名誉扫地的是道德观念上的创制。在道德上，儒家把"私"视为偏私的欲望、情感、气质，从而使私与曲、偏、闇、狭、局等联系在一起，私作为个人的独立人格的地位则被搁置了，公则与平、正、通、明、广等相连系。这种观念创制的结果是把"私"妖魔化，从而让人们避之唯恐不及。这就是法家的"一天下之议"以及儒家"无偏无党，王道荡荡"的政治伦理的逻辑结局，也是专制制度意识形态的必然选择。

所以，中国古代历代的政治结构中都有两种倾向：第一不容许党派政治的存在；第二不容许多元价值观和学说的存在，以言定罪时有所见。独立的私人领域无法存在,社会上只能是代表型公共领域的独白,而没有公共领域与私人领域的对话和互动,不存在由独立平等自由的公民参与的公共领域,公共领域也就得不到真正的发展。可以说,这种"公"领域因为没有广大私人的参与和分享,因而是"公"而不"共"的,它只能是统治者的"私"的公领域。的确,这是难以发展出健康的"公"伦理的。

这就是中国古代"公"伦理的内在悖论:一方面,在价值观念上高倡领域之"公",然而这个领域只是君主的"私"的公领域,本质上属于君主的家事,一般臣民不能参与。虽然君主在管理上要借助才俊之士,但他们的权源来自君主,而不是来自其治下的人民。民众与公领域没有切身的血肉联系,要在民众中培养公共德行无异于画饼以充饥,炊沙而成饭;而一般人也很难形成对普遍的交往体系(如信用体系)的感知。另一方面,由于公共领域的非民众性,而公领域又对民众进行残酷的盘剥,所以民众能够看到的利益就是自己仅有的生活必需品,只能顾及自己的一点利益。民众就不可能有公共视界,也很难分清公私领域,一有权力就会疯狂敛财,把公共财产据为己有。

五、中国古代"公"伦理的缺陷

在中国古代的政治思维中,僵硬的理智与情感二元对立的方式一直无法得到改变,而且关于政治正义的推理也处于不够发展的状态。他们把公私对立起来,又要求从价值上崇奉其一并贬黜其另一,这引起了非常不良的社会后果,并对人们的道德心理产生了相当深远的影响。

我们认为,中国传统公伦理的缺陷有:(1)由于传统的"公"领域的垄断性,"公"领域的发育十分缓慢和僵固,从而只能靠道德话语的灌输来维持其道义形象。从内部来说,以"贵人行为理应高尚"来约束统治阶级的成员,使他们注重行为品德修养。在这种性质的"公"领域中,恐怕很少有人会想到要为所有人赋予基本的平等权利,以及民众对政治的参与权,在他们看来,政治显然只是上层阶级的特权,可以说是他们的"私事"。在我国古代,人们与公领域几乎没有正面的联系,他们的感受大概是:只有在征税、负担徭役等时才遇上国家。(2)统治阶级从来就不与各种民间组成的公共组织实行良性互动,让他们分担国家政权以外的公共事务。在理论上传统政治理论有"君子不党",在实践上,则是这样的情形,在政权控制有所放松时,必然会出现结社、结党的现象,当它们发展壮大,并有了干政的意向和力量时,则会被绞杀。(3)在中国古代虽有急公义的传统,但实际上起作用的还是家族组织(以血缘为纽带),以及一些服务公益的组织如会馆(以地缘为纽带)等。然而,真正能起作用的却只有兴盛的家族,比如巨贾之家、官僚之家,他们对整个家族的利益是有所眷顾的,比如为家族聚居的村落兴办一些公共设施,举办义学、义塾,接济鳏寡孤独,资助本族青年才俊谋取功名等。这种公共领域是建立在某种自然基础如血缘、地缘等关系上,而不是建立在某种抽象的人们之间的平等的政治权利、道德权利的共识之上。当然,这种方式对社会的整合有较大的作用,但不可避免地有较大的局限性,那就是这种基于某种自然关系的人们之间的结合方式和团体活动,不太容易习得一种真正的公共精神,因为其眼界是有限的,而不是把目标确立为对社会公益的促进和对社会公害的防止上,也就是说,不是把结合的目标确定为集中人力服务于社会善、公共善,从而把自己组织的存在与一个更高的公共目的联结起来。所以说,中国传统文化中并不缺少团体生活,而是缺少一种以社会公共善为目的的广泛协同的团体生活,因而,公德意识比较缺乏。

上层国家的公共事务如政治制度的确立、公共政策的制订,是一般民众不得与闻的,所谓"天下有道,庶人不议",同时,当政者对民众舆论那是很惧怕的,根本不可能让公共舆论对政策产生影响,更不可能接纳民众参与政治决策过程,他们对民众舆论总是会采取措施予以钳制;而下层民众的自愿组织(基于血缘、地缘等自然联系)只能是以自救为目的。所以,它们不太可能服务于社会的公共目的。因此,如何在我们的文化中输入一种超出血缘、地缘的藩篱的高于自然的立场,是我们的公共伦理文化建设的重要任务。当然,血缘、地缘的关系也可以是一种组织原则,但是,基于自由、平等的公民的政治价值之上的,服务于社会公共目的的团体生活则更是我们所应该具备的。没有这个立场,我们就不可能培养一种真正的公共精神。

我们可以看出,正是因为在中国古代的民间组织方式是以自然因素为纽带的,所以出现以下情况是非常可以理解的:在利益纷争中,血缘和地缘的联系是有号召力的,比如血族复仇、宗族械斗时有发生。我们对普遍的东西似乎并没有切近的理解和感受,所以,对公共规则、公共设施也就没有切身的感情,认为它们是外在于自己的,因为他们感觉不到这种公共规则、公共设施与自己的切身联系。有人发现,在中国农村,许多人在自己的村落中,在熟人中能保持较好的诚信度,但一旦走出自己的村落,置身于一个陌生的环境,他们就觉得他们所面对的都是一些不相干的人,因而与其相处时并没有有约束力的规范需要遵守。所以,人们得重新把自己置身于公共领域中,要经过多年的学徒般的学习过程,才能逐渐地习得公共规则意识,形成对公共规则的敬重意识和自觉遵守的习惯。比如说,毋庸讳言,我们国家的公民到现在交通规则意识都还不够,对公共法律的敬重和遵守的意识也还不够。但是,现代社会生活把人们都带到公共规则之下,传统的血缘、地缘等自然纽带也日益失去了其塑造人们行为举止的力量。现在,个人作为独立的利益主体在社会竞争、合作格局中谋取自己的地位和利益。令人感到遗憾的是,传统社会的生活方式所形成的习惯和文化心理到现在都还在起作用,它与现代社会的公民文化不相合拍,在一定程度上侵蚀、松弛着公民社会中人们的公共联系纽带,比如在现代政府的公务活动中,人们还会利用血缘关系、熟人关系来从掌握社会公共资源的官员那里获取保密信息,取得市场准入的优先权等。另外,现代社会的“杀熟”行为,也是传统的亲情文化的自然性立场缺乏公共精神在现代社会中所结下的怪胎之一,因为对有些人来说,为了自己获得利益,现在唯一能够利用的资源就是亲人和熟人的信任,而反过来说,被骗的亲人和熟人实际上也是想利用亲情联系和熟人关系办一些通过正常途径办不了的事情而上当的。难道说,亲情文化在现代社会中竟然只剩下相互利用的价值了吗? 这既败坏了亲情,也腐蚀了公共文化精神。现在,应该在思想上明确并在行动上付诸实施的是:明确划清亲情和社会公共规则的界限,要让它们在各自的范围内起作用。两者分离,则两相获益;两者纠结,则互相败坏。

　　中国古代有些思想家对这种自然关系如血缘纽带不能成为扩展社会秩序的基础做出过一些说明,但现在看来,他们的看法都不能很好处理家庭伦理与国家伦理的关系。比如说,法家认为,家庭亲情显然低于国家利益,如果把家庭亲情看作是社会生活的最高原则,则会损害国家的总体目标。韩非子讲了一个"鲁人三战三北"的故事:一个鲁国人打了几次仗就逃跑了几次。有人问他,为什么每次战斗到有危险的时候,你都逃跑?他回答说,"家有老父,身死莫之能养"。① 所以,韩非说,家庭的亲情原则是狭隘的,会与国家义务相互冲突。另外,他们也要求兄弟分异,并动用了公共税收政策:"民有二子而不分异者,倍其赋"。这是法家用"公"领域的绝对权威来贬抑私领域的措施,在他们看来,个人利益包括家庭亲情都必须在公共的制度安排中才能获得自己的位置,它们甚至可以是国家征用的对象。这是用公领域来吞没私领域的典型例子。其实,亲情与公共法律并不存在谁高谁低的问题,而是不同领域的问题,所以,法家的做法会极大地损害家庭亲情,同时,国家的公共法律也得不到人们诚心诚意的遵守。

墨家也认为儒家对血缘亲情的注重不利于形成广泛的社会关切,他们主张要把推爱的原则同等地及于所有人。这确实是一种有超越性的理论原则立场。然而,这个立场却误会了情感与理智的不同性质,他们要把情感性的"爱"无差别地及于所有人身上,这是不现实的。其实只有在存在着广泛公共利益的公共领域中,理性才能站在非个人性的立场上构造对所有人一视同仁的普遍理性规则(而不是情感规则)。也就是说,理性的公共使用,才是人类公共的道德良心的发用之所。这应该是一种从情感到理性的立场转变,有着极大的意义。惜乎墨家不可能采取这个立场,只能继续诉诸一种情感因素——恐惧,来加强这种情感命令,他们以所谓"天志"、"明鬼"来对人们施加权威性的道德压力,这是不可能行之久远的。墨家之不传,不是没有原因的。因为它既冲击了牢固的血缘纽带,又缺乏一种正义的制度安排,只有靠小团体的救世心行事,去争止杀,但是其力量注定是微弱的。那些侠肝义胆之士的行为,只能成为对社会不公的一种抗议和局部的扶正,但并没有一种统一的制度性正义的追求。

---

① 《韩非子·五蠹》,见《诸子集成》第 5 卷,上海书店 1984 年版,第 345 页。

道家则取一种高远的思维立场,以相对主义的思维技巧超越有限而跻入无限之域,即以道观之,万物齐一,从而达到一种"公"。这种"公"领域,只能说是对儒家以自然血缘关系为基础的那种伦理思想的一种超越。所谓"公",实际上就是指"道"的超越任何有限对立的品格,所以,后来杂家编出了"老聃则至公矣"的著名论点。这种境界高则高矣,却并无根基和制度性保障,实际上是一种美文学的夸张,以一种概念自同、境界自证的方式来泯灭一切差别界限。

以上这些观点,就与其各自对应的伦理关系而言,都没有给私人领域以自主性和足够的自律空间。法家以国家公利来淹没个人领域,把个人视为国家机构的功能零件;而墨家的兼爱终究难以成为人间大道;道家的超越性思维境界并不能导致一种正常的人伦关系,其小国寡民的国家组织设计,从政治上看只能缩小公共领域;所谓任自然的执政理念,肯定没有公共价值的追求,要求的是"其政闷闷"。总之,中国古代的"公"观念都是指代表型"公"领域或者作为德性、境界的"公",而真正的公共领域则并没有进入到我们的视野之中,那就是先划定公民平等、自由的基本权利范围作为私人领域,如个人的生命、财产、自由权利都不受任何非法剥夺。在此基础上,个体们为了实现自己的权利而进入社会互惠合作体系中,从而产生了公共利益,形成了公共领域。

如何找到一条获得公共领域的公共性的现实道路呢? 有人说,明清之际遇的私观念的兴起,本来是有可能的。但据我的研究,这一思潮有着内在的不足,无法真正发展出公共领域。

在明清之际,由于中国沿海一带商品经济逐渐活跃,"私"的话语不断增多,当然其中有私权意识的萌发,而且经济自由的某种开显,有导致政治参与的趋势。但是,我们看到,这种形势并没有引起国家政权的敏感回应,民间社会也没有强大到足以进行思想启蒙,锻造指向专制王权的批判锋芒。可以说,当时社会中并没有公共空间得以形成的真正条件,哪怕是意识到了这一点也好。

关于明清之际有关"私"的观念,我们可以回到他们的文本中,在他们的现实语境中来整理一下"私"、"公"观念的逻辑。我们认为,这一逻辑可概括为"合天下之私"而成"天下之公"。它明显地不是近代民主政治的"公共意识"。李贽是这样来肯定"私"的:他把私规定为心性之本,也就是说,如果我们通过回到自然状态来获得思考的原点,那么我们就可以看出:我们的生存是个体性的,因此,"私"的意识是必然的,当然,这并不排斥把由此而来的社会结合作为它的手段。谋"私"只有在通过破坏公共利益而进行的时候才是被禁止的。于是,"无私"之说,只能是虚妄之论。李贽说,"夫私者,人之心也。人必有私,而后其心乃见。若无私,则无心矣。如服田者,私有秋之获,而后治田必力;居家者,私积仓之实,而后治家必力;为学者,私进取之获,而后举业之治也必力。故官人而不私以禄,则虽召之,必不来矣。苟无高爵,则虽劝之,必不至矣。虽有孔子之圣,苟无司寇之任,相事之摄,必不能一日安其身于鲁也,决矣。此自然之理,必至之符,非可以椠空而臆说也。然则为无私之说者,皆画饼之谈、观场之见,但令隔壁好听,不管脚跟虚实,无益于事,只乱聪耳,不足采也。"①这种言论不是个别的,显示出李贽是把这作为一个学术上的发现而加以不断申说的:"就其力之所能为,与心之所欲为,势之所必为之以听之,则千万其人者,各得其千万之心。千万其心者,各遂千万人之欲。"②又说:"寒能折胶,而不能折朝市之人;热能伏金我,而不能伏竞奔之子,何也? 富贵利达所以厚吾天生之五官,是势然也。是故圣人顺之,顺则安之矣。"③

　　诚然,这种说法是有警醒意义的,特别是在宋明理学统治了思想界 600 年之时,把"私"强调到这个地步,有把人们从所谓"存天理,灭人欲"的思想禁锢中解放出来的作用。但是,他的道理却是讲得不完全的。其根本缺陷是,说到天下之"公"就是"千万其心者,各遂千万人之欲",但是,如何让千万人之欲得遂,却是一个十分具体的制度安排问题。李贽对这一点无一语述及。而这一点却实际上是个根本问题。因为"公"不能停留在一种价值理念的层次,而是要让所有民众能够参与公共领域的活动,分享公共利益,这样,公共善才能得以实现。在中国历史上,对个人的私欲追求的倾向强调得最多的恐怕还是法

① 李贽:《藏书》,中华书局 1974 年版,第 544 页。
② 李贽:《李贽文集》,社会科学文献出版社 2000 年版,第 365 页。
③ 李贽:《焚书》,中华书局 1975 年版,第 17 页。

家,但是法家主要不是从如何让这种私欲追求的倾向得到满足来立论,而是利用人们的这种倾向来设计一种刚性制度,把人们对私欲的追求引导到为国家的总体目标服务的轨道上来。本来,李贽是从肯定的角度来承认人的私利追求的,但如何作一种制度安排,又是他没有涉及的,因此,他的这一学说实际上是一种空中楼阁。

所以,明清之际的思想家的"合天下之私"而成"天下之公"的逻辑是一种简单的算术运算,而不是真正的哲学思辨和政治智慧。

第四,我们还应该反省一下文革期间在有关"公""私"的政治伦理观念上的谬误。这场动乱的价值号召正是"大公无私","斗私批修"、"狠斗私字一闪念"等等。我们觉得,这是中国古代"公"伦理中片面强调"公"的道德价值、贬抑"私"的价值,并把"私"妖魔化的思想在二十世纪中期的复现,并且是在"思想革命"、"所有制革命"等现代道德高调的背景下进行的。在文革的话语系统中,与"私"沾边的价值概念无一例外地被作为万恶之源,而与"公"相连的价值概念则被奉为行为圭臬。"公"与"私"都被极度地扭曲了。其初衷是尽快造成一个可普遍分享的公共财富体系和共同劳动的经济结构,但由于个人独立的私人领域没有确立,所以对公共领域和公共利益的追求就只是道德上的虚热。这样的公共领域与公共利益有可能成为野心家假公济私的乐园,却难以得到个体的真正关注。以"大同之世"作为现实生活中的行为准则是典型的价值误置,文革的破产本质上就是这样一种政治伦理的破产。

六、此悖论的现实出路

于是,我们可以对传统的公伦理进行重新审视,清理其思想脉络,救出其合理的思想资源。

第一,传统的代表型公共领域及其与之相适应的公伦理的价值观念是需要改变的。比如,公领域高于私领域的意识,这实际上是传统的社会等级制度的反映。在人们的意识中,公差、公家人、吃皇粮的,都有一种高人一等的地位,所以,在我们的深层心理中沉淀着一种"怕官意识"。公领域与普通人(有一个名词叫"白身"或"白丁")之间有很明确的畛域,但不是社会责任、生活领域的畛域,而是权力或身份的畛域。在这种"公"领域内部,也是一种等级制结构,所谓"官大一级压死人",在这种"公"领域的外部,则是民众对"公"机关的畏惧。到"公"机关寻求保护和公正的对待时,却是抱着一种期望"青天大老爷"为草民做主的那种无奈心理,这就是为什么中国古代历史上人们心里长期有着一种清官情结的原因,因为现实中的利益冲突经常发生,但对"公"机关的公正性又无法抱有一种稳定的理性预期,于是只能对为官者的个人操守抱有一种期望。如果你要问平民百姓一个问题,你们要县令、巡抚等官员干什么? 他们肯定会目瞪口呆:这是一个能问的问题吗? 因为在他们看来,这是一种自然秩序,那就是有草民,有老爷,还有最高高在上的皇上,这是一种天经地义的社会等级。一介草民,只有到有了很深的冤枉而又完全走投无路时,才会告官。因为打官司的心理成本和经济风险是十分巨大的,"衙门朝南八字开,有理无钱莫进来。"所以才有卖身上告,拦轿喊冤。

第二,由于没有个人的自立,政治权利的平等、财产的法律保护,于是个人的政治参与和经济自由就没有公共空间。这样一来,就不会形成平等的主体因为社会交往、经济交换、契约的订立和履行等等公共空间,而由于没有个人的自由、平等,个人就不能平等地参与公共事务,这样,他们就不能成为这个公共领域中的结构分子,平等主体的自由交往就不能成为不断扩展秩序的体系,契约、贸易也就只能凭借惯例或风俗来维持其秩序。与此同时,社会中就只存在一种代表性的公共空间,并且获得了特权。所以,在中国传统政治思想中,"公""私"之辩中,"公"伦理如此长期地占据话语霸权,并且声色俱厉,无非是对"公"领域的狭隘性及其内在的"私"性的一种掩饰。也正因为这种"公"领域有着一种内在的"私"性,它要得到伸张,就必然要以压制广大个人的私人权利为前提。

因此,这种代表型"公"领域的结构如果不转变,整个社会结构的性质就很难得到发展,所谓民权、平等、自由、民主等价值观念就难以形成。这样,百姓就发现不了正常的公共需要,只有在灾害的冲击下才有公共需要;而反过来,政府也永远感觉不到来自社会的公共需要,因此在需要的时候,它的公共供给的能力是很弱的,它实际上是漂浮在民间社会之上的、垄断着"公"的名誉和道德话语权的一个专断的存在。于是,这种"公"领域是脆弱的,没有政府与民间社会之间的互动,政府就难以证明自己的合法性和合理性,只能成为一种文化符号和社会等级秩序的维护者。总之,私权的蛰伏,导致了公权的委顿。其实,只有广大人民的私权得到确立,公权才会在私权的基础上并在和私权的合作和碰撞中撑持开来。故无私权之独立,公权的存在永远只能是压迫性的上层之私利的表现。

第三,我们也看到,单单私意识的觉醒并不能导致公共领域的建立。纯粹的自私会导致社会秩序的崩溃,而合私为公的逻辑也不能真正变成公民社会中的"公共领域"。因而,"公共伦理"的症结,不是构造出"公"的境界或对公领域进行代表性的垄断,而在于确定个人的自主、自由、自立权利领域,也即私领域的确立,目的是让个人构筑一个其他力量都不能非法侵犯的最后堡垒,并以此为基础,进入到社会互惠合作体系中来,这才是社会"公共领域"的唯一形成之路。所以,发展"公共领域"需要经过启蒙。启蒙不是启"私性意识"之蒙,而是要让人们能够公共地、独立地使用自己的理智。综观明清之际东南沿海的商品经济的萌芽和被"誉为启蒙时期的思想家"的李贽、戴震、顾炎武、王夫之等人的思想,我们可以看出,他们虽然强调个人的感性欲望要求、追求幸福生活和某种独立思考的权利,但是,他们都只停留在肯定"私"的价值的范围内,而独立思考的权利也只是表现在对圣人之绝对权威的怀疑上,并指向统治权力的公有性上,但这些都只是造成对传统思想禁锢的某种松解,却无法提出建设性的方案,比如提不出个人的公民权利、民主、自由的社会政治制度,所以,在政治伦理上没有开显度。实际上,骨子里仍然是盼望一个有为君主,能够以天下为念,所以还是抱有一个希望明君出现的政治理想。他们的思想再大胆,再对孔子的思想抱一种怀疑态度,甚至喊出"天下为主,君为客",都仍然只是一种天下主义的虚妄。其实,关键在于如何让以天下为主转变为以民为主,所以,他们还是停留在有想法却无办法的阶段,对问题没有切实的解决方法,也没有一套真正能够行之久远的政治伦理价值理念。

公共伦理学的关键是要认识到公共领域与私人领域的息息相关性。任何不以私人领域的独立作为价值前提,阻断这两个领域的良性互动的管道的公共价值体系,最终肯定会使两者都萎缩。这就要求:首先必须有真正意义上的个人独立,然后,人们才会以独立、自主、平等的道德人格和政治资格来进行利益交换和交往活动,这种活动就会越来越成体系,成为一种制度设置,在此过程中,就会形成越来越多的公共利益,这样人们能够广泛关注并参与的公共领域才能建立起来并得到发展。独立的个人由于要在社会公共生活中来发展自己的才能,与他人进行合作互利,所以,竞争秩序的维持、公共安全等,都是公共利益。利益格局的纵深发展、横向交叉的联系趋向复杂,会产生越来越多的公共利益,并发展出越来越多的公共空间。可以说,公共空间的存在并没有自足的意义,而且,"公"也不能垄断道德价值资源,它应该在向公民提供服务的过程中体现出自己的价值。只有这样,公民社会才成为一个由有着独立平等的政治和道德人格地位的个人所组成的社会,他们的多元利益和价值取向也能在一个开放、平等的,可以进行理性的公共讨论和辩论的公共空间中加以表达,并在公共讨论中得到变化而形成某种公民共识,从而影响政府的公共决策。这样才使得公民社会与政府这一公共权威组织处于良性互动的状态之中,并使政府的主要职能从统治型转变为服务型。我国目前的公共治道变革就是沿着这个方向前进的。所以,公、私领域的划分,特别是私人领域对公共领域的独立性和前提性的确立,是公共伦理学的始点。

　　另外,在完善公共伦理学的建构的过程中,我们认为,中国传统的作为修养境界的"公",可以与这些制度性的公共领域相结合,成为以追求公共利益为旨归的公共组织得以良性运行的德性基础和精神气质,也能成为广大公民广泛参与公共政策的制定和执行,主动服务于公共利益的公共美德。关键在于,传统的作为修养境界的"公",其精髓就在于它为人心开启了一种外向的人情相通的向度,把人们从局促于己的狭隘的心灵状态中解放出来,从而能够设身处地、共情想象。现在,我们已经懂得,公共利益在其本质上是不能还原为私人利益之和的,所以需要让公民形成活跃的道德想象力,能够理解、感知公共利益的存在的必要性,切实地形成推进公共利益的责任感。

第三章　家庭的伦理价值及其公共面孔

实现人作为人的权利的第一个实体性制度就是家庭。作为社会的基本结构，不管受到社会因素的何种重大影响，其形态经历了什么样的激烈变化，家庭制度都持续不断地长期发挥着作用。它对人们心理的塑造也是稳定的，人们对家庭都会有一种温馨的感觉，对家庭的依恋是人们的一种普遍心态。家庭伦理无论从发生学角度还是从其性质而言都是一切伦理关系的起点，所以，家庭有着原发性的伦理价值。近代以来，家庭的伦理关系结构受到了社会经济活动形态激烈改变的影响，已经丧失了其延展为社会关系结构的功能，而还原为核心家庭即夫妇与亲子的生活共同体。但是，我们认为，家庭是社会的基本细胞，是子女初步社会化，习得初步的公共规范意识，培育基本的他人意识的原生态的土壤，所以，家庭的伦理价值值得我们永远珍视。当然，理论研究的任务不是劝说，而是传播一种知识，于是，我们的任务是说明家庭生活是我们终究要做好的事情，家庭作为所有人的共同发明，它有着合理性的文明特质。

家庭从其属性来说，是私人领域，因为人们选择婚姻伴侣、决定生小孩与否、如何维持家庭财政平衡等问题上拥有决定性的自主权利。但是，在社会公共领域和政治公共领域得到大力发展的今天，家庭作为成年的国家公民的私人领域，婚姻是两个平等自由的异性公民的结合形式，其人伦关系也必须体现出他们作为自由平等的公民的政治关系特点；家庭作为培养未成年人的基础领域，必须把孩子要成为未来社会的平等自由公民作为孩子的基本权利，从而家庭应担负起这个公共责任。所以，家庭具备了一副公共面孔，受到社会传统文化和政治价值观念的深刻影响，其结构形式必然体现着社会的政治伦理价值。正如西谚所云："个人的即是政治的（Personal is political）"。

第一节 家庭的原发性伦理价值

家庭是所有人的发明,作为一种制度,家庭对人们有着巨大的归化作用。人伦在这里起始,道德在这里萌芽,充分展示了其原发性的伦理价值。

一、家庭伦理结构的历史演变

像任何社会组织一样,家庭的存在以其结构形式为其主要特征,其存在形态与这个组织发挥共同生产、生活、教育等功能的空间广度密切相关。在传统的农耕文明时代,家庭及其结构性的扩大——家族几乎能自足地发挥共同生产、生活和教育等功能。所以,在那个时代,家庭是社会组织的核心,也是文化创制、伦理关怀的核心。古代伦理生活的起点即是家庭中的人伦关系。在中国和西方古代,人们对家庭人伦关系都十分重视。比如中国的所谓九伦,就是指诸父、舅、族人、昆弟、师长、朋友(此所谓"六纪"),再加上君臣、父子、夫妻,总称九伦。九伦之中,有六伦是家庭人伦。《尔雅·释亲》认为,古代的亲属关系达到80种以上;罗马族制时代,奴隶也称为亲属。男系亲时代,同姓人乃至异姓养子亦有亲属权;男女平等时代,女系亲与男系亲同有亲属权,其直系亲定为6等,旁系亲再到兄弟姊妹之儿止。近代西班牙、比利时等国的亲等与罗马法相同,而意大利则定为10等,法国定为12等,其亲属关系甚至比中国古代还要繁杂。① 厘定这么繁杂的亲属关系,并使之秩序井然,显然有其现实必要性。其主要目的是以联姻、血缘关系的扩展、延伸来构筑一个有纵向血缘关系和横向姻亲、同辈份的关系的亲属人伦关系网。所以,家庭关系具备了一种扩展为社会组织的功能,也正因为如此,血缘关系在古代才会得到如此的重视。

在我国古代,只要是在相对和平的环境下,一二百年过后,以这种结构形

---

① 参看黄建中编著:《比较伦理学》,台北:国立编译馆出版,正中书局印行,1962年版,第104页注11,第105页注16。

式为骨架,就会发展为数百人甚至数千人的大家庭。如江西江洲的义门陈氏,从唐文宗大和六年(832年),到宋仁宗嘉祐七年(1062年)奉旨分家时,已同居十余代,历时二百三十年,合家共有三千七百余口。若不是朝廷惧怕家族势力过于强大而令其分家,恐怕这个大家庭还要发展下去。其实,在宋代,几百口的大家庭不在少数,比如南宋理学家江西金溪陆九渊的陆氏大家庭就有好几百人口。可见,家庭组织在中国古代是十分发达的。而要保持住这样大规模的家庭组织,没有伦理价值理念的树立,没有对家庭伦理文化的刻意营造和实践,那是不可能的。社会上许多才智之士,对此倾注了巨大的理论热情,并率先垂范,影响十分巨大。可以说,当时的家庭具备了塑造人们行为举止的内在力量。

　　然而,在农耕文明为工商业文明逐渐取代之后,家庭的传统功能逐渐受到了挤压甚至剥夺。工商业文明以个体作为独立的利益主体,进入生产、交换、分配、消费过程,从而把个人从家庭共同体中分离出来,进入到社会经济的合作和竞争之中,从而使传统的家庭伦理结构、家庭文化的涵养和培育下失其根,上失其路。首先,社会化大生产使城市家庭逐渐失去了其生产功能。家庭作坊的生产技术根本无法与大机器工业相抗衡,只能无奈地选择放弃,只能让自己面对一个供应相对饱和的劳动力市场,并力求在社会中寻求工作机会,取得报酬以养活自己的家庭。工商业文明以一种巨大的经济必然性力量把人们从家庭中拉了出来,使他们汇入到社会化大生产的大军之中;其次,与此相适应,利益的冲突和利益的整合大都发生在社会上独立的利益主体之间,所以,国家法律一方面赋予了个人以自由和基本的平等权利,同时又在司法过程中越来越讲究程序合理性,成为了社会利益冲突的正规的、拥有最后权威的裁判者。这样,个人利益受到了侵害,就不再向家庭、家族组织寻求保护,而是向社会法律、行业协会等公共组织寻求保护,并要求得到公正的对待;再其次,适应着社会对管理技术、工具理性、科学知识的需求猛涨的形势,家庭也已经不再具有主导性的教育功能,从而教育功能被转移到社会,它按照社会的需求兴办学校,集中资金和人才,为培养社会生产中急需的技术人才而购置、更新大批昂贵的实验设备,并且大规模地培养学生。家庭教育从知识传授和技能培养上说,已经远远不能满足社会发展的需要。

时代的发展似乎在逐渐地挤压家庭结构的延展空间,并削弱甚至剥夺家庭的经济、教育功能,从而使人们越来越多地进入社会上的各种功能组织体系之中,以获得立足社会的各种必备条件。这样,家族组织就必然要逐渐萎缩。诚如赖因哈德·西德尔所说:"只有当家族关系具有社会功能的意义时,血缘关系才显得重要"。①

首先,家庭的规模缩小到夫妻和亲子两代的核心家庭模式。这是因为社会化大生产使个人成为了独立的利益主体,从而使传统大家庭结构被松解了,而趋向于保留一个内核,即夫妇关系及其自然后果——孩子,而且这是为孩子应受到保护和抚养这一自然事实所要求的。一旦孩子长大成人,他们就脱离家庭,从社会学意义上说,就是汇入到社会结构之中,然后又组成家庭。从而夫妇这一核心家庭结构成为家庭的普遍形式。

其次,由于家庭的核心化,家庭的稳定性就成了对夫妇感情忠诚度的考验。当夫妇二人都拥有相对独立的社会地位和足够的经济来源时,就更是如此。事实上,我们看到,这种现实使得男女双方的选择度大大增加了,于是他们更加重视双方的情感,这当然是婚姻关系中合乎道德的走向。应该说,这不是对夫妇关系的伦理要求降低了,而是提高了,因为这意味着夫妇二人要对自己选择的婚姻自主地负起责任。社会提倡婚前男女双方较长时间的接触,加深彼此的了解;提倡婚后彼此忠诚于对方,当然也允许重新选择。但那种一时冲动,喜新厌旧的婚姻关系,那是听凭自己的任性,这是不值得提倡的。当然,对离婚率的上升这一社会现象,要一分为二地看待,不能笼统地看作坏事。但是,从社会学的角度看,离婚率的上升无疑可以看作夫妻情感不稳的证据。现在婚姻破裂的情况的确在增多,这一方面反映了男女在婚姻选择方面自主性的增强,同时,这也表明我们现在重新唤起人们珍视家庭的伦理价值的确有其必要性。

再次,由于家庭伦理结构的功能的重要性在社会生活中降低了,所以,缔

---

① 赖因哈德·西德尔著,王志乐等译:《家庭的社会演变》,商务印书馆1996年版,第9页。

结婚姻、组成家庭与否成为了人们的自主选择。既然如此,人们的行为动机就会多样化,其中,在放任自己情感的任性方面也会有多种表现。有数据表明,西方的离婚率在上世纪70—80年代,达到了近1/3。美国1960年代左右的性解放观念大行其道,离婚率节节上升,同性恋、杂交等被视为时髦,未婚妈妈数目猛增。而绝大多数青少年犯罪都出自此种单亲家庭或离异家庭,犯罪率大幅上升。美国现在正在品尝其苦果,大量的社会福利基金被消耗在这方面,这成为了国家的长期包袱。我国近年来的离婚率也在攀升,未婚妈妈、单亲家庭和离异家庭孩子的犯罪问题也十分突出。所以,我们现在有必要正视这一问题,重申家庭的伦理价值。

当然,重申家庭的伦理价值,不可能要求社会重新回到农耕文明的大家庭的伦理结构之中,而是需要从分析家庭结构的永恒性因素出发,指明其无可撼动的稳定内核的伦理性质,使人们明白家庭是一种有着历史与现实合理性的伦理性实体,从而为在现代社会中进行自觉的家庭伦理建设和家庭道德建设提供一种精神价值资源。虽然夫妇一伦立足于人们的情感欲望领域,它有着自然的、因而也是任性的成分,然而,这正是我们分析家庭的伦理价值的起点:那就是这种任性虽然不可能被去除,但是可以被提升,可以用文明的普遍的理智成就对它加以塑造,并诉诸人们自觉的道德认知来进行家庭美德的修养。

二、人类的历史选择和对家庭的心理依恋

人类的家庭显示出一定的持续性和可观的连带程度。从历史上说,家庭是所有人的发明,它较国家的发明为早。从组织的角度说,家庭对人们而言是最为切近的伦理关系,这当然是由其自然性的基础所决定的。但同时,婚姻又不仅仅是自然的,而是一种文明开化的男女结合形式。从这个意义上说,家庭的形成、家庭伦理意识的自觉,的确是人伦之始,也就是具有所谓"人禽之别"的本质特征。我们看到,不管家庭形式发生了何种变化,但它的内核却始终存在,可以说,家庭是最为稳定的人类组织形式。特别是以一夫一妻制度作为主干的家庭形式,从确立以来就一直非常稳定地持续着,这也反映了这个制度的普遍合理性。那么,人类为什么对家庭如此钟情呢?为什么婚姻和家庭仍然

有着相当强的规范力量呢？为什么家庭实际上有着别无选择的地位呢？许多学者探讨过其中的原因。综合起来，加上我自己的想法，大概有如下几点：

（一）从人种学的角度看，人类的孩子需要更长时间的持续照顾，其成年过程在动物界是最长的，大约 25 年，即占生存的平均可能性的 1/3。也就是说，家庭持续存在的原因之一是家庭作为下一代在其中成长为成年人的场所，一旦缺少，孩子在成长过程中必然会出现这样或那样的问题。

（二）这种稳定性的、持久的照顾构成了父母与孩子和孩子与父母的联系，这些联系的整体构成让家庭形成一个稳固的群体的各种因素。也就是说，家庭成员之间的情感联系及其呼应、日常生活行为的互动，会塑造家庭成员的心理结构和相对稳定的情感品质和气质，从而使家庭成为一个联系紧密的群体，这种优越性是任何其他组织所难以比拟的。

（三）这个群体成为一个共同服务的基本单位。人类相当长久的童年在兄弟和姊妹之间编织了一些重要的、尽管有些模糊不清的感情联系，这样他们就处于对某种横向的社会化进行学习的过程之中。我国现阶段实行独生子女政策，在没有兄弟姐妹的情况下，的确对独生子女某种横向的社会化过程有些不利，但是，也可以通过与同龄人在幼儿园、学校中进行共同活动来经历社会化过程。在这个意义上，独生子女在成长过程中会产生某些遗憾，但也不是不可补救的。而且，独生子女政策在条件成熟时也会停止执行。

（四）从社会学的角度看，即使离婚率居高不下，但绝大部分离异的人还是向往重新组织家庭，许多人离婚的目的就是重新与他人组织家庭；而数目正在增多的独身现象，毕竟不太可能成为人们的主要选择，事实上，我们也应看到，许多独身者其实并不是不想结婚，而是难以找到称心的伴侣；单亲家庭、丁克家庭也同样履行着家庭的基本职能。另外，在西方进行的所有群体婚姻的实验最多只能维持几年，就像海伦·费什引用玛格利特·米德的话所表明的那样："不管任何人发明多少群体居住方式，家庭形态总会重新占上风"。[①] 她

---

① 海伦·费什著，刘建伟等译：《人类的浪漫之旅——迷恋、婚姻、婚外情、离婚的本质透析》，深圳：海天出版社 1998 版，第 65 页。

说，"对人类来说，一夫多妻或一妻多夫则是在特定条件下的权宜之计。在人类社会中，一夫一妻制是主流。人类从未被迫形成配对关系，人们是自然而然地选择了一对一的方式。"①

（五）社会心理学也告诉我们，家庭是我们的主流选择。调查表明，那些被遗弃的伴侣对家庭仍然有一种依恋感，虽然感到受到了伤害，也感觉到屈辱，产生了一种婚姻的失败感，但是，在人们的心理中，家庭仍然是一个令人感到温暖的地方，而在其他任何地方则都有一种被流放的感觉。这就是为什么人们在离婚之后还有许多人选择复婚、更多的人选择再婚的原因所在。这种特殊心态也是千百万年的演化过程遗留下来的。

离异之后的心理反应对谁都是一个严重事件：或者感觉到一下子无法接受另一个曾经相濡以沫的人离去的事实，就如同自己某些珍贵的东西漂走了，从而有一种深深的失落感；他们可能怅然若失，也可能痛哭流涕，或陷入一种深深的自责和反思之中。这种创伤通常要经过较长时间才能平复。卡斯泰兰写道，调查表明了人们对家庭有依恋之情。法国人现在十之八九还是同意传统家庭的基本价值观念。对人们来说，家庭是一个稳定的避难所，当然也是培育爱的情感的场所。家庭还是这样一个地方，在那里上了年纪的人感到自己还有用处，可以享受权利，和家人在一起。②

对家庭的社会心理是某种类似于集体无意识的东西。即使有些人会选择离开家庭，也并不证明其他的群居或独居生活可以在本质上替代家庭，可以说，这实际上是对家庭不尽如人意的当下状况的一种反抗，是一种逃避。这种实验形式不可能长久，最终向家庭回归是必然的。家庭的长期存在对人们的集体心理的影响是十分深刻的，没有人的心理能够强大到足以压倒对家庭的依恋，这是一方面；另一方面，我们也看到，人们与子女之间的那种出自天性的情感也为长期以来的家庭生活所塑造起来的心理倾向所加强。诚如西德尔所说："婚姻不是主要为性欲——情爱而存在的机构。对婚姻所要求的稳定性，

---

① 海伦·费什著，刘建伟等译：《人类的浪漫之旅——迷恋、婚姻、婚外情、离婚的本质透析》，深圳：海天出版社，1998 年版，第 66 页。

② 伊冯娜·卡斯泰兰著，陈森等译：《家庭》，商务印书馆 2001 年版，第 105 页。

并非产生于在对象选择中动荡不定的人的性欲与情爱,而是产生于使子女社会化和从经济上保障生活的需要。"①许多处于离婚边缘的夫妻,恐怕都是因为孩子的原因而放弃离婚打算。对孩子的怜惜之情,那种与孩子血肉相连的感情,也是人类的家庭生活一代代地传递给我们的集体心理。

三、对家庭伦理价值的进一步分析

作为一种生活共同体的初级类型,家庭是一切伦理的始点,有着原发性的伦理价值。家庭伦理关系的始点是夫妇一伦,其基础是出自人自然本性的情欲,但人类的伦理文明也始于对人们自然情欲满足的文明开化的制度安排。它立足于自然的任性之中,但却诉诸情欲的提升即双方爱情的共鸣和谐调。从婚姻的起点上说,只有后者才能成为夫妇双方的较为稳固的联系纽带和家庭凝聚力的根本。所以,在家庭伦理中,夫妇之道是根本的伦理,它的伦理影响是巨大的,可以贯通家庭伦理和社会伦理。故《中庸》说:"君子之道,造端乎夫妇;及其至也,察乎天地。"②而下一代的加入,则是血缘纽带的产生,这同样是一种基于自然因素的情感,是亲子之情。夫妇、亲子之情有着天然合理性,它们不需要论证。切实地体验这两种源于自然的情感,并存于心中而勿失,不断地进行涵育、推广,我们就获得了一种实有诸己的德性的根苗。孩提知爱,虽是自然天性,但必须经过家庭共同体的情感互动而不断得到加强、稳固。孟子讲"存心",就是指要体会到这种天然的伦理情感并涵容于心中而勿失。所有道德,其本质就是人心中有对他人活泼泼的爱意,有与他人相通的情感指向,有他人意识。一个没有他人意识的人,就只能是局促于己,自闭而狭隘。道德德性的根本特点就在于自己精神空间的广大深厚,在于心灵中有相通于他人的情感维度,在于培养了活跃的道德想象力。所以,梁漱溟先生说:"善本乎通,恶起于局",③真是一语中的。正因为如此,家庭亲情是一切德性的始发点,这是仁爱大德之根。越过家庭伦理直接说"兼爱",其弊失之无根;

① 伊冯娜·卡斯泰兰著,陈森等译:《家庭》,商务印书馆2001年版,第226页。
② 《中庸·第十二章》,朱熹:《四书集注》,岳麓书社1993年版,第23页。
③ 梁漱溟著:《人心与人生》,学林出版社1984年版,第44页。

而只为自己,没有家庭亲情之联系,则失去了外向于他人的维度,其弊失之于自闭。二者都丧失了获得实有诸己的德性之根基。

家庭伦理是一切伦理的基础和发源地,所以,我们必须珍视家庭的伦理价值,培育家庭美德。我们应该做好那些我们终归要做的事情。正如我们在道德的发展过程中所看到的情形一样:我们曾经对物质利益在道德上加以贬斥,对人的自利倾向加以道德上的指责,但是这样做并没有让我们创造一个清清世界、朗朗乾坤,也没有真正培养出有稳定的高尚德性的君子。我们发现,为了让道德的发展获得基础,对人们追求物质利益的倾向加以承认,并为这种利益追求创造一个有良好秩序的环境,才是切实培养人们的道德品质的合理途径。家庭伦理也是如此,它是伦理的基础,也必须很好地养护。诚然,由于家庭范围的有限,特别在现代核心家庭中,人们的他人意识的延展度是有限的,甚至相对于社会公共利益来说,家庭利益也可以说是一种私人利益。但是,不能由此得出结论说,为了促进社会公共利益,应该取消家庭。柏拉图的《理想国》就是循着这条思路得出了应该毁家公妻共子的荒唐结论。任何制度若无根底,就不可能有真正的生命力。

家庭是这样一个组织,它是家庭成员共同生活的场所,是一种情感的统一体,服从的是情感性的利他原则。正因为如此,它是一种伦理性的实体。但毋庸讳言,家庭还不是一个有着明确思想意识的统一体,所以,它还只是一个初级的伦理实体。然而,这一点正是与未成年人的情感、道德想象力、理智能力还不成熟这一自然秩序相适应的。只有在进行了长期的家庭培养之后,未成年人在迈入成年之时,才能形成与社会的普遍结构相适应的理智,家庭教育正是以亲人之间的情感联系来培养他们的道德想象力,让孩子们习惯于家庭中切近的行为规则而使他们的心灵组织化。

现代家庭通常是核心家庭,但它也是由情感性的因素连接起来的共同体,所以,离开夫妇、亲子之间情感的互通与互应,家庭就会名存实亡。我们可以确认,婚姻的自由与自主是夫妇伦理的唯一法则,这是唤醒、培养夫妇双方自主人格的始点,它诉诸夫妇之间的互爱,要求不断地培养爱情,并不断地提升自己,使自己成为一个可爱的人。所以,夫妇一伦的伦理性就表现在它是一种相互的关系,那就是相互敬爱、相互欣赏。古语说"琴瑟和谐"、"相敬如宾"等等,从现代的眼光看,强调的是夫妇之间情感的互应以及责任的相互性;而在亲子一伦中,我们一方面强调双亲对子女的慈爱、养护、引导、培育,同时也要求子女对双亲的孝敬情感的回应。在这种情感的呼应中,子女的情感也将能变得越来越深厚、广大。充满伦理亲情的家庭,是子女道德人格、精神品格成长的肥沃土壤。

家庭还是习得基本规范意识的场所。在传统的血缘亲族关系中,由于家庭有很重要的社会功能,人们就特别注重培养家族成员的规范意识。所以,历代的家法、族规十分发达,以族规、族范、宗约、祠规、家训、家谱等形式表现出来,其作用是一方面是叙源流、敦族谊,另一方面则是对家族成员明示日常行为的规则。现在虽然社会中核心家庭是家庭的主流形式,但由于家庭成员也长期共同生活在一起,所以情感联系和规则意识也是十分重要的。在现代,如果要有长远的治家之计的话,针对核心家庭共同体成员的家法或者说处理夫妇、亲子关系的家训是很重要的。现代家庭可以制定家训,以一种制度性形式庄重而正规地规定家庭成员的行为义务和对家庭的责任。它应该有一个核心的指向,那就是家庭的社会功能是培养国家公民,所以,它要让国家对公民的权利义务的规定落到实处。对个人来说,的确是"国法远,家法近",这种远近关系说的是家法应该使国家对公民的法律要求具体化,并在具体表述和规则的制定上带有自己家庭特点的文化追求。它们"以维持善良风俗,改善旧习,补足政府法令所不及"为宗旨,族规"如有与政府法令抵触时",应该作出相应的修改。① 在日常生活中,父母在道德上做孩子的表率,或在小孩行为出现了偏差之后,以启发的方式、平等对话的方式予以纠正,从教育的角度说可以说是滞后的和不周全的;而家法、家训是立规矩于前,所以可以深思熟虑而形成系统;家训是家庭伦理清醒的理智表达,它的规范、引导、激励作用是十分重要的。

---

① 《武陵郭氏续修族谱》,1947 年本,卷首,《公约规定》,转引自费成康主编:《中国的家法族规》,上海社会科学院出版社 2002 年版,第 168 页。

总之,家庭对家庭成员精神结构的影响是熏陶性的、细致而全面的。"如同任何群体一样,家庭也产生一定数量的、由它的全体成员所带有的心理现象。家庭与任何群体不同,因为任何群体不可能以其成员相处的长期性和相互影响的亲密与家庭相比。通过有时不易觉察的转变,家庭的发展过程是由更加自觉和更好地表现的方面向着不太自觉的方面,由智力的表现方面向着情感的表现方面进行的,这种情感在形成真正的家庭心理机制过程中赋予整个结构以色彩。"①

家庭的伦理性还表现于与变化着的社会生产、生活的普遍形式的相互调适之中。在这个过程中,家庭形式会出现各种变化,并且产生各种不协调的情况。比如,社会化的大生产事实上导致了家庭规模朝核心型家庭形式演变,并使得血缘亲属之间的情感联系纽带减弱。国家通过立法的形式在这种趋势面前维护社会交往的规则,同时也维护家庭的存在,但不干预家庭的具体事务,并力图在二者之间取得协调。比如不像原先的国家强迫某些大家庭分家,也不像以前的国家有时干预寡妇的改嫁等,而是为婚姻的缔结提供法律认证和保护,也为婚姻的解体提供法律认证和法律援助,并规定双方财产的分割尺度,孩子的抚养义务等等。但是,国家应该在立法精神上珍视家庭的价值,所以,国家不能以其他利益或价值为目的而要求家庭某成员尽指证其他成员有罪的义务,比如,亲子之间、夫妇之间不应承担彼此指证对方有罪的法律责任。

家庭的伦理合理性既有自然合理性,也有社会合理性和文化合理性。自然合理性实际上是基因传续的合理性,这种自然冲动由一夫一妻制度加以制度化,并取得了长远的存续性和稳定性。这是家庭的主干,它是所有人的发明和选择,各种越轨、变形现象只是这种稳定的制度的歧路旁出。

家庭在社会意义上的伦理合理性就表现在:家庭的存在和稳定,使得社会的发展获得了一种良好的基点。我们常说家庭是社会的细胞,就是这个意思。家庭是公民经济支出的主要基础单位,也是公民在繁忙的社会生产、社会交往之外休息、恢复精力的场所。社会应该充分利用家庭的休息、人口再生产和初

---

①　伊冯娜·卡斯泰兰著,陈森等译:《家庭》,商务印书馆 2001 年版,第 84 页。

步的社会化等等功能,可以说,现在竞争型的社会生产和交往形式,使得家庭的存在更加必要。现在,家庭竭尽全力投资于教育包括小孩的教育和夫妇双方能力的提高,就调动了家庭为社会培养高素质劳动力的积极性。西德尔指出:"由于成年人生活中的社会灾难而被过早地抛弃的、很少受教育的孩子终于活下来,而且看来比其他同龄的孩子更机灵、更活跃,但是他们从未达到同样成熟、同样有效力的程度。"[1]有着反社会倾向的年轻人大多都出自离异家庭、单亲家庭或关系十分糟糕的家庭之中。这足以证明家庭的稳定与健康存在是社会健康发展的基础性条件。同时,适应于日益平等、自由的社会政治——伦理关系,家庭关系也越来越倾向于夫妇的平等互爱、亲子之间的平等亲爱。所以,现代家庭受到了公民社会的伦理结构的强烈影响,从而获得了普遍的合理性。

文化上的合理性表现在家庭也是文化的生发之地。家庭文化也是家庭伦理建设的重要内容。所谓"家风"的树立与塑造,与亲子之间的互动方式密切相关。古语有云"忠臣必出于孝子之家",现在我们也可以说,好公民必出于良好家风的家庭。一个家庭可以培养起有自己家庭独特精神气质的家庭文化,这对家庭成员的情感气质、意志品质的塑造大有益处。

总之,家庭在伦理上的价值合理性,表现为一种文明。家庭作为一种制度,体现了一种制度文明。其合理性或文明性就在于,它是对个人任性的一种塑造、整合和提升,从而获得了一种普遍性。这种普遍性就表现在它是一种可以普遍存在的制度,是人类生活之必需,而不是个人任性的产物。

许多人现在看到了家庭的核心化倾向,也看到了人们在家庭形式之外有着其他的选择如独身、非婚伴侣、居住共同体等等,于是对家庭的前途有着很深的担忧,并提出"家庭会毁灭吗"[2]这样尖锐的问题。我们认为,从社会学和社会心理学的角度来看,在看得见的将来,家庭不会失去其实际上别无选择的地位,也不会失去其基础性的规范力量。现在社会和个人应该更加珍视家庭

---

① 赖因哈德·西德尔著,王志乐等译:《家庭的社会演变》,商务印书馆1996年版,第137页。
② 伊冯娜·卡斯泰兰著,陈森等译:《家庭》商务印书馆2001年版,第139页。

的伦理价值,这需要人们形成一种理智上的清醒认识,并形成一种情感上的认同。家庭的毁灭绝对是一种灾难,虽然家庭并不是一个完美无缺的制度,因为它立足于有任性特点的感性情感领域,但是,在这个问题上,家庭,作为男女双方结合的合法形式和子女抚养、社会化和道德想象力培养的领地,到目前为止,的确是一个最不坏的制度。它会受到情感的变迁、厌烦、追求新奇等等任性因素的冲击,所以,需要文明和道德的约束和重塑,而不应该从抽象理智的观点出发主张消灭家庭。柏拉图的毁家公妻共子的设想绝不是个好主意。亚里士多德看得十分清楚,他认为取消家庭实际上就是毁灭伦理,因为家庭伦理是人伦之始。取消家庭会使亲情变得淡淡如水,并会产生许多严重的罪行。①他认为,家庭作为一种结合形式,是村坊和城邦的基础,否则国家就是悬空的。这是一种合乎理性的观点。可以说,社会的进化发展,应该会形成各种不同功能的组织,并使之成为一个和谐的、相互整合的社会存在形态,而不会使社会成为一个离散的个体的组合,在这一点上,家庭也许永远不会失去其基础性的地位。马克思对未来社会应该是个"自由人的联合体"的设想是十分有前瞻性的,但同样也不以家庭的解体为前提。应该说,个人要成为真正自由的、有着丰富精神内涵的人,从人类学的角度和道德教育的角度来说,家庭的作用都是难以替代的。这是从伦理精神发展的自身逻辑中得出的结论。

第二节 家庭的公共面孔

家庭自身是一种婚姻制度的产物。在婚姻中,原来两个独立的个人融合成一种自我决定的人格,它由爱所创造并由爱来加以维持。这是一种非常奇妙的成就。这种爱是在对方中认出了自我,爱是一种认识性的自我意识,由于这一点,人类的爱的感情与动物的本能有很大的差别,可以说是人的意识高出自然的表现。换句话说,由于婚姻是两个有独立人格和意识的人之间的精神

①　参见苗力田主编:《亚里士多德选集·政治学卷》,中国人民大学出版社1999年版,第36页。

性的结合,所以,婚姻必须是一夫一妻制,一夫多妻或一妻多夫制度都是对人类的这种独立人格的一种扭曲,因为那种结合必须以某些人的人格的降低为代价。婚姻的实质只能体现在双方的对等人格的结合为一之中。所以,婚姻制度的文明化发展,必然会受到社会公共法律的保卫。职是之故,罗尔斯把家庭视为社会的基本结构的一部分,"家庭之所以成为社会基本结构的实质角色之一的原因是为了建立一个社会及其代代相传的文化的有秩序的生产和再生产。"①从这个意义上说,家庭也具有公共政治含义,因为我们必须把夫妇看作有平等的政治资格和道德人格的公民,家庭应禀有一种目的,就是把下一代培养成未来的社会公民。

一、婚姻作为一种制度的公共性质

由于人类的婚姻制度也立足于性的自然欲望之中,所以,它也会受到这种自然的任性的冲击,从而使这种文明秩序遭到破坏。比如各种婚外情、"包二奶"、"包二爷"甚至重婚的现象,就是如此,这里面夹杂了许多其他的社会因素,比如由于其中的一方足够富裕或有足够的权力,而另外一方又有对金钱的需求和对权力的借助,于是原始的欲望就会蠢蠢欲动,而形成某种类似交换或买卖的关系。这显然是对婚姻本质的冲击。但是,由于婚姻立足于自然愿望的任性因素之中,所以,出现这种情况并不是不可理喻的,这种现象不仅现在存在,今后还会存在。但是,从公共伦理的角度来看,婚姻的本质对这种行为就构成了一种规范性力量,而且必须普遍化为所有个人的婚姻行为。也就是说这种自然因素应该被转化为心理层次上的精神性的结合。精神性的结合就是心灵与心灵的结合,伴侣们所共同拥有的这种心灵的结构框架就是精神性的联结,它超出了婚姻中的偶然的、短暂的因素的水平。"这就是说,以这种方式,婚姻已经高出仅仅自然的水平而达于思想和合理性的水平。"②基于此,

---

① Rawls: Justice as Fairness, edited by Erin Kelly, The Belknap Press of Harvard University Press, 2001, p. 162

② Patrick T. Murray, Hegel's Philosophy Of Mind And Will, Lewiston/Queenston/Lampeter: the Edwin Mellen Press, 1991, p. 98

婚姻就既不是一种主观性的倾向,也不是一种方便的制度。所以,婚姻虽然会受到来自自然的人性的挑战,但是一个文明社会要把它提升为一种合理性制度并加以保护。于是,婚姻就不只是个人的私事,就婚姻普遍性的本质和婚姻结构来说,它就是公共的事务。

其实,人类社会从很早起就明白了这一点。人们力图把婚姻创制为一种文明制度。比如对婚姻的公共庆贺就有一种合理性的基础。婚姻不能仅仅停留在主观性和内在的状态,还应该接受一种客观的表达和确认。不仅如此,它在家庭财产和孩子身上也得到了客观的表达和确认,因为婚姻的结合产生了家庭财产的整合和创造,它不能还原为双方各自的财产,孩子的出生,也是婚姻的一种全新的不可还原的成果。当然,现在有许多婚姻搞婚前财产登记和所谓婚内"AA"制,也就是婚内各自的收入也各自独立拥有,遇有共同花销则各出一份,这是人们现在对婚姻的稳定性不抱太高的预期所致,虽于理稍有不合,于情则有可悯者。这是婚姻本质中的一种内在的矛盾性所表现出来的外在现象,即:一方面,由于双方人格是独立的,而且社会生活中双方都到社会中寻找工作机会而获取自己的生活资料,所以,从一般可能性来讲,不会造成一方对另一方在经济上的高度依赖,从而使离婚成为可接受的;另一方面,由于社会流动性比较大,而且人们之间的接触面也大大拓宽,所以极有可能在婚姻缔结之后又能遇上更加知心和彼此欣赏的另一半,再加上情感方面的喜新厌旧的倾向,客观上造成了人们重新选择的几率的增加。这同样是家庭生活的公共面孔,不可能把这些现象只作为私事看,它应该放在公共伦理学的视野中加以考量。在这个问题上,我们已经看到,生活已经给出了其活动路径。一方面,我们看到,许多人在婚姻问题上明确认识到其思想性和合理性的本质,从而对一夫一妻制度能够恪守,并能够高度地相互欣赏,相互信赖,能够整合各自的优点,从而过着和谐的家庭生活。这样的人通常精神充实,身心和泰。当然,现实生活中也有许多婚姻破裂和重新选择伴侣的事例。许多失败的婚姻对于双方恐怕都是噩梦,所以,尽快结束对双方也是一种解脱,并重新选择自己合宜的伴侣。但是也有许多人婚姻破裂以后,生活陷入困境,感情和日常生活遭受双重的灾难。所以,不管离婚之后能否重新组织家庭,就婚姻失败本身而言,显然都是一件不幸的事情,允许解除婚姻实际上是社会对家庭生活的一种补充性措施。但公共伦理的要求从最高限制来说,那就是高度尊重一夫一妻的婚姻制度,一旦破坏,不仅社会舆论会谴责,而且还必定会受到公共法律的制裁;从其积极性要求来说,那就是婚姻要建立在双方充分了解而产生的真挚爱情之上,彼此尊重,相携相扶,共同认真地营造自己家庭独特的精神品质和精神氛围,并在婚后彼此不断地充实自己,提升自己,从而继续把自己塑造为一个可爱的人。这样的婚姻是相对稳定的,营造这样的家庭,是我们的公共伦理义务。

从哲学伦理学的角度说,婚姻作为一种互爱双方结合的制度,对人类社会来说,并不是可有可无的,对个人来说,也不是可有可无的。这种男女双方结合的制度,产生了一种全新的特质,它不能还原为可以分离的两个人的性质之和,在这个意义上,它就是一种伦理实体。

二、同性"婚姻"没有婚姻的实质

在婚姻中的双方是否必须是异性而不能是同性? 关于这个问题,现在已经引起了较大争论。理查德·迪恩·文菲尔德(Richard Dien Winfield)认为,从哲学的角度看,"如果正义的家庭将能成为一个自由的联合,那么既定的性别差异和性的定向就不能说是家庭角色的定规。虽然历史上婚姻和孩子的抚养一直被限定为异性夫妇,但这种限制通过让自然的区别来决定个体的家庭权利而违背了正义。因为性别和性的偏向与个体接受家庭的权利和义务的能力没有任何关系,配偶和父辈是同性还是异性在正义所关之问题上没有影响。"①

还有些人从其他方面为同性婚姻辩护。首先,他们认为,这些人的性取向是无法转变的,所以,必须尊重这种自然事实,哪怕说这是自然所造成的一种异常现象,但它的确存在,允许他们结婚,满足了他们的爱和组成家庭的愿望;

① Richard Dien Winfield, Reason And Justice, Albany, New York: State University of New York Press, 1988, p 187

第二,他们认为,承认同性婚姻,并且加以法律保护,可以使社会中同性恋的性关系单一化,减少因滥交而引起大量艾滋病感染的危险,所以,对社会很有利。有一点要分辨清楚,那就是现在社会中(特别是西方社会中)有相当数量的所谓"公民结合"(civil union)的同居方式,这是一种灾难。有人把这种灾难归咎于同性婚姻,这是不公平的。从某种意义上讲,不是同性恋正在毁坏婚姻制度,而是异性恋正在对婚姻制度造成极大损害,比如大量未婚母亲,居高不下的离婚率,引起了大量的社会问题特别是小孩的家庭生活的完整性和教育问题,严重影响了小孩的健康成长。他们认为,同性婚姻除了不能产生小孩之外,家庭的要素一样不少。而且他们如果领养孩子,也能给小孩创造一个健全的家庭环境,从而使孩子能够完全正常地成长为一个成熟的成人——这不就是婚姻和家庭的存在意义吗?

这种观点之所以值得重视,只是因为现在异性婚姻已经使婚姻的意义大大降低了。查尔斯·莫雷(Charles Murray)说得振聋发聩:"我们异性婚姻者已经遇上了敌人,而且这个敌人正是我们自己。"[1]然而,我们认为,这不能反证同性婚姻就是有利于婚姻制度的。事实上,同性婚姻将会促使婚姻制度加速朽坏。

关于理查德·迪恩·文菲尔德的观点,我们认为,虽然家庭是人类文明的一项创制,的确有认识性和合理性的特征,但是,这并不是说,家庭可以摆脱一切自然因素。从公共伦理学的角度说,我们人的伦理行为应该以自然因素为基础,原因在于我们首先是来源于自然,我们的生命中有自然的特性。追求伦理的合理性,不是要完全挖掉人生存的自然根基,而是要把由自然而来的情感、欲望倾向提升到伦理文明的状态。所以说,男女性别不同是人伦的自然结构。我们应该完善这种结构并把它向文明状态提升,而不是要向这种自然原则挑战,从而把人类婚姻的这种自然结构基础给去除掉。理查德·迪恩·文菲尔德认为自己是继承了黑格尔的思想方法,但在这个问题上,却似乎落入了自由主义的窠臼,把同性婚姻看作个人绝对自由原则的胜利,虽然其着眼点是

----

①　The Public Interest, Number156, Summer2004, Washington D. C, p. 31

家庭这个制度本身的自由,却对家庭的结合原则作了一种抽象理解。我们也可以看到,在人类社会中,据估计,约有3%的人口有同性恋倾向,而且其中最多1%的人会要求结成婚姻,应该说,这个比例还是比较低的。这实际上是自然的一种异态,的确应该对这种现象抱一种同情态度。但是,他们或她们要结成婚姻那是没有理由的。

理查德·迪恩·文菲尔德的观点的错误之处在于:虽然从纯粹的概念自由的角度来讲,对家庭这种自由制度的配偶规定是异性而不得是同性,似乎看不出有什么道理,但是,家庭是社会的一项基本制度,它的最基本功能是人口再生产,这是人类社会传续的自然基础,离开这个基础,社会不久就会毁灭。所以说,虽然社会对同性恋者应抱宽容态度,但对婚姻基本制度却不能让步。也就是说,家庭作为私人领域,也要在遵守婚姻制度的本质这一公共规范的前提下才是个人自由的领域。我们不能认为,既然家庭是私人领域,那么它就是人们行使个人任性的场所。显然不是这样。

另外,有人把婚姻只看作两个自由的个体之间的契约的缔结形式,因此只要是两个人自愿同意,就可以缔结婚姻,而不管这两个人是同性还是异性。其实,契约其实只是个人之间的任性的意思表示,它只能用在物的交换上,而不能用在人身上。婚姻这种文明制度不能等同于契约,虽然有契约的形式(结婚证),它实际上是男女双方达到一种人格结合的文明形式,不能还原为两个个人意志的简单加和。从这里我们也可以看出,只要是制度性的存在,其实都是一种公共存在。

那么,婚姻的本质是什么呢? 有人认为,婚姻的主要功能不是处理婚姻的结果即小孩的抚养和教育,而是为了抚平成年人自己的基本恐惧和焦虑,即担心他们自己有朝一日会被抛弃。既然如此,只要能给成年个体带来幸福,它采取什么形式又有什么关系呢?

我们认为,同性"婚姻"其实只是在表象上是婚姻,而并不具备婚姻的本质,它并不是(is)婚姻,而只好像是(seems to be)婚姻。同性婚姻的支持者迷惑于这种婚姻的"表象",并且认为这种婚姻去掉了自然因素的限制,是公民们追求自由的表现,而且他们也能感受到幸福,得到作为公民的尊严,并且有着法律、经济上的诸多好处。也就是说,他们认为,同性婚姻在家庭的结构要件方面一个也不少,与异性婚姻而不要孩子的家庭完全一样。可是,这些都只是表面现象。

苏珊·M·佘尔(Susan M. Shell)从公共伦理学的角度阐述了反对同性婚姻的理由。第一,她认为,婚姻的本质只能从人类婚姻形式的长远持续的后果上才能看清楚,因为它关系到我们人的公共身份。一个人在世界上,他的生命界限就是从出生到死亡,这是一个人的两件最为重大的事件,一件都不能少,而且它们还是一种自然事实。我们可以先看看死亡问题。死亡也有一副公共面孔,而且这副公共面孔"是如此明显以至我们很少想到它。国家颁布死亡证明并合法地定义死亡",总之,要让一个人的死亡公告出来。另外家庭对死者要举行公共葬礼,葬礼可以有各种形式,随人所愿,但葬礼本身不会取消。它的目的就是公告一个生命的结束。①

那么出生呢? 也是一样,国家发给出生证明,也就是公告一个人的出生。所以,出生也是一个公共事件。没有这个事件的产生,以后公共领域也不会存在。而且,出生事件是与婚姻家庭紧紧联系在一起的,是其自然后果。可以说,出生既以一种明确的方式,也以一种难以测度的困难方式定义了我们的自然本性,"这就是说,对社会来说,有一种需要,去认识到人类的出生和它的公告是人类经验的一种不可还原的特点。"②所以,婚姻在一定的社会中总是有其意义的,它超出了男女双方结合本身而具有社会意义,于是它要遵守某些规范,拥有某些目的,这是不能还原为个人之间的任性选择的。婚姻一旦确立,通常就会出现亲子关系,就要得到公共承认,亲子、夫妇之间责任就会随之而产生,而家庭的其他功能也都建基于其上。

现在人类婚姻制度的确受到了非常严重的挑战,其结构不时地遭到个人的任性的破坏,但是,婚姻和家庭结构始终在发挥作用,而且,一旦人们意识到了这一点,就会产生一种回归婚姻和家庭的本质的潮流,重新珍视婚姻家庭的

---

①　The Public Interest, Number156, Summer2004, Washington D. C, p.9
②　The Public Interest, Number156, Summer2004, Washington D. C, p.9

价值。即使婚姻在形式的意义上被弄得不够稳固,它也会发挥作用,虽然其作用也许不能发挥得很好。所以,婚姻是有稳定的本质的。

第二,把婚姻限制在异性伴侣之间,实际上是承认人口生产以及人类经验的复杂性的特殊重要性和庄严性,这并非内在地构成一种基于性的定向的不公正的歧视。对个人来说,出生是一件独一无二的事情,同时对社会来说又是一个公共事件。自然的异性之间的相互吸引及相关的怀孕和抚养孩子的欲望在过去数不清的世代中表达着自身,在已知的任何社会里都是如此,在未来也必定会是这样的。家庭的这一功能,可以培养人们非常温馨而细腻的情感感受,夫妻个性人格的交融,家庭的教育和对家庭财政的责任等等,可以说,这些都是完善自我的一个重要方面。

在我国,同性恋人群占人口总数的比例为2%到4%,这与世界上的比例差不多。在我国,对同性恋人群虽然有一定的宽容度,但是,同性婚姻问题还没有成为一个公共讨论的话题。这是应该引起重视的。①

三、家庭制度的不自足性及其公共性维度

家庭作为人类的一种生活制度,并不能解决人类生活的一切需要,而且它

---

① 据《广州日报》报道,学界估计,中国同性恋者约4000万,占人群的3%。近两个月来,国家卫生部、广东省疾病控制中心等相继开展与同性恋有关的科研,"同性恋"这个字眼越来越频繁地出现在公众视野。而记者采访发现,不少男同性恋者对于被划为"艾滋病高危人群"十分抗拒。政府对他们的态度如何? 同性恋者有机会获得平等的婚姻权和生育权吗?

中国性学会理事长徐天民指出,政府和学界开始关注同性恋,是出于艾滋病疫情控制的需要。目前在许多国家,艾滋病在男同性恋者当中高速蔓延,美国旧金山的艾滋病感染者中,42%是同性恋者;中国台湾的同性恋者在艾滋病感染人群中占的比例更是高达53%。中国大陆尚无相关数据,但国家卫生部、广东省疾病控制中心今年下半年相继开展与同性恋有关的研究。初步的调查发现,男同性恋普遍存在多性伴、少安全措施的现象,由于无法合法组建家庭以约束"性道德",每位男同性恋者拥有性伴侣的数量从十几个到上百个不等。因此徐天民把男同性恋者、卖淫女和吸毒者列为"艾滋病高危人群"。据介绍,中国政府和民间现在对同性恋普遍持宽容态度,不限制、不干涉,但是也没有法律认可和保障。同性恋者在美国、欧洲的婚姻权也还没形成共识,相关的立法工作中国也不可能完成。徐天民的个人看法是,目前对同性恋者只能提倡单一性伴侣制,并在合法收养子女上给予一定的特殊政策,至于同性恋者的生育权,这个话题还为时尚早。见《广州日报》2004年11月6日专栏文章:"专家:单身女生育同性恋结婚不可能开禁"。

本身还不是完备的和稳定的。这表现在以下几个方面:(1)每个个体都要成长为一个能够自律的人,而孩子完全必须通过大人的抚养才能达到这种状态,为了自由的缘故,孩子有无条件的权利要求受到抚养。虽然什么时候个体才算达到了成熟状态,不同的文化传统有不同的认识,但不管怎样,一个孩子必定会有长大的那一天,这时,他就有了权利走出父母的荫庇和约束,而自己组成家庭。所以,家庭作为一个自由的制度,有一个重要的功能就是把孩子培养成一个负有道德责任、自由处置自己财物的个体,从而作为一个自由、独立的个体,走出家庭,进入社会,参与社会中的竞争与合作。这是家庭的公共面孔的一个侧面。

(2)家庭的自由是有限度的,它有可能产生失效,这就需要用某些进一步的制度加以弥补。在家庭中,会产生许多冲突,比如在如何管理家庭,如何促进家庭的共同财富,应该如何教育子女等等问题上都会出现分歧,这些分歧在家庭中没有第三方来裁决,求助其他家庭也是无用的,因为其他家庭也可能陷入同样的困境。在这个意义上,家庭中的各种权利其实会处于其成员的任性的支配之下,所以,家庭的正义本身就要求更进一步的制度来保证家庭成员的权利得到尊重和保护。

(3)父母作为家庭的纲维,从一个方面看,由于社会环境的不可预测性,可能会让生活陷入困顿;或因为双亲的任性,或因为父母双亡而置孩子于不受监管的状态。这样,一个孩子的无条件的成长权未必能得到无条件的保障。而如果父母不能承担这个责任,他们就会丧失父母的权威这个权利,不管小孩是亲生的还是领养的,这也需要家庭以外的机构能加以补充。也就是说,一旦出现这种现象,那么就必须有新的人来承担父母的责任,因为让孩子能够发展为一个能自律的道德主体,也是社会的公共责任。还有孤老等的赡养送终,同样是社会的公共责任。中国古代社会对这方面的公共责任有着深刻的体认。孔子说,他的政治理想就是"老者安之,少者怀之",孟子也要求当局能常存此念于胸中:"老有所依,幼有所长,鳏寡孤独皆有所养"。他们那么重视家庭伦理的建设,肯定是更切身地体验到家庭作为一个伦理制度的不自足性。它不稳定,受到个人任性的冲击很大,所以,他们要以触动人们心中的最自然的情感即自然亲情为基础,从而为个人构造一套家庭伦理规范,并通过社会教化来使这种观念融入人们的心理结构的深层之中。同样,他们从对人的生存权利的确认入手,对由于家庭的破碎而造成的个人孤苦无依的现象,要求社会负起这个公共责任。

从另一个方面看,家庭与社会是紧密联系在一起的。一个公平的社会存在着对抚养孩子及其父母的补偿方面的公正问题。在这方面,我们也应该从公共伦理的角度把道理讲正确。人们大概可以提出这些看法:第一,在当今社会,有一个重要事实,父母的主要家庭责任就是把孩子培养成一个社会中能独立工作的人和道德、政治上平等的国家公民,换句话说,培养孩子的目的是为了使孩子能够成熟到可以脱离父母。对今天的父母来说,抚养孩子似乎是一种单向的责任,这就应该从公共伦理的角度来看待社会和国家对孩子和父母的责任问题。第二,父母要花大量的金钱、精力、时间来把孩子培养成人,并不能期望有多少回报。所以,在这个意义上,是社会在期望父母努力地负起培养孩子的责任,因为孩子培养好了,就能顺利地进入社会,促进社会的发展,所以,培养孩子,最大的受益方是社会。同时,由于社会对人才的要求越来越高,因此,对父母来说,就有双重的非常苛刻的责任,即一方面要努力给孩子以良好的教育,另一方面还必须发展自己的才能。父母既然在培养孩子时付出了大量的时间、金钱、精力,就必然会牺牲自己休息、娱乐和发展自己的机会,而获益的又是社会和国家,所以,国家和社会应该补偿他们。第三,应该把抚养孩子的问题理解为一个公共关注的事情,而不是一种私人的努力。如果是后一种,那么,每个人就可以自由地选择是当父母还是不当父母,给不给孩子以教育,父母对国家也不能有任何权利主张。但如果是前一种,那么,父母则可以要求国家对自己的努力作出补偿。

我们认为,这些理由都很好,但是,它们都似乎是一种功利性的量的衡量,即强调孩子抚养的"公益"性。实际上,问题的根本还在于,父母的角色有无可替代性。因为,在父母的关爱下成长,对一个孩子来说是一种最为符合其智力成长、情感滋养和道德能力发展要求的生态性环境,这种亲密感和血缘亲情的联系纽带,对每个人都是独特的,所以,如果父母双全的话,那么任何其他抚养办法都不应该成为亲情家庭的抚养方法的替代办法。这就是安内·L·阿尔斯托特(Anne L. Alstott)所说的"死胡同"(no exit)。这是孩子抚养本身的内在特点；而从社会看，一个公平的社会应该保证每个孩子有大致平等的起点，这样，社会就不能授权父母在这个问题上随心所欲。一个致力于保护每个人生活机会的社会就不能对小孩的抚养条件无动于衷。"死胡同"的要求成为社会对父母抚养孩子的公共的规范性要求。它是一柄双刃剑："照顾抚养的连续性对孩子和社会都是有益的，因为一个照顾得很好的孩子将能成长为一个自律的成人。同时……虽然他们在抚养小孩时有道德和情感上的满足，但是精心抚养小孩对大人的机会、工作、享受、自由绝对是个妨碍。"①得到很好培养的孩子进入社会之后，对社会产生了改善作用，他们产生了新的文化和经济的机会，这些机会在某种意义上丰富了我们大家，所以，我们可以得出结论说，无小孩的人从他人对小孩的精心抚养中也得到了好处，所以他们也应该帮助社会资助父母抚养小孩。

因此，父母的角色看上去是私人性的，但其实也是一种公共角色。从以上分析中我们可以看出，家庭制度必定处于与公民社会和国家的更广泛联系中。在一个追求公共正义的社会中，家庭的公共伦理价值需要得到审慎的权衡，并被化为公共政策。

---

① Anne L. Alstoott: What Does A Fair Society Owe Children and Their Parents? Fordham Law Review, volume LXXII, April 2004, Number 5, p. 1975

第四章　市民(公民)社会的公共伦理维度

　　家庭对人们实现自己的某种权利来说是一种基本的制度,但人们的权利要得到进一步的实现,就需要走出家庭而进入到社会之中。当然,社会的形态也有多种多样,但比较发达的社会形态应该说是市民社会(civil society,又译为"公民社会")。①作为一种实现人们权利的制度结构,市民社会必然有其合伦理性和正义的价值。应该说,是市民社会的出现和发展,使得社会人伦关系得到了一种普遍化,它把人们从过去以家族模式所扩展而成的社会关系结构中摆脱出来,从庄园、行会、基尔特(Guild)等狭隘的忠诚关系中摆脱出来,"在'典型'的近代社会中,每个个人在制度上能自由地——除了经济的强制以外(经济规律的必然以外),对任何一种社会强制来讲都是自由——结合起来。"②这样的社会结构,将会内涵着一种真正的公共性质,从而表现出自己的伦理性和正义价值。当然它的存在构成特点也使之在伦理上有着某种不自足性。

　　从道德的意义上说,作为市民社会的基本经济秩序的市场社会,必须有一种信用的联系外观,这是市场交换关系所内涵着的一种道德要求;而在作为市

---

　　①　"civil society"这个概念原指拥有资产的人们在市场中进行交换而组成的一套社会结构、生活体系,当时他们被封建国家的政治势力所排挤,所以,他们主要是经济市民。在这个层次上,把"civil society"译成市民社会是恰当的。在马克思的用法中,这个词指资产阶级社会,带有较重的批判色彩;随着时代的发展,在西方社会,劳资对立逐渐趋缓,而且在全世界率先进入富裕社会,人们的权利也得到更好的保障,于是人们对公共事务的关注程度越来越高,并且形成了大量的自我组织和自我管理的团体,并对政府的公共政策进行了广泛的参与,从而有了较强的政治影响力。西方学术界对这种社会团体及其社会生活领域也称为"civil society",实际上是突出了 civil 一词的"文明的"这一含义。在这个意义上使用的"civil society",以译为"公民社会"为好。基于这个理解,本文在不同的地方使用不同的汉语译名。目前,国内这两种译名同时使用。

　　②　川岛武宜著,王志安等译:《现代化与法》,中国政法大学出版社 1994 年版,第 11 页。

民社会自身完善和发展形式的公民社会,由于公民们需要组成一些自愿组织和自我管理的团体,积极参与公共事务,并以公共讨论的方式参与政府的公共决策,所以,特别需要培育一种信任的道德氛围。

第一节 市民社会的伦理

市民社会是由独立平等自由的经济主体所组成的社会,它与传统的等级制社会和小团体的生活形式有很大不同,表现出一种成员的独立和成员之间的相互依赖的人伦关系结构态势。

一、市民社会人伦关系的特质:独立和互依(Independence 和 Interdependence)

我们知道,西方的近代化过程表现为社会对两个传统力量的分离。一是家庭逐渐失去了其扩展为社会结构的功能,同时小型共同体也逐渐失去其型构人们的外向关系的力量,从而促使人们的外在关系发展成为社会性的关系;二是摆脱政治国家统治力量的控制,而要求社会的自治。在这个过程中,逐渐生发了一种独立、平等、自由的要求,认为社会自身就有一种自我组织、扩展自身秩序的功能,因而对国家的强制性统治提出了抗议。它产生了其相对于旧时代而言的具有潜在的无限扩展秩序的新型人伦结构。

近代社会的人们变成了能够认识到自己的责任,独自决定自己的行为,有着能自我控制的自主人格的个人。正是由于从总体上说,人们基本上都成了这种独立的个体,近代市民社会才产生了。由于他们是独立的个体,他们所奉行的行为准则都是利己主义。然而,又正是因为所有人都成了这种独立的个人,所以,在他们奉行利己主义时,必须尊重他人的利己心,否则就成为了彻底否认他人的绝对利己主义者。这种社会结构首先把所有人都还原为一个原子式的个体,实现了一种高度的抽象,使得个体有了一个独立的原点,个人站在这一原点上,充满了外向进取的意向。在由这样的个体所组成的社会中,人们之间当然有着相互依赖性和相互需要。我们说过,这种抽象的人伦结构所导致的经济形态必定是以广泛的、可以扩大到世界范围的社会分工和合作以及交换的原则为基础的经济,要把这种经济形态建立在完全排他的个人奋斗之上,那是不可想象的。

独立和相互依赖看上去是矛盾的,但确实是市民社会的现实。独立,是为了获得个人的道德主体资格,获得自由地表达自己意愿、发挥自己的创造力、争取自己的成功的一个立足点。个体独立的目的必须在社会中才能去追求并力图得到实现。独立的个体从社会政治上说并没有等级之分,所以,每个人都是平等的(从理论上看),有同等的人格尊严。从抽象的角度言之,市民社会中的个人都是同质者。但是,个人在追求自己的目标时,靠孤立的个人奋斗显然达不到目标,他们必须共同利用社会合作的体系。川岛武宜说:"在近代的市民社会中,利己的人如在独立的同时不常常当然地把他人当作同质者来加以承认的话,是永远达不到其存在目的的。"[1]把他人当作同质者加以承认就是要相互尊重,相互依赖。这是一种社会性的相互依赖,而不只是某种小型共同体的依赖,它是以个人独立为前提的。正是这种相互依赖使得市民社会具有公共领域的特点。其主要标志就是所有人都获得了某种基本权利。权利的普遍分享性和使之得以实现的制度可能性,就是市民社会公共领域的根本特征。

川岛武宜以日本进入近代市民社会的情况为例,说明权利的获得实际上是历史长期发展的结果。在一个奉行弱肉强食的丛林规则的社会中,是没有权利可言的;在一个只有服从和被服从的关系的社会中,也不可能有权利。真正的权利和义务只存在于相互承认其主体性的人们之间。他认为,这只是在近代社会才完全明确地表现出来。[2] 他举例说,日本"在明治初年,当箕作麟祥把民法 droit civil 译为'民权'时,因为在日本说人民有权利是做梦也没有想到的,所以接触到这个新译语时太政官制度局的民法编纂会成员很难接受这

---

① 川岛武宜著,王志安等译:《现代化与法》,中国政法大学出版社 1994 年版,第 11 页。
② 参看川岛武宜著,王志安等译:《现代化与法》,中国政法大学出版社 1994 年版,第 18 页。

种新思想,质问道'庶民有权究竟是怎么回事',从而引起一场争论。"①人民拥有权利就是承认所有人都是有着平等的政治资格和道德人格的个体,从而把社会的发展引导到一个大家可以公平地分享其进步以提高自己生活前景的轨道上。所以,社会性的制度设置都可能成为"天下公器"。就拿企业来说,中日两国都有过大量的家族制的企业,其成员之间的关系过去都是采取非市民的非权利义务关系。其工资可能是某种人情化的恩惠性给予,人事任用可能以亲属关系为优先考虑条件,具体操作中的人情因素很浓等等。在开始时,这种方式可能有其某些优点,比如亲戚间的彼此熟悉,降低了去熟悉陌生人的时间成本;亲属之间由于亲情联系也可能已经建立了信任感,这也降低了企业创业时的信任压力。但是,这种企业先天不足,那就是亲属关系阻碍了这种企业社会化的可能,它的理性化管理的需求会遇到来自亲情原则的阻力,而在社会人才市场上选择合适人才的可能性也会由于亲情的考虑而降低。所以,它们在发展过程中,很容易遇到以下问题:一是人才可能青黄不接,因为在家族内选才,范围实在太小;二是管理制度不规范,即使订立了制度,这些制度也会遭到亲情的侵蚀。所以,家族制企业的强盛之道只能是社会化,即使是家族成员之间的关系也应该成为市民化的权利与义务关系。现在,中国的许多家族制企业明确地意识到了这一点,这表明市民社会的独立和相互依赖的人伦关系原则,在社会化的活动中优于家族性的亲情原则,这也表明,历史发展出了市民社会是一种文明进步。

在市民社会中实现人们的权利,从经济上说就是以商品交换为经济原理,通过自由平等的个人行使自己的经济权利而获得彼此效用的增进。正如哈贝马斯所说,"从一定意义上讲,商品所有者可以认为自己是独立的,由于他们从国家指令和控制当中解脱了出来,因此他们可以根据赢利原则自由抉择,而无需听从任何人,只须遵守似乎隐藏在市场内部,发挥经济合理性的无名规律。这些规律受到了公平交易(比川岛武宜的"等价交换"准确——引者注)

① 川岛武宜著,王志安等译:《现代化与法》,中国政法大学出版社 1994 年版,第 18 页。

这一意识形态的保护,因而公正应当能够彻底战胜权力。"①在这个过程中,所有人都必须承认对方自主的主体性,从实质意义上说,就是承认并尊重对方的平等权利。赋予权利而得不到对方的承认和尊重,那这种权利是不能得到实现的。所以,承认并尊重人们的平等权利,是一种有规范力的社会公共领域的伦理功能之所在。市民社会自身有这种要求,这是它的内在结构所决定的,而且只有普遍存在着这种承认和尊重大家的平等权利的精神态度时,市民社会才真正存在。于是,这种伦理关系结构产生了"公平交换"的伦理要求。所谓"公平交换",首先是要尊重交换对方的自身意愿,大家在平等、自愿、互惠的基础上进行交换。没有这种伦理要求,市民社会的经济过程是不可能进行的。如果人们并不想进行公平交换,而是通过否定他人,比如通过杀害对方而夺取或抢劫对方财物来得到利益,或者通过假冒伪劣、坑蒙拐骗来夺取利益,那么,就违背了公平交换的根本伦理原则。请注意,这种平等、自愿、互惠的交换不太可能是严格的等价交换,在这里有许多主观的、社会性的因素,所以,要做到严格的等价交换既不可能,也没有意义。比如说,在现实的商业活动中,如何定价是一种销售策略。诚然定价不会偏离商品的价值太远,但严格的等价交换应该说并不是一种伦理的要求。正确地说,应该是等效用的"公平交换"。这就表明,市民社会的经济结构是有着人们的意志自由的特征的,一方面是交换的双方要尊重彼此的意愿,另一方面交换的实现是基于双方对彼此的商品的效用的需要和判断,交易成功可以导致双方效用的增进,通过交换而使双方的意志自由得到了实现,充分体现其互惠的特点。公平交换是市民社会的人们之间的独立和相互依赖的人伦结构的具体表现之一。这是一个应该互相承认的世界,"利己心的主体把他人也作为利己心的主体,即作为与自己同样的人格而相互交涉",②虽然是为了自己,但是这种利己心必须以尊重他人的利己心为前提才能得到满足,他的眼界已经不是局限于自己,而是获得了一种他人意识,从他人身上发现自己:"在这里,已经不是原始的本能的单纯自我保

① 哈贝马斯著,曹卫东等译:《公共领域的结构转型》,学林出版社 1999 年版,第 50—51 页。
② 川岛武宜著,王志安等译:《现代化与法》,中国政法大学出版社 1994 年版,第 35 页。

护,即不是否认除自己以外的所有人的主体性,而是把他人也作为与自己同样的存在而加以承认,由此而意识到自己的存在,这已是一个伦理的世界。"①

市民社会作为一个文明的社会,其经济活动的范式是公平交换,公平是对那从本质上来说无法满足的利己心设置一个界限,限制那种使交易的一方严重受损而另一方有不当得利或交易双方都受损的状况出现,可以说这正是交易活动领域中的正义理念的实现。所以,我们可以断言,商品的公平交换本身就是一个伦理的过程,这对人类历史中伦理世界的成立有着根本性的意义。它的范围是广大的、甚至是无界限的,不像在原始社会,人们营造的是一种封闭的经济,而在这个圈子之外的人都是敌人,他们的权利根本就不被承认,因而可以掠夺他们的财物,并且这被看作天经地义的,那些善于掠夺其他氏族的财物、土地的人被尊为英雄,所以,交易在那个时代是不存在的;它是和平的,因为实践告诉人们,交易能够形成一种稳定的秩序,它能获得我们通过战争掠夺所能得到的东西(如财富)和甚至得不到的东西(即和平)。和平是美好的,在经济上和心理上都是值得向往的。交易本质上就是和平的,它尊重对方的意愿,而不是通过压迫别人的意志以完成不公平的交易。它教给我们一点,个人的独立和人们之间的相互依赖是社会生活正常的文明状态,它能得到所有人的赞同,也能推到所有人身上,并衍生出一系列人们相互对待的公共伦理规范。

首先,正因为近代社会是通过摆脱两种传统力量的约束而出现的,所以,它仍然会受到这两种力量的习惯性和连带性的影响。在东方国家,近代化是在国家的主导下进行的,国家有意识地下放权力,促进近代市民社会的发育。在这个过程中,国家的强大力量仍然起着相当关键的作用,所以,它对市民社会的自治秩序也会产生某种形式的干预,对公平交易的经济活动的秩序演化既有积极的影响,也会有某些负面的影响;同时家庭的亲情联系也会产生这方面的影响。这就要求我们真正认清市民社会的伦理性存在,自觉约束国家的负面影响,并有意识地摆脱亲情联系造成的对市民社会的伦理及其公平交易

_____

① 川岛武宜著,王志安等译:《现代化与法》,中国政法大学出版社1994年版,第35—36页。

的扭曲。在这个意义上,公平交易同样是一种伦理性的规范力量,它可以也应该以社会法律的方式明确起来,并在现实中加以普及,成为我们日常行为的准绳。

其次,公平交换并不是人们天性中就有的倾向。斯密曾说,人与其他动物不同的一个本质特点就是人会交易,他以此来说明进行商品交换的市场经济是人的天性所致。① 事实上,虽然偶尔的交易活动可能出现得很早,但是成体系的市场经济却是人类文明发展到一定阶段的产物。而且,市场经济体制如果不进行几次历史性的社会变革是难以确立的。在封建社会,封建等级制度内部的财产以地租的形式以权力为媒介流向上层,它显然反对公平交换。他们通过反复宣传,把这种不公平说成是天经地义的。他们从伦理上反对商业利润和利息,视之为不道德的东西,并蔑视被人雇佣如出卖劳动力的人。在这个意义上,公平交换又以新型平等自由的人伦关系作为社会结构的基础,它反对封建伦理关系和政治关系。所以,本质上说,公平交换对我们来说是一种伦理性的规范要求,阻止我们去违背它。虽然市场经济体制把市场作为资源配置的主要方式,从而排除各种来自市场外部的权力干预,这就是说,要让市场本身来实现其扩展秩序的功能,从而体现市场作为一种满足交易双方的利己心的制度安排的本质,但是,它本身不会自动起作用,相反,如果想从博弈次数的有限性中通过破坏公平交换的规范来获利,是可能的,而且现实生活中就存在着大量的这类现象。所以,公平交换并不是市场经济能够自动做到的,而是一种规范性要求。

第三,我们看到,市民社会的伦理实际上是一种普遍的伦理,它的形成,在道德思维层面上是一种普遍主义的思维方式发挥作用的结果,特殊主义在这方面则会造成妨碍。它要求把所有人视为与自己同样的利益主体,从而是一种同质化的抽象过程。它排除人情亲疏的考虑,也排除任何法外的特权。道德思维在这里表现出真正普遍性的特征,是一种理性思维的结果,其相应的情感是在这种秩序下被塑造出来的,而不是由某种自然情感来决定我们的行为

---

① 见亚当·斯密著,杨敬年译:《国富论》,陕西人民出版社2001年版,第13页。

规则。同时,我们也要看到,市民社会独立的个人,由于其利己心而可以走向极端利己主义和个人主义,对我们的社会联系和相互需要、相互依赖的体系产生阻隔。市民社会的伦理要求个体自尊而尊人,这是其理性秩序所要求的情感特质和正常欲望,是市民社会伦理对我们主体的道德思维素质和情感的实质性规范。

二、市民社会伦理观念的深化

市民社会伦理变革的伟大成果就是个体作为道德主体的独立。独立的道德主体获得了一种自发的人格,因为他是一种自我负责,自我规划自己的生涯,能够发挥自己的主体精神的个体,这是一种真正崇高的道德和秩序之源。从个人精神的内部说,自发的人格能够产生一种本真的意愿,而不是被压制和被强迫所产生的非本真意愿。川岛武宜说,"仅凭单纯的权力压制,人的道德是得不到完成的。"[①]只有自己的本真意愿能够得到正常的合伦理的表达,人们才能够丰富自己的道德世界。比如,自主自立,意味着他的行为发于自己的真实意愿,他对此就有了最高的责任心,他会凝聚起自己的心志才能,发挥自己的创造力来使这个意愿得到实现,而且他无可推诿,只能自己负责到底;同时行为的结果也回到他自身,享受成功,承受失败。在这个过程中,他发挥了自己的主体自由。他的个人权利得到了他人和社会的承认和尊重,并且诉诸现实的实践过程。这正是个体社会权利的实现过程。

当然,这个过程是相当复杂的。我们看到,个人追求自己的成功,不是单纯的独自奋斗的过程,相反,它是在人伦关系中进行的,除此之外,个人的权利无法得到实现,个人的意志也将沦为个人狂想式的独语。所以,只有在市民社会平等自由的人伦关系中,作为权利的实现的正义价值才能得到体现和在某种程度上成为现实。社会的公平交换体系能够使个体获得单个人状态所不可能获得的利益。这是市民社会中个人们之间的相互依赖的人伦关系特质的典型写照。

---

① 川岛武宜著,王志安等译:《现代化与法》,中国政法大学出版社1994年版,第22页。

从以上的论述出发,我们就会明白,虽然市场经济的基础必然是一种物的生产过程,其自由却表现在人的精神力量、劳动能力能够顺利地对象化到产品上,制造出合用、合意的产品。人越是能够生产出他想要生产的东西,越是能对自己的产品做得了主,他就越能够在产品中欣赏到自己的本质力量,这样他就越是自由,用黑格尔的话来说,他就有越高度的实践性教化。① 然而,我们看到,市场经济作为一种自由的制度,却不仅是一种物的过程,也不仅仅是一种技术的过程。在这一点上,海德格尔对现代社会的诊断即认为现代社会是一个完全技术化了的社会是有片面性的。应该说,作为一种自由制度的市场经济,其本质是人与人之间的关系,在其中,人们行使着自己的权利和履行着自己的义务,成为一个自由的现实存在。它表现在以下几个方面:

1. 亚里士多德曾经说到,如果经济活动只是 techne 或者 poiesis,即工具活动或制造活动,那它就不能为了自己的缘故而活动,而是为了结果性的产品和人们的满足比如任性的口味等自然的需要而进行的活动。而实际上,只有把经济当作一个 praxis,即实践活动,人才能成为政治的动物和理性的动物。作为理性的和政治的动物,人们在经济活动中,必须追求经济的正义,而且这种对正义的追求还必须取得规范有效性,并化为一种制度性安排,比如财产所有制度、财产授权、道德责任、家庭权利等。当然最主要的是财产制度。许多思想家都认识到这一点,比如休谟认为,私有财产是文明的基石;黑格尔也认为,财产是一个人的定在;哈耶克进一步认为,没有财产的地方,亦无公正。这一制度,才一方面与市民社会的个人独立、自由、平等的人伦关系结构相适应,另一方面,财产必须进入社会经济活动,进入公平交换,才能造成社会经济体系的扩展。同时,我们也看到,只要财产面向社会,进入社会的交易体系,财产的私有制和公有制(即财产的全体国民的共同所有的财产制度),都能同样起到作用,只有那种把财产囤积起来不进入社会流通的守财奴,才有一种与市民社会的经济体系相悖逆的腐朽的财富心态。在市民社会中,生产资料的所有制无论采取哪种形式,都是为了促进市场经济体制的发育与完善,所以,财产制

---

① 参看黑格尔著,范扬、张企泰译:《法哲学原理》,商务印书馆 1961 年版,第 135 页。

度成为一个社会的公共存在。这又是市民社会中人们之间的互相依赖性的一个充分体现。

于是，经济关系是一个不可还原的自由结构，所以我们可以对它进行理性的重构。它必须有自然的基础，比如人性的自然特点，如自利倾向、欲望结构以及合群的需要，但同时，它又要发展为一个文明的社会性体系，所以它必须整合社会的其他基础性结构，比如财产关系、道德和有某种自然性的家庭关系等等。在这个基础上，我们可以按照市民社会的人伦关系的特征来重构经济关系。于是，古典政治经济学的某些原理就是应该受到批判的。古典政治经济学（主要是斯密的经济学说）认为，市场通过一只"看不见的手"来起作用，通过个人的私利追求的互动来实现社会公共利益的增进。这样，市场经济的秩序就表现为一个任性的结构，是人们自然力量的角逐，它之所以能实现公共利益，绝不是个人的内在意愿，而是由于一种不可知的过程。但实际上，经济过程是有其内在结构的，它符合某种理性所能理解的秩序。

当然，市场经济是人们通过交换去满足人们自己需要的一种体系，但是在这个过程中，人们不是仅仅表达着自己任性的偏好，而是在其中实现着自己的自由。它存在着"需要的体系——市场——展示人的意志自由"这样一种结构，只有这样，才有正义价值的问题。所以，理查德·迪恩·文菲尔德说，"一个正义社会的授权在于提供一个自由的结构，这个结构给出了一个所有权、道德主体和家庭成员的自我决定的新模式，当然不包括政治自由，它还没有被自由的国家所统合。"①这就要求有一种社会秩序能够给个人提供授权的自由去实现其特定的目的，而这个目的又是他自己在互惠中选择的，可以由财产所有者、道德主体和家庭成员作为经济市民来行使这个权利。这种权利是一种新的东西，它是抽象的财产权、道德观点和家庭结构中所没有的，所以，它是不可还原的。

在这个层面上来对正义社会进行理性重构，其最大的挑战就在于：我们要

---

① Richard Dien Winfield, Reason And Justice, Albany, New York: State University of New York Press, 1988, p. 204

设计一种总体的制度性秩序,在这种秩序中,我们对独立的利益追求建立了一种有规范力的、有效的自由,而不是听凭自然的任性的冲动,即任其为所欲为,而不顾权利和义务的相互承认和承担。这就有了一种基本的经济正义的要求:(1)学会尊重与自己一样有权追求自己特殊利益的他人,并使之成为一个公共制度性的存在,这样才能超出自然的任性而形成一种正义的关系;(2)必须进入相互作用,就是在经济竞争的过程中,体现出的是一种互惠的合作结构,并且要化为自己的内在意愿,它的制度性外观就是信用制度;(3)这种结构有规范性。从社会的角度说,财产权就意味着:个人有权得到生活必需品,过一种健康的生活,这是个人行使其他权利的基础。这就是这种制度所蕴涵的规范性力量。如果它自身解决不了,就要诉诸其他制度,这些其他制度是从经济制度中引申出来的,为人们意志自由的进一步自我决定所必需。比如解决贫困问题就非常重要。这个问题我们随后再谈。

2. 我们已经看到,市场经济不仅仅是一个物的过程,更是一种自由的制度。这对我们理解市民社会的文明的和伦理的性质是一个指针。商品的基本价值当然是劳动赋予的,但是光是生产显然不能发挥市场经济本身的制度能量。我们知道,在社会生产不足的情况下,我们注重劳动的生产功能。但是,技术的发展和人们生产积极性的焕发,在我们国家,用了不长的时间,就从生产不足的状态迈向了生产相对过剩的状态,只要市场有需求,我们都能够保证足够数量的商品供应。于是,产品的新的交换价值最终不是由劳动过程而是由市场的交换过程决定的。这个事实对市场正义来说有着关键意义。也就是说,市场就其基本结构而言并不是非正义的,它指向的是自由的实现,所以是正义的。交换的成功并不取决于某一方有更大的力量(比如权力、地位、财富),而是取决于双方的协议,即交易双方必须把对方视为一个自由决定的人格。产品卖不出去,即使在其中所凝结的一般人类劳动的量再多,它的交换价值也无法实现。所以,意志的交互作用才是市场制度的本质特征,正是在这个意义上,市场制度是一种伦理性的存在。

市场是一个复杂的制度,在此之中,商品不能还原为产品,它蕴涵了新的伦理性正义的价值性质,同时其实现空间和交易样式也日益丰富,比如货币交易、期货、信贷、股票等等,它获得了超出具体生产过程的越来越复杂、普遍的形式;另外,我们还发现,交易的中介环节也能创造价值,比如中间商也可以获利,正是交易的互惠的自由使这一点成为可能,我们可以通过思考买卖而不是直接参与生产过程也可以获利。这一切都充分证明了市场的自由。

3. 市场是一种自由的制度,是一种满足需要的体系,但是个人又必须在其中通过互惠合作来获得自己的特定需要或利益,所以,它所规范的是人们的意志之间的交往,所以是自由的实现。它要求意志之间互相尊重,从而型构出大家必须遵守的公共规则。在我们国家社会主义市场经济的建立和发育的过程中,必须努力取得的一项十分关键的理智成果,就是对公共规则的认同和遵守。同时,在双方自愿交换的背后,还有一种公共设施的问题。诚然,交换价值由市场需求和供应决定,但是,公共设施如交易场所、交易手段、交通、信息、经济政策等等也都可创造需求。所以,市场也是公共制度,它可以形成并创造公共利益,这是十分必然的。从这个意义上说,市场经济能促进公共利益并不是个盲目的过程,而是一个有着伦理合理性的过程。

三、市民社会自身的伦理完善:发展为公民社会

由于历史的必然和市民社会发展的内在逻辑,市民社会中相互依赖的人伦关系结构一定会发展出一些社会公共组织,追求对社会公共事务的自治;并且在这一过程中,国家的功能也将发生改变,即从原来的统治型的国家功能转变为对社会公共事务的管理型功能和服务型功能,从而市民社会从国家统治中解脱出来而获得独立的趋势逐渐停止,而转变为市民社会的自治与国家一道进行公共管理的局面,也就是市民社会与国家进行充分合作的局面,从而撑持开了一片广阔的公共领域。这一过程当然不是国家整体功能的消亡,而是国家功能的转变。它的较为现实可行的理想状态应该是哈贝马斯所说:"公共领域将经济市民(Wirtshaftsburger)变为国家公民(Staatsburger),均衡了他们的利益,使他们的利益获得普遍有效性,于是,国家消解成为社会自我组织(Selbstorganisation)的媒介。只有在这个时候,公共领域才获得了政治功能。青年马克思称此为国家后退为政治社会。自我组织以自由组织起来的社会成

员间的公共交往为渠道。"①在这个意义上使用的"civil society"一词,我们可以转译为"公民社会"。

根据迈克尔·爱德华兹(Michael Edwards)的研究,西方的公民社会理论得到了相当广泛的关注和发展,并在实践中得到了印证。它在 20 世纪成为了一个"大观念"(big idea)。如果说,市民社会理论的特点在近代主要是表现为对市场经济中的个人独立性、自由和平等权利的争取和维护的话,那么它在当代的集中表现形式是社会公共组织理论,也即是说,它注目于市民社会的自我组织、自我管理的理论与实践,可以说,这是在发挥市民社会人伦结构中的相互依赖性的公共伦理价值。这是一种追求一个好社会的集体行动,它是"人类普遍经验的一部分,虽然在不同的时间、空间和文化中以千百种不同方式得到展现。"②的确,人类社会中的自我组织从来就有,到现在,这类组织越来越多,并且呈越来越广泛的分布趋势,并在越来越广阔的范围内服务于社会公共利益,阻碍社会公害的产生,或者对社会公害进行补救。比如各类志愿服务团体、希望工程、各类行业协会、维护社区秩序及其成员的权益的自愿组织,甚至各类跨国界的非政府组织(NGOs)也风起云涌等等。有人把它们描述为国家公共组织和市场之外的"第三部门"。我们认为,第三部门的兴起,的确可以视为市民社会追求自身伦理完善的表现,同时,我们也将看到,它有其固有的限度,不可能导致国家的消亡。因为国家的存在理由,从现代公共伦理学的角度看,就是弥补市民社会伦理不自足的一种公共制度安排,它把市民社会的伦理提高到一个更高的阶段。当然,我们也应该看到,这是一种理论说明,在现实生活中,国家也会存在各种缺陷,有时它也不能充分地行使其伦理功能,但是,它的正义价值是不可能还原为市民社会的正义价值的,所以,它获得了自身的自我决定性的范围。本书的任务不是详细考察作为团体生活的公民社会的类型、构成、功能及其发展趋势等,只是从理论上说明,团体生活必然是市民社会自我伦理完善的一种追求,它孕育并展现公民社会在团体生活的道

---

① 哈贝马斯著,曹卫东等译:《公共领域的结构转型》,学林出版社 1999 年版,第 11 页。

② Michael Edwards, Civil Society, published by Polity Press in association with Blackwell Publishing Ltd,2004, p.1

德重构和道德培养方面的能力。

　　对一些人来说,志愿性的协会是源于人性的自然倾向,由几乎全是精神性的意义所灌注。现在,有大约 80 万的美国人是志愿消防员(fire brigade),占了这个国家消防员总数的 73%。从世界范围上看,各类公民社会的团体在社会生活中占有相当大的分量。比如,在尼泊尔,经过登记的非政府组织从 1990 年的 220 个增加到 1993 年的 1210 个;在玻利维亚,从 1980 年的 100 个增加到 1992 年的 530 个;在印度,1997 年这类组织的数量是 100 万个;在巴西、埃及和泰国,这个数字分别是 21 万个、17500 个和 15000 个。在这几个国家,这类非营利组织占了它们工作机会的十二分之一,有 1100 万的志愿者。在加纳、津巴布韦和肯尼亚,在健康服务和教育服务方面,非政府组织的服务占了 40% 甚至更多的份额。① 在中国,据《法制日报》报道,到 2005 年底,全国共登记民办非企业单位 14.6 万个,民政部对这些单位加强了管理,要求他们规范章程,向社会披露信息,健全财务制度,进行承诺服务,并处罚了违法行为 2225 件,取缔非法民办非企业单位 752 个。② 在我国,非营利组织的管理在很大程度上没有独立,多数非营利组织沿用政府机关管理运作机制,比如都有业务主管部门和上级主管部门。至于发挥理事、理事会的作用,并没有真正成为现实。这是需要加以改进的。美国则更有这方面的传统,现在得到了很高程度的发展,非政府组织在社会生活的各个方面都在发挥着不可或缺的作用。这表明,公民社会作为一个"大观念",确实有着相当大的伦理容量和展现空间,并且在切实地塑造我们的社会秩序和对"好生活"、"好社会"的伦理价值的感知方式。

　　英国当代思想家约翰·霍尔认为,"公民社会被看作一个以推广新的生活和行为方式准则为标志的活跃的领域。"③这个提法指明了公民社会的伦理

---

① See Michael Edwards, Civil Society, published by Polity Press in association with Blackwell Publishing Ltd, 2004, p. 21

② 《法制日报》2006 年 2 月 10 日的报道:"民政部:2005 年 752 个非法民办非企业单位被取缔"。

③ 何增科主编:《公民社会与第三部门》,社会科学文献出版社,2000 年版,第 28 页。

含义。我们认为,公民社会思潮在当代的兴起及其相应的实践,已经表明了它关注与传统的市民社会理论不同的重点,如果说,传统的市民社会理论关注市民社会对国家统治而言的独立性,由于当时的西方国家封建的生产关系对市民社会的市场原则的确立有一种强力抑制的倾向,所以有一种促使市民社会与政治国家相分离的理论动因的话,那么,在当代,当市场经济体制已经确立,但个人独立和自由使西方社会表现出了一种原子化的分离状态,人际联系涣散、人际情感淡漠,对社会公益的关注度降低,政治参与的热情也大为减弱时,市民社会理论则注重焕发人们的社会本性即相互依赖的内在人伦结构的活力。这就是我们把当代的 civil society 这一概念译为"公民社会"的原因。

所以,从公共伦理学的角度看,我们的中心任务就是论述社会之"好",并考察公民社会如何实现这种社会之"好"。

(1)从公民社会的组织伦理来说,一个好社会是享有平等、独立的权利的个人之间的合作状态,各种协会性社会组织靠人们自我组织和自我管理,在共同的活动中获得荣誉和自尊,它成为人们在市场交换之外的另一个自我发展和自我证实的领域。所以,在这种情形下,人们既是有独立人格的道德主体,又是在为团体的公共目标服务的、履行着社会责任的社会人。他们充分地感受到大家共享的利益的存在,也分享了这个团体的基本价值观念和精神气质。由于这种自治性的社会组织的进入和退出的成本很低甚或没有,所以,参与这类组织可以说完全基于自愿。他们进入这类组织,基本上可以说是为了发展、培育、锻炼自己的能力,在为社会提供服务中享受到自我的力量感,比如荣誉和自尊。他们是根据自己的能力和爱好来为自己在社团活动中定位的,从事的将是自己乐意做也有能力做的事情。这最符合我们获得自尊感的需要,也是一个人的道德权利的实现过程。所以,"自尊依赖于一种我将称之为'自我拥有'(self-possession)的更深层次的价值,不是控制一个人身体的所有权,而是对一个人性格、品质和行为的所有权。公民资格是自我拥有的一种模式。我们对自己负有责任,而且我们的公民同胞对我们负有责任。从这种相互责任中产生了自尊的可能性和公共荣誉的可能性。"①有自尊的人是自主的人,并且在这种社团中安若家居,知道自己的位置,因为他参与形成了社团的规则和标准,并且有能力达到这些标准。正是对这些目的、标准、规则的认同把人们联系在一起。

(2)从公民社会的社团生活所需要的道德情感联系及其相应的品质来说,我们"能够把一种世界图景按照我们所愿望的样子带入我们的心灵和心志之中,在最一般的水平上,这种世界图景由爱和宽恕、真理与美、勇气与同情统治着。"②这种社团的存在,主要有两个目的,一是为了促进大家可共享的利益和为了纾解灾难和贫困;另一个是为了在共同的价值目标的引导下,在公共规则的规范下来实现成员之间的合作和互动。在这个过程中,人们并不以个人利益为自己的主要目的,而是禀受着一种为共同目的服务的愿望,减轻生活中不如意的现象。它能激发人们最珍贵的道德情感,在面对困难时的勇气,对处于困难境地的人的共情想象能力。志愿团体就禀有一种志愿精神,它是一种利他主义和慈善主义精神,指的是"个人或团体,依其自由意志与兴趣,本着协助他人改善社会的宗旨,不求私利和报酬的社会理念。"③

他们把灾难感受为人类的共同灾难,他们的社会理念最人道的表述就是:"只要世界上还有一个人还在受苦受难,我们就不应该享乐",为此我们应该做出自己的努力。比如这次印度洋的特大海啸灾难就唤醒了人类社会把这个灾难感知为全人类的灾难的共情感受力。这是一种最珍贵的情感。我国非政府组织和公民个人作出了自己所能作出的最慷慨的援助,这充分证明在我国社会中,人们已经培育了一种对国际社会的责任心和对国际事务的关注热情。另外,在社团的共同活动中,人们承担着自己的责任,履行着自己应尽的义务,它作为一个体系性的制度存在,有着整体性和可传递性,从而锻炼着人们提供

---

① 迈克尔·沃尔泽著,褚松燕译:《正义诸领域》,译林出版社2002年版,第374—375页。

② Michael Edwards, Civil Society, published by Polity Press in association with Blackwell Publishing Ltd, 2004, p. 37

③ S. J. Ellis and K. K. Noyes, By the People: A History of Americans as Volunteers, San Francisco, California: Jossey – Bass Publishers, 1990, p. 12

实际服务的才干,并培养着人际传递性的情感联系。在这个过程中,人们锻炼了实际的领导才能和自我组织、自我管理的能力。这是一种通过和平的合作方式来对公共事务服务的生活方式,避免了以暴力性的对抗方式来谋取某些团体的利益。这种自愿的社会互动将产生出较高程度的、普遍化的信任和合作态度,可以说,这些态度对民主政治来说也是十分本质性的。

这里的基本假设是:共同体、网络和协会等是一种小气候,在这里,我们锻炼了能力,发展着价值和忠诚,并且是关爱和合作而不是竞争与暴力成为了行为的合理性方式。因为在协会和小型共同体中,人们面对面的互动的频度是很高的,人们能够看出并判断我们的非合作行为的后果,所以,在这里,人们的合作和信任的动机会比较强烈;由于熟悉和来自同伴的压力,我们的社会规范意识通常会得到加强;在小范围内,我们更能够看出总体利益对个人或者社团成员的行为的依赖性,于是我们就会逐渐自觉地把自己的行为定向到那些必要的行为模式中。总之,这种生活方式能够培养和稳固我们文明的道德情感。所以,公民社会应该是一个"文明的社会"(a society that is civil),爱是其情感要求,合作是其行为结构模式。在爱指向人们共享的价值时,爱不会盲目;在合作是为了公共利益时,合作是一种伟大的伦理责任。

3. 市民社会在自我完善的过程中,也会产生一种政治伦理的意识。我们知道,在西方近代,市民社会的出现经历了一个与国家统制相分离的过程,在这个过程中,充满了市民社会与国家权力的抗争。比如,作为市民革命象征的荷兰独立战争,英国的清教徒革命和光荣革命,德国的农民战争和三月革命,还有程度最为激烈的法国大革命等等,这些都是市民争取自治的斗争,从思想史和政治学说史的角度看,这种对抗基于市民社会所依赖的日常权利和独立的经济利益主体以及自治的需要与国家的封建统治原理之间的深刻对立;而在市民社会争取到了独立的前提下,其自身的发展要求在宪法上限制国家的权力,并开始自己来医治自身的病症,即基于经济原则、自利动机和个人独立等所造成的公共供给不足,社会贫富分化严重,社会成员具有一种原子化的倾向等,从而形成了许多自我组织和自我管理的社会合作方式,加强人际联系的社区、协会、俱乐部等等公民集体地协同行动的机构。在这个过程中,公民社会与国家之间产生了深刻的互动。这种公民社会获得了型塑国家的能力,促使国家在公共决策中要聆听来自公民社会的声音,公民社会也获得了公共参与的政治权利。这当然是市民社会公共伦理结构的扩展。王绍光先生明确地提出,在这个意义上使用的 civil society 不应再译为"市民社会",而应该译为"公民社会",因为它"不仅包括了私域,而且包括了公域,不仅包括了不受国家干预的负面自由,而且包括了参与国家政治事务的正面自由。这样定义的 civil society 不许国家的公共权威涉足,却有权过问国家事务。……它不再是与自然状态相对而言的'文明社会',也不是消极保护私域免遭国家权力染指的'市民社会'。也许只有称它'公民社会'才恰如其分,因为每个人作为公民都享有国家无权侵犯的基本人权和影响国家政策过程的参与权。"[1]这当然是以国家的承认、接纳为前提的,换句话说,在这个时期,国家更加充分凸显了其公共性以及它服务于公共利益的目的。所以,其理想状态是国家与公民社会共生共强。市民社会发展到了这一步,可以说触及了它自身的最高边界。在当代世界日益全球化的经济和文化关系之中,虽然跨国公司、各种国际组织和国际性的志愿组织已经对世界经济格局和文化价值观的塑造产生了重要影响,跨国公司的成员在要求以英语为工作语言的同时,形成了超越各自母国的文化根基的价值观、操作规程和组织方式,并使各自母国的政治影响力降低;国际组织也形成了一些全球性的对人权的普遍理解,并对各民族国家的政治实践构成了压力,但是,总的来说,它们并"没有发展出与之相适应的新的政治形式,因而全球化的经济过程仍然是以民族国家体系作为其政治保障的。我们甚至可以进一步说,民族国家正以前所未有的姿态积极地干预当代的经济过程,并把自己看作全球经济活动的最大代理人。在这个意义上,与其说民族国家衰落了,不如说民族国家正在改变其传统功能,全面地介入当代世界的社会关系。"[2]

---

① 王绍光:"关于'市民社会'的几点思考",《二十一世纪》,1991 年总第 8 期,第 110 页。

② 见汪晖、陈燕谷:《文化与公共性》的导论,生活·读书·新知三联书店 1998 年版,第 5 页。

四、市民社会伦理的不自足性

由于市场是一个人们分散决策的体系,并且要应付市场的千变万化的需求情况,只有在市场交易能够顺利进行时,市场主体才能生存下来,并且得到发展;市场经济受到契约规则和谋利动机的支配;企业和各种公司也会有其生灭的周期和节律,其规模也会受到市场需求、领导者的素质、企业文化、甚至机遇等等的强烈影响。这些事实使市民社会伦理有着诸种不自足性。

第一,经济主体的行为必须服从市场的供求规律,所以,在社会上存在着一定的失业人群是必然的。在遇到经济不景气的情况下,公司大规模裁员恐怕是必然选择;即使有就业机会,劳动者的素质是否适应工作的要求,劳动者的就业期望等因素会使社会上总有一些人处于失业状态,因为就业的成功是劳方和资方相互选择的结果。况且,从公司要保证经济竞争力本身来说,存在着一定数量的失业人口也是它们所希望的等等。所以,失业问题是市场的内部机制所无法解决的。失业会使失业者面临诸多的困境,使他们的自尊和自信受到沉重打击,而且有可能使他们陷入贫困,损害他们对生活前景的期望,换句话说,失业会使失业者所应该拥有的基本善受到损害。我们认为,市场本身可能会使人们的人类之爱这种人道情怀淡薄化。人类之爱当然是一种良好的道德情感,也是一种可欲的人伦之间的情理秩序,但市场本身无法禀有这个目标。我们认为,提倡人类之爱并不只是一个空洞的口号,也不只是一个抽象的美好愿望,它的确是我们所应该具有的生活目的,因为它指向人们的自我完善和道德升华。这就需要一种更进一步的制度来弥补市场制度的这一不自足性。

第二,在市场体系里,必然会产生贫困现象。人们由于先天素质、教育程度、后天不幸、甚至机遇的不同,其贫富差距可以如此之大,以致有些人的财富足够千百人生活,而有些人则难以养家糊口。由于市场经济奉行平等竞争的规则,产生贫富分化的现象似乎是必然的,这是市场机制本身所无法解决的。

贫困是发展中核心的道德问题。贫困会对贫困人口的生活前景和福利产生极端的影响，它使贫困人口无法很好地发展其作为人的潜力，而这是社会存在的根本目的。所以，贫困问题也许是规范经济发展政策定向的最强的命令。

根据丹尼尔·利托(Daniel Little)的研究，人类个体应该拥有并能够实现以下几种基本的能力，即：一个生活计划；一组需要；他或她自己的善概念；一组权利和自由；来自需要和善概念的一组偏好。这是一个人获得基本自尊的有限条件。从以上几种基本能力的角度来说，贫困之恶就在于："物质的剥夺使一个人想要完成他或她自己的人的潜力变得困难或不可能，也使一个人要满足自己的人的需要，贯彻自己生活的复合计划，满足其善观念，充分行使其基本权利和自由变得困难和不可能。"①因为贫困直接造成对一个人作为人的潜力的损害，比如，贫困所带来的营养不良、文盲、健康状况不良、单调和危险的工作条件、早夭等给人们发展自己的潜力施加了实质性限制。

所以，贫困问题要成为在市民社会中必须加以公共伦理学考量的道德问题。虽然市场是一个能体现某种程度的正义价值的公共制度，但是贫困问题却是它自身无法解决的。所以，在这方面，需要国家和社会对此加以进一步的制度性处理，以缓解贫困人口的生活压力。虽然，贫困问题有着贫困人口自身的原因，但是在一个社会中造成有许多贫困人口的原因却有一个社会平等与公正问题。它的起因可以是社会性的不平等。这里有在现行经济结构中事实上的不平等因素。比如，在工厂用工时，虽然履行着平等自愿的契约原则，但是，由于各种实际原因而存在着用工方对求职者施加苛刻条件的情况。如劳动时间过长、危险的劳动条件、过低工资等等，甚至在我国目前，还存在着大量拖欠民工工资的问题。这都是明显的不平等和不公平的现象，应该严厉地加以规范，需要国家机关依照公共法律来加以强令执行。

我们看到，市场体制中形式性的人格平等和契约公平，在现实的市场过程中总是可能受到扭曲，而造成实质上的不平等和不公平。这是弱势群体在这

①　Daniel Little："Equality And International Justice：Comments on Debra Satz"，http：//www－personal. umd. umich. edu/ delittle/equality. pdf

个形式性的公平交换中可能会并且在现实中已经遇到的情况。这个问题是我们在实行社会主义市场经济体制并促使其健康发育的过程中所必须加以严重关注的道德问题,它需要唤起全社会的公共正义意识并努力加以实现。

第三,商品生产行为和市场主体必然要追求利润最大化,在这个过程中,也会带来许多外部性问题,即会产生许多公害。诸如环境污染、自然资源的过度开发和利用等问题;又如利用公共设施而不自觉付费,从而使公共设施得不到很好保护和发展等等。世界各国在经济发展的过程中,都产生了这类现象,在我国,这种现象也多有发生。比如我国的许多江河湖海都受到了不同程度的污染,各级政府特别是中央政府采取了很多措施来督促环境污染的治理工作,斥巨资来生产、购买治污设备和进行技术培训,力度不可谓不大,但是,由于企业行为有追求成本最小化的内在倾向,导致治污设备运转得很不正常,环境污染治理的成效总的来说不是很大。其中最为典型的就是对淮河的治理。十年治理淮河,淮河的水质仍然离国家的控制标准相差很远。可以说,如果没有其他社会制度安排的合适配套,单靠市场体制无法解决环境污染问题。从伦理上说,市场本身难以履行环境正义的义务和责任。

公共设施是市场主体要共同使用的,并从优质的公共设施和公共服务中获得利益,但是市场主体对此并没有自觉付费的主动性。而且,市场主体也没有生产公共物品和提供公共服务的积极性。在利用的过程中,人们不太能够像使用私人物品那样审慎地使用公共产品,并且存在着"搭便车"的倾向。在市场行为中,付费是出于交易双方的自愿协议,而对公共设施和公共服务的付费则不是这样,它需要某种特别的制度约束才能得到执行。

当然,在提供公共产品和公共服务的过程中,也可以采取让多元主体来完成此项任务的办法。可以由国家、各类经济实体和个人来共同为社会提供公共产品和服务,从而引进竞争机制,让公共权威机构在这类活动中承受来自其他部门和个人的竞争压力,提高公共产品和服务的供给质量,降低公共产品的生产成本,防止公共权威部门追求预算最大化的倾向;同时,也对公共部门资金不足和人数有限的局面进行弥补。这也表明,市民社会的个人毕竟不能完全解决自身所需要的公共产品和公共服务供给不足的困难,所以,让市民社会达到伦理上的自足是不现实的。

第四,作为市民社会自身伦理完善的公民社会也有自身的伦理局限性:1.公民社会中的各类志愿组织的行为目的虽然是社会的公共利益,而不是团体自身的利益,但是,它们的目的都是特定的,或者项目性的,所以,其存在性质也是特殊性的。可以说,公民社会是一个特殊的领域,它们自身不可能完全组成一个超越于各种特殊利益之上的公共权威机构,来协调平衡社会上各种特殊利益,而达到整体的社会正义的目标;2.公民的政治参与,公民声音的平等性要求公共权威机构的保护,而不可能得到来自社会自治组织的保护,这也要求强大国家的存在;3.随着社会经济规模的不断扩大,社会经济联系的层次不断增多,范围不断扩大,对公共设施的需求不断增加,单靠公民社会的某些组织的财力无力负担其巨大开支;同时各项社会公益事业的开展,也不能单靠富裕公民的个人捐款来支持等等,这些也需要国家利用公共财政来审慎地、富有前瞻性地规划和投资。

更为重要的是,我们要看到,市民社会(公民社会)不能达到伦理上的自足的原因根源于市民社会(公民社会)的特殊性。不管我们可以以什么理由来怀疑黑格尔的"国家高于社会"思想的正确性,但黑格尔对市民社会的伦理不自足性以及国家与市民社会的双向互动的理解的确值得我们认真对待,B·克里克(B. Crick)认为黑格尔的有关思想可以概括为:"市民社会依靠从国家得到睿智的领导和道德的旨意……然而国家也仰仗从市民社会得到实现它所体现的道德宗旨所需要的手段。"①许多思想家认为市民社会的自主发展可以导致国家的消亡,我们认为这种预测需要更加谨慎。不管国家在实现其普遍性的目的的过程中有多少不足,但至少在看得见的将来,这要靠国家制度的自身改革来弥补。从其最终的意义上讲,如果我们不愿意让社会退化到原子化状态、无法无天和帮派火拼的无政府状态的话,国家的健康发展就是我们应有的公共伦理关怀。

---

① B. Crick, In Defence of Politics, Polity Press, 1964, p. 123

第二节 "诚信":公共伦理学的立场

考察市民社会人际联系的公共伦理价值,主要要着眼于其秩序外观或联系纽带。经济社会由于是利益生产和利益交换的场所,所以,信用纽带是根本性的,它关系到社会合作体系得以存在和发展的基本条件。在当代,以市场经济为基础结构的利益交往格局塑造的是一种市民社会的私人生活空间,然而,这种私人生活空间虽然是自主的,在伦理上却是不自足的(比如所谓市场经济的"道德风险"),它需要组织和联结,需要遵守普遍的外部规则,才能成为公共领域,才能获得伦理上的指导,只有这样,市场体系才能得到真正良性的扩展。我们认为,诚信就是这种最为基本的外部规则之一。

一、"诚信"的义务性

在这个高度社会化的状态中生活,我们应该走出仅凭权宜之计行事的不成熟状态,而诉诸客观普遍的道理,只有这样,我们的社会合作体系才能不断地扩展其秩序。从哲学上说,所有的价值和规范其实都有一种存在论基础。我们总是把能维护生活共同体的存在并能促进其健全发展的思想、情感、行为评价为正价值,而把导致生活共同体解体,走向非存在的思想、情感、行为评价为负价值。我们作为社会合作的参与者,获得这种正价值而摒弃负价值就是我们的行为必要性,也就是我们的基本义务。诚信之所以是这种义务,就是因为诚信是人们交往和交易的联系纽带。若没有诚信,这种交往、交易组织就必然无法建立起来,任何违背诚信义务的做法,对人们的合作都是一种伤害。更为本质的问题是:市场经济活动的主体在交往和交易的过程中难以自然而然地生长出诚信,诚信作为广阔的市场体系的联系纽带只能是一种公共规则,也就是说,对社会合作来说,诚信的必要性就在于:无之必不可。每个人都必须借助于这个社会合作体系,在市场体系中进行竞争而获得自己的利益,争取事业的成功,所以社会合作的实质是互利。而一个人违背诚信义务,则显然是为了在社会合作中得到非分的好处，也就是说，社会合作体系的存在对那些狡诈之徒来说，也是必要的前提。由于社会生活中的情况复杂，人们的心情、想法和处境多样，所以，如果有人想存心骗别人的话，就有可能找到上当者。正如马基雅维里所说，"人们……如此易于为目前的需要所屈服，因此，谁若设法去骗人，他永远会找到自愿的受骗者。"①这就是为什么骗子们能够屡屡得手的原因。但这是违背社会合作体系存在的本意的，所以，社会应该制止这种不义的行为。

从道理上说，假如人人都存心欺骗交易的对方，那么，交易和交往就无法进行，从而导致交易体系的崩溃，最终欺骗者也将一无所获，其结果显然不如信守诚信义务的好。这是一种客观的制衡。现实生活中一般不会出现这种极端情况，也就是说，社会合作总是存在的，极少走向崩溃，这表明，信用联系的纽带仍然在起着作用，不管多么脆弱。

所以，我们现在要思考的是人们不能违背诚信的客观的、普遍性的也即是"非个人性"（impersonality）的理由，这才是公共伦理学的态度。仅从个人的角度说，会出现以下几种情况：（1）如果他是个狡诈的人，一旦看到从欺骗中能得到好处，他的理智就会告诉他，应该去骗别人。（2）如果他是个较为明智的人，他也许会同意"诚实是最好的策略"这一西方格言。（3）存在着这样的情况：当涉及的利益较小，他还能做到诚信；但当利益足够大时，就有可能进行欺诈。（4）还可能有这样的情况：当大家都诚信的时候，他能做到诚信；当小部分人违背诚信的时候，他仍能做到诚信，但当大多数人都违背诚信的时候，他保不定也就随大流了。（5）而如果他是公共德性坚定的人，就会在任何情况下都信守诚信义务，哪怕是于己不利的情况下，或者是大多数人都违背诚信义务的情况下。也就是说，对个人来说，在守信与否的问题上，有各种各样的选择，所以，从个人的偏好、个人的理智和道德状况、当下的感受出发，不可能推论出一种客观的、普遍的行为必要性，即"义务"。

于是，思考诚信的视角是超个人的社会合作体系，这种社会合作体系必须

---

① 马基雅维里著，惠泉泽译：《君王论》，湖南人民出版社1987版，第75页。

存在和发展,才使诚信成为了我们的行为必要性,也即"义务"。从普遍意义上说,社会合作体系的健全存在和发展,对所有个人都是有好处的。从本质上看,我们必须进行社会合作,进行交往、交易,从中获得彼此效用的增进,也就是说合作本质上是一种互利(或者"双赢")的模式,这也是它之所以要存在和发展的客观理由。当然,这种合作组织并不保证每个人、任何一次交易都能获利,而是说,从合作机制上看,大家必然都会享受到社会合作的好处。可以这样说,最糟糕的社会状态也比最好的个人状态更好。所以,诚信是社会组织的联系方式,或者说是一种外部规则,如果与游戏进行类比的话,就是一种"游戏规则"或"玩法",它对所有人都一视同仁,所以它可以要求每个参与者都对它抱有高度的尊重。这才使诚信成为了交易者们所应该抱有的伦理态度。也就是说,进入合作,自己就要立誓信守约定和其他各种普遍规则,并对对方的行为也抱有同样的期望,否则,就并不是准备合作,而是准备拆台或掠夺。正是这一点构成了诚信义务对我们的客观制约性。也正因为如此,这个领域不能交付给纯粹的个人自治,而应该加强公共管理。也就是说,在这个领域中,个人的自治是不自足的,所以才要求从公共交往的角度认识个人的诚信义务,并使之化为公共管理规则。于是,尽管有些人会以各种不同的方式违背诚信义务,但国家和社会拥有惩罚和纠正这种行为的公共权力。

信用要求为什么是客观的,还有一个明显的例子,那就是从越来越广泛、多环节的交易活动中会分化出客观的信用存在,如银行、货币体系等等,人们必须对它们抱有一种高度的信赖,因为它们是从人们活动中分离出来的信用符号,假如它们本身不守信用的话,那交易体系就将面临崩溃。比如,我们凭什么对从实存上说只是一张纸的货币抱有一种高度的信赖呢?如果它们的价值随时都可能还原为一张纸的话,它还能够流通吗?如果我们对银行没有最高的信赖,我们敢通过银行进行业务往来吗?所以,一个社会的信用机构如果不讲信用的话,那是对社会的信用体系的一种极大破坏。

诚信的义务性还特别明显地表现在:它不会自动地得到人们的遵守,于是它对人们来说有一种客观性的强制性。所以,诚信不是某种主观的态度,而是一种客观性的要求,遵守它,就是我们行为的"义"之所在。

二、诚信的前提

诚信的义务性质使得它很容易被形式化,从而使之绝对化,而忘记了任何道德义务是以促进人的生活幸福为目的的。也就是说,生命大于道德。这是我们所必须时刻记取的。

诚信义务通常具体化为对交易者之间的契约的信守,从形式上说,订立契约、许下诺言,就意味着自己立誓要执行和遵守,这样,订约和许诺这件事情才能存在,如果允许订约而不执行,许诺而不遵守,就是自相矛盾,所以,不诚信就意味着自己否定自己。康德给检验一个行为准则是否道德的试金石是:看看它能否普遍化。这是一个形式的规定。比如,如果把许假诺这个准则普遍化,就将不可能有任何诺言了。这一点从形式上保证了这件事情的存在。

但是,由于契约是在人们之间订立的,于是,社会应该对所订立的契约是否有侵害他人的人身权、人格尊严的内容,是否有显失公平的条款进行监督和公证。因为社会的有关机构拥有这方面的最高权威,所以,这些机构就应该对维护社会生活的基本价值负责:社会契约为什么要存在,是因为契约是互惠的社会合作体系的联系纽带和运行方式;而互惠的社会合作体系之所以要存在,是为了人们都能在此之中获得利益和自尊的基础。所以,人格平等,保护人身权利是更为基本的前提,如果不能做到这一点,所谓"互惠合作"就是没有意义的。也就是说,进到这个社会合作体系中来,必须有一个最基本前提,那就是不能侵犯他人的人格尊严、人身权利。在这个前提下,我们要通过订立和履行契约来实现合作的互惠目的。因为契约是交换劳动和效用的约定,所以,它应该在平等的基础上来进行,也就是要求在订立契约时要公平。

本质上说,人们的人身权利和人格尊严是公平社会的基本结构形态,有着普遍性,但在具体的人际关系中,凭个人的力量又不能保证它们不会受到恶意的侵犯。所以,它们应从社会的立场上,定型为国家法律,对它们的保护可以诉诸社会公共权力(而不是个人的力量)来执行。

所以,契约不能以生命和人身权利为内容。这样的合约通常只有在趁人之危的情形下才可能作出。人的确会有时处于某种急难状况,特别需要得到资金或物品来渡过难关;或者,有时到需要履行合约时却陷入困境。对这些情况,国家可以制定《破产法》来处理;但债主却无权要求以对方的生命或人身权利、人格尊严来抵押或偿还。如果有人这样做,那么,法律就必须予以干预。因为交易合约的内容只能是经济利益,而不能涉及到人的基本人权——生命权、人身权利、人格权等,它们必须由超个人的国家权力来保护。否则,就会出现莎士比亚《威尼斯商人》中的夏洛克式的残酷,即要以对方身上的 1 磅肉来偿还债务。这个问题必须得到明确的理解,不然,金钱就会借着自愿立约的名义肆无忌惮地侵犯基本人权。我们应该记得,在不久前一些青年人就曾认为,《白毛女》中的地主黄世仁带着恶奴讨债,打死杨白劳,抢走喜儿,是有理由的,因为债主在约定的时间催债是天经地义的。这种认识上的偏差和道德上的畸形令人不寒而栗。

同时,契约必须在公平的前提下来订立。那种以高压来迫使他人与自己签订不平等契约的行为,国家法律要严厉打击。所以,不是任何形式上的契约都能要求签订者无条件地执行。国家法律对于那些显失公平的契约必须宣布其无效。而法律为什么能这样做,是因为信守合约是一种社会合作行为,所以,应该从维护社会互惠体系的角度来干预这种所谓契约。但是,在公平的立场上订立的契约,我们就都有对此保持诚信的客观义务。

三、背信的原因及其社会后果

正因为社会合作是我们社会生活的必然方式,所以,诚信的社会形式以信用的方式成为一种制度性存在。那些以背弃诚信义务来获得非分利益的人,正是利用了这种社会信用制度。那些制、售假冒伪劣产品的人,利用虚假信息行骗的人,心里其实很明白自己的用心一开始就是恶劣的。

具体的交往和交易行为大多是一个过程,有着时间延续性,并分解为多个环节,而很少是一次性的、即时的,也就是说,交易是在当事双方不经常见面的情况下进行的,所以,交易特别依赖交易者彼此的信用度。否则,交易的中间环节很容易被延迟,甚至断裂。笔者就曾访问过一个集贸市场的经营者,得知他的交易伙伴曾经 5 年对他保持良好的信用,但第 6 年突然骗他一次,把他 5

年来所获赢利几乎全部卷走,从此再不出现。于是,他做生意时就只能再派一个人,要他到交易对方那里亲自看到对方把货物发运出来了,才敢通过银行把货款汇出。为此,他得付助手的工资和大量的差旅费,从而降低了利润。如果市场交易中的信用度高,这笔费用本来可以省掉。作为一个争取效用最大化的"经济人",是不是应该想一想,怎样把这笔本来可以省的费用省下来呢?要做到这一点很简单,只要讲信用就行,它是对人的最基本要求:你不存心欺骗别人。

当然,即使是面对面的交易,也存在着欺诈和上当受骗的可能,这主要是因为存在着所谓"信息不对称"的情况。比如一款电脑的消费者,在购买时可能对产品的制造方面的信息一无所知,假如销售者存心搞价格欺诈,我想是绝对可能的。但是,对消费者来说,要去获得足够完全的关于消费品的信息,几乎是不可能的,即使你想获得部分信息,也要花费大量的时间、金钱方面的代价。这方面的花费,我们能省吗?

另外,我们看到,国家行政机构的职能必须进一步向为社会服务的方向转变。因为如果政府机构的官员广泛进入经济交易之中,其手中的权力就会被看作交易的资本,可以说,在这种交易中,他们是无成本的一方。这样交易的结果,也必须保证他们双方的"互利",所以受到损失的只能是国家的经济利益。这样,进入市场的人就会争先恐后地贿赂权力以占得市场的先机。特别严重的是,这种做法损害了社会合作的信用联系的本质,因为权力持有者只能提供权力信用,而不提供资本信用和能力信用,其本质是分利,所以,权力信用是经济交易信用体系上的寄生物。

权力介入经济活动、市场发育的过程,危害是很大的。它会使经济交往的公共规则受到破坏,并损害着法律的威信,于是,社会中就缺乏一种对最高的、超利益主体的公共的普遍规则的信赖和诉诸,逐渐地,社会中经济人的行为就可能跌破社会道德规范的底线。在相当大的程度上,这是一种"群体效应"和社会上层行为的"示范效应"。因此,在市场发育的过程中,摒弃超经济因素的强力介入,是保证经济秩序良性发育的基础。因为权力因素对经济竞争来说,一开始就是一种不公正,而且,由于它在某种传统的影响下形成的一种超法律的权威性,所以它难以受到法律的制约和纠正,这是十分不利的。它的直接后果就是损害经济活动的信用联系。这在金融犯罪、大型工程发包中的权钱交易导致的严重犯罪中是一个主要诱因。由于大额行贿受贿,就会导致巨额贷款无法收回、各种"豆腐渣"工程、大量的三角债无法清偿等严重危害经济秩序的现象出现。这使得经济活动中的信用纽带难以普遍建立。

所以,作为社会交往和交易联系纽带的信用,并不是个孤立的现象,而是个社会现象,它的培育,需要一个公平、正义的社会环境。守信用是进入市场平等竞争的道德资格,它是一种联系性、环境性的道德氛围,有了它,市场经济才能获得一个广阔空间去扩展其规模、涵育其厚度;没有它,市场经济体制就必然发育不良。违背诚信义务的社会代价是十分巨大的,从整个社会来说,第一,它打击了诚实劳动者的积极性和创新的动力,可以说,它打击的是社会进步的原动力;第二,大大提高了交易费用;第三,它有一种巨大的危害,那就是在社会交往和交易中散布了一种不信任的气氛,从而消耗着社会合作中的稀缺的道德资源即诚信;第四,为了维护市场秩序,必须设置大量的执法人员,他们的薪金是由市场交易中创造的利益来支付的。而且市场的信用度越低,需要的执法人员的数目就越多,恶性循环,从而大大增加交易成本。再者,社会还必须防止执法人员的腐败。

四、通往诚信之路

我们的社会要发展,就必须让社会组织发挥作用,而诚信则是社会中人际联系的根本纽带,于是,不管现实中社会上的诚信状况如何不尽如人意,我们都必须在社会中逐渐培育出一种诚信的态度和精神,这是经济发展和社会进步的内在要求。

所以,研究如何在社会上培养一种诚信的精神,就是我们的核心任务。我认为,我们不能坐等市场秩序和信用体系的自然演化,而是要施行有力然而又合乎人情实际、尊重道德教化规律的道德建设措施,来促使诚信成为我们社会的常道、常理,并成为我们的基本德性。

我们要为诚信之德找到一种认识论基础。认识是理性的,也就是说不受情绪、奇想和当下的心情的支配,因而是一种客观的道理。这种道理应该化为社会的共识,这就是公共理性。我们要明白,现代社会实行的市场经济制度,是一种要不断扩展市场的规模和把市场不断做厚的制度,所以,它所能关联起来的交往者是任何一个可能的人,每个人都可以是潜在的交易者。亚里士多德曾经认为人类的交往最好不超过"观察所能遍及"的范围,否则就"很难使人人都遵守法律(和礼俗)而维持良好的秩序。"①我国古代的经济合作关系大都局限在自己的村落、家族、家庭之中,所以,古代人无法理解我们现在这种广泛、普遍、能不断扩展自己的范围的交往秩序,也难以培养与这种交往秩序的普遍本质相适应的情感、欲望气质。因而,古代的诚信大都带上了血缘情感和风俗的特质。这也是我们现在必须认识到的。

　　另一方面,我们必须确认人的终极的无知性。人是有限的,不但人的感性能力是有限的,而且人的理性能力也是有限的。也就是说,人们在交往、交易活动中,不可能做到信息充分,不可能获得关于交易的所有细节的确切知识,于是只能作出彼此都能接受的约定,这完全是出于双方的自愿和对交易能增加彼此效用的期望,所以,双方都必须遵守它,其客观性就在于它是双方意志的共同表达。所有的约定都是如此,由此就构成了社会交往和交易的信用体系。当然,这不是说,在每次交易中,每个人都必定能获得利益,即使由于各种原因,交易的某一方受到了损失,失利者也不能丧失对诚信义务的高度敬重。也就是说,他应该认识到:并不是诚信给自己造成了损失,而是自己的经营能力有待提高或某些难以预料的因素造成的,这就要求交易者磨炼得更加谨慎、有远见,形成对潜在获利机会的敏感。正因为每个人都不可能有把握说自己对交易过程能获得充分的确切信息,可以保证自己不受别人的欺骗和坑害,所以,才需要一个大家都要遵守的规则,并要求大家都能信守它,这样才能节省精力和各种不必要的费用。

　　诚信作为公共伦理的最基本要求,不是从个人的主观愿望中推论出来的,而是从社会合作体系必须存在和发展这一点推论出来的,这就是为什么诚信

---

① 亚里士多德著、吴寿彭译:《政治学》,商务印书馆1981版,第353页。

义务必须站在高于个人的社会立场之上才能得到理解的原因,也是诚信义务为什么可以要求所有人都遵守的原因。如果有些人认为自己智力高超,在交易中进行欺骗而不会被人发现,或者骗一次算一次,没被抓着是自己的本事,抓着了是自己的倒霉,甚至依靠保护伞而逃脱惩罚等等,我们确实不能阻止有人这样想、这样做。事实上,在现实生活中确实有人这样想、这样做,这些都是个人的态度,但是,从社会的立场出发,就可以说他们都违反了诚信义务,社会可以合理地惩罚他们,国家法律也可以追究其法律责任。

所以,对个人来说,必须形成对诚信义务的理性认识,认识到诚信确实是我们的行为必要性。这个道理是可以讲明白的。我们不应该再把诚信看作仅仅是个人的心意态度、良心等,否则就只能从启发人们的羞耻感、促使人们良心发现等等入手来培养诚信的思想情感,这是软弱无力的。我认为,对诚信义务的理性认识是我们培养诚信品质的绝对基础,认识虽然不能直接化为我们的诚信情感和品质,但是认识可以引导出保护社会合作的信用联系的行动,并为培养诚信之德找到可靠的途径:

首先,以社会合作体系的健全存在与发展为目的而形成的对诚信义务的理性认识,在胸怀上是宽广的,它的视野是交易扩展的整个领域,并具有了超出个人的立场,从而使我们能够明白诚信实际上是对我们普遍的、客观的要求。这与古代的诚信主要在小城邦、家庭或家族人伦关系、村落中得到培养是有差别的。古代的诚信通常只有在风俗共同体中才有效。比如说,中国古代的要素市场其实比较发达,却不能发展出一种市场经济体制,市场半径难以扩大,其中原因之一就在于诚信通常只有在熟人之间、本村落中才有较可靠的保证,而面对陌生人则诚信意识淡漠。所以,古代的伦理立场是特殊主义的,而不是普遍主义的。而在现代,市场经济体制已经得到确立与发育,经济全球化的时代已经到来,特别需要培养一种普遍主义的伦理意识,即能持一种"任何一个可能的他人"的立场。这就要求我们在遵守公平规则的前提下,诚实守信地对待任何一个可能的交易伙伴。

其次,在现代,既然诚信是从社会合作体系的角度来说的对人们的行为必要性的要求,因此社会有必要设立相应的可操作措施来遏制各种背弃诚信义务的行为,其中信用登记制度被证明是十分有效的。对参与经济交易的人们的信用情况进行登记,一个人只要存在着信用问题,就会被记录下来,并可以公开查询,这样他的进一步交易就会遇上很大困难;而且他在生活的其他方面比如买车、租房、贷款等难以得到与诚实的人同等的待遇。这是刚性的、与人的利益直接相关的社会措施。当这种措施得到广泛施行的时候,任何一个想要通过欺诈来获利的人都会心存畏惧。这种措施直接打击并阻止他们的非分贪欲,这样才能实在地改变人们的欲望品质,使人们至少可以在明智策略的指导下寻求欲望满足。

第三,代表人民管理社会的国家,也可以用法律对各种严重损害经济秩序的诈骗进行惩罚。法律的作用其实不仅仅是所谓"禁已然之后",而是也有一种明示行为界限、规范、引导行为的作用,同时,法律也禀有并体现着社会的应然价值和内在要求,法律可以集中列出违反诚信要求的各种行为表现,以及它们所要受到的相应惩罚,从而形成法律的威慑,并树立法律的至高无上的权威,这实际上是对那种只顾追求一己私利满足的任性意志进行节制,让守法在个人成为习惯,在社会中形成风俗。实际上,亚里士多德在谈到道德教育时,也主张最初要用法律来加以强制。他说:"如一个青年人不是在正确的法律下长成的话,很难把他培养成一个道德高尚的人。因为,节制和艰苦的生活是不为多数人喜欢的,特别是对青年人。所以要在法律的约束下进行哺育,在变成习惯后,就不再痛苦了。……法律,作为一个出于思考和理智的原理,具有强制性的力量。"[①]也就是说要先给人的任性欲望、冲动以一个明确的、强有力的约束。亚氏之言,可谓至论。我们受儒家德政思想的影响较深,所以,在道德教育的次序上,总是认为应该先德教而后刑罚,理想是"必也无讼乎!"把法律看作是道德的补充。我们认为,这种观念现在必须得到扭转。

第四,个体应该主动地进行自我道德教化。所谓道德教化,就是要使人们的精神空间得到扩展、涵厚和化通,成为一个有着宽广社会视野、能与任何一个可能的他人进行情感相通的精神个体。这是与我们越来越广泛的社会合作

---

① 苗力田主编:《亚里士多德全集》第八卷,中国人民大学出版社1990版,第233—234页。

体系相适应的。在我们实行市场经济体制,并加入世界贸易组织,融入经济全球化的历史进程之中,我们必须培养与这种秩序相适应的民族精神气质、价值信念和行为模式。

我们认为,最为现实的道德教化途径是:让人们进入到不断扩展的市场秩序之中,使自己的交易活动经常化、体系化,从而让人们关注自己的长远利益,认识到诚信是市场经济活动中的常道。斯密曾经提到,当时的英格兰人比苏格兰人更守信用,因为英格兰的商业活动比苏格兰发达,而当时的荷兰人最讲信用,因为荷兰的商业最为繁荣。他说,一个人如果一天只签一个合同,也许采取欺骗的手段一次能获得更大的利益,如果一个人一天签 20 个合同,一次欺骗就会让他信誉扫地。总之,随着交易频度的提高,信用就可以被更好地遵守,交易者可以形成遵守信用方面的稳定德性。[①]

信用本来是社会合作中的最普遍、最基本的规则,但这种规则在利益面前,特别是在市场经济存在着大量不确定性的情况下,特别需要一种与之相适应的普遍性的情感、欲望气质来遵守它。诚信的本质是一种普遍的、大家都应遵守的基本规则,所以,道德教化就要拓展自己的理智空间,认识到诚信是一个社会合作秩序得以存在和扩展的基础。认识能力薄弱、眼界狭窄,与这种越来越广泛的交往秩序是不相适应的;还要形成对诚信义务的高度敬重感,这就需要让我们的情感与这种普遍的理智认识融通起来,使之变得博大、深厚,能够自尊而尊人;这样,我们的意志也将能更加敞开、明智而公正。总之,在人类历史越来越世界化的过程中,能把所有人都视为与我们同样的人,并与之进入交往联系之中,确实是我们的人性所取得的最可贵的进步。

---

① 参见坎南编:《亚当·斯密关于法律、警察、岁入及军备的演讲》,商务印书馆 1962 版,第 260—261 页。

第三节 从信用到信任

信用是社会交往的联系纽带,它对人们的交往和交易行为有一种客观要求。因为如果订立契约而不打算遵守,那实际上是一种自相矛盾的做法,它将使得契约这件事情无法存在。但是,这种外部的要求不会自动地得到遵守,相反,在社会生活中已经出现了大面积的信用损失。这种现象值得我们深入反思。我认为,信用体系出现了危机,从根本上说,是社会中的信任氛围稀薄的反映。而信任问题颇为复杂,它不仅是制度设置问题,还更深地关联着社会文化和道德生态问题。无信任,信用无法自行。所以,我们的思考不应该仅仅局限在信用制度的外观结构上,而应该深入考察信用的内在本质,实现从信用到信任的过渡。

一、信用的形式特点

人类历史进入到经济时代,社会伦理范型就从身份制的等级伦理逐渐演化为财产制的契约伦理,它导致了以市场交换为纽带的市民社会的逐渐发育和壮大。从社会运行的角度看,这个领域是以个人的生命权、财产权、自由权为基础而进行的商品流通的领域,其外部特征则表现为一个不断扩展着其秩序的广大市场。生命权、自由权和财产权中只有财产权可以转让,而市场经济的运行就是在尊重个人的独立、平等、自由的基础上,人们之间进行财产权的交换与流转、增殖的过程,其联系纽带就是契约。契约是一种理性,它扬弃了传统社会的身份和权威本位,所以,它是一种明示的外部联系和约束,可以表现为一种客观的有约束力的信用要求。

从契约的目的看,当然是如果双方都履行约定的内容,彼此就都能得到经济效用的增进。而从其内在实质看,订立契约是自愿的,因而是双方真实意思的表示。因此,订立契约,就逻辑地蕴涵着要去履行,如果订约而不打算履行,或者准备背约而获得非分利益,那么其做法就与契约的本质相矛盾,是一种会被自我取消的行为。所以,守约是一种理性行为,其本性是超出个人的,是一种组织性联系的普遍规则,这对从事交往的人们是客观的制衡。

但是,客观的制衡并不会直接导致人们诚实的信守。契约的普遍规则本来是人们简化复杂性、应付未知的一种理性策略,但在具体的交往和交易过程中,人们面对的恰恰是复杂性和未知领域,难以对对方的反应抱有一种稳定的预期。所以,集体行动的逻辑与个人的选择意向不能若合符契。在一个没有信任的地方,契约的形式性特点使之极有可能成为一种摆设,它只能约束君子而不能约束小人。然而,在契约经常被破坏的地方,君子、小人的行为取向也将会慢慢趋同,那就是处处设防,从而极大地增加交易成本。于是,从信用的客观制衡性中发展出了社会刚性的法律制度和管理制度,比如对大量合同诈骗予以法律制裁,在日常生活中,对人们进行信用登记,并使这种信息成为公共信息,从而减少(而不可能是根绝)交易中的未知性和风险。人们确实要把过去和现在结合起来应付未来,信用登记制度就是这样一种发明。

如果说,社会刚性的法律和管理制度是一种理性安排的话,那么,信用问题还有另外一面,那就是主体间的互动、呼应、习惯性的相信问题,亦即主体间的情感性联系问题。从信用的形式要求到对信用的诚实遵守之间有着长长的距离,需要靠营造浓厚信任的精神价值氛围来填充,或者说,信任更像是润滑剂,使信用之轮能更自如的转动。所以,本质上说,信任是一种道德生态。在理论上对信任作这一判定是十分必要的,这表明我们将回归信任的本性,而不把信任、信用、诚实混为一谈:(1)信用是一种普遍的形式要求,诚信是主体的自律,而信任是具体个人之间的确信的预期,并诉诸行为,也就是说,信任就意味着互相信任;(2)信任是一种文化,它有历史经验的积累,是长期互动而形成的能抵消疑虑的习惯性的心理反应,它是一种情绪性的对某种文化归属的依赖。就它们三者的关系而言,信任的目的之一是促使信用要求得到贯彻,使信用得到低成本的遵守;但信任营造之意义非止于此,它有自足的价值,它本身就好,是"好生活"的标志;另外,信任的形成需要个体自身进行诚信修养,因为一个人人不诚的社会不可能培养信任情感。

二、信任的本质：本体自由与本体安全

从社会性生存来说，人们必定会有一种对信任的诉求。霍斯莫尔(Hosmer)给出了对信任的经典定义："信任是个体面临一个预期的损失大于预期的得益之不可预料事件时，所做的一个非理性选择行为。"[1]也就是说，把自己可能得益的希望托付给对对方的诚实的相信之上，如果对方背叛这种信托，则自己可能遭受极大损失。所以，信任是在必须协同行动的情况下的单方面决定，是不情愿然而又不得不采用的一种简化机制。当然，如果对这种机制不能抱有一点把握的话，那么信任就只有赌博的性质了，而且这对每个人都是如此，这样大家就只能永远心存疑虑，永远疑心重重，永远只能相互利用了，因为你永远不能对对方的回应抱有任何确定的预期。所以，人们创出格言说："见人只说三分话，未可全抛一片心"，"画龙画虎难画骨，知人知面不知心"；不管你似乎有多了解对方，对方的行动总有令你十分吃惊的地方。

对本体自由与本体安全的关注，使公共信任成为人们的期待。人类个体的深层自我是个人的真正个人性，其深层自我、自由有高度的私人性和难以公共化的特点。所以，在本源层次上，个人是有着深层孤独的，与他在的个体是深深地隔绝着的，是不可能真正地互相理解的，也就是说，个人的精神存在是不受任何东西决定的，它永远是自我决定的，也即是一种本体自由。海德格尔就说过，此在的本真生存是高度个人性的，是面对和承担自己必死之命运的深层孤独；人们一般性的社会生存则是"常人"状态，它是一种非本真的存在状态。他说："常人：这个谁不是这个人，不是那个人，不是人本身，不是一些人，不是一切人的总数。这个'谁'是中性的东西：常人。"[2]这就意味着人与人之间的信任并无本体的基础。个人的深层自由并不会时时刻刻被体验到，但一旦被体验到了就会刻骨铭心，即只有在试图与人进行深层交流而受阻时才会被体验到，同时也认识到自己的深层自由。个人之间是深层隔绝的，但共同生

① 转引自梁克："社会关系多样化实现的创造性空间——对信任问题的社会学思考"，载《社会学研究》2002 年第 3 期，第 3 页。
② 海德格尔著，陈嘉映等译：《存在与时间》，三联书店 1999 年第 2 版，第 147 页。

活又是我们生活的正常状态,也就是说,虽然人们从根本上是难以相互认识和彻底了解的,却必须进行合作、交流,所以,就必须彼此对对方的行为回应抱有某种程度的确定的预期,否则合作就难以进行。比如在一个金融诈骗猖獗的地方,商业就可能退化到只有现金交易的地步,也就是说,信用卡、期货等现代优越的交易手段就无法发挥作用。

正因为对他人的真实存在无法彻底了解,所以,每个人实际上都有追求本体安全的愿望。在人类长期的相互猜疑、仇恨以及争夺和战争中,人们发现了这种状态的巨大破坏性,并同时发现,如若能够在某种程度上相互信任,那么社会交往就有了一种简化机制,并会带来巨大效益。于是人类形成了某些和平交往的规则,它的核心理念就是由对和平相处的规则的尊重所导致的彼此信任。

属于不同利益集团、不同种族、不同群体的人们之间能够学会彼此产生某种程度的相互信任,是因为抢夺、争斗、仇恨等等会引起对方的同样反应,并且冤冤相报无尽头,从而学会了某种和平的谋利方式,在这个过程中建立起了某种相互信任,这可以说是长期演化出来的合理性形式。的确,虽然人类历史上充满了战争和仇恨,但就是在这样一种历史的演进中,人类还是逐渐学会了和平共处,在某些情况下,可以彼此信任;而在共同体内部,应该说,其共同对外的需要,也有助于形成一种共同体内部成员对共同体的认同,从而培养出成员间的某种情感联系,通常他们之间会产生较为稳定的信任情感,即可以对对方的行为抱有一定程度的确信的预期。当然,这种确信是建立在共同居住、共同生活而形成的风俗习惯、伦理关系之上的,是生长的结果,更多地借助于亲缘、地缘和民族等的自然情感基础;再者,在共同利益的支配下,人们也会形成某种信任,这其实是因为互利博弈的重复性所形成的对这一机制的认同和依赖,它有助于形成人们之间的某种信任情感;另外,在某种相同和相似的价值观念和文化传统中生活,也有助于形成人们之间的信任情感。在建立人际信任的过程中,这些因素都应该得到自觉的利用,所以说,信任是人们寻求本体安全的集体策略。

人们对于陌生情境的反应指标,体现了他们的信任水平。从道理上看,信任多一点是一点,在信任度高的国度,人们的本体安全水平就高。当然,信任是相互的,或者准确一点,是一种概率大小的问题。然而,信任的确是培养起来的,它与人们集体生活的特征密切相关。比如说,一个群体中的人们,如果对陌生人抱有一种本能的敌视,那么,这个群体一定是个狭隘的、孤立的群体,在他们眼中,陌生人被视为闯入者,是明确的危险;如果一个群体对陌生人友善,则一方面反映着其共同体生活的内部友善,另一方面,反映着这个群体的生活秩序正在不断地扩展,接纳陌生人是其常规的需要。比如,我国在国门刚刚开放时,国人对外国人总会有围观的习惯,这其实是长期缺乏中外交流的心理反应;在交往程度不是很高时,在日常生活中总有所谓"内宾"、"外宾"的区别对待。"老外"的称呼,看似亲切,实际上还是生分;但我们可以预言,随着中外交流的频度、范围的加大,国人必将能自然而然地对待外国人,把他们看作社会中的一分子,能与之协调行动,并且彼此分享对方的经验。

本体安全的需求产生于人与人之间的深层隔绝,但本体安全感却只能在开放中得到。这似乎是一种悖论:停留在内在的孤独中而封闭自己,看似能保证自己的本体安全,但实际上与自己的本体自由的本性相左。因为本体自由意味着生长和深层的融合、渗透,从而使自由意志更加强健,所以,个人的深层自我应该向社会交往开放,吸纳交往中获得的观念、感受,内化到自己的内心中,组建自己的深层自我。只有这样,本体自由与本体安全才能有保障。但是,这又意味着把自己抛入到一片未知的风险地带:深层中无法传达、沟通、理解的个人之间要求传达、沟通、理解。而那些逃入个人的深层孤独、把自己封闭起来的做法,是不自由的,而且是失去自我成长的能力的存在性病态。信任是对这对矛盾的社会策略性处理,它力图在本体性的不能理解和社会性的相互理解之间架起桥梁。所以,正如郑也夫先生所说,信任"不是认识论意义上的理解,它处在全知与无知之间,是不顾不确定性去相信。"①我认为,此命题的深层命意必须在本体自由和本体安全的层次上才能坐实。

信任的这种性质,如果用理智的概念去陈述它,那是难以表达清楚的,这

<hr/>

① 郑也夫著:《信任论》,中国广播电视出版社2001年版,第19页。

就意味着,我们如果想清楚明白地追寻信任的起源、效用、形成过程,那是一种奢望。当然,人们不可能为着理智理解而放弃本体自由,实际上,理智理解的恰当地位是为本体自由服务的工具,但是,这种服务工具并不完全趁手。

三、信任与道德生态

实际上,在社会生活中,人们倾向于用某些刚性的办法来建立秩序,最极端的情况是严格的惩罚、监察机制。这在那些非常态的社会组织中看得十分明显,它的最高依靠是权威和暴力。假如原有的权威失效,一般说来会有新的权威来填补这个真空;而一旦不能产生新的权威,那么,这个社会组织将会分崩离析。在常态社会中,这些刚性制度仍有其运作机理,惩罚、监督的机制永远不能废除,因为它有助于使内部信任得以建立和维持,即人们可以在某种程度上相信这种刚性制度的有效性。但是,这里的悖论在于:这种信任是以不信任为前提的,其制度安排的深层寓意是一种深刻的不信任。谁都明白,这种机制不可能根除不信任,也就是说不可能建立完全的信任。这种措施的有效性及其规模体系要以它足以支撑整个行为体系的运转为限。过分严厉的惩罚措施、过分庞大的监督系统是一个社会组织所难以承受的,这就是为什么历史上的奴隶制度不能长期存在或者大规模采用的原因。

信任所应对的是可计量的一切好处或利益,在这个问题上,它是对复杂情况的一种简化机制,并且是和平的、低成本的、最节约的。所以,文化或者文明的方式就是要用文明的力量来化解人们彼此的不信任,文化发展的历史表明,文化在这方面总是有所成功,虽然不能使人类完全相互信任。我们知道,文化是对本能进行涵养和提升的成果,它有双重任务:一是创制并逐步完善文化教养系统,使共同体内部的成员能够接受这种文化的归化,从而禀受一种共同的价值态度和行为型式,人们在其中习以为常,就能逐渐形成风俗,这就是"化民成俗"。在这样的群体中,人们彼此之间更能抱有一种信任之感;另一方面,文化必须具备能扩展、涵厚、化通个人精神空间的普遍性特质,也就是说,能够塑造个体的精神品质。这就意味着,一种健全文化应该内涵一种普遍性向度,应该能够深入个体的性格之中而化成。如果说,前者有从俗的成分,那么后者就是对所有个体都有感召力的成分。文化之为文化有其自己的本质，文化与非文化之间有其鲜明的界限。我们看到，文化的这两种功能，都有培养人际信任的作用。首先，人们在长期的相互争斗中逐渐理解到了和平和合作的好处，从而形成了一些普遍性的交往规则，这些规则是文明的创制。现在人们已经生活在人类通过长期的共同生活而形成的公共规则中，其中的信任机制无时不在发挥作用，特别是在重大冲突面前，人类现在总是能够比野蛮人更加克制。所以，我们已经生活在某种道德生态之中。但是，文明发展到现在所形成的信任机制还远未完善，在具体的社会生活中(特别是在利益攸关的问题上更是如此)，信任链条时常会断裂；其次，在社会自由交往中，个体在相互交往中能够相互琢磨自己的任性，人们的意愿表达逐渐能够具备一种普遍性的情感性质、欲望趋向和意志品质，从而减少冲突。正是在这个过程中，人们通过长期互动，能够逐渐形成一些基本信任。这种以主体品质为基础的信任有如下性质：(1)人际信任是某种品质。品质的特点不是潜在的，而是现实的、实有诸己的，也就是个人的心灵情感得到了实在的陶养和塑造的结果，是比较稳定的情感欲望倾向。也正因为品质是实有的、较稳定的情感欲望倾向，所以，人们对有品德之人可以抱有一种比常人更高的预期，这其实就是信任的本质。这样一来，两个培养了宽宏、深厚的道德品质的个体，总是更能相互信任。有品德的个体，总是更有力量、更正大、更光明磊落，所以，更值得信任。从个人来说，这要以其日常交往中的表现为参照，而曾面临过重大危险、重要事件时所表现出来的品质则更为可信。当然，对一个人所进行的考验并不具备绝对精确性，而仍然只能说有较大可信度。柏格森曾经说到过，一个我们再熟悉不过的人，我们也无法完全准确地预见他的下一步行动。但是，我们对他过去的了解总还是能够让我们对他的思想、行动抱有较大的把握。① (2)人际信任毕竟是一种集体行动，换言之，它关联着广大的范围，并不是只指特定的个人之间的信任度，更指在这种团体中的个人面对未知的人、未知的事时的可信度。所以，团体、集体的精神气质、价值观念和文化氛围等等，可以作为信任

---

① 柏格森著，吴士栋译：《时间与自由意志》，商务印书馆1958年版，第125页。

的道德生态环境,通常,示范、模仿、浸染、熏陶等,可以促进个人内在精神的整体生长。传统社会的风俗礼仪、文化教养系统发挥过杰出的化人之功,有文化教养的人总是对人性有较为切实的了解,更为可信,也更倾向于信任他人。(3)公共信任偏重于对社会管理者提出诚信要求。社会管理者由于拥有更多的社会物质资源、荣誉资源,所以对社会前进的方向有更大的主动权,因而应该努力获得公众的信任。在古代,取信于民是一项重要的国策。取信于民则国立,失信于民则国危。要得到民众信任,国家管理者必须做到公正、言行相符,所防必能止,所表必能明,才能使百姓行为有所遵循;如果政出多门,或朝令夕改,那么,百姓就会茫然不知所措。所以,诚信在政治上是公共行政的道德要求。从这个意义上说,诚信可以昭示天下,它作为一种品德,是面对一切未知的民众和事情的,它会成为一种引力,逐渐吸纳各种成分在自己的周围。著名的事例有商鞅徙木立信。所以,为政以德,若众星拱之,百姓归附,怀柔多方。信任在社会管理者,是由于其政策有利于民众而获得的,此为惠信;在一般民众,如果对社会管理机构形成了信任,就能令行禁止,勉力为国,此为忠信。所以,公共信任需要一种道德文化价值的背景。

信任的培养,需要以道德文化氛围作为生态环境。信任就像脆弱而珍贵的花朵,只有在良好的生态环境中才能生长。信任所应付的是现实中的高风险性,其存在与否及其厚薄可以通过社会交往和交易的环节是否顺畅来衡量,信任状况是社会道德生态的晴雨表。反过来,信任从来就不是一个孤立的现象,一个信任度很低、人人自危的社会,其道德生态的退化可以说是到了令人吃惊的地步。只有良好的道德生态环境能达到信任的某种平衡,其机制类似于自然生态平衡物种那样的天然技巧。

四、信任是一种互动策略和文化鼓励

信任不可能成为一种可普遍化的知识,也不是一个可技术化控制的流程。欺骗的广泛存在,导致人际信任难以建立。因为每个人都一样有着本体上的缺欠,所以,在这个问题上,我们要特别抱有一种宽容的态度,特别需要将心比心、设身处地。我们认为,人的本体自由是难以彻底建立人际信任的认识条件,而本体性的缺欠则是其存在条件。从这两个条件出发,我们发现,我们实际上是在做一件不可能找到坚实基础的事情。但是,基本的信任是必须建立的,否则人们永难迈入文明,难以过一种大致满意的生活。从内心愿望来说,大家可能都希望能生活在一个相互信任、没有骗局、没有猜疑的世界中,所以,信任是我们的内在价值之一,值得我们努力追求。

信任的建立从制度层面上说是一种互动策略。一般地说,人们带着各自的目的进入到社会利益合作与竞争中来,频繁互动,彼此的个别性欲求会在冲突中相互琢磨,形成信任的合理界限。这就要求建立注重公平、正义的公共规则,从而以各种刚性的制度安排来保证这种交易体系的维持和发展,并在抑制不公正的制度压力下,人们会对自己的行为形成一些需要遵循的公共准则。在这个过程中,人们能建立某种相互信任,但这种信任是建立在对普遍规则的约束力及其约束功能的信赖之上,而未必是交易者之间基于情感的相互信任。当然,在具体的经济活动中,交易伙伴之间的情感性投入也是必需的,比如互致问候、礼尚往来等等,这种情感性的联系是交易活动中的润滑剂,确实也能培养一种信任情感联系,因为这种合作是互惠的,并且双方都能看到合作的长期利益。但是这种信任情感链条的脆弱性就在于:它可能抵挡不住博弈次数有限性的一击,它可能戛然断裂。

在这个层面上的信任既然是一种互动策略,因而它就有一种谋划性质,所以,它永远要面对个体自我利益谋划的挑战,而且,在制度的制定者和执行者也参与到这种谋划中来时,相互的算计、猜疑就会像流行性病毒一样蔓延开来。所以,公共规则的权威必须确立,这就对公共规则的制定者和执行者提出了更高的要求。他们必须以公共利益为准绳,而不能仅仅顾及某一团体的利益甚至一己私利,只有这样,他们才能做到公正而不偏私。对于一般的交易者来说,也要具备公共精神,能高度敬重公共规则,哪怕是在竞争快要失利的情况下也是如此。这就说明,信任作为一种互动策略,要能得到很好的贯彻,也需要培养一种道德情怀。

而培养这种道德情怀,唯有通过一种文化鼓励才能做到。我们说过,本体自由的本质是个人内在人格的高度个人性及其难以公共化的特点,以及由此而来的个体之间的深层隔绝,但对本体安全的寻求又导向对信任的向往。显然,人际信任的公共环境对个体人格的塑造是有利的,而人际普遍猜疑、防备的气氛则会封闭个人内在心灵向社会开放的维度。而压制、管制、惩罚等都只是针对着破坏公共规则的行为的,对个体深层人格的组建和塑造难以起到很好的作用。于是,培养人际信任的根本办法是文化鼓励和人文熏陶,而且必须经过长久的、不间断的努力。那种抛弃传统、进行文化革命、在人际间制造极不信任气氛的做法,就是阻断文化对个人深层人格的滋养,从而使人的心灵经历一次荒漠化过程。"文化大革命"的荒唐做法就导致了这种严重后果,到现在,我们这个社会还在承受着这一后果的沉重代价。

文化鼓励我们以诚实为人德之基,进入与他人的情感联系之中,并形成一种优良的群体文化。在这之中,人们所追求的是清洗自己身上的狭隘、委琐,与他人进行心灵的沟通与交融,从而形成与群体一体同源之感,获得对存在的新认识。群体生活之所以重要,就在于对它的投入性参与,可以使个人解开一己之私的禁锢,暂时忘记我之为谁,与群体融为一体,获得成为群体一员的那种有机联系之崭新感受。一种内涵着较高文化价值的群体生活,能培养成员之间的情感响应能力,在群体价值目的的指引下,个体有了身份认同、人格同一性的基础。由于受到相同的价值理念的哺育,成员之间就获得了一种相互信任的基础,这大概是我们所能形成的最强的信任纽带。文化鼓励是通过对个体深层自我的渗透、融合、扩展而发挥作用的,因而它塑造的不仅是认知能力,而更是在塑造内在人格。这种群体生活,有许多象征物,如仪式、规范、信条、徽标等,它们的持续存在本身就经过了流转、变形、丰富、调整,具备了巨大的时空内涵,对成员有较大的归化能力。诚然,这种群体生活虽然是有边界的,但是,如果它所禀承的价值是普遍性的、合乎理性的(这也是我们对健全群体生活的价值理念要求),有某种普世性的内涵,那么就可以延展到陌生人身上,或者说为与陌生人交往准备了信任框架。

这种通过生活锻炼、熏陶所塑造出来的品质是实有诸己的,它支撑着、组建着个体的人格。从它的自成目的的意义上说,受到塑造的心灵状态比未受塑造的心灵状态更优秀、宽广、深厚,从这一点说,它本身就好;就它在工具领域中的应用来说,有着深厚德性的个体,在利益交往、交易中,会本着自己的德性来行事,他们总是对信用抱有较高的敬重。以背信来谋取不当利益的行为违背了他们的趣味,因而不屑为之。他们的信用感,内在涵有一种确信,其程度类似于饮食方面的趣味。当然,他们也将充分利用各种信息,对信用缺失的可能性及其本质有清楚的认识,避免因轻信而受骗。对一个对他人抱有信任倾向的有德之人来说,受到欺骗是一种不可忍受的嘲讽。信任,就意味着相互信任,这才是信任的常态。其实,在信任问题上,有德必将战胜缺德,德性就是力量。有德之人之间由于相互欣赏而会彼此多一份信任,无德之人之间就只能充满着相互猜忌。

五、信任氛围的营造

信任的迷惘不是知识所能加以廓清的,这是因为信任根本不适于成为知识的对象。信任是朝不确定性中的一跃,这一点使得在信任方面追求知识的确定性、绝对性始终只能如隔靴搔痒。但这种特点并不能阻止学者们从社会现象中发现信任水平变化的一般规律,在这样做的时候,他们一般不把道德考虑在内。

爱德华. L. 格烈塞(Edward L. Glaeser)从社会资本投资意向的角度,阐明了信任的产生及信任度降低的社会学证据,值得我们很好地加以理解。我们认为,这种识见可以成为道德建设的基础。其意义就在于,虽然道德教育也许可以越出社会学经验证据的限制,但作为社会生活中的人,利用、维护这些经验条件对道德教育来说更为有利。条件总是多一些就更为有利一些,不能让道德教化一无所据地与本能作战。

他指出,(1)当个体将会在他们的共同体中生存一段较长时间,那么,他更愿意为社会资本多投资,比如守纪、热心公益、待人友善,这些行为将能使他在人群中树立起信誉,而信誉有生长性、传播性,这能使他更快意地生活于这个共同体中,并从别人的信任中得到回报;(2)拥有居住权,将能提高一个人的社会资本投资水平,因为居住权可以使他们对居住地产生归属感;(3)社区的价值同质性程度高,能强劲地增加社会资本投资;(4)就个体来说,终其一生,他会首先建立起社会资本存量,但到生命快要结束时,他的社会资本存量就会下降;(5)另外,他通过经验发现,学校教育与社会资本有很强的关系,也就是说,受教育程度较高的个体之间的信任程度较高。① 这些社会学观察说明了信任等社会资本形成的社会现实条件,这是十分有意义的。也就是说,保障这些有利条件,并抑制那些不利条件,将能提高社会资本存量。

我想,这些理论成果是我们应该认真吸收的,并在可能的范围里创造这些条件,这是我们营造社会信任氛围的切实步骤,同时,这也是社会道德教化的现实基础。当然,现实社会生活中不一定能很好地提供这些条件,比如说,移民社会应该建立较为稳定的社群,但这需要时间;在当今社会,个人的流动性大大增强,稳定的社群生活、社区价值的同质性等等恐怕都是不容易得到的。在这种情况下,社会成员的交往与交易也许更需要信任。所以,一方面应该在已有的社会条件的基础之上,努力创造更多有利于培养信任的条件,另一方面还应该回到提高主体道德素质上来。

第一,要营造信任氛围。从个体的角度说,我们只能诉诸个体的自律,那就是诚。就个人的品质修养言之,诚实是一个基点。它诉诸道德意识的自我约束,要求慎独,时刻内省,念头要实。一念实,已有诚实,若是念念皆实,那就是有了诚实之德。比如宋代徐积就是这样修养诚实之德的,即从不违初心开始。这样的修养实践,有很好的示范作用。而如果能凝聚整个心力努力做好一件事,而没有任何虚假,那就是精诚。这样的人能让他人对他产生信任,能够把周围的人团结起来,而团结是需要充分信任和精神情绪的感染的,这就是所谓的"精诚团结"。把诚与信连在一起,的确是很有道理的。

由于古代没有广大的社会公共生活背景,所以,"诚"之德的价值榜样被设定为自然天道。正因为天道自然,所以,天道肯定是真实不妄的,但它却能使天地秩序井然、四时不期而至、万物生生不已。这一点被看作是"其为物不贰,其生物不测。"不诚,众德何所附丽;不诚,众物何由来致?

---

① Edward. L. Glaeser, David Laibson, Jose A. Scheinlman and Christine L. Soutter: Measuring Trust, Quarterly Journal of Economics, 65, August 2000, pp. 842—846

本来,诚实很简单,就是在交往中不能有意制造虚假信息以诱导、误导他人,即不能许假诺,不能歪曲事实,欺瞒,比如鱼目混珠、以次充好等。但我们可以进一步追问:为什么人们会欺骗他人(乃至于欺骗自己)呢?这里当然有人本体上的缺失性,换言之,欺骗是由于自身力量(可能由于习惯、懒惰、当下情境的不便等)不足以实现能自我满足的观念要求而出现的一种以意识填补能力的现象。欺骗本质上都发生在人际之中,骗人是为了从对方的信任反应中得到好处,自我欺骗也是以假象示人。但是,谎言终归是谎言,骗局终究要被揭穿,因为这种意识填充的气泡,必然会被实际的结果所全数挤出。自欺之人心中明白这种气泡的存在。所以,欺骗产生于实际情形与主观愿望的差距之中,这一事实是永远存在的,故欺骗行为从来就有,而且永远会有。加强诚实品质的修养,就是要努力挤掉自己心中的气泡。其实,在现实生活中,一个无论多么诚实的人,在他的一生中,也总有说谎的时候。关键在于,这种欺骗的恶意程度、对人的危害程度有多大。一个诚实的人,如果偶尔有谎言,也可能是较为无害的,恶意较少的;而有那么些极少数的人则可能就靠谎言为生,以害人为手段来达到自己的目的,有着较大的恶意。

第二,建立公共信任。这主要是对社会管理者或公共行政组织而言的。公务员作为社会公共利益的服务者,在服务于公共利益的过程中应该体现"公正"这一公共价值,应该适当地管理各种公共资源,只有这样,公共行政组织才能成为公民可信赖的,这是公共信任之源,能创造一个优良的商业环境,使市场经济体制发挥其应有的效率。"OECD公共管理政策简报"第7号发表了对29个OECD国家在促进公共信任方面所做工作的调查,对我们有诸多启发。OECD国家都确认了核心价值观念,其中8个核心观念得到频繁的表述:公正(24)、合法(22)、正直(18)、透明(14)、效率(14)、平等(11)、责任(11)、正义(10)(括弧里的数字是指在这29个国家中所着重表达的核心观念的次数)。① 这些都是公共道德价值,要求公务员以此进行个人自律,并要求他们

---

① OECD Public Management Policy Brief—Building Public Trust: Ethics Measures in OECD Countries, September 2000. p. 2, http://ww. clile – usa. org/documents/political/ethics. htm

把自己的情感气质提升到适合于这些普遍性价值观念的状态,也就是要培养起公共伦理德性。如果公务员们的确是按照这些核心价值观念来服务于公共利益的话,那么,他们将能取得公民的高度信任,从而促进公共治道的发展。这就启示我们,我国的政府改革,除了相应的制度设置以外,还需要进行公共伦理建设,而这将是一项长期的任务。

第五章 国家的伦理性

到目前为止,人类社会的共同体的最高形式就是国家。在现代社会,国家是唯一可以合法使用暴力的公共权力机构。在空间意义上,国家有一定的疆土界域、海洋、领空;在时间意义上,国家表现为由于国民长期的共同生活而形成的本国文化的历史传承性。国家是一个国民最高的伦理实体归宿,是国民最高自豪感的根源。国家在文化意义上是国民的共同精神象征。因此,国家的领土、领空、领海神圣不可侵犯,国家主权神圣不可侵犯。国家包括一切政治情绪的样式,从国体到政体的采用和发展,无一例外地与一个国家的历史传统、民族性格和文化——心理结构等密切相关,表达着各种各样的政治观念和政治情绪。对个人来说,国家当然应该是他们个人权利的最高保卫者,对社会来说,国家应该提供内外安全;为了社会的发展,国家应该提供公共产品和公共服务,从而引导社会经济更健康地发展。一般说来,国家的政治功能、经济功能、国防功能都是人们容易理解的,但是,国家的伦理性则多有争议。我们探讨国家的伦理性的本质及其内涵和价值特征,目的在于使国家在公共伦理的建构中发挥其不可或缺的作用。

第一节 国家:公共政治的伦理存在

一、国家:高超政治智慧和治理技术的凝结

(一)恩格斯在谈到从氏族部落过渡到国家的过程时说,"国家的本质特

征,是和人民大众分离的公共权力。"①由于在前国家的氏族社会时期,氏族部落之间的争战连绵不断,战争的必然后果就是一方征服另一方,逐渐地就会形成一些较大的氏族,而当各个大氏族之间的力量对比并不太悬殊时,为了共同的利益,这些氏族就有可能会联合为民族,联合的前提是双方(或多方)地位平等,采取人民大会,氏族首长议事会,其中可能有企图获得真正的王权的军事首领,"这的确是迈向国家的初阶,是氏族制度下所能达到的最发达制度","只要社会一越出这一制度所适用的界限,氏族制度的末日就来到了;它就被炸毁,由国家来代替了。"②

战争的征服,对被征服者的统治,显然是"和氏族制度不相容的",③因为征服者必须把所征服的地区和人民加以组织,如德意志征服了罗马各行省之后,"既不能把大量的罗马人吸收到氏族团体里来,又不能通过氏族团体去统治他们。必须设置一种代替物来代替罗马国家,以领导起初大部分还继续存在的罗马地方行政机关,而这只有另一种国家才能胜任。"④总之,氏族制度的机关便必须转化为国家。

国家机关是为了调节、平衡多种不同质的利益和文化价值观念而建立的。这时,氏族军事首长的权力必须大大增加。通常开初是暴力镇压(遇上抵抗),然后是文治,设立行政机构或借用原来的行政机关,任命行政官员。这样,军事首长的权力就变成了王权。

前国家时期的生产本质上都是氏族成员们共同生产,消费品也在某种共产体制下进行直接分配。但国家产生的本质内涵是社会等级的分化,国家的产生最初通常都会采用王权制度,第一步就是把人民大众的财产变为王室的财产,然后用它们来赏赐他的扈从队,这主要是为了形成以君王为中心的利益相关的团体,他们掌握社会的基本资源包括各种物质资源、文化资源和荣誉资

---

① 《马克思恩格斯选集》第 4 卷,人民出版社 1972 年版,第 114 页。
② 《马克思恩格斯选集》第 4 卷,人民出版社 1972 年版,第 142 页。
③ 《马克思恩格斯选集》第 4 卷,人民出版社 1972 年版,第 148 页。
④ 《马克思恩格斯选集》第 4 卷,人民出版社 1972 年版,第 148 页。

源,"靠牺牲人民而造成新贵族的基础。"①所以,国家的最初成立必然要靠统治集团内部的分利,从而造成了最初的等级制统治结构。

随着近年来的考古发现和人类学研究的进展,学术界已经认识到,当年摩尔根的理论框架是不完全的,从而顺带而来的就是,恩格斯以摩尔根的材料为依据的对前国家的社会形式的判断也有某种缺漏。我国学者谢维扬在他的著作《中国早期国家》中,综合了许多新的研究成果,得出结论:1.早期社会并不如摩尔根所说"无差别、无矛盾的和谐境界",而是等级、特权、物质资料占有的不均,不同集团乃至个人之间的政治影响力和权力的不平等,这在前国家社会的许多实例中都明显地存在着。2.氏族制度也不是原始社会唯一的可能制度,还有氏族社会和国家社会之间的一个社会形式——酋邦。3.所谓部落联盟并不具有代表性。

(二)当然,这样大的公共组织一旦出现,无论它有什么样的强制性,并以奴隶制为代价,它必然也要代表某些公共利益。它与氏族组织的血缘亲情的联系纽带相比,必然要诉诸一种更加务实、理性化的统治方式,即要被征服的其他氏族臣服(这里展示了其暴力的一面),但随着社会经济的发展,实行的则是安抚,并吸收有能力、有威望的其他部落的成员进入统治结构,或用旧部落首领来治理那个被征服的部落,这也迫使国家更加关注其公共利益。国家成立以后,通常为了更进一步的军事行为和役使民力、发展农业的需要,许多文明古国兴建了大量的公共设施,比如罗马帝国大规模的、达到很高水平的道路系统;而在农业地区,生产对灌溉的高度依赖,使得公共水利设施的建设达到很高水平,历史在这个问题上,有很大的耐心,许多公共农业设施都要耗费很多岁月才得以完成。中国古代传说中的大禹治水,李冰父子开凿科学而宏大的都江堰防洪、灌溉体系,两河流域的大型水利工程等都是许多世代的劳动的结晶。这些公共设施的规划、建设、管理都需要有组织规模,因为它们需要组织大量的人力、耗资巨大、时间跨度长,这些都需要有一个统一的组织来集中和调动优势资源,并需要构造一种长效的管理机制,这些都激发起人们对国

---

① 《马克思恩格斯选集》第4卷,人民出版社1972年版,第149页。

家制度的需要。

（三）从组织创新的角度说，国家不像家庭这种制度是众多人们的实践创造而形成的，而是为一些有独特的政治智慧的人所创制的。恩格斯在《家庭、私有制和国家的起源》中，列举了婚姻形式的各个发展阶段，这是家庭制度逐渐成形而稳定下来的过程。从历史事实来说，家庭结构的同质性程度特别高，而国家则可以说是少数人的制度发明。① 正是由于版图的扩大，人口的增长，征服的进展，各种不同质的利益、文化等的融合，以及共同生活、生产，进行战争等需要修建各种公共设施，这要求有正规的计划、组织实施，纠集大批劳动力，并对资源分配、工程进展进行管理、验收等，这一切都使得对公共管理的需要日益迫切，促使一个权力体系、管理结构的形成，并需要培养一种持续不断的权威。也许其统治是残暴的、专权的，但是，对国土的完整性的维护和扩大版图的帝国冲动，人民生活的稳定、人口的增加等与这个统治机构的自身利益也是密切相关的，所以，国家一定会有某种公共性，这包括巩固国防、富国强兵，对下层百姓的某种关怀、教化等，这一切都是必然的。于是，统治结构的稳定，对才能和德性的重视，向民间广开求才渠道，因时因势进行管理方式的改革等等，这些都促使他们进行深入的政治思考，并设置一种持续的行政体系。这使得国家统治机构的稳定与强化成为一项连续的事业。由于在国家形成初期，取得政权通常是依凭暴力，所以，维护其统治的暴力性质依然存在，治人与治于人的这种结构态势就势必存留下来，这时，行政的性质就是统治行政。也就是说，国家首先关注的是如何实现统治、稳固统治、维护统治阶级的利益，包括财富、社会地位、教育等方面的特权，等等。这一切也都是必然的。

（四）国家的利益在于统一，这是一项千秋伟业。统一国家内部的语言文字、度量衡、行政设置、教育体系等，是一个国家终究要做的。我国在秦朝就采

---

① 李建德说，"如果说家庭组织是在人类所得到的制度遗产基础上的演进的结果，市场组织是在人类所有生活着的地方，到处都自发地创造出来的制度形式，那么，国家制度却只是由少数人，充其量也只是一小部分人的制度发明"。另外，国家并不直接起源于物质生产及其需求的变化，而是起源于物质财富丰富以后人与人之间的关系的复杂化。见氏著：《经济制度演进大纲》，中国财政经济出版社2000年版，第229页。

取了各种措施,加强国家的统一,如统一文字、度量衡和郡县制的行政区划及中央集权体制,这是使中华帝国的宏大版图得以完整,使社会交往得以进行,行政措施能得以较顺利的施行的必要举措。当然,这些措施,在各个不同国家采取的时间有早晚,因为条件各异,但总是要进行的。据克雷格·卡尔霍恩的介绍,西方现代国家之前的政治形式既没有清晰的疆界,也没有促成其内在的整合和同质化,这一过程是随着国家能力的增强而实现的:国家权力最终也都能一样在最边远的地区行之有效,它们"不仅仅是在偏远地区收税,而且也能在那里修建公路,管理学校,并创建起大众传媒体系。语言标准化是民族整合的通用尺度。"但是,在大多数欧洲国家里,这一点是很难达到的,比如,"绝大多数法国人在9世纪后半叶以前并没有说法语。"德国语言的规范也是路德通过翻译《圣经》而得到逐渐推广的。①

(五)国家政权在其运行过程中,有许多失效现象产生,比如在外敌强势入侵中被打败,或者由于内部的起义、政变而覆没。然而,即使是在这种时刻,人们依然期待重建国家,这足以见得国家对每个国民的精神意义和价值是何等巨大。这就要求人们思考一个国家的长治久安之道,并获得了许多智力成果。但作为一种理论,它们始终也只是一种理论指导或理想模式,在实际的国家政权运作过程中仍然有太大的偶然性。这是由国家起源的性质引起的。在早期,国家就是军事首领及其扈从形成的政治首领、统治机构和组织。它建立在必然会相互冲突的游戏规则之上:通过公共权力与人民利益的分离来取得对人民的统治力量。比如警察和军事力量既可用于维持社会秩序和保卫国家,也可用于对付人民的反抗。而且国家的税收,一方面可用于建设公共设施和提供内外安全的费用,另一方面却有一大部分用于统治者的糜烂生活。税收要有一个度,过重的税收政策就是"苛政";从制度层面上说,则会建立一个尊卑贵贱的等级秩序,并使之成为一个文制系统来教化民众,使之能恭顺地居于这个秩序之中。正如黑格尔所揭示的主人和奴隶的关系,从根本上说,是主人无法离开奴隶,因为主人不劳动,无法对象化自己的精神能力,不能确证自

① J.C.亚历山大,邓正来编:《国家与市民社会》,中央编译出版社2002年版,第48页。

己的力量;而奴隶虽然被迫承担一切劳务,但在劳动过程中,奴隶是在对象化自己的能力,从而在自己的产品中确证了自己的力量,他们在消耗物的同时,也在塑造着物,同时也就在塑造着自身。在这个意义上说,统治者与被统治者有一种"共同的利益"。这种国家政权结构的存在支撑了这个国家,它提供日常安全和一种整体认同、文化归属感,从这一点上说,国家的存在是统治者与被统治者的共同利益。为了维护其统治,捍卫国家的完整就是统治者的责任,同时,他们对被统治者的依赖,也使得他们要在某种程度上关怀下层百姓,这包括在一定程度上的轻徭薄赋,由官仓赈灾济困,公正裁决民间诉讼,抑制豪强对百姓的欺压等,都是为了加强整个国家内部的和谐与协调,加强国家的公共性存在。

从以上我们可以看到,尽管国家的产生充满暴力,并且最初采取的是最不人道的制度——奴隶制度(它是把一大部分人不当做人,只看作是与畜力一样的工具),但是,国家的产生的确是一个体现着高度政治智慧和治理技术的行动,更为重要的是,这种创造国家的行动使得人伦关系的结构有了一个现实的、有力量的依凭,因为国家是一种持续的存在和一种刚性的力量。许多前国家社会的人群并不能把他们的氏族制度或酋邦制度发展为国家,这显然与在他们之中没有产生伟大的政治天才群体,或者说,没有足够的内外压力使国家的出现成为势所必然,或者说,没有同时出现这两个条件有关。因为,国家的创制,说到底是设立一套理性的制度并以高度的治理技巧使之成为日常政治生活的刚性框架。

从制度层次上说,任何一个早期国家的形式,都离不开在政治上采取以下措施:

1. 建立必要的国家机构,包括官署和军队等等;

2. 对社区按政治概念进行重组,以减少自然的血缘关系对社会组织的影响。

3. 确立国土或领土观念,使国家统治建立在地域而不是人群的基础上。

4. 确立一个人是国家的首脑和代表的最高统治者的正式身份。

5. 为国家本身制定一个旨在表明其对于有关地域的统治的合法性的正式

名称。

6. 创立维护由最高统治者地位和国家的名称来标志的国家统治的合法性意识形态,其主要内容使人们相信这样一个国家是他们应该接受的。

7. 设立某种制度或机构,使被纳入国家社会的社区的代表在国家政治运作中采取合作的态度。①

从思想的层面上说,这是在人们的共同生活中打造一个明确的、正式的制度框架,并以一种文化智慧来赋予其合理性,促使各种利益、等级达到和谐。所以,国家的创制是把生活中的本质因素突显出来,得到清晰的表达,并使之获得现实力量。于是,它能唤起国民对生活中的更高价值的觉悟,加深对它的认识。这是人类自我意识的扩大,是人们超越个我、形成大我意识的基础条件。这是人类理性素质得到了增强的表现。

因此,摩尔根说,"易洛魁人组成部落联盟这个行动将垂光于史册,以纪念他们发展民族制度的天才,由此可以看出,人类在处于低级野蛮社会时,尽管条件很差,却能在政治艺术方面完成多么伟大的成就,这一点也应永不忘怀。"②也许,这种发明是独创性的。越是高级的文化因素,重复发明的可能性和概率就越小。国家政治是一种非常高级的文化因素,历史已经证明,它在世界各地区的重复发明是非常少的。大量的早期国家是某个地区内国家政治文化传播的结果。早期部落联盟的组成,需要卓越的政治才能和智慧,摩尔根说:"无论哪一支人组成了联盟,这件事本身即能证明他们具有高的智力。易洛魁部落能够完成这项事业,足证他们有着优秀的才能。而且,联盟既是美洲土著所达到的最高组织阶段,所以,只能指望在最聪明的部落中才会有这种组织。"③

随着社会的发展,国家的作用越来越突显出来了,这主要表现为国家整合了社会的公共利益,而获得普遍性的合理性本质,给社会中的各种偶然性因素,如出自个人主观意志的表现以公共规则的引导。可以说,国家越来越成为

---

① 谢维扬著:《中国早期国家》,浙江人民出版社 1995 年版,第 233—234 页。
② 摩尔根著,杨东莼等译:《古代社会》(上册),商务印书馆 1977 年版,第 121 页。
③ 摩尔根著,杨东莼等译:《古代社会》(上册),商务印书馆 1977 年版,125 页。

社会清醒的理智系统,它的存在会把社会中出自本能的行为唤醒,从而不致陷入非理性的昏睡或狂暴的发泄之中。如斯宾塞所说,随着社会的进步,法律规范以一种恒定增长的速率渐变为国家的义务,不仅对人们的权利给出正式的批准,还保护他们不受外来侵略和侵害。在没有永久性政府之前和它还没有大为发展之时,每一个个体的权利都由他自己和他的家庭来宣布或维持。像现代的野蛮部落,或是历史上的未开化民族,甚至是现代欧洲某些人烟稀少的地区,对谋杀的惩罚属于私人问题:"'血仇的神圣职责'由被害者的亲属群体来完成。同样,在社会早期阶段,财产受到侵犯或遭到其他形式的伤害后所得的补偿需要由个人或他的家庭独自来讨回。但是,当社会组织逐渐进化之后,压在统治权力中心肩上的担子也就开始愈来愈重,他们不得不承担更多的职责,更多地将重心放在保证个体的人身安全、财产安全以及一定程度上强迫其子民行使契约规定的权利,政府的职能也逐渐从原来的专门保护本社会作为一个整体不受外来分子的攻击或组织进攻别的社会,朝着保护本社会个体之间不相互侵扰的方向发展"。①

当然,斯宾塞的主要理论焦点是放在如何限制政府的权力之上,因为政府的权力有无限扩张的内在冲动。他问道:"自由主义是如何获得越来越多的权力? 在立法中是如何变得越来越专制? 是直接通过其自身的大多数,还是间接地由反对派中的大多数人提供帮助(比如在此类事例中)? 自由主义是如何采取强行规范公民行为的政策,结果却缩小了公民自由行为的范围? 我们如何解释导致这一情况的混乱思想不断扩展,表面上看起来是追求公共利益,实则颠倒了早期实现公共利益的方法。"②此中的逻辑是政治——伦理的逻辑,需要好好加以分疏。

二、国家对人类社会生活而言的必要性

首先,我们确实可以看到,国家出现之前,某种形式的社会状态已经存在

---

① 斯宾塞著,谭小勤等译:《国家权力与个人自由》,华夏出版社 2000 年版,第 97 页。
② 斯宾塞著,谭小勤等译:《国家权力与个人自由》,华夏出版社 2000 年版,第 7 页。

很久了。那种状态并不到处都充满人与人之间的战争,相反,从历史上可以得知,无国家区域的自然的社会状态,也能"促使个人理性地看待其个人利益,从而进行持久的合作与和平交流。没有中央秩序权力的无政府状态并非一开始就比国家处于劣势。"①当然,这并不是说国家是不必要的。相反,我们曾经说过,对人们来说,国家是一种极为有益的、在某些条件下是绝对必要的一种发明。这主要是社会进化的产物。出现国家之后,社会就与国家处于密切互动的过程之中,一方面,国家补社会对人们的生活需要来说的不足,比如正规的公共权威机构的持久存在。个人凭自己不足以保护自己的权利,因而在受到侵害时可以向公共权力机构寻求保护;同时,国家的存在,可以集中社会的各种物质力量,进行建设,促进物质文明创制,又能集中社会中的有识之士进行智慧探讨,从而促进社会的精神文化的创造,这就是说,国家能够刺激社会的神经,使它不至于陷入昏睡,而是能保持某种意识状态。然而,社会也饱受国家干预之苦难,国家的权力结构体系是要由大量的财税来支撑的,所以,特别是在社会生产力欠发展的情况下,国家的庞大开支使社会难以负担,许多国家形态的覆没都是由于财政的破产而引起的,而取而代之的新国家为了取信于民,其中一项重要的措施就是采取轻徭薄赋的政策,发展生产,从而使国家与社会继续相互依存地发展下去。另外,现代国家还采取过计划经济体制,对社会生产实行全面的计划,从而压制了社会中个人的主动性和创造精神,使社会的发展呈现出某种畸形,发育不良。国家还对社会加强意识形态控制,在思想这个最需要自由的领域中取消了自由,把思想界变成国家意识形态的传声筒,从而使活生生的精神受到阉割。

从国家与社会的深层关系来看,霍布斯所揭示出的某种理性逻辑是我们所要记取的,不管霍布斯的结论多么走极端。这个结论以惊人的明晰性,照亮着政治的核心区域。他认为,由于人根深蒂固的自私性,人不可能像理解自己的利益那样理解别人的利益,这实际上是说,这是人的理智和道德想象力本身的局限性所在。于是,在自然状态下,组成的社会实质上是处于人对人像狼的

---

① 米歇尔·鲍曼著,肖君等译:《道德的市场》,中国社会科学出版社2003年版,第8页。

"丛林状态"。但明眼人一望便知,在这种社会状态,个人是没有办法实现自己的自利愿望的,这种自然状态的"自由"实际上会自我取消,因为它要形成秩序是无望的。他认为,要形成秩序,就只能把个人的一切自由都交给国家,由它垄断社会公共权力,并对社会提供秩序。他痛快淋漓地说,自由如果没有刀枪,就等于无物。然而,其中所蕴涵的实质意思也的确令人不寒而栗,因为这样一来,个人就把自己的命运交到了一个你所无法预期的他人手中。这种情形,显然会激起大家无法平息的疑问:这值得吗? 应该如何自我保护呢?

就霍布斯的理论而言,我们当然可以反驳他,那就是自然状态中的人们并不都是处于战争状态,对人性也不要过于悲观等等。比如洛克就假设自然状态是一个完美的平等自由的状态,只是考虑到,我们进行交换和合作能够得到我们在独自的状态所无法得到的好处,所以,我们才需要进入一种有正规约束的状态。这就首先得有个人独立的产权,包括生命权、财产权和自由权,这是交换和合作的前提。既如此,正规约束的制度指向的就是交换、合作体系的保护、维护性的措施。这当然是对国家的性质的一种理论推论,是国家的一种"应然"状态。后来反对霍布斯的学者,也有的人不承认人性完全自私。比如有人认为人性中不但有自私的成分,同时也有利他的倾向,既能自爱,又能爱人等,从而在人性中就有一种力量可以维持个人利益和公共利益的平衡,等等。但这些反驳没有太多的理论意义,完全配不上霍布斯问题的深度。

有人把曼德威尔看作霍布斯的辩护者,这在某个意义上说是对的,但这个说法完全抹杀了曼德威尔学说的新方向,即它的新颖性及其真正富有成果的方面。他的著名命题"私恶即公善",凝聚成了一个自由主义基本信念,那就是自由地发挥个人的自利动机,自我决策,自我追求自己的偏好,就能造成社会公益的繁荣。这已经不是一般地为霍布斯辩护了,而是开启了一条新的理路。这个思想,使斯密在分析市场经济的运行机制时,终于发现了所谓"看不见的手"的作用。这个观念在经济伦理方面的意义就是,个人的主观善意在市场运作中起不到应有的作用,而是市场交换本身有一种化私为公的内在机制,从而揭示了经济时代的伟大主题。个人的善意成为纯粹主观层面的东西,而不断扩展自己规模的市场经济这一社会体系,已经型构了我们客观的伦理关系。这种伦理关系要求每个人都成为独立的利益主体,每个人都要在市场体系中通过劳动而谋生,自己决策,参与竞争,并承担竞争的后果。所以,每个人拥有自利的动机是十分自然的。它在传统道德理论中是邪恶的,这是因为在传统社会中利己动机缺乏一个能够相互联结、而且能够导致互利的客观经济运作结构;自利动机在计划经济中也是邪恶的,因为在计划经济中,市场处于高度萎缩的状态,生产、销售都是计划性的,所以,在这种体制中,自利动机没有其正当位置。

但是,"看不见的手"却并不万能。原因是,市场经济不但要扩展其规模,还要涵育其厚度,还要有一种内外安全、正义的秩序。这些是市场社会解决不了或解决不好的。

如果把社会理解为单个人的联合,就会明白,社会是个人的志趣、欲望倾向和利益相互需要、相互作用、交融的场所。它会形成一些一般性的规则惯例,比如风俗习惯等。但社会中不能拥有正规的惩罚机构,并只能依靠个人的自主、自立而保持创新能力,比如各种技术发明以及联合方式的创造等等,所以,在社会中出现冲突是必然的。这是社会所不能最终解决的。当然,社会可以通过形成各种小型共同体、自愿组织而获得交往的密切性、舆论的透明性来防止这种破坏,但是它们并不具备最终的审判权和使用暴力的合法性,这就需要组成国家。这是国家的消极作用。

市民社会的联系纽带是契约,是个人的任性的表示,它建立在个别性的个人欲望的基础上,关心的就是个人利益,但是市场的利益联结有不断扩展规模的趋势,也就是一种市场秩序的不断扩展,这是一种内在要求,可能是个人当初未必想得到的,因而是一种客观逻辑。也就是说,从市民社会中个人的主观愿望出发,可以导致一种客观的社会秩序的要求。这种客观要求对个人的主观意图有着明显的制衡作用。一种理性的慎思可以让他们明白,市民社会是一种相互需要的体系,也就是个人要得到自己的利益,必须为他人服务和生产,必须遵守交易的普遍规则如信用体系。当然,由于市民社会中的利益的最终个人性和排他性,由于竞争本身的激烈性,另外,更为重要的是,由于信息不对称和知识的有限性,以及"好像"对"真是"的混淆性等会造成大量的虚假信息,如显失公平的契约、假冒伪劣、虚假广告等等,都会严重损害市场精神。这就需要国家去了解社会中的失序现象,秉承一种正义的价值理念,形成一系列有权威性的经济交往和社会交往法规,并保持对破坏经济法规和社会生活法则的行为进行处罚的最终权力。这既有惩罚的意义,又有明示规则的引导作用。这些显然都是对市民社会的伦理状况的提升,是国家的伦理性的突出体现。

从正义原则形成的角度看,正义实际上源于人与人之间"等利害交换"的心理倾向。当人们在交换中达到了等利害的标准,人们通常不会产生不公正感。在以下两个条件同时具备时,我们就会产生愤恨感,即,一是有人违背了等利害交换的原则,二是他侵害了我的利益。可见,正义原则有人们的利益考虑和心理基础。换句话说,正义原则不是个绝对的定言命令,而是个假言命令,因为它必须在实际利益中吸收决定自己意志的动机。"作为动机,正义是有条件的。"①这表明,正义原则作为一个涉及到人们的基本的公平感,与日常行为密切相关的普遍原则,必须成为维持日常社会生活秩序的基础性纲维。因而,正义原则必须非常正规。但是,凭个人性的分散状态,人们无力执行这种正义原则,一旦有人违背这个原则,人们单凭自己之力是无法获得公平的对待的。于是,就需要一个正规的公共机构来垄断对正义原则的执行权,由此,国家对社会交往规则实施了一种高度抽象,从而使正义原则中利益的对等性的基础性内容得到有效淡化,经过一个"遗忘"过程,正义原则似乎变得与利益考虑没有关系,而成了一个绝对的定言命令。这一点从惩罚制度的形成中可以明确看出。也就是说,惩罚制度的形成说明,"正义概念已经离开了个人关系的领域,进入了个人与国家之关系的领域。相应地,个人之间相互性关系以及其中包含的潜在暴力关系也必须通过国家的媒介来调节。"这意味着,违反正义的相互性原则所侵犯的实际上是全体的利益,"违法者理应受到全体的惩罚,哪怕狭义的受害者只是个人。"②所以,国家必须是一个拥有最终使

① 慈继伟:《正义的两面》,生活·读书·新知三联书店 2001 年版,第 177 页。
② 慈继伟:《正义的两面》,生活·读书·新知三联书店 2001 年版,第 183 页。

用暴力的合法权力的伦理实体,这是国家合法的公共权威之所在。

这的确从一个侧面理解了国家公共权威的伦理性质,并且把国家的伦理性存在与正义原则的价值特点联系起来。但在我们看来,国家对正义原则的具有最高权威的执行资格,不一定非要靠一种"遗忘"才能获得。我们认为,这是正义原则的基础性和普遍性特点所决定的。而国家的公共权威,正与这种基础性、普遍性是相应的,可以说,能够很好地执行正义原则,也就体现出了国家的正义性的一面,它是国家的伦理性的突出表现。

但是,把这种伦理性理解为自足的圆满,却是对黑格尔国家观的一切批评的根源。其实,把国家理解为一种现实的伦理关系结构,已经包含了作为国家的基础的家庭和市民社会。

有人认为,"国家的使命在于保护与保全每个人的生命、财产和任性,但不以损害别人的生命、财产与任性为限制,所以,国家只被视为消除急难而成立的组织。这样一来,更高的精神要素,自在自为的真理的要素,就这样地作为主观宗教心或理论科学而被安置在国家的彼岸,而国家则作为自在自为的俗物,唯有尊敬这个要素,于是乎它的真正伦理性的东西就完全丧失了。历史上有过野蛮的时代和状态,一切更高的精神东西都集中在教堂,而国家只是依靠暴力、任性和激情的尘世统治,又那时,国家和宗教的那种对立才是现实世界的主要原则。这些当然都要归入历史。"①

但是,在黑格尔看来,"作为自由而合乎理性的那精神是自在地伦理性的,而真实的理念是现实的合理性,正是这个合理性才是作为国家而存在的。又这个理念同样很清楚地指出,理念中的伦理性的真理,对能思维的意识说来,是作为经加工而具有普遍性的形式的那种内容——即作为法律——而存在的。……它不再采取信仰和感情的形式,而是特定的思想。"(着重号为原文所有——引者注)②在他看来,宗教在国家之外,而科学在国家之内。因为科学以认识为目的,而且是对被思考的客观真理和合理性的认识。

---

① 黑格尔著,范扬、张企泰译:《法哲学原理》,商务印书馆1961年版,第276页。
② 黑格尔著,范扬、张企泰译:《法哲学原理》,商务印书馆1961年版,第276—277页。

　　所以,现代国家的治理依靠的是一种公共理性,而不是非理性手段,它必须体现自由和理性的精神。所谓自由,是说国家体现的是一种现实自由,有一种内在的自我认识性,就是说,现代国家对自己的权力、治理结构应该已经达到了对其本性的认识,达到了对各个阶层的公共利益的把握,并以公共政策来促进这种公共利益的发展。

　　统治——管理——新公共服务这三个阶段,可以说是国家本性的逐渐发展与展开,也是逐渐体现其伦理性本质的根本特点的过程:①

　　1. 统治阶段:其伦理性表现为统治阶层对社会物质资源、暴力、社会荣誉资源的垄断,下层人们被看作是统治者的附庸,统治者则以百姓的保护者自居,从而劳心者治人,劳力者治于人。他们认为百姓是群氓,需要被统治。所以,他们向往百姓能箪食壶浆以迎来者,有德者四方归附之。所以,统治阶段的国家的伦理性表现为统治与被统治的人伦关系,其和谐性、协同性就是其伦理性。在这一点上,整个国家的人们包括统治者与被统治者都有利益相关性,包括亚里士多德所说的主奴和谐性。统治者也能深深地感受到,他们离不开被统治者,而且认识到"民者,国之基也",从而也会产生体恤百姓的情感、观念和措施,从而有"君者,舟也,民者,水也。水可载舟,亦可覆舟","得民心者得天下"诸如此类的伦理意识。统治阶段的国家伦理性就集中在君民人伦关系上。其本质是等级制度的伦理,形成了对权力层层上升结构的有效性的把握。可以说,这是一种高超的政治智慧和治理技术。从部落联盟和酋邦向国家过渡到早期国家,其根本点就在于形成了最高权力的代表人物,并形成了稳定的权力结构。它能够抵制各种野心和任性的冲击,而保持国家本身的稳定,

---

　　①　张康之认为,历史上行政形态经过了统治行政、管理行政和公共(服务)行政三个阶段。(见氏著:《寻找公共行政的伦理视角》,中国人民大学出版社 2002 年版。)但是,在我们看来,任何形态的行政,都有某种公共服务的职能,比如统治行政时代的公共道路建设、赈灾、对公共秩序的保障等,都是在提供公共服务,管理行政阶段对公共法律的供给,以市场方式来向公民提供公共产品和公共服务等,也是在提供公共服务,所以,公共服务并不是行政的第三个形态的本质特点。行政的第三个形态的本质特点应该是在提供公共服务方面的方式不同,所禀承的价值观念不同。这个阶段的主要特点是:以公共服务为中心,并且引导公民对公共利益的创造进行广泛参与,形成公民与政府的良性互动局面,树立公民是政府的真正主人的价值理念。所以,可名之为"新公共服务"。

特别是形成一种有一定可预期性的权力更替的制度安排。但是,统治阶段的国家伦理性根植于很强的自然因素之中,比如君主的血缘关系,它的偶然性是很明显的,这使得继位的规则表现出许多不定数。这种不定数由君主自身对各位可能继位者的才能与品格的判断来决定,它会引起统治者家庭中父子相疑,骨肉相残。而且这种国家体制并不能很好地体现公共性,服务于公共利益,在社会上是一种代表型公共领域,实际上可以视为统治者的私人领域。

2. 管理阶段是对统治阶段的一种发展,是国家功能的转换。它主要是适应着大工业的需要而出现的,大工业要求生产、销售、分配、交换组织化而不断延展自己的规模,从而形成一种合理性的规则体系,以效率为目的而诉诸合理的管理手段。生产要素的合理组合、生产程序的合理分解,市场的合理扩展等等,都需要高超的管理技术。为了适应这个生产管理的合理化过程的需要,或者受到其结构性的制衡,政府的职能也由统治行政而转向管理行政,即是说,行政结构的层级化、责任分割的合理化、行政事务的特定化和专门化,把行政人员的工作和责任、良心局限于自己的职责之中,从而期望各种职责通过专人履行,这些方面整合起来,能促使整部政府机器有效运转。于是,行政人员的伦理自主性被规定好了的职责所淹没,管理行政的本质就是取消行政人员的伦理自主性,把他们视为在一部巨型机上各自发挥自己特定功能的零件,他们不需要也无法关注整部机器的运转。这种建立在功能耦合的理论假设基础上的行政制度安排,的确探索了一种纯事务性的行政模式。人、自主性、丰富的个性隐而不现。所谓"去魅化"就是这个意思。但是这样一来,作为一种精神性存在的国家,却走向一种机械的工具性存在,技术合理化是其最主要的形式要求,力图使行政事务结构模式化,人们以事相互关联,而排斥情感、信念、自由决断的意志,善被等同于规则,等同于有效,良心可以蛰伏,责任被规程化,从而使整个的行政事务去伦理化。

行政模式的这种进展,从伦理的角度说似乎是清洗了传统行政中的伦理色彩,而代之以官僚体制的合理化管理体系。然而,这种行政模式的采用,是与机器工业生产的体系化扩展性倾向相适应的,技术的必然性、经济的必然性成为了制衡人们行为的客观力量,并成为了人们的行为标准,这从形式上使得在社会管理事务中,采取一种非个人性的观点成为可能,并促使传统的政治伦理关系结构产生了变化。官僚体制至少从形式上使得政治权力成为公共性的,使得权力的私有性质产生变革。当然,官僚体制由于其科层制的形式合理的设计,运行模式的非个人化,有把职能部门无限细分的倾向,从而使官僚体系越来越膨胀。官僚体制认为,如果要使它能够具有很大的公共性,就必须使机构越来越全,要把社会中方方面面的事情管理起来,结果形成了尾大不掉的严重局面。

当然,官僚是必须存在的,但官僚的存在使命应该是为社会的公共利益服务,也就是说,官僚体制应从社会本身的内在要求中吸取自己的本质,而不是强使社会服从它的预算最大化、自我扩张的需求,否则,官僚体制就退化成了腐败的分利集团,并千方百计地与民争利。而实际上,利益是社会的原则,而不是国家的原则,国家的存在是为社会在竞利的过程提供内外秩序的保障,从而它获得了合法的税收权利。官僚体制在处理社会管理事务中所采取的非个人性的观点,一旦获得了与社会的正常联系,就会建立与社会的伦理性联系,这个公共性就获得了其伦理性本质:公共行政的内在职能就是服务于社会。

3. 新公共服务行政是国家的伦理性的真正体现。服务是一个伦理价值理念。而政府要做好服务,却必须运用好一切行政管理技术,诸如公共产品的供给、公共政策的制定及其执行等。它包括几个方面:一是理解社会组成的基本前提条件,那就是每个人都应拥有基本的平等权利,这是一种正常的人伦关系,也就是说,每个人都有其不可让渡的内在价值和尊严。国家和政府应该在尊重和保卫个人基本平等权利的基础上,为社会增进财富及其各种善提供保障。因为每个人只有在基本的平等权利能得到保障的前提下,他们从社会合作中得到的好处才是真正的好处。正是基本平等权利的优先性,使国家的事务具有了公共性,而这种公共性又表现为服务性,同时又保证了国家的各种公共政策措施在争取各种社会之善的过程中能够拥有正当性。它必须以公共服务为中心,并且引导公民对公共利益的创造进行广泛参与,形成公民与政府的良性互动局面,树立公民是政府的真正主人的价值理念,所以,这种行政模式可名之为"新公共服务"。以这种原则构成的国家才能具备真正的伦理性和现实合理性。

三、公共权力机构的伦理性探究

为什么需要公共权力机构？它的伦理性如何？

1. 公共机构之所以要存在的主要原因是在社会的共同生活中所产生的公共利益诉求。这种公共利益与大家的共同利益还不太相同。共同利益是指的是大家的相同利益，它本质上可以是个别性的，也正因为这种利益是个别性的，所以，真正相同的利益就未必很多。但是，公共利益就不一样，它是普遍性的。也就是说，它不是大家都所向往的特征相同的利益，而是在个别性利益之上的普遍利益，其普遍性就表现在于这种普遍性的利益能长久存在，并对个别性的利益有着促进和保护的作用。比如说公共安全就是一种公共利益，这是因为个人单凭自己是无法保卫自己的安全的，在一个存在着利益冲突的社会中，个人从根本上说是无力的，而公共安全则是由一个常设的合法拥有武力的公共机构来保卫大家的安全。或者比如说，公共设施就是一个公共利益，个人没有持久的、制度性的兴趣来兴建公共设施，所以，公共机构应该有这方面的自觉追求，理由是，公共机构可以超越个人的个别的利益和兴趣，从而中立地创造社会的公共利益。又如城市规划，如果让追求个人利益最大化的私人来做建筑规划的话，那么，在空地很多的情况下，还能凑合，而在寸土寸金的现代城市，就必然会搞得一团糟，纷争不断。在这里，城市建筑的科学布局就十分重要。所以，在公共机构中，其伦理性关键在于它能够遵从科学，原因在于，公共机构可以超出个人利益的眼界，从而可以具备公共理性的立场。

2. 公共机构的真正功能应该是服务。这一点显然与公共机构的公共性密切相关，因为公共机构就其理念来说就是一个提供公共服务的权力机构。权力机构之所以需要权力，显然是因为它所处理的利益是重大的，冲突较多的，在实质意义上是要应付人的某种恶劣情欲的破坏性的表达，所以，公共权力机构需要权力，而且这种权力最终是以暴力来保障的。可以说，防止恶性事件发生或者使危害社会的行为得到应有的惩罚是公共权力机构所应该尽的义务，也是它所提供的公共服务的一个方面。另一方面，公共权力机构必须掌握较多的人、财、物等资源,这也需要具有权力,只有这样,它才能兴建一些关系国防安全的大型公共设施,和提供市场经济所急需的公共道路、公共贸易场所、设施和通讯业等等。第三方面,提供公共服务,可以出台各种便民措施,主要是简化手续,降低交易成本,以极大的热忱为市场交易者服务,为各种遭受不公正待遇的人申诉、讨还公道提供渠道和公正裁决。如果一些并不复杂的案件在法院还久拖不决的话,那么,就很难说公共机构提供了优质的服务。

3. 新公共服务的本质是公共机构能够维护正义,能够提供优质高效的公共产品和公共服务。这是公共权力的本性的回归。但要以制度化的安排来使得公共权力不至于异化,因为公共权力是所有国民赋予公共机构的,目的是让它发展和协调社会的公共利益,保卫社会成员的基本平等权利,并维护社会正义。从这些方面来说,公共权力的本务都是服务社会。这是对公共权力持有者的个人任性的最高限制,也是规整他们日常行为的价值指导。如果一个公共权力机构把自己凌驾于社会之上,虽然致力于以极大的财力和人力来提供一般的社会秩序的保障,却追求预算最大化,并把手中的公共权力视为商品,进行权钱交易、权色交易,贪污腐化,官僚主义盛行,玩忽职守成风,行政效率低下……那么,公共机构的伦理性本质即公共性就大大丧失了,从而产生了某种程度的异化。而这种异化现象是比较容易产生的,特别是在没有建立有效的社会监督机制的时期就更是如此。原因恐怕还在于,权力虽是社会成员赋予的,却是一种强势的存在,因为权力的含义是掌握较多的公共人、才、物资源,以及分配权,由于这种分配能影响社会成员个人的所得或生活前景,它会诱使一些权力的持有者利用这种分配权来为自己谋取私利,但这样一来,却会带来破坏社会公正的严重后果。

所以,国家这一最大的公共权力组织,就非常需要获得其伦理性本质。这里应区分两条思路。其一,既然国家组织有追求膨胀自己的内在冲动,那么,就应该遏止它的这种冲动,把国家当作一头既需要又是应该严加限制的巨兽,其典型心态就是把国家看作是"必要之恶"。在这种心态下,国家在他们眼中根本就没有什么伦理性,因为在他们看来,虽然国家有某种必要性,但从其本质的价值属性上来说却是恶的。无政府的观念当然更不认为国家有什么伦理性;其二,"最小国家"观念可以有一种平正之论,那就是认为,国家应该随着社会的发展不断地调整自己的功能范围,把市场能够办好而国家难以办好的事情交给市场,对那些市场没法办好而只有国家能够胜任的事情承担下来。这就是"小政府,大社会"的思路。当然这个"小",并不是无限削弱国家的能力,而是把国家的规模控制在有效率的范围,特别是要把国家置于社会的有效监督之下,即能够发挥它应有的服务功能。如果政府过大,社会就必然有过重的税收负担,国家财政也不堪重负,造成"吃饭财政"的局面;或者政府到处伸手,巧立名目,以加强管理为名而"侵民、扰民",就会造成民怨沸腾的局面。

国家的强弱与政府的大小并没有严格的相互对应的关系。我们知道,国家作为公共权力机构,掌握着绝大部分公共资源,由于日常公共管理事务盘根错节,又由于专业化的要求,所以,国家机构有不断膨胀的内在冲动,从而可能形成"大政府,小社会"的局面。这种大政府的国家是不是就是能力强大的国家呢? 不是这么回事。大政府的国家会出现很多问题,主要表现在以下几个方面:(1)机构重叠,冗员众多。我们国家的政府机构在改革过程中曾陷入一次接一次的膨胀的怪圈。他们的工资要在公共财政中支付,他们有些人还要利用手中的权力,巧立名目来从人们收取各种费用,名目繁多,豪夺巧取,使人民群众(特别是广大农民)不堪重负,怨声载道。(2)人浮于事,效率低下。(3)干预社会的市场经济的运作,扭曲其信号过程和竞争的公平性。政府机构既当裁判员,又当运动员,从而使市场竞争失去基本公平的起点和规则。(4)从政治上损害公共官员在公民中的形象,浊化社会空气。所有这一切,不是增强而是大大削弱了国家的能力。

所以,一个真正强的国家,只能是符合国家之所以存在的公共伦理理由的国家,它要弥补市民社会在伦理上的不自足。它有服务市民社会、服务市场的一面,这是它的民政政府的职能,但是它更有为公民提供公共产品(这是市场经济中的私人没有积极性来提供的),同时也要利用公共财政来对市场经济所必然造成的社会中的贫富悬殊进行扶正,消除贫困对公民的损害,并提升公民的政治品格,在更高程度上实现社会正义的职能。因此,国家有其自身目的性的存在,它的功能不仅是服务市民社会,而且有了不能还原为其他功能的自身功能。

所以,这种公共伦理观念是我们处理政府的大小问题的根本指针。那就是说,国家应该在发挥自身应有功能的意义上来组织自身,它不能以其他的形式来组织和行动。政府是市场规则的制定者,但显然不能参与市场经济的竞争过程;政府不能成为增加公民就业的场所,它规模的大小要视如何发挥其功能,实行科学管理的需要而定。它应该管好自己的事情,而市场经济能很好地解决的事情,国家不能因为其他目的而干预进来;但市场经济不能解决或不能很好解决的问题,国家则应该尽力做好。

总之,处理这个问题的根据就是国家本身的伦理价值标准。关键就在于,政府的规模、税收政策、公共管理方式等等都要以提供优质的公共产品和公共服务为目的。这样的国家,是真正意义上的强国家,因为它不但管好了自己应该管的事,而且与社会处于良好的互动之中,并受到社会成员的拥护和支持。国家伦理实际上就是国家组织与社会、家庭、个人之间的人伦结构的正义价值含蕴。

我们着重论述国家的伦理性,并不只是从主观道德的层面来论述国家的应然状态,而是从现实的制度安排上让国家组织具备伦理性的价值。所以,公共伦理的本质是一种制度伦理。它对政府的行为有一种客观的制衡作用,而不仅是诉诸个人的道德良心、道德情操——这些因素能起到一些作用,但并不是可以仰赖的客观力量。

四、为什么国家有各种各样的缺陷?

作为国家崇拜者的黑格尔,对现实中国家的缺陷十分清楚,他从哲学的高度对此作出了说明。他认为,国家虽然有其最高的伦理性,但是,它作为“地上的神物”,却不是凭空蹈虚的纯粹抽象理性的事物,而是立足于各种任性、偶然的欲望和利益之中的,必然会受到它们的影响和制约。我们可以继续从国家的公共权力本身所内涵的矛盾性来分析。国家要发挥其调节社会中的各种利益、维护社会的公共秩序等功能,需要公共权力,这就意味着以下三点:一是公共权力对社会资源有更大的支配能力,有对舆论和信息的最大控制力,这是公共权力所必然拥有的,这种较大的支配权实际上使政府成为统辖社会、高于社会的一个机构,这个位置容易使政府遗忘其真正的公共服务的性质;二是这种公共权力对个人、社会团体来说,有一种强势地位,在这种强弱对比面前,公共权力始终有腐败的可能;三、更为重要的是,公共权力的持有者是个人,个人不可能是个纯粹理性者,而是有欲望、意志、激情等的存在者,他们可能追求个人利益最大化,而持有公共权力使他们获得了较一般人更大的优势。而他们所掌握的对人、财、物的较大支配权,使他们的权力有了较大的寻租空间。所有这些结构上的、存在性质上的特点,是公共权力机构必然具有的,也是它要发挥其必要功能的合理选择,但是,国家各种各样的缺陷也由此而起。

为了解决公共权力的公共运用的问题,可以朝两个方向进行努力:一是制度安排,二是思想提升。制度安排的真义在于让公共权力寻租的成本巨大,使其寻租的隐秘性降低,主要是通过使公共事业要真正能够让人们广泛参与和进行公共舆论的监督。要发挥这种制度安排的作用,是需要很高的政治智慧和实践技巧的,这也是在进行一种客观的伦理建设;所谓思想提升,就是要让权力持有者认识到公共权力的公共性质即其伦理价值,从而以公共理性来约束自己利用手中的权力追求一己利益满足的冲动。服“理”是道德意识的根本,而明“理”则是服“理”的前提。公共伦理之“理”是一种有着普遍性价值的客观伦理结构之“理”,而不只是个人主观的“好心肠”,于是需要学习和思考,理解公共伦理的“理”是现代社会文明发展的内在脉络或“纹理”,从而鼓舞起人们的社会正义感,服从这种公共的道理,而且,这样一来,国家对违“理”之罪的处罚也就能深得人心。

所以,在公共伦理的背景下,制度伦理要优先于美德伦理。因为制度伦理的主要内容就是思考整体的公共权力机构与社会的公共利益之间关系的正义性,它关系到对社会的基本结构的理解,关系到对社会运行过程进行调节的一套慎思的原则。这必须在公共伦理中占有优先地位,如果它不具备优先性,那么,美德伦理就失去了正义基础。也就是说,个人的美德塑造失去了制度的引导和保障,而只能是个人心灵修养的孤芳自赏。这种美德是在最深的人性层面上的优美,而不是公共美德。公共美德是与社会的正义原则及其制度构架相适应的正常欲望品质。在公共权力领域,正义的制度安排就是要体现出国家的伦理性。

国家在提供公共产品和公共服务的过程中,有追求预算最大化的倾向,并有不断扩张的内在冲动。这里的原因还在于其垄断性。公共产品和公共服务的垄断性提供,使得政府有谋取利润最大化的倾向,容易强制性地以高出市场价格来运作,相当于强买强卖。虽然并不是所有的政府行为都必然如此,但这种分析的逻辑力量不容忽视。公共选择学派就是以这一点为推论的出发点,主张在公共产品和公共服务的提供上,引进市场机制,给政府以外部的竞争压力。然而,这种做法的悖论在于:如果这种安排没有一定的限度的话,那么,政府作为市场主体,就只能像其他市场主体一样,追求利润的最大化,也就是遵循私人在追求利益时一样的逻辑,这样就会逐渐销蚀其作为公共权力机构的应有资格。这等于是让社会吞没了国家,国家似乎只是由于其强势存在而不得不保留它。

我们认为,在提供公共产品的问题上,恐怕主要还是要建立一种制度,它可以约束公共部门从公共利益出发,而不是从部门利益出发,这就要从公共产品和服务的必要性、质量、收费的合理性等方面来验证。首先,公共机构提供的公共产品和服务,一定是公共急需品,并且要确保是由私人不能做或做不好的事,还要保证公众能够消费得起。所以,公共产品和服务也不是越多越好,如果不切合实际需要,那就会是添乱,带来的就不是公益,而是公害。这不是看你的主观意图如何,换句话说,这不仅是个心理动机的问题,而且是个客观的、是否合理的问题,因而是个公共伦理学问题。如果提供了大量不必要的、重复的服务而造成了大量的浪费,这是不能用政府的主观动机是"好的"来得到辩解的。公共部门不仅要有良好意图,更要能够使这种良好意图客观化,也就是要增强治事之才德:包括政府工作的公共目的,行政管理的科学化、高效化,行政运行的低成本,增强行政人员的行政责任感等等。

关键在于,国家虽然立足于现实中的任性、欲望的领域中,但是其本质却有超出任性、偶然性的客观性、合理性。由于有着任性因素,比如个人成为公共权力的执掌人,因而有着某种化公为私的冲动和现实可能,政府机构也有着不断扩展自身的内在冲动,而且,国家也曾犯下过许多过错。但是,国家却是需要存在的,从国家产生以来,人类从来就不想退回到前国家的部落或酋邦状态,这证明国家有其合理性的、伦理性的本质。这种本质支撑着国家的存在,哪怕从起源上说,国家都是由暴力产生的,是暴力的制度化,或者说国家是阶级压迫的工具,压迫者和被压迫者之间必定会有一种强烈的仇恨感等。这些因素,确实损害了国家的内在统一性。但是,我们也看到,国家在长期的发展过程中,大致保持了统一性,并且形成了让民族精神在其中有居家感的文化价值传统,这是一种文化心理的深层认同。在一定意义上,它超出了阶级对立,成为国家中各种不同人群的黏合剂。另外,任何国家在正常情况下必定会照顾到某些公共利益,比如致力于提供内外安全保障,兴建某些公共设施等等。

于是,在现实中,我们不能追求绝对完美的国家,而是要实在地实现某些价值目标,比如公平、正义、平等,以这些价值为导向促进社会的发展。国家在这方面做得好不好,是衡量国家是否体现了其伦理性的根本标准。伦理性虽然是一种价值理念,但更是一种制度安排和现实德性。国家意识是一个民族自我认识程度的标志,是一个长期发展、生长着的生命体。正因为如此,国家采取什么制度就有一个适宜不适宜的问题。历史上强制实行的制度或全盘照搬的制度都难以成功,制度的采用必须建立在民族的自我认识的水平上。比如拿破仑曾经强制西班牙实行民主制度,但没有成功。这就是国家作为伦理实体的生命特征之所在。我们国家在现代化的发展进程中,经历了一次次自身生长、获得更高的自我意识层次的过程。

在现代,一个国家要保证自己的伦理性,首先得在公共性和合理性方面获得自我认识,这是以增进国家成员的自由为目的的。而要增进个体的自由,就首先要保卫个人平等的道德资格和政治资格,也即个人的基本平等权利,这是起点。它优先于国家所要争取的各种公共善,它是最基本的公共价值。只有在形成了保卫个人的基本平等权利的意识和制度安排并保证其优先性的前提下,国家才能在根本上保证公共权力机构的公共性,由此,国家才能更好地把握公共利益,保障个人的独立、自由和平等,保证国家对社会的服务性质。

自由主义把国家仅仅看作是市民社会的工具是有问题的,因为这样一来,国家就没有自我决定性,也就是说它不是自由的现实。把政治从属于社会目的,这是国家的正义性的失落,因为这剥夺了国家的自我奠基的自律(self—grounding autonomy),从而使之不能实现自己的政治自由,同时也不能让社会实现自己的权利和履行自己的责任。这样,政治治理就被还原为行政技术,把自己局限于操作性的非政治的目标,这不是具有自我决定性的国家。自由至上主义者们把国家看作工具,同时又发现市民社会有其自身解决不了的问题,所以求助于国家的力量;但国家要能够弥补市民社会的功能不足,就必须拥有超越市民社会的权威,这种重大使命,怎么能由一个只是工具性的存在来完成? 它不能制定自己的法律和权威,只能从它之外获得,因为国家是附属于市民社会的工具。这就是自由至上主义者的困境。

理查得·迪恩·文菲尔德说,"国家必须拥有一个自组织秩序的领域,彻底独立于它所立足和存续其中的社会。"①循着对正义的理性建构,一个实体性政治必须有以下这个特点:即政治自由必须获得优先性。国家当然也由个人组成,他们的意志在其中相互作用,但是不再是作为市民,因为市民的目的仅仅是在一个互惠合作的体系中追求自己的个人利益,而是作为公民。他们把决定政府的政策作为自己行动的目的,所以,政府的政策就可以是公民们自我决定性的体现,而公民活动于其中的国家不是别的,就是管理他们的政治自由的现存结构。从这个意义上说,国家是公民们自我统治的"器官"。国家的普遍意志和权威与公民们的特定自我意志是相统一的。但必须明白这种关系:国家不是一个抽象存在,好像它有一个自己的意志;实际上它是一个具体的存在,公民们通过决定政府的政策而行使自己的意志。所以国家就作为公民们政治自由的一个制度而享有自己的治权。没有公民意识和国民的广泛参与的国家,是一个尚未展现自己的合理性和合法性的国家。因为国家是具体的,公民们不能通过政府的政策来行使自己的意志,就只能让少数权力拥有者来行使自己的意志以制定政府政策——但是这并不是国家的自我决定,因为

---

① Richard Dien Winfield, Reason And Justice, Albany, New York: State University of New York Press, 1988, p.253

这样的国家把其成员分裂为两大部分:统治者和被统治者,因而它是被外在决定的。在这种情况下,公民们并没有行使政治自由,也没有体现出正义。所以,政治关系反映了伦理的进步,那就是公民们在政治国家中追求的不是特定的个人利益(这是市民的自我使命),而是作为公民的自我决定性来参与到自我统治中,从而形成一个作为自我目的的政治秩序。仅仅作为市民,人们还不可能明白这种政治秩序为何物,所以,政治自由不能还原为经济自由。总之,国家的文明发展是一种伦理的进步,是人们的自我决定性和自由的进一步实现。

五、国家强制性的政治伦理论证

我们看到,从市民社会伦理上的不自足,才发展到需要对国家的正义进行理性重构。这就是说,从市民意识发展为公民意识,是国家的伦理正义之所在。于是,我们看到,国家当然不能取消利益和其他权利关系的社会自由,相反,它是建立在它们之上的,并力图实现、完善它们,因为公民的政治参与可以对市场的失效起到一定的纠正作用,当然,这种纠正是需要永远进行的,所以,公民的政治参与就显得尤其重要,它是公民政治权利的本质。

在历史和现实中,国家也可以有两种,那就是主要基于自然因素之上的国家和主要基于非自然的、自由因素之上的国家。前者是以"力"作为主要原则而获得存在的,所以,一方面靠对暴力工具的掌握,把国民区分为统治者和被统治者两大类型;另外,国家权力交接要么基于自然因素即父子等自然血缘关系,无论是作为制度的兄终弟及还是父死子代,都是如此,要么基于权术和暴力等。这些都不是一个作为公民自我决定的政治自由的实现的国家。这种国家的存在,不但不能成为正义的政治性制度,甚至也不能成为市民社会的工具,因为它们对市民社会的产生和发展都是起阻碍作用的。历史也告诉我们,市民社会的壮大和发展,必然会使市民产生政治参与意识,从而要求国家成为公民行使政治自由、自我统治的制度实体。

另外,当国家从前市民社会中援引决定自己的原则时,如把国家看作是家庭关系,就会把国家看作自己的财产;把国家看作市民社会组织,看作服从追求行使个人自由意志、追求个人利益原则的市场,那么就会把一切政治资源都商品化。这会导致国家的自我解体。而要避免这种自我解体,"正义的国家就必须在自己的领域中调整所有其他自由,并通过国家的自我统治而保证这些权利。"①当然,国家是作为最高治权来保证这些非政治权利的行使和实现的,而不是把自己的政治自由从属于这些非政治自由。

然而,黑格尔在追问国家的普遍性从何而来时,陷入一个错误,那就是认为,可以从社会中的一个特权阶级宣称的普遍利益中为政治学找到一个基础,这个特权阶级对黑格尔来说就是"高贵性"(nobility)。实际上,社会集团和国家的中介不可能在任何等级阶层中找到,而只能在政府中找到,政府通过对整个社会的治理,保障社会正义与政治自由相互符合,这就是国家的正义之源。

当然,国家得有权威和某种强制力。对这一点,我想一般的自由主义者也不会否定,因为正是由于市民社会伦理上的不自足(比如市场存在失灵,财产权会受到侵犯诸如盗窃,破坏契约等等,还有会引起贫困现象等等),所以才需要国家。从这个方面来理解国家的存在,我们要看到,国家不能从市民社会中吸收原则和前提,它必须是能自我决定的,通过公民的平等参与而达到自身的自由现实。它所拥有的权威和强制性,实际上来自公民的公共决定。

一生为自由主义作哲学论证的哈耶克认为,那种作为达到所求目标之能力的权力并不坏,不好的权力是指实施强制的权力,是通过给他人造成损害的威胁迫使其屈从别人意志的权力。② 而许多伟大的思想家从弥尔顿、伯克到阿克顿、布尔哈特,都把政治权力描绘成罪魁祸首,这是简单化地谈论权力,容易使人误入歧途。比如在一个很多人自愿地合作,并为其自身的目的共同工作的大企业里,其领导人的权力并不是邪恶的权力。③

所以,好的权力是扩大我们能力的权力,而坏的权力则是使别人屈从我们的意志,在违背他人意志的情况下利用他人为我们的目的服务的权力,这种权

---

① Richard Dien Winfield, Reason And Justice, Albany, New York: State University of New York Press, 1988, p. 254

② 哈耶克著,杨玉生等译:《自由宪章》中国社会科学出版社 1998 年版,第 192 页。

③ 哈耶克著,杨玉生等译:《自由宪章》中国社会科学出版社 1998 年版,第 192—193 页。

力才使人堕落。

尼布尔也谈到了强制的不可避免性。他认为,总的来讲,在国家这一单位之间存在着的冲突仍然是国家相互关系中的永恒现象,而不是其暂时特征。每一个国家单位都发现,要在人们的共同生活中维持和平与正义变得越来越困难。① 具体原因如下:

(1)强制是伦理的现实性所必然含有的现象,它与道德的仁慈情感或所谓社会的"良知"的主观性有很大的不同。道德不讲矛盾,而只追求主观理性概念的自我同一性,所以,道德是理想性的。于是,通过纯粹道德的方式是无法真正给现实社会生活以实质性推动的。18 世纪以来的教育家认为"通过自愿的伟大合作而建立的公正完全依赖于更加普及与完善的教育事业。"②然而,这实际上是一种幻觉。另外,由于社会各个阶层人们的意志会互相冲突,在这种情况下,我们并不拥有一种强大的而充分发展的理性能力,来公正地考虑他人的权利与需要。这些实质的限制都促使我们考虑现实的伦理关系,而不是沉溺于美文学的感伤之中。他说,"所有超过最亲密的社会群体的更大范围的社会合作都需要一定程度的强制。尽管没有一个国家完全依靠强制能够维持其统一,但是没有强制任何一个国家都不能维持其存在"。③

(2)人类是有限存在者,他的心智和创造力都是有限的,在面对利益冲突时,不能像对待自己的利益一样对待他人的利益,但是社会又是必须有一定程度的统一的,这就使得强力成了社会强制过程中一个必不可少的部分。想纯粹通过共情理解、善良意志来使国家群体达到"共识"(common mind)或"公意"(general will),只能是一种浪漫主义的幻想。于是,问题本身呈现为一个逻辑悖论:从心智和创造力的有限性推论出我们的社会生活需要某种强制,但同时,这种强制又是由那些心智和创造力同样有限的人来掌握的。所以,一方面,强制的存在是为了实现提供公共秩序、公共设施和安全等公共利益或公共目的(不如此,强制就没有存在的必要),但又由于强制的执行者是有限的,因

---

① 尼布尔著,蒋庆等译:《道德的人与不道德的社会》,贵州人民出版社 1998 年版,第 2 页。
② 尼布尔著,蒋庆等译:《道德的人与不道德的社会》,贵州人民出版社 1998 年版,第 3 页。
③ 尼布尔著,蒋庆等译:《道德的人与不道德的社会》,贵州人民出版社 1998 年版,第 3 页。

此,强制难保不会遭到滥用。这种公共权力内涵着的逻辑悖论就是:保证和平的强力也同样会为不公正服务。所以,公共权力是毒药,既可医病,也可致命。因为国家是全社会统一的象征,其中包括了太多不同的利益,所以,在国家中,强制的因素特别明显。在社会中也一样,由于一般社会共同体比较具体,其中的信息知情的程度也要高一些,利益冲突的程度也要低一些,但是,它们的存在也要有一些强制因素来维持,虽然比起国家来,其强制性要弱一些。

好的国家权力要通过为市民社会提供法律和权威来加强社会正义。有两类法律:一类是行政法,确定公民权利和福利的公共实施的权限和组织;另一类是民法,保障公民的财产权、家庭和个体的经济权利。当然,还要让市民社会的各种制度服从国家法律。没有高于市民社会的政治治权,而让市民社会的制度执行这些社会规则,是不可能做到这一点的。换言之,国家对社会的干预,是为了社会正义的缘故。这是国家正义的表现。反过来,如果国家不能做到这一点,反而利用手中的权力来同社会争利,从而扰乱社会的秩序,破坏社会私人财产权利和市场中的互惠交换体系等经济自由,那么这样的国家就还不是正义的国家。

也许我们先要考虑一下权威与强制问题。许多人都把权威看作政府的第一个特点,而把强制看作是它的第二个特点,从而把政治哲学的主要任务看作确定国家权威的道德界线。这种观点会使对政府的本性的看法走样,因为实在来说,政府的首要特点是强制,否则它就不是公共权威机构。但是,我们对强制问题得有一个较为切实的了解。我们一般把强制理解为政府有权力告诉我们做什么并有权力要求我们做什么,或依法强制性地剥夺犯罪人员的某些权利甚至生命。这样的理解不容易弄清楚国家的强制力的实质性特点。比如说,强制力是否仅仅限于对刑事犯罪或民事侵权的制裁,国家能否强制公民去做它认为是对的事情? 这些问题都值得深究。亚瑟·利普斯坦(Arthur Ripstein)对这一问题通过重新解读康德的有关学说作出了新的理解。他认为,"国家对权威的主张与强制的原理是不可分离的。"[1]

---

[1]　Arthur Ripstein:Arthurity And Coercion, Philosophy And Public Affairs, Number 3, 2004, p. 2

　　为了对强制问题有更好的了解,我们还是应该回到问题本身:我们在哪些事情上可能受到强制,国家何时使用强制力量才是合法的? 只有把强制看作国家的首要特征,权威的合法性问题才能从根本上得到追问;而如果把权威看作是国家当然拥有的权力,那么,国家滥用强制力量以后再加以改正就完事了,实际上这样根本不利于国家权威的建立。

　　对我们的任务来说,强制问题的确是相当重要的。因为按一般的看法,强制似乎是与伦理相对立的,使用了强制的方法,意味着道德就退位了。我们认为,这样理解强制和道德有点过分绝对化了,而且不了解客观伦理的现实性,以及强制与权利的关系。也就是说,在客观的公共伦理的立场上,政府权力的使用和国家告诉人们去做什么的主张是可以得到有正当理由的辩护的。

　　密尔对强制问题的看法有些误导性。他认为强制就是对一个人的自由加以干预,并让这个人付出代价。比如一个人偷窃,就要把他关几年,这样他或者像他这一类的人就不会受到引诱再去偷窃;另外一类强制则外在于错事。比如在战争时期国家对公民的某些强制,就是公民在并没有做错事的情况下所受到的强制。也就是说密尔把强制问题集中于事上,或某种特定的义务之上;而康德则把强制问题放到人们的相互作用的方式中来看。他认为,强制与做错事之间的关系就解释了为什么强制可以用来加强正义的义务。这就是说,权利不是抽象的,而是具体的对某些事物的拥有和使用权利,你用它来为自己确定目标并且获得一种手段去实现这个目标。做错事,就是侵犯别人的权利。而权利可分为独立的权利和相互依赖而有的权利。对独立的权利的侵害,由于受到很多自然因素的影响,例如个人的攻击性、无意冒犯等等,这通常是损害了某人的人身权利和财产权利。所以,在这里,强制对正义是必要的,当然强制并不是除了惩罚之外就没有任何事情要做,相反,它要做的事情是要人们承担起尊重他人及其财物的义务。所以,康德与密尔不一样,他对强制的理解更多的是从人们的私权本身出发来进行的,从而其强制理论就在私人权利的分化和实现过程中来展开,不仅是惩罚,主要是要求人们相互尊重各自的私人权利的强制,才是人们在相互作用时实现自己私人权利的前提。

　　还有一类权利是相互依赖的权利,如通过订立契约而转让自己对财产的拥有权或使用权而获得对对方的财产的拥有权或使用权。契约只对订约双方有约束,第三方即使由此受益,契约对他也无约束。这是因为契约是双方自由意志的彼此同意的关系纽带。国家强制力在这方面的主要表现还在于要求他们彼此遵守自己的意思表示,如果有人背约以牟利,则国家强制也可表现为惩罚的方式。正如亚瑟·利普斯坦所总结的:"理解强制概念的唯一方法就是通过观察人们可以怎样正确地相互对待,这在他(指康德——引者注)关于私权的讨论中可以发现。"①

　　另外,国家作为一种政治制度,也要靠个体的人作为公共官员来运行。要让他们体现国家的正义,其原则不能来自社会。不管社会已经多么公正,也不能绝对防止公共官员的腐败,以及假借政府公务来谋取一己之私,此为一;另外,由于国家立足于多种多样的特殊性现实中,所以,存在着多种不平等的参与政治的可能性,他们可能利用自己的各种条件占据政治的优先发言权,从而表现为政治方面的不平等。这也是不正义的。

　　如何对这种不正义的权力行使进行制度上的防止呢?许多思想家都提到,承认私有财产或是个别的所有权,是防止国家不当强制的根本条件,即使不是唯一的条件。承认所有权是确定个人权益领域以保护我们对付强制的第一步;人们早已认识到:"一个不承认所有权制度的民族,缺乏自由的首要前提。"②任何人均无权在侵犯个人所有权制度的同时却又声称他尊重文明教化。这两者的历史是不可分割的。

　　安东尼·德·雅赛提出:1. 自由只可以为合情合理的强制所限制;2. 只有在如果有必要对人施加强制方可防止对他人造成损害时,对人施加强制才是合情合理的;3. 合情合理的强制是通过受授权而依法执行的。③ 他认为,国家必须防止任何人对他人的生命、肢体和财产故意施加损害,并不得为了任何别的目的而干预"自由与财产"。为了做到这一点,它必须保障外部的安全与公共秩序,伸张一套对捣乱实行制裁的正义制度。有些人把这样的国家讥笑为

①　Arthur Ripstein:Arthurity And Coercion, Philosophy And Public Affairs, Number 3, 2004,p. 7

②　阿克顿著,胡传胜译:《自由的历史》,译林出版社 2001 年版,第 297 页。

③　安东尼·德·雅赛著,陈茅 等译:《重申自由主义》,商务印书馆 1997 年版, 第 37 页。

区区"更夫式"国家,另一些人则讥笑它是一个吞噬一切的利维坦。但这两种看法都没有说到点子上。① 因为,这样的国家才真正体现了强制性,同时这种强制性又是有限度的。

总之,一个政府,如果通过公开、理性的方式得到了一致的授权,那么,政府不可能会获得一种随意支配人们的人身和资财的权利,除非是为了这么一个公共目的,即制止他们互相造成损害。这条制止损害原则是一条完整的原则,囊括了一切可能的事例,概莫能外。它将政府一切可能的行为分为两类:一类是政府必须做的,另一类是政府不得做的,它排除了任何"中间地带",在二者之间不留下任何明显的地段。②

强制是国家可以用来阻止一个人对另一个人实施强制的唯一手段。所以,国家的真正目标是减少强制。

于是,强制是不可避免的,这主要是因为正常的强制表现了政府的公共伦理本质。如果社会、民族、整体等真能够成为一个有着单一的头脑、统一的意志和共享的钱包的实体,那么,社会就可以有充分团结的意志、协调的意见和丰富的钱财来从事于大家所一致希望达到的目的,这样一来,强制即可消除。然而,因为在社会中,只有各怀不同愿望的个人的集合体,所以,就只有让政府使用某种强制性手段来整合社会。

六、国民的国家伦理品格:重构的爱国主义

国家的伦理性存在显然要求国民对其普遍性本质进行吸收和整合,从而使自己在国家这一伦理实体中所享受的权利和应尽的义务达到统一。国家的伦理性肯定可以表现为能让个体产生一种情感依恋、能作为个体生活之归宿,并获得实践理性的价值目标。爱国主义之所以是一种伦理性的情感,而不是一般的主观性情感,原因就在于此。

(1)爱国主义首先是一种客观伦理结构的要求。我们知道,自有文明以

① 安东尼·德·雅赛著,陈茅 等译:《重申自由主义》,商务印书馆1997年版,第38页。
② 安东尼·德·雅赛著,陈茅 等译:《重申自由主义》,商务印书馆1997年版,第19页。

来,到目前为止,在社会生活和世界交往中起最重要的作用并成为个人的集体人格象征的仍然还是民族国家。虽然现在在国家内部,有各种各样自我管理的组织和以某些任务和价值为中心组织起来的各类公民的自治组织,在国际上,则有各种国际性的非政府组织,而且它们还起着越来越重大的作用,比如世界贸易组织、世界卫生组织、国际人权组织等,但是,国家在社会生活中仍然是一种致力于服务于公共利益的正规公共权威组织。它是国民在社会生活中的利益交往中所出现的公共利益诉求的承担者,它的存在使命就是服务于公共利益。所以,这对国家本身的伦理要求就是要尽可能理性地制定相关公共政策,高效、低成本地为国民提供各种公共产品和公共服务。这一方面要求国家工作人员能够心系公共事业,尽心尽责,创造性地协调、处理各种复杂的利益冲突,并把国民的公共利益突显出来。也就是说,国家组织不能使自己所服务的利益特殊化、个别化,因为这样一来,就违背了国家存在的伦理本性。另一方面,显然国家由于其组织性存在的人手等方面的限制,不可能面面俱到地体察到各种公共利益诉求,所以,动员和支持社会力量自己组织起来寻求和创造自己的公共利益,也就是必然之举;另外,国家要获得对公共利益的感知,就需要得到社会中的智力支持,即听取专门的研究者经过长期慎思所取得的成果,同时也要让公共利益的议题进入广泛的公共讨论之中,让公众参与公共政策的制定过程。这是公民得到政治训练,获得一种超出一己利益的狭隘眼界的公共利益视界的一种恰当途径,是公民对国家事务参与权的具体体现。

　　总之,国家作为一种公共权威组织,它在处理各种复杂的利益关系时,必须做到公正。公正能够燃起爱国热情。因为一个公正的权力机构,可以让所有国民感觉到它是在服务于大家的公共利益,并且在实现一种大家可分享的价值。所以,一个公正的政府,能够获得公民的广泛信任和支持,从而激发公民的爱国热情。同时我们要看到,国家的不公正行为亦即利用公共权力偏袒部分人,谋取特殊利益的做法,以及横征暴敛的做法,剥夺普通民众紧系于国家的基本权利的做法,都会在国民中产生强烈的不信任情绪,这种情绪积累到一定程度很可能破坏国家的社会和平,这样就会削弱民众的爱国热情。

　　公共利益的理性理解和对国家事务的密切关注和热心参与,能够使国民获得一种对国家统一目标的具体感知,从而让国民通过耳濡目染而获得一种与公共存在的一体性感受。这就是爱国主义伦理情感产生的现实基础。所以,爱国主义并不是要求个人为国家作出额外的贡献,而是把国家看作我们日常生活的必然结构的那种习以为常的思想感情。

(2)爱国主义与种族主义不同,所以我们不应从民族自豪感等情感角度来立论。爱国主义更应该立足于权利与义务(责任)的伦理性立场。自豪感是一种情感态度,是一种道德上的要求,而不是现实伦理上的要求。

正如托马斯·雅诺斯基所指出的,这种民族主义态度会演变为帝国主义,导致侵略行为,使本国成为夺占他国领土,认为那些领土"合法地"属于自己的"优等"国家。我们应该以民族特性代替"民族主义"。民族特性"指一政治群体'至少有某些共同的体制,所有成员有统一的权利观和义务观'"。①

但这种民族特性并不适合于公民国家,它与公民的权利和义务处于不同的层面。换句话说,爱国主义要在公民真正能够参与国家的政治运作,享有广泛的公民参与权时,才能让国民生发出与国家的血肉相连之感,通过承担责任来表达自己的爱国主义伦理感情,只有这样的感情才是现实的、持续的感情。这样,公民与国家之间的关系就不再是臣民对君主的关系,不是"服从国家",而是公民的政治参与,成为公民的国家伦理责任。公民们在其中享有各种政治权利,也负有各种义务,从而会培养起对国家忠诚的情感。这才是公民真正的当家作主,从而国家的好坏,他们都有责任,无人能够免于责任。当然国家领导人和政府官员有更大的责任,因为他们是受公民委托(通过选举或其他方式)来管理国家事务的。

(3)我们应该理解到,爱国主义在国家的伦理性层次上,对所有国民都提出了一种要求,那就是要肩负起对国家的责任。

负责任的爱国主义的最高准则是合乎宪法。因为宪法是一个国家行动的最根本准则,它以最高权威性表述了这个政治国家对人性的理解和对公民基本权利的确定,并确定了公民的内在义务。对宪法的最高尊崇,就是对维护国

---

① 托马斯·雅诺斯基著,柯雄译:《公民与文明社会》,辽宁教育出版社2000年版,第90页。

家政治生活的团结和统一的高度责任。所以,这是一种文明进步。相对于民族主义来说,它不仅仅是对自己民族的优秀传统和特征的全心热爱,而陷入一种非反思的情感沉迷之中,而是把国家看作公民现实生活的政治集体。从伦理态度上,负责任的爱国主义当然不同于犬儒主义,犬儒主义专注于对个人独立性的追求,并力图超然于社会政治生活之外;也不同于国家主义,即认为个人的最高本质是由国家来给予的,从伦理性来说,国家远远高于个人,相对于国家这种伦理性实体来说,个人只是某种偶性;当然,也不同于所谓世界公民的观念,世界公民在现在全球化趋势日益加剧的今天,必定有其地位,但是它不是现代公民政治生活的主干部分。

从政治伦理的角度看,许多重要的社会公共政策是由国家领导层和政府官员制定的,但是,公共政策肯定不能得到所有人的一致同意,所以,在这个问题上,公民们的内在良心自由就是十分重要的,也就是说,公民可以对之表示同意,也可以对之表示反对。但是,提出反对意见也只能是从公共利益出发,从社会国家长期的良性发展的角度出发,本着自己的良心和知识来进行异议,从而为政府制定公共政策提供一个理性的参照。这也是公民政治参与的一个重要方面。

(4)维系一个国家公民团结的纽带,不应该是对国家意志的服从,而是"忠诚"。这一伦理范畴,不再只是一种单向的情感归附。如果只是单向的情感归附,那么这种情感是非理性的,有时会导致对国家权威的盲从,其祸害可至非常巨大,最极端的例子是当时德国国民对纳粹政权的盲从。而"忠诚"则是诉诸理性理解而获得的一种情感,它是在现实中人们的权利和需要履行的义务的关系之网中发展出来的个人与国家的休戚与共的血肉联系之感。所以,国家的政治任务就是要如托马斯·雅诺斯基所说,对义务以比较功能性的、灵活的、有目标的和有限的方式加以调控。他主张,国家应该获得对公民权利与义务的现实关系的理性理解,可以通过以下五个步骤来进行:第一、说明公民有哪些义务,为什么这些义务是必要的;第二、将义务置于权利与义务有限交换和总体交换的系统中加以考察;第三、说明通过权利与义务的切合机制,怎样划定权利的界限并使之得到保护;第四、说明如何通过奖励和低水平惩罚来强制实行义务;第五、通过以"新"方式重构爱国主义,使之以忠诚为基础,而不是以服从为基础,来看待每一个公民的义务。①

这一设计,的确体现了黑格尔的一个观点:国家的伦理性表现在权利与义务的高度统一性,或者可以说,在国家这个伦理关系层次上,尽义务同时就是在享受权利,因为国家这个最高的公共组织的存在目的是为了实现公民的公共利益。既然如此,国家也同样处于个人良心自由的衡量之下,也就是说,公民对国家政策可以同意也可以不同意,但这并不是出自个人的任性,而是通过运用自己的价值观念和理性思考来加以判断,所以,这是公民对国家采取积极负责任的态度,它不允许那种消极的犬儒主义态度,只批评国家而不为自己的社会作贡献。雅诺威茨在《重构爱国主义》中曾经给出了他的"负责任的爱国主义"的公式:我是 X 国公民。当我认为 X 国政策大体正确时,我支持它们。当我认为 X 国政策错误时,我反对它们而且要设法改变它们。我认为 X 国有优点也有缺点,我对这些优缺点都有责任。② 显然,这是一种把自己的命运与国家的命运紧密相连的负责任的爱国主义精神,是一种高度的公共伦理教化的目标。

第二节　洪堡特与黑格尔教化论视野中的国家伦理观之比论

康德的理性批判孵化出了一个光彩夺目的政治伦理理念,那就是自由。在康德的思考中,自由的根本性质是超验性、普遍理性对意志的决定性和意志的自律性,超验性是自由的存在性格,普遍理性对意志的决定性则是自由的道德行为发用,由此得出道德规范的可普遍化原则,自律性则是道德意志崇高性的自我证实,意志之服"理"(理性颁布的实践理由),乃是意志品质的自我确证。这一"自由"理念,在近代德国思想界是一面旗帜,但对自由的理解则有

---

①　托马斯·雅诺斯基著,柯雄译:《公民与文明社会》,辽宁教育出版社 2000 年版,第 68 页。

②　转引自《公民与文明社会》,托马斯·雅诺斯基著,柯雄译,辽宁教育出版社 2000 年版,第 90 页。

不同的发展,其中最为引人注目的是洪堡特与黑格尔的自由观。他们都把自由看作人类精神获得教化的基础和目标。他们对自由有不同理解,因之其教化观念也有相应的差别。但是,他们都以自由为精神的本性,并以精神的教化为立言宗旨,从而构建了各自的国家伦理观。也就是说,他们虽有着共同的关怀,却循着不同的学理思路。

一、两人的自由观、教化观之分异

洪堡特认为,要确定人的真正目的,就不能从变幻不定的喜好出发,而要用永恒不变的理智来推论。在理智看来,人的真正目的是把他的力量最充分地和最均匀地培养为一个整体。而"为进行这种培养,自由是首要的和不可或缺的东西。"①

对洪堡特来说,"自由"在精神教化中有着十分重要的地位,甚至可以说是唯一决定性的东西。原因有下列几个:(1)个人拥有自由,就意味着他本人可以自主地按照自己的性格和本有的素质来选择或发展一种活动能力,因为人不能同时从事两项或多项活动,所以,在选择发展自己的活动能力时,自由起着决定性作用,因为这个选择就决定了他是个什么样的人,他将能拥有什么,也只有这样,他才能把自己的活动能力发展到完美的地步。而且,如果每个人都能完全自主地选择自己所要发展的活动能力,那么,这些完美能力的总和就仿佛构成整个人类的性格。社会环境的多样性也正是自由的产物。(2)如果社会中充满着人类活动能力所产生的自由开放的精神之花,那么,个体的教化就有了一个美好的环境条件。在这种环境条件中,自由而自主的个人就将能吸收他人的心灵能力的外化表现而成为自己的本质,通过产生于他内心的各种结合,他必然能占有另一个人的精神财富。因为有差异,所以才有结合。

洪堡特的教化观有一个形而上学的本体基础,即精神本体。他认为,精神的本性是自由,充满活跃的向前冲动的力量,具有内在、深刻和富足的源流,它

---

① 洪堡特著,林荣远、冯兴元译:《论国家的作用》,中国社会科学出版社 1998 年版,第 30 页。

参与了世界事件的进程。在人类隐蔽的、仿佛带有神秘色彩的发展过程中,精神力量是真正进行创造的原则。①

就思想、艺术创造来说,任何一种思想,任何一门艺术,在它被发现或付诸实现,从而使人类活动获得新的动力之前,就已存在于人们的头脑中,它是逐渐成形的。②

精神力量的作用不仅见于思维和艺术表达领域,而且也十分突出地表现在个性的塑造上。完整的人类精神力量的任何产物,都必定会持续不断地运动,直到重又构成一个整体为止。个人全部内在的经验、感觉、情绪和思想在接触外在世界的过程中,与外在的即他人的经验、感觉、情绪和思想等等联系了起来,个人的这一切内在之物必须让他人意识到,它以扩展了的形式显示着完整的人类本性,因为它本身即已为精神的种种扩展的、具体的努力所渗透。而正是个人与人类本性的这种联系,在人类活动中起着最普遍的作用,并使人类获得了最崇高的特性。

自由,就意味着可以任意而无阻碍地行动和表达自己,它只需要一个最广阔的限制,那就是要制止其自毁倾向和外来的能够毁灭它的因素,这种限制表现为一种对秩序的维持力量,其作用是从消极方式来说的,即给个体的精神以自由表达的空间。而如果精神能够自由表达,那么,它将开出一切式样的优美花朵。

基于这种对自由的理解,洪堡特教化观的精髓就是要促进精神的自由生长,获得其最美的形式。他所理解的教化,是一种类似于生长的过程,必须有充分的自由和充分多样性的人类精神成果,从而个人的精神可以得到外在文化环境养分的滋养,文化的养分融入个体的自身存在之中,并参与组建其内在存在。这种对教化的理解使得教化概念获得了一种更细腻、更深刻的人文含义,他说,与 Kultur(文化、培养)相比照,"当我们讲到德语的 Bildung(教化)这个词的时候,我们同时还连带指某种更高级、更内在的现象,那就是情操(Sinnesart),它建立在对全部精神、道德追求的认识和感受的基础之上,并对情感

---

① 洪堡著,林荣远、冯兴元译:《论国家的作用》,中国社会科学出版社 1998 年版,第 27 页。

② 洪堡著,林荣远、冯兴元译:《论国家的作用》,中国社会科学出版社 1998 年版,第 38 页。

和个性的形成产生和谐的影响。"①这种教化观念显然是着眼于对个人精神全面而自由的塑造。教化的本质是个性的塑造成型,亦是指个人在自己特有的气质和性格的基础上,消化吸收各种养分,并逐渐涵融成为一个整体,于是就表现为一种崇高优美的形式。他说,"物质愈是充裕和丰富多彩,形式就愈是高尚……形式仿佛溶入物质之中,物质又仿佛溶入形式之内;或者不用形象来描述,人的感情愈富于理念和他的理念愈富于感情,他的高尚就愈不可企及。"②而"人类共同生存的最高理想,是每人都只从他自身并且为他自己而发育成长。"③这就要求社会文化环境是多样性的、丰富多彩的,因为人们要从与自己不太相同的人身上吸收营养,达到一种新的结合。"这类结合所产生的益处,总是取决于被结合者的独立自主与结合的诚挚被同时保持的程度。因为如果说没有这种诚挚,一个人就不能充分理解另一个人,那么,为了把所理解的东西仿佛变为自己的本质,独立自主是必要的。"同时,要求二者有些差异,但这种差异不能太大,太大了,双方可能无法理解对方;也不能太小,太小了,又不至于产生要吸收对方的愿望。"这种力量和之中丰富多彩的差异,统一于独特性中,这就是力量和教育的独特性。"④

由于洪堡特的著作直到 1857 年才出版,故而黑格尔根本就没有读到过,但他们大致处于同一时代,都对自由和教化理想情有独钟。黑格尔也把自由理解为精神的本质,就像重力是物质的本质一样。但他把自由观念用理性浸透,认为自由表现为精神追求自我认识的过程,也就是精神从个别性的冲动状态被提升到普遍性状态,这个过程也就是精神受到教化的过程。他把历史的发展看作是绝对精神自我展开的过程,它发展出各个不同阶段,后面的阶段都比前面的阶段具有更大的合理性,也即是越来越合乎伦理性。而教化,就是要让个体获得这种社会现实的普遍性本质,所以,"教育学是使人们合乎伦理的

① 威廉·冯·洪堡特著,姚小平译:《论人类语言结构的差异及其对人类精神发展的影响》,商务印书馆 1997 年版,第 36 页。

② 洪堡著,林荣远、冯兴元译:《论国家的作用》,中国社会科学出版社 1998 年版,第 32 页。

③ 洪堡著,林荣远、冯兴元译:《论国家的作用》,中国社会科学出版社 1998 年版,第 33 页。

④ 洪堡著,林荣远、冯兴元译:《论国家的作用》,中国社会科学出版社 1998 年版,第 31 页。

一种艺术。"①在社会现实中，教化就是指个人受到社会现实普遍性的陶冶，从而能够使自己的心志符合社会现实，而不是表现出自己的特异性。在他看来，处处表现出特异性，并不是所谓的创造，而是没有受到教化的表现。

这表明，黑格尔不仅仅是从精神获得某种普遍性形式来谈论教化的，虽然获得普遍性形式是教化的某种结果，但是，我们的精神不能停留在主观的普遍性上，还应该成为一个客观的普遍性，也就是说，它要进一步化为客观的社会现实制度，这种现实制度内含着普遍性的精神本质，从而成为一个伦理性实体。比如说，古代希腊城市国家似乎达到了相当高度的文明，然而，国家领导者们却要依靠外在的偶然的鸟迹、动物的内脏（用于占卜）、神谕等来决定国家大事，所以，这种国家形态显然没有达到自我理解和自我认识。而现代国家则早已摒弃了以迷信等外在因素决定国家大事的做法，早已脱离了这种不成熟状态，从而在更高的程度上达到了自我理解和自我认识。这就是说，现实社会共同体的伦理性程度决定了生活于其中的个人所能受到教化的程度。对黑格尔而言，伦理教化就是让个人习得客观的理性。

黑格尔的教化理论展示了一种形而上的哲学深度和对精神辩证进展的敏锐洞察。他在个人自由中发现矛盾，在国家的历史过程中发现普遍合理性的自我展现过程，发现它自我分化为各种环节，以及这些环节的现实性力量，在抽象法中只看到抽象的客观普遍性，在道德中又只看到主观性，看到主观的善和良心，而只有在伦理中才看见主观性与客观普遍性的统一，看到现实的客观普遍的力量，因为它具体化为各种制度。而且这些制度按照它们从带有自然性和直接性，到它的破碎和分化，再到新的高度重新整合的顺序，经历了家庭、市民社会和国家三个阶段。但有一点要注意，在黑格尔那里，虽然它们是三个环节，但实际上，它们在历史和现实中都可以而且应该是并存的，相互提供基础、保障和价值提升的制度性架构。

综上，洪堡特和黑格尔的自由观、教化观都有相当的差异。对洪堡特而言，教化就是个人精神力量的自然生长，以及各个完全独立自由的个人在分立

① 黑格尔著，范扬、张企泰译：《法哲学原理》，商务印书馆1961年版，第253页。

地展现自己个别内涵的精神力量、技能、优美、精深等等各种不同的精神侧面，形成了一个丰富多彩的文化世界，精神的每一侧面得到了健全的展现，从而大家在相互共处、相互交往、相互影响的过程中，在一种健全的文化、社会生态中吸收着自己所需要的营养，从而获得自己最全面的教化，于是洪堡特的国家运行机制设计就是国家对个体来说只应是个守夜人的角色，它的作用始终应该是消极性的，而不能有任何积极性的意向，更不能有任何积极的行动，包括以国家的力量来进行道德教育，国家向国民推行一种自认为是迫切需要并且也是健全的价值观，都是不允许的。国家只应该致力于提供和保卫对国民内外生活的秩序和安全，他们在享有高度个人自由的前提下，能够吸取各种有益的营养，使自己的精神达成一种较为全面而又和谐的发展，展现人性的崇高教化；黑格尔则把个人分立的状态看作是一个不具备伦理性的状态，因为在他看来，这种状态下的社会不具备客观合理性，而只有合理地结合起来的社会共同体，才是伦理性实体，在这种伦理性实体中，人才能真正获得自由。所以，黑格尔不会赞同洪堡特的自由观，而是会认为这种自由观是任性，这种自由的社会环境不可能获得对自己的真实理解和认识，在这种社会环境中，个人所受到的教化也不能有着客观的普遍理性素质；而洪堡特也不会赞同黑格尔的自由观，他会认为黑格尔的自由观实际上是一种强制，在这种社会环境中，个人所受到的教化也只能获得片面的、丧失自由的理性素质，而不能获得健全、丰满的个性。

二、无念于积极作用：洪堡特对国家伦理的考量

在获得了这样一个深厚的价值前提之后，洪堡特的政治哲学得到了一个相当有特色的开展方向。这主要表现在他对国家作用范围的界定上，他认为，"在不是直接关系到一个人的权利被另一个人所损害的地方，国家任何干涉公民私人事务的尝试都该受到鄙弃。"[1]

洪堡特对宪政十分关注，并对宪法的立法精神进行了深入的政治哲学思考。他是那种对事物穷根究底的哲学家，一个 24 岁的年轻人，竟然要处理像

---

[1] 洪堡著，林荣远、冯兴元译：《论国家的作用》，中国社会科学出版社 1998 年版，第 38 页。

"国家的作用的限度"这样带有根本性的课题。宪法是一个国家行动的根本原则,而国家作用的对象就是国民,一个是政治的施者,一个是政治的受者和参与者,后者是一国的底蕴。所以,他认为,宪法应该从国民的精神中发展出来。宪法的真正用处在于"在民众中唤醒和坚持一个真正的国民意识"。国家本身从来就不是目的,它只是作为人类能够借以实现其目的的一种条件而变得重要。而且人类这一目的无非是培养人的所有力量,这就是进步。

洪堡特的国家观是有历史感的,它是建立在对古代和近代国家的功能对比之上的。他坚持不从单纯的道德意识这一层面来思考国家的功能,而是从国家伦理关系结构的现实情况中来思考国家的功能。在他看来,古代国家关心人作为人本身的力量和教育,其典型是古希腊和古罗马。因为古代国家规模很小,而且实行奴隶制,即那种为了小部分人的力量、心灵的训练和所谓高尚、自由的活动的完成而牺牲一大部分人的人格,而使之完全处于工具地位的制度,这样,占人口总数的少数的自由民才有全面塑造自己的各种素质和才能,涵养心灵而获得高度的教养的机会和使命;同时,为了维护这种特权地位,他们也把参加政治活动和国家事务看作自由的事业。从这个意义来说,古代国家对自由的限制更加咄咄逼人、危害更大,一方面是因为它们以大部分人(奴隶)完全无权为代价,另一方面,由于政权的这种阶级压迫的本质,要求统治阶级内部对政权的性质有充分的共识,并自觉维护它,承担起这种政治责任和义务。这样,自由民阶层的共同体性质特别明显,故古代国家在统治阶级内部特别注意进行一种集体主义教育,并有意安排公民的共同生活。它们侵犯的恰恰是构成人最固有本质的东西,从而侵犯到了他内在的生存自由。在这种政治安排中,国家特别注重培养公民们的美德。但是,应该注意,这种美德是要与古代的统治秩序相适应的。

而"近代国家关心人的福利,他的财产及其从事职业工作的能力"。① 其背景其实是近代社会中的社会成员基本上都成了独立的利益主体,都要在市场和社会中寻求到职业以养活自己,在这个过程中,国民的财富能得到较快增

---

① 洪堡著,林荣远、冯兴元译:《论国家的作用》,中国社会科学出版社 1998 年版,第 27 页。

长,当然,这是通过和平的竞利方式来进行的,而不是像古代国家那样靠掠夺他邦的财富、无偿地剥夺奴隶劳动来获得公民们从事精神教化和自由事业的物质财富基础。古代国家所感觉到的障碍是人的障碍,因为他们征战掠夺时要遭到它邦的抵抗,在国内压迫奴隶也会遭到奴隶的反抗。这就能理解为什么在古代国家中特别重视美德(aretē),即优秀、杰出的能力,如智慧、勇敢、身体的强健灵活等都在被歌颂之列。而近代国家的目标是和平地追求财富和福利,特别在意"人拥有什么",而不太执著于"人是什么"这样的问题,于是,近代人对古代国家所推崇的美德不是特别重视,而是认为需要保卫自己的权利和自由。所以,他说,"近代的国家追求幸福快乐。"①他们所感觉的限制就不再是人本身的限制,而是他们周围的事物对人来说显示出一种束缚人的形式,他们要征服自然物,了解、把握它们,迫使它们交出自己的有用性。这样一来,人就有可能以内在的力量,开始反抗"这些外在桎梏的斗争"。

从近代社会的特点来看,一端是人,一端是物质性的自然界,人要以自己内在的力量来认识、利用、改造自然界。他的思想也在彰显着西方近代哲学的基本主题即主体精神的高扬。这样,个人作为一个独立人格主体的地位就被凸显出来了。个人背后、个人之上的各种形而上的"什物"都被廓清,从而面对着一个无所依凭的终极自由。自由是人一切活动的基础和起点,是一切价值的渊薮,是精神教化的源头。在它面前,一切都是手段,各种政治设计,包括国家都是维护个人自由的手段,国家只有作为维护个人自由的手段,才有其伦理性。所以,他是从消极性作用的角度来界定国家的伦理性的。

他反对一切机构设置,对任何一种占主导地位的精神表现出高度的疑虑,因为他认为,这将妨碍由多人联合而产生的多样性,而这种多样性是社会所能给予的最大财富。"在任何一个这样的机构设置里,都是由政府的精神统治着。尽管这种精神多么贤明,多么有益,它却造成在民族里生活形式单调,带来一种外来的行为方式。"②因为政府机构对人民的关系是统治的关系,所以,

① 洪堡著,林荣远、冯兴元译:《论国家的作用》,中国社会科学出版社1998年版,第27页。
② 洪堡著,林荣远、冯兴元译:《论国家的作用》,中国社会科学出版社1998年版,第38页。

人民是国家的臣仆。他认为,这是妨碍自由的。他向往一种各类精神力量都能得到自由展现和发展的社会共同体的生活。

统治关系的存在有两大害处:一是让个人对国家机构有所依赖,而不是把自己置于社会生活中艰苦地磨炼自己,而不经过磨炼,各种力量是不可能生长成熟的。如果国家总是在对公民作指导,那么,公民就很容易仿佛是自愿地放弃国家指导的行为之外的自主行为,就会养成一种依赖心理和性格。依赖就是一种软弱和拒绝长大;二是国家和政府的精神处于占支配性的优势地位,单是这一点就已经会妨碍各种精神力量的自由运作,因为政府会用它们所认同的精神价值来塑造公民的精神世界。而人性是会受到环境的影响而逐渐形成习惯的,所以,作用物越是千篇一律,国家越是参与发挥作用,则人们的习惯和性格也将越是单调。但是,人们的本真愿望却要求有多样性和活动,这样才会给人以多样性的和强有力的性格。如果国家整个地干预民族生活,就会削弱民族的力量。如果国家企图正面促进公民的福利,并施加自己的作用,那么,整个社会生活中只有政府的价值观是正确的价值观,仿佛已经由政府的各种机构设定了道德精神的范围,从而个人的道德自决和自由选择被豁免了,这样一来,国家的作用从根本上就损害了道德意志。

我们可以设问,如果政府的作用只是消极性的,即只用于保障安全,而不对民众的福利作任何正面的关注,情况会怎么样呢?洪堡特认为,我们所能设想的不幸情况是,个人处在危难境地中也得不到他人的救助,也得不到机构的救助(当然这要排除那些因为意外原因、先天性疾病、残疾、智障等情况所陷入的悲惨景况,这是国家需要加以帮助的)。但是,这种情况是否真的就那样令人感觉悲哀呢?洪堡特认为,其实不是,因为若是无人救助,健全的人必定只能运用自己的力量去寻求自己的幸福,可以说,"这种情况恰恰是一些磨炼理解力和培养性格的环境"。[①]

人的性格需要自由的选择、活动和多彩的环境的浸滋。如果他的行为是他自主地作出的,他的生活方式是他自己选择的,那么,他所从事的外在事务

---

① 洪堡著,林荣远、冯兴元译:《论国家的作用》,中国社会科学出版社 1998 年版,第 42 页。

就自由地产生于他的内在存在,这样,他的事业与他的内在感觉就是经常地和紧密地联系在一起的。正如洪堡特所说,"如果生活方式与他的性格和谐一致,他就会如同根生于沃土,会开出美丽花朵,令人神往。"①所以,内在的存在是一切丰富多样的宝贵性格的基础,应该让它永远保持第一位的地位,并且让外在制度方面的约束减到只是必要的范围,从而使人们的外在事务都成为其内在存在的自由表达。从教化的角度说,内在存在的自由是必要的条件。

从实质的意义上说,为什么国家不应该对公民的福利作正面的关心,是因为政府的规则是普遍性的,而每个人的偏好、兴趣、性格等都是具体的、特殊的,所以,即使政府的用意是好的,它的管理规则也必然不能顾及到人们的具体需要及其性格特点。如果政府要推行这种管理规则的话,那么,就必然会造成强制性。强制对个人的自由成长是一种阻碍,这一点不能因为这种强制有主观善意而得到辩解。

就国家的管理者而言,因为行政管理需要划分各种职能而设定分支机构,其数量有时多得令人难以置信,并且要雇佣大量的行政人员。他们整天就与这些例行公事打交道,于是就只是服从而用不着思考。这种工作对人的精神成长来说是一种巨大的伤害,因为他们用不着思维,从事的工作"部分是空洞的、部分是片面的"②。这种事务的机械性和从事公务者工作的专业性、片面性,使得政府的行政工作只能仰赖这些专门人员,这些专门人员的精力和才能就耗费在这些专门事务中,所以,政府要为他们支付工薪并给予各种保障,他们成了这个社会中很特别的一部分人。政府工作只能依赖于他们,而不是真正依赖于全体公民。

可以说,洪堡特从行政工作运行机制本身中看出了官僚主义的本质。实际上,在公共事务中,最关键的是一切都要求有最详尽的监督,及时而忠诚地完成任务,因为事关公共利益,所以特别需要实质性的完成。但是,一旦牵涉到实质性的具体事务,需要处理的利益关系就很复杂,也容易犯错误。补救的

---

① 洪堡特著,林荣远、冯兴元译:《论国家的作用》,中国社会科学出版社 1998 年版,第 42 页。
② 洪堡特著,林荣远、冯兴元译:《论国家的作用》,中国社会科学出版社 1998 年版,第 50 页。

办法其实应该是更详尽的监督和更尽力而忠诚的负责任的精神。然而,行政人员很容易以形式主义的合理程序来虚化自己的责任。一旦采取这种方式来管理国家事务,那么,工作人员就会越来越看不清事情的实质,越来越人浮于事,而流于形式和所谓程序。其主要含义是,由于他们所从事的是公务,与自己并不直接相干,所以,他们就会让他们的工作经过尽可能多的人手,从而出现了错误自己就不用负责,因为责任被分散了,所以追究起来就不了了之。而且,这种心态有一种强大的惯性,使行政机关不断地追求对形式合理性的改善,其实本质上是不愿意负责任,因为形式上越是周全、合理,工作的失误就越能得到辩解,甚至行政人员也可以心安理得。这样,就会产生许多新的形式、新的广阔领域,和各种新的规章制度,于是,又会增加新的从业人员。行政人员和规章制度越来越多,公民的自由却越来越少。洪堡特说,这样一来,“各种事务几乎都变成机械的了,而人们几乎都变成机器;真正的干练和正直心总是随着工作的熟悉而马上减少。”①

　　他主张国家不要关心公民的正面福利,还有另一个更加深层的理由。他认为,由于国家是正式的管理机构,对个人生活实际和民族的久经考验的结合来说,国家是一种漂浮性的结合体。所以,它会经常用文牍符号来取代事物本身,他说,“文牍符号总是妨碍教育。死的象形文字不能像活的大自然那样令人欢欣鼓舞。”②实际上,个人只有是为了自己而发挥作用,他才能很好地培养自己。

　　许多人认为,国家有一个存在目的,那就是要改良风俗而适应促进安全的最终目的,而国家一般来说也只能采取颁布各种法律法规,来禁止或限制在一般人看来对风俗有损害的行为,如豪华奢侈等。对豪华奢侈的追求显然是一般人的爱好和渴望,但是有限的资源和财富必然不能满足这类追求,所以,容易引发许多伤风败俗的行为。如果大家都能节制和适中,那么,这种情感总是更能够让大家和谐相处。于是,国家为了能达成公共安全,就制定许多禁止奢

---

① 洪堡著,林荣远、冯兴元译:《论国家的作用》,中国社会科学出版社 1998 年版,第 51 页。

② 洪堡著,林荣远、冯兴元译:《论国家的作用》,中国社会科学出版社 1998 年版,第 57 页。

华的法令,把人们的感官享受限制在应有的范围内。然而,强制不但永远无法产生美德,而且会损害力量,而被削弱的力量不管如何温和、文雅,也是虚弱的;自由表达的欲求、生命力量,总是会产生好的事物的,所以,洪堡特甚至如此极端地说:"不管伤风败俗弊端的可能有多大,它本身也不乏有益的结果。"①故国家不应该因为豪华奢侈有导致损害风俗的可能性而施行法律法规来禁止它。在他看来,奢侈的实质是对感官享受的追求在心灵里占有强大的优势,同时也表示追求奢侈的人生命力量是强盛的,这会给人心注入一种冲力,从而有可能从事各种发明创造;而且,心灵还会促进一种自由的、轻松的思想游戏,力量洋溢的心灵会给自己找到各种艺术性的表达,正如康德所说:"文化为心情谋求到各种艺术",而洪堡特则进一步补充说,"艺术为心情直接谋求到文化"。②

洪堡特认为,国家唯一应该做的是关心公民的负面福利即安全,这是国家固有的最终目的。他的原则是:"既防范外敌又防范内部冲突,维护安全,必须是国家的目的,必须是它发挥作用的领域。"③就如密拉博所指出的,人们在社会生活中,安全和个人的自由是单一的人唯一不能自己保障的东西,它必须由国家这一公共权力给予保障。国家的存在目的是为了维护个人的自由,而在自由的状态下,人们能够获得最大的创造性和最完美的精神形式,能够达到崇高人性的教化。这就是洪堡特所认为的国家的伦理性之所在。

三、伦理性即合理性:黑格尔的国家伦理观

从教化论的角度看,黑格尔实际上关注的是家庭、市民社会和国家各自对个人的教养和精神成型方面的不断提升的作用。与洪堡特相比,黑格尔恢复了国家在民众教化方面的积极性意义,但是,他对现实中的国家对个人和市民社会的可能侵犯也有着高度的警觉。所以,要理解黑格尔的国家观念,任何简单化的分析模式都会造成严重的误解。

---

① 洪堡著,林荣远、冯兴元译:《论国家的作用》,中国社会科学出版社 1998 年版,第 107 页。
② 洪堡著,林荣远、冯兴元译:《论国家的作用》,中国社会科学出版社 1998 年版,第 98 页。
③ 洪堡著,林荣远、冯兴元译:《论国家的作用》,中国社会科学出版社 1998 年版,第 60 页。

首先,国家是一个高级的社会结合方式。从近代国家的形成来看,显然是在各封建诸侯之间在相互交往甚至相互攻伐中发现了更为普遍的公共利益,并在一个新的政治中枢的周围结合成一个政治共同体,其结合方式就是原来的政治独立的小型共同体的首领被整合为国家的政治制度和各级行政机构的领导者。这样以前的"诸侯"就变为国家的"官吏","他们的职责是行使国家所颁布的各种法律,但是这种君主政体既然从封建政体发展而来,它自始便从胎里带有了那个制度的印记。个人脱离了他们单独的地位,变成了阶级和社团的分子;诸侯们只在团结为一个阶级之后方才有力,同时还与各城市基于它们的团体生存而成为许多权力。所以君主的权威不再是一种纯粹独断的势力。这种势力的保持从根本上说需要各阶级和各社团的同意;而做君主的假如要取得这种同意,他就非主持公道和正义不可。"①这种结合方式当然更加禀有一种公共理性和公共价值,一方面,法律成为国家行为的普遍准则,另一方面,国家的领导者必须服务于公共利益,在处理各种利益关系时做到公道和正义。

其次,国家与市民社会的发展处于息息相通的互动关系之中。在黑格尔的思考中,从概念的发展来说,国家的合理性的实现,只有在市民社会充分发展的基础上才有可能,所以,说黑格尔主张"国家高于社会"是对的,但如果认为黑格尔主张"国家吞没社会"则是无稽之谈,相反,黑格尔一直认为,只有有了市民社会这个中介之后,国家的合理性才能实现,否则国家就会漂萍无据。

我们可以看看市民社会的伦理性的发展情况。从概念上说,市民社会全幅展开,将能达到(1)无限区分,从而使个人成为一个独立的、有自我意识的主体,能体会到自己的内心存在,此即市民社会的独立个体;(2)社会的教化环境含有普遍性的形式,也就是说具有了思想形式,即普遍性的法律和制度作为一个整体而成为客观的和现实的。此即市民社会的普遍性秩序外观。没有它,则独立的利益主体们就可能陷入战争状态。所以,市民社会的普遍秩序是其活动的必然要求。这样一来,市民社会中的普遍性就表现为两层:一是这是

---

① 黑格尔著,王造时译:《历史哲学》,上海书店出版社 1999 年版,第 412 页。

一个相互需要的体系,个人要获得自己的利益,必须为别人生产,所以,他的生产必然要带有社会的考虑,从而具有普遍性;二是它需要普遍性的法律制度,这是因为在这个相互需要的体系中,始终是以个人的利益、任性作为驱动力的,所以,它要求有一种普遍性的秩序约束。这两个方面的普遍性,都使所有市民社会的个人受到陶冶,它对个人来说,呈现为一种教化环境,是"外部国家"。

从伦理上说,市民社会的普遍性对个人来说,总是有某种外在强制性,而没有使它们相互之间水乳交融。国家的出现,将能为个体提供更为切实的教化环境,也就是要让个人的特殊性整合到国家的现实普遍性中来。如何达到这一点呢? 它会不会是一种思想乌托邦呢? 这才是对黑格尔辩证法的严峻逼问。

于是,黑格尔对国家做了一种概念自同的界说,诸如:"国家是伦理理念的现实","国家是绝对自在自为的理性东西,因为它是实体性意志的现实,它在被提升到普遍性的特殊自我意识中具有这种现实性。"①这就是说,国家应该活在个人的自我意识中,而这时的自我意识必定是普遍化了的,所以,对个人来说,"成为国家的成员是单个人的最高义务。"成员是由普遍的精神意识结合起来的,而不是组合起来的个别性的个人。所以,国家与市民社会有着相当大的区分,不能把国家看作这样的机构:它的使命只是保证和保护所有权和个人自由,因为这样一来,单个人本身的利益就成为这些人结合的最后目的,于是成为国家的成员就成了任意的事。但是,洪堡特国家观的主旨正是这样,他认为国家只是工具性的存在,就是为人们的社会生活提供内部法律秩序,保障所有权;对外提供安全(国防);再者,国家还应该利用公共税收对智力未发育完全的小孩和智障者提供保护和帮助,除此而外,国家不应有任何的积极作为。这是因为,洪堡特信奉某种自然生态性的个性成长环境,需要排除人为的积极状态,只有这样,个性才能得到自由的伸展。

黑格尔如何回应这种观点呢? 在黑格尔看来,这个国家观念摆脱不了任

---

① 黑格尔著,范扬、张企泰译:《法哲学原理》,商务印书馆 1961 年版,第 53 页。

性,因为它的基础是个人性意志,而不是普遍性的意志。在实质意义上,这种国家观是契约论的,而在黑格尔看来,"契约乃是以单个人的任性、意见和随心表达的同意为其基础的"①,可以凭自己的想法去任意缔结和解除。如果说国家是这样产生的,那不仅是对历史事实的一种虚构,而且在理论上贬低了国家的存在。于是,单个人意志的原则是必须反对的,因为客观意志是在它的概念中的自在的理性东西,与个人的偏好是不同的,有个别性的偏好和认识的个人只有获得了这种客观意志的理性本质,才能真正成为国家的一员。所以,这是一种理想状态,在现实中,恐怕许多人只是在交税时才遇上国家,大多数情况下都难以意识到国家。这种情况在一个人口众多的大国是常有的。对这一点,黑格尔的理想主义国家观念也必须加以考虑。

黑格尔似乎时刻提醒大家不要忘记他的国家观念的理想性质,所以,希望大家不要从外部现象和国家的实存上去理解国家,也就是说,不要把这些有关国家的现象理解为国家的本质特征。比如,所有国家中都有"匮乏的偶然性,保护的必要性,力量和财富"等,这些实际上是国家的历史发展的环境,而不是国家的实体。贫富强弱都是国家的偶然特性,这是我们必须认识到的。另外,从政治制度上说,我们也应该认识到,国家的政治制度与一个国家国民的精神思想素质、传统价值观念的合理性程度要相互适应,先进的政治制度也不能随意嫁接。拿破仑想要先验地给予西班牙人一种国家制度,但结果搞得非常糟。国家制度是在许多世纪中生长而成的,而不是单纯制造出来的,西班牙人当时不能接受拿破仑所强加的更加合理的国家制度,是因为"他们还没有被教化到这样高的水平。"②有了这种清醒的意识之后,要求大家认识国家的理想性存在,应该说对人们有一定的指导作用,并增进人们的政治意识,获得更高的政治教化。

从现实的国家来说,我们永远不要忘记,"国家不是艺术品;它立足于地上,从而立足在任性、偶然事件和错误等的领域中,恶劣的行为可以在许多方

---

① 黑格尔著,范扬、张企泰译:《法哲学原理》,商务印书馆 1961 年版,第 255 页。
② 黑格尔著,范扬、张企泰译:《法哲学原理》,商务印书馆 1961 年版,第 291 页。

面破损国家的形相."①现实的国家中有许多丑陋,甚至有暂时破产和分裂了的国家,但这对作为伦理性实体的国家并没有构成反驳,反而使现实中国家的存在及其改革以求得进步有了必要性和方向。所以,黑格尔甚至极端地说:"最丑恶的人,如罪犯、病人、残废者,毕竟是个活人。尽管有缺陷,肯定的东西,即生命,依然绵延着".②

其次,在现实中,衡量一个国家是否有成熟性的标准在于:国家的概念是否仍然被遮蔽着和它的特殊性规定是否达到了自由的独立性。当然,只要是国家,都会有某种普遍性,比如,它会产生许多公共利益。但是,问题的关键在于,这个国家中的特殊性事业、分化了的职业等是否解除了束缚,也获得了自由,从而回到了普遍性之中,也即回到了普遍性的目的之中。特殊性事业、分化的职业的自由不是表现于它们能够各自为战,这反而是最大的束缚,它们要获得真正的自由,就要与整个的社会需要联系起来,从而处于一种普遍性的联系之中,摆脱了古代国家中的特殊性事业的感觉性、个人任意性的特点,使普遍物与特殊性完全自由地和私人福利结合起来了,于是,特殊性的事业就带有了思想性形式。一句话,一个国家具有成熟性就表现在:特殊性在普遍性的支配下得到充分而活跃的发展,普遍物又由特殊性自己的知识和意志来促进,这两个环节都发挥着力量。从这个方向向前发展,国家的普遍的最终目的就要和个人的特殊利益相统一,一个不能在精神上成为个人的普遍素质的国家,就始终是悬空着的国家。从这个意义上来说,国家的伦理性就表现于国家的普遍性本质可以陶铸到个人的个别性的精神素质中,使实体性的东西和特殊性的东西相互渗透,使之获得普遍性,也就是受到了现实的政治伦理教化。国家作为一个制度的外观似乎外在于个人,但它的精髓实际上应该在它的所有公民身上流淌。

国家的这种伦理性在"权利"和"义务"这一对观念中看得很清楚。在黑格尔看来,"义务首先是我对于某种在我看来是实体性的、是绝对普遍的东西

---

① 黑格尔著,范扬、张企泰译:《法哲学原理》,商务印书馆1961年版,第259页。
② 黑格尔著,范扬、张企泰译:《法哲学原理》,商务印书馆1961年版,第259页。

的关系";而"权利则相反,它总是这种实体性的东西的定在,因而也是它的特殊性和个人的特殊自由的方面,所以,这两个要素在形式发展的阶段上,是被分配在不同的方面或不同的人身上的。"①从抽象的角度看来,这两者是无法统一的,但国家的存在使命就是达到这种统一。个人的力量在于获得了普遍性的精神素质,而国家的内在力量则体现在这种普遍物与个人发生了积极的关系,而逐渐达到了融合为一的效果。这样,义务与权利就成为统一的。这听起来很玄,而实际上这是一种伦理教化的目标。

比如说,如果在一个国家内,只是听到抽象地强调个人对国家所承担的义务,它就忽视和排斥了特殊利益,认为特殊利益既然是特殊的,就没有什么价值。然而,特殊利益的环节实际上是同样本质的,也应该得到无条件的满足。也就是说,当个人在履行对国家的义务时,"他必须同时找到他自己的利益,和他的满足和打算。"②所以,他的权利也自然产生了,由于这种权利,"普遍事物就成为他自己的特殊事物。"③所以,说黑格尔是个纯粹的国家主义者,是不符合事实的,因为他明确地确认了特殊利益的本质性,并认为特殊利益是不可为了其他什么理由而被忽视和压制的。从理想上看,这两者是这样统一的:"特殊利益不应该被搁置一边,或竟受到压制,而应(着重号为引者所加)同普遍物符合一致,使它本身和普遍物都被保存着。个人从他的义务角度来说是受人制服的,但在履行义务中,他作为公民,其人身和财产得到了保护,他的特殊福利得到了照顾,他的实体性的本质得到了满足,他并且找到了成为这一整体的成员的意识和自尊感;就在这样地完成以作为对国家的效劳和职务时,他保持了他的生命和生活"。④

当然,如果能够达到权利和义务的高度统一,那是很理想的。但是,在现实的国家中,这两者是很难一致的。对这一点,黑格尔当然也清楚,否则他就不会说现实中的国家都有许多毛病,并且它就立足于任性之中(由于国家是

---

① 黑格尔著,范扬、张企泰译:《法哲学原理》,商务印书馆1961年版,第261页。
② 黑格尔著,范扬、张企泰译:《法哲学原理》,商务印书馆1961年版,第262页。
③ 黑格尔著,范扬、张企泰译:《法哲学原理》,商务印书馆1961年版,第263页。
④ 黑格尔著,范扬、张企泰译:《法哲学原理》,商务印书馆1961年版,第263页。

由个人结合而成的）。但是,如果国家的义务与个人的权利发生了冲突,那么,以什么为前提性的价值,就是一个关键问题。如果主张国家的普遍性义务是前提性价值,那么,就是标准的国家主义;而主张以个人的权利为前提性价值,那就是自由主义。前者认为国家是必要之善,所以,希望国家能够成为一个自由的概念的组织;后者则对所谓普遍物抱有高度的警惕,认为特殊就是特殊,不可能与普遍性结合起来,所以认为国家是必要之恶,从而把国家的必要性限制在守夜人的范围内,并且认为这个守夜人有着扩张自己的权力的内在欲望,因而需要加以制度性的制约和监督,这是认为,国家的普遍物的作用是负面的,个人的自由从本性上是无限的,只是在它的行使会妨碍别人的自由这个意义上,才需要国家这个普遍物来限制它。

自由问题是很切实的伦理问题。在个人与国家的关系上,黑格尔的心情是很矛盾的。他认为国家从伦理层次来说比市民社会要高,当然不是为了取消或吞没市民社会,而是说市民社会和家庭应该在国家中进一步结合。但是他当然也很清楚,现实中有坏的国家,也就是那种难以体现国家的伦理性本质的国家,它们虽然实存着,但"没有真实的实在性"。① 真实地实在的国家,其整体性能够在特殊目的中成为实在的。其实,这在哲学上并不难懂,因为普遍性的东西要实现出来,肯定要体现在个人的特殊目的上,所以,公共利益其实就是要体现在个人利益上,个人利益的满足方式和途径由此就具备了某种普遍性的公共价值。于是,黑格尔采取了这么一条理路,即自由是一种不断进步的过程,也即不断地从个别性状态向普遍性状态提升,也即不断获得精神教化的过程。自由诚然是意志的本性,但是自由是一个全幅展开的过程,也即越来越自由的过程,到最后,普遍性精神本质完全体现在个人的特殊性欲求之中,或者说,特殊性欲望普遍化了,普遍性和特殊性完全相互渗透了,这就是自由的最高实现。这个哲学思路暗含了与一般自由主义相当不同的信念,即个人的个别性欲求和偏好在没有受到普遍性的规导之前,是一种纯粹的任性,谈不上是自由的,反而是一种束缚。

---

① 黑格尔著,范扬、张企泰译:《法哲学原理》,商务印书馆 1961 年版,第 280 页。

国家内部的各环节是国家概念必然要发展出来的,有了这些环节,国家就有了实际的存在形式和力量。在他看来,国家概念也有三个环节,即普遍性、特殊性和单一性,也即要发展出立法权(普遍性)、行政权(特殊性)和王权(单一性),所以,他不同意孟德斯鸠的立法权、行政权和司法权的划分,认为司法权属于行政权的一部分。他的国家权力观念的核心要义是,第一,各权力之间必须是有机联系着的,不能互相抗衡,因为这样将难以形成一个统一的目标;第二,国家的维持并不像一般人所说需要靠权力,而是人们需要秩序的那种情感。完全靠权力维持的国家是不能体现国家的伦理性和合理性的,权力是国家运行机制中的结构性需要,它本身不是目的。

黑格尔承认,从事具体行政工作的人员,由于需要掌握本部门行政业务的科学理论,必要的业务技能,并且在大量时间中要与这些具体的行政事务打交道,所以会造成精神的机械性,但是,他认为,通过直接的伦理教育和思想教育,使大公无私、奉公守法以及温和敦厚在行政人员身上形成一种习惯,这种机械性是可以抵消的。他还认为,从伦理关系上说,政府成员和国家官吏是社会中的中间等级,而且"全体民众的高度智慧和法律意识就集中在这一等级中。"①国家的意识和最高度的教养也表现在这一等级中。当然这要在一个市民社会高度发展了的社会中才是可能的,因为在这样的国家中,既有主权的自上而下的授权制度设置,同时又有市民社会中的同业公会的监督制度设置,这两个层次都期待官员队伍有很好的教养和才干,成为知识和法制方面的支柱。这一中间阶层的出现,是国家的最大利益,因为它不会占有贵族的独特地位,也不会成为任性和统治的手段。而没有发展出这个中间阶层的社会还是处于低级阶段。比如当时的俄国,黑格尔认为,只有两个阶层,一方面是一群农奴,另一方面是一批统治者,这种社会结构无法沉淀形成一种按照普遍法律行动的阶层。

所以,黑格尔的国家制度伦理设计没有停留在一般的善良意志的呼吁上,而是诉诸一种现实的能够制约官僚队伍的力量的壮大,那就是社会必须培养

---

① 黑格尔著,范扬、张企泰译:《法哲学原理》,商务印书馆1961年版,第340页。

一批拥有相当权利的、有一定独立性的特殊集团,它们的存在,将使官僚界不敢胡作非为。这既是一种制度安排,同时又是一种社会中现实的制衡力量。

四、洪堡特与黑格尔国家伦理观之比较的要点

相比之下,洪堡特正是从抽象的理性出发,认为人作为一个有理性的存在者,有天赋的自由权利,而且这种权利是完全的,是人的内在尊严之所在,所以,个人的自由是个前提性的价值,国家应该保卫个人的这种自由不受侵犯,在个人不触犯法律的前提下,公民有着最高程度的自由,在这个范围内,国家的任何积极行动都是对个人自由的干涉,也是违法的。在不触犯国家法律的范围内,每个人都可行使自己的自由,不受干扰地伸展自己的个性。他的想法是,国家对个人自由的高度尊重,本身就营造了一种有利于精神生长的氛围,而个人自由地成长、表达而形成的制度、思维、艺术作品、鲜明个性等,又组成了社会文化的丰富多彩的环境,成为人们持续教化自身的养料。

我们可以推想,黑格尔必定会认为这种自由观是抽象理智的观点,是肤浅的。但是,我们认为,如果把两人在政治哲学方面的洞察力还原到他们的哲学原点和最高关怀上,那么,他们彼此的不同恐怕有更加深刻的意义,因为它们牵涉到如何理解人类政治的公共价值基础,人类把握自己的可能性之限度等等问题。可以分为三个问题:第一:人能否达到完全的自我理解? 第二:个别性与普遍性(公共性)能否完全相互渗透而最后统一? 第三:国家是否人类组织的最高、最完善形式? 所有这些问题,实际上可归结为一点,那就是,"公共性如何存在"?

对第一个问题,从逻辑上说,可以有以下回答:个人不能而人类能;个人不能人类也不能;个人能人类也能;个人能而人类不能。显然,第三类和第四类回答是难以成立的。

洪堡特对此问题的回答属于第二类,比如他没有对绝对知识的狂热,他认为人的理性是有限的,他的教化目标是人的个性达到协调、和谐而丰满的发展,这是一个永无止境的过程;而黑格尔的回答则属于第一类,他认为,虽然从个人的角度说,人的理性是有限的,但是,我们通过考察人类历史发现,历史实

际上可以看作绝对精神不断展开自己的内涵、获得越来越深刻的自我认识的一个过程，最后将能达到完全的自我认识，变得自身透明。所以，在黑格尔那里，获得教化，就是精神被提升到了普遍性状态，可以说，教化原则实际上是一个理性知识原则。在这个问题上，黑格尔表现出了太强烈的"地上的天国"意识。本来，这种意识还有一条路走，那就是把它作为一个"范导"性概念，即是说，把这样一种理性认识概念看作对我们具体生活的引导，我们不断地在走向它，但它却不断地退后，永远高悬，但可望而不可即。这主要是由人类生活的具体性、有限性决定的。从这个意义上说，黑格尔的思想确实有缺陷，那就是认为人能够获得这种完全的认识，虽然他也承认这是理想。然而，他希望历史的素材能够不断地返回到自身，使人类的自我认识程度不断提高，获得越来越高的教化，这一目标是我们所要努力追求的。

对第二个问题，洪堡特似乎没有明确的意识，但如果细究起来，我们可以说，他认为特殊性和普遍性是分立的，普遍性作为一种公共的行动法则，它们的作用是否定性的，即制止违法行为，抵御外来侵略，而特殊性则在自由的范围中自由表达，相互砥砺，相互吸收。所以，国家对个人自由来说是一种手段。而黑格尔则是以这两个概念的相互关系为理论推演的主轴，自由、教化、国家等复杂无比的概念都在这根主轴上得到阐明。他当然尊重特殊性或主观性，但这种特殊性只有作为普遍性的具体化才是有自由的，国家作为普遍物，必须体现在个人的特殊性追求中才是现实的，这既是国家对个人的教化，同时也是个人所获得的自由和教养。关于这一点，洪堡特的观点似乎太过于使个人同国家分立了，从而使两者缺乏内在的有机联系；而黑格尔的观点则有可能让国家吞没个人的固有自由。当然，他的告诫是我们要时刻记取的，他认为，特殊性和普遍性的统一只是在理想的国家中才能完全实现，而现实中的国家都是有毛病的，它们的合理性程度就在于它们使特殊性和普遍性得到统一的程度。

至于第三个问题，洪堡特虽然没有明言，但是，从他的经验主义和浪漫主义相结合的哲学气质中，我们可以看到，他不会把国家看作人类组织的最高形式，因为国家在他看来是工具性的，所以，他向往一种自由人的联合体的人类组织形式，他似乎也希望现存形式的国家应该消亡，公共利益、公共组织、公共性等问题实际上并没有进入他的理论视野;而黑格尔由于重视普遍性的力量,并且把普遍性在个人的特殊性追求中得到体现,或者说个人受到普遍性精神的陶冶和教化,看作国家存在的使命,所以,国家在他那里是人类组织的最高和最完美的形式,是公共性的完美体现。

两位德国哲学家的国家伦理观念,从不同的理路出发,彰显了问题的两个方面。他们辞世以后,其思想都各有赞同者和批评者。约翰·密尔对洪堡特的思想大为赞赏,并进一步论证了自由至上主义的理论意图,那就是应该以个人的自由为基点,使公民获得一个抵抗国家强势侵犯的堡垒,并获得一种个人自主决断、自由选择的生活范围,这是发展个人的能力和道德的前提;而黑格尔的后继者则仍然认为,个人的人格精神要得到提升,就应该获得越来越高程度的客观合理性,而要做到这一点,我们的社会结合形式就应该具有越来越高的伦理性。鲍桑葵在他的代表作《形而上学的国家理论》中,全面重理了黑格尔的国家理论,并力图为其形而上学的国家理论找到心理学上的根据;而霍布豪斯则以黑格尔及其在英国的传扬者鲍桑葵的形而上学的国家理论为靶子,特别反对所谓"公共意志"学说,认为这种学说的政治后果绝对是对个人自由的剥夺。

历史发展到现代,我们已经看到了洪堡特和黑格尔的国家伦理观得到统合的趋势。我们现在不再执著于设置一些形而上学的基础,从而引申出一套逻辑上合理、实则不能在实际生活中真正贯彻的理论。所以,在公共领域中,"回真向俗"是必然的选择。也就是说,我们要以公共领域的发展及其社会治理的效用为主要论说对象。公共领域的发展必须建立在公、私领域高度分化的基础上,对个人自由的尊重和保障,是现代公共权力得以行使的前提,这正是公共权力的公共性之所在。所以,洪堡特的自由观在现在看来,太过宽泛,应该落实为公民的基本自由。同时,个人的教化的确受到社会现实制度和伦理秩序的陶冶,所以,洪堡特的教化观实际上是不现实的。就黑格尔的国家伦理观而言,我们认为,国家也是社会组织之一,并不天生就垄断了最高伦理性的地位,各种公共组织同样拥有其伦理价值。社会组织的伦理性就表现在他们能够使公民自由、平等地参与有关公共利益的决策,在这种长期的广泛参与中,人们的思想才能从个人利益的狭隘圈子里跃升到公共利益的广阔视界,从而有某种脱胎换骨的点化作用,这才是真正的教化,只有这样,人们才能获得真正的公民德性。

第三节 从公共意志到公共理性

国家存在的目的,从根本上说要在政治层面上实现公民的自由,这是国家对公民的伦理教化之所在。洪堡特和黑格尔都有此关切。在进一步的思考中,我们必须弄明白,在国家与公民的伦理关系中,国家的行动应该遵循什么原则,具备什么样的政治品格,国家才能成为公民权利及其政治自由得以实现之所。

在这个问题上,首先我们看到,在形成对政治的基本原则的共识之时,有许多学说诉诸意志学说。这种学说可以分为两类。一类是统治意志说。它认为,公共领域的政治共识的形成,实际上是统治者意志的反映。这跟当时的公共领域是代表型公共领域的特点有关,因为统治者是公共领域的代表,所以只有统治者可以处理公共事务,一般百姓没有参政权利,制定政策完全是统治者的事情。由于这个特点,古代的公共事务打上了统治者个人意志的深深烙印。这种个人性意志说到底是任性的意志。由于这种意志需要得到执行,它也要分化为各种行政权力,所以这种行政权力只能对最高统治权力负责和效忠。关于这种专制皇权的本质,学者们有许多深刻的论述。

另一种学说十分明白专制制度的个人意志的任性本质。这种任性表现出来就是某种程度上的兽性,而没有真正体现出人性。于是,他们认为主导政治的公共领域的意志应该有别于专制时代的任性意志,也就是说,要使得公共领域有着真正的"公共性"。这就有了两种要求:一方面,这个意志应该是所有民众意志的公共表达;另一方面它必须要以机构、制度的方式来加以执行。就第一个方面来说,所有民众的个人意志都是个别性的,各自不同的,于是如果所有人的意志都要在同一件事情上得到同样的表达,那么结果是对这件事情根本就不能形成一个大家都同意的公共决定;就第二个方面来说,应该找到形成在性质上有别于个别性的个人意志的、有普遍性的公共意志的途径。在这个问题上,有许多思想家贡献了自己的经过审慎思考得出的见解,表现为一个逐步深入的过程。另外,我们将发现,公共意志学说的自身逻辑使得它无法成为国家行为的合理始点,必须实现从公共意志到公共理性的过渡。

一、公共意志:从霍布斯到卢梭

霍布斯的意志逻辑是:意志要么是具体的,要么就不是意志。的确,从意志的特点来说,它当然是要做决定的,有着具体的偏好、欲望、情感气质的意志,这种意志当然是具体的意志,任何个人的意志都是这种具体的意志。所以,那种要做公共决定的意志一定得是完整的、具体的意志。因为公共意志要面对所有个人,所以,它实际上是对所有个人意志的保护。个人意志在他们的共同表现上就是"对来自外来暴力的死亡的惧怕",这一点几乎是消极性的共同人性。于是他们要寻求一个外在总体的保护,那就是把他们的所有权利都让渡给一个全权代表者,并且这种统治是依靠武力而起作用的,若无武力,则所谓全权就是一句空话。

因为人必须超出自然状态,这就需要探讨一种可以保持和平的理性规律。这个规律要求私人意志从属于普遍意志。普遍意志之为何物,确实难以说清楚,我们无法设想有一个能够代表所有人的意志存在在那里,而它又不是某个人的意志。这似乎就预示着这样一种理论的和实践的进路:即只要说到意志,就是指个人的真实意志,而不可能有普遍(公共)意志,因为它的确难以真实地、经验地存在。霍布斯的逻辑有许多人不太赞同,但实际上无可辩驳。他认为众人的意志需要一个代表,这种意志的代表性就是其公共性,所以,这种普遍(公共)意志就是统治者个人的真实意志。统治者的意志如何起作用呢?诚如黑格尔所说,"统治者的意志并不对个人负责,而毋宁是反对这种个人的意志的;一切个人都必须服从它。"①霍布斯论证的是一种统治政权的存在必

---

① 黑格尔著,贺麟、王太庆译:《哲学史讲演录》第4卷,商务印书馆1978年版,第159—160页。

要性,因为在他看来,普遍意志必须安置在君主的意志之内,于是,他主张的政体就必然是一种绝对统治、专制的状态。然而,这种专制不能理解为一种由君主的任性、个人的暴戾意志的绝对统治,那是无思想的统治方式,因为在封建时代,国家是家天下,是君主的私有物,这是君主任性意志能够发挥作用的根据。而在霍布斯那里,君主既然要能行使普遍意志,实际上就要让君主在理性的规律的支配下来行使意志,反对个人意志的任性、个别性的特征,虽然并不能完全避免这一点,但可以要求君主行使绝对法律的意志,这并不是绝对的独裁,而是一种理性的意志,即不是君主个人的盲目任意和单纯的主观意志。这就是霍布斯在专制的外表下所悄悄奠定的某种近代法治精神的基础。

这种意志逻辑在一般意义上说真是无懈可击。实际上他宣告了如果从意志出发,是无法真正建构起合理的公共领域的。这种公共领域的普遍意志由于毕竟要由君主个人来行使,而君主个人的主观任意性又必然会搀杂到统治方式之中,这是霍布斯公共意志学说的两难。正如杰福雷·瑞曼(Jeffrey Reiman)所说:"霍布斯认为道德建立在政治权威之上。但是,追溯他的论点可以把我们带到这么一个结论上:除非政治权威建基于道德之上,否则它无法赢得它的臣民的理性赞同。"[①]如果道德能医治政治权威要求人民的臣服性,那么,我们就似乎找到了解决这一问题的良药。然而,道德的关系却又是与臣服的关系相对立的。所以,霍布斯的意志逻辑对后继者来说就像一场噩梦。但是他们还要沿着霍布斯的思路,那就是继续探讨意志如何才能得到公共性的表达。我们可以看到如下几个进路:一是洛克改变霍布斯的在自然状态中人对人像狼的基本假设,而把自然状态看作一个有完整的自由、平等、和平的状态,从而把着眼点放在国家对生命权、私有财产权和自由权的保障上,让国家变成一个工具性角色,以国家作用方式的消极性质来保证国家的作用是公正的、普遍的或者说是公共的。因为以个人的自由、财产为基点,所以,国家的意志是保护性的,可以及于所有公民,从而表现为一个消极的公共意志的性

---

① Jeffrey Reiman, Justice And Modern Moral Philosophy, Yale University Press, New Haven and London, 1990, p.35

质。二是卢梭从私有财产妨碍公民的平等这一社会问题入手,从而设想一种把个人的所有权利都完全让渡给一个公共存在,而个人在这种公共存在中又能不折不扣地行使自己的完整自由的制度,这样,国家的意志就是一种真实的公共意志。

可以说,卢梭的思想确实是作为英国思想的对立面而出现的。霍布斯主张不可能存在着一个不是具体意志的公共意志,而具体的意志又只能是个人的意志,也就是说,对公共领域也只能由个人(即君主)的意志来统辖,也正因为这个理由,根本就不可能有什么人民主权。卢梭的逻辑是,意志的性质对应于自由的性质。就人类的生存状态来说,有两种自由。一种是在自然状态的自由,也就是没有约束的原始自由;然而我们却必须过社会生活,但是,在现实中,我们又受到社会中各种枷锁的约束,也就是说,我们在社会性状态下却失却了自由。他认为,这是因为,迄今为止的人类政治社会的历史就是一部个人利益的争夺史,一部恶劣情欲和贪欲的表现史。各种制度都是得势者压迫他人的工具,所以,人类社会的制度都是罪恶的根源、腐化的渊薮。虽然我们生来是自由的,却无往不在枷锁中。自然状态下人是自由的,但在社会状态人们却受到各种桎梏。于是,他的使命是重新设计社会、创制社会,使人们在这种重造的社会中达到更高的自由。

从理论上分析,这种社会设计有着两个任务:第一,说明这种社会自由在什么意义上高于自然状态的自由。这有以下理论方向:一是说人是合群的,人在社会状态能获得在自然状态下根本无法获得的好处。这是社会学的事实。二是说,人在自然状态下虽然可以任意行动,但由于受到知识和能力的限制,实际上其自由是十分有限的,即受到自然必然性的束缚和摆布。社会状态下人类文明的发展可以从整体上改变这种状况,也即增加人们在面对自然必然性时的自由。其实,这是非常顺理成章的理论思考。我认为,卢梭有这方面的考虑,即认为社会状态从价值上必定高于自然状态,这是前提。第二,他批判社会状态的异化性质,认为正是种种异化现象使得人们不能真正获得社会状态的自由。比如,私有制和人间不平等的政治制度,就是各种各样异化现象的根源;后来还深入到社会生活的各个层面,包括各种异化的表征物,比如舞台戏剧。他反对一切中介,认为中介使人们与生活本身分离开来了,政治生活中的代表制度,议事机构等也被看作把民众与政治生活分隔开来的中介,要求取消,从而走向街头政治,广场短路,群众的政治狂欢。

中介是去除了,却使各种利益的表达、冲突没有了缓冲和梳理的场所。去除中介,民众参与政治的途径是直接了,却并没有实现自由,而是走向混乱。

在卢梭那里,"公共意志"这个概念就是一个理想,是一个一切崇高道德价值的来源的东西。首先是狄德罗从孟德斯鸠著作中提炼出"公共意志"这一概念,开始使用时,有以下两层含义:"1,各民族不约而同出现的惯例公理,甚至动物界也存在的自然法则;2,社会契约缔结时的理性因素,狄德罗原话为:'激情沉默后的理性'。"①在这种意义上使用这个概念,有很强的普遍规则和理性的沉静气度。然而"公共意志"一词的"普遍"义,一旦在进行实际的政治思考时,就会把公众看作应该结合起来而实现某种目标的公共力量,从而必须服从一个统一的行动意志,于是公共意志就高耸入云,俯瞰人世了。"正像在人的构成方面,灵魂对于身体的作用乃是哲学的尖端,同样在国家的构成方面,公意对于公共力量的作用问题则是政治学的尖端"。②

这样,一边是"公共意志"的普遍义,另一边是个人意志的特殊义。"公共意志"认为"公共"的即是善,私人的即是恶,那么,普遍的概念对个别性的情欲的统辖和压力就会越来越紧绷起来,公共意志就必然要真理在握地展示其为扬善惩恶的力量了。这是在概念思考中的"应该",凭思想中的"应该"取得了权能和意志的冲力。那么,在公共意志统辖下的公共领域是一种什么样的领域呢? 顺着卢梭公共意志说的逻辑,这种公共领域一定是这样的:(1)当所有人的道德心灵得到纯净的呈现时,所有人就都能视万众若己,己若万众,也即每个人都有为公之心,而没有私意,在这个层面上说,公共意志就没有很强的冲力和压迫力,因为每个人都能自觉遵守。这里有一个典型的道德价值的基点,那就是公共的就是善的,私人的就是恶的,这样一来,所有私人的东西在

①　转引自朱学勤著:《道德理想国的覆灭》,上海三联书店 1994 年版,第 74—75 页。
②　卢梭著,何兆武译:《社会契约论》,商务印书馆 1980 年版,第 38 页。

道德的评判上都是恶劣的,不能继续存在,也就是说,所有人的内外生活都应该公共化;(2)实际情况是每个人进入到社会生活中来,都有着自己的目的,要获得自己的利益,体现着自己的个别性的意志,但同时,社会合作和公共的政治生活能够获得单纯的个人生活所根本不能获得的东西,于是,这种个别性的意志也要能够领受一些社会的普遍规则。这些普遍规则是否定性的,主要目的是为了防止个人在追求自己的个人利益时妨碍、侵害他人的合法利益。但这一事实在卢梭的公共意志的虚镜中呈现为这样的面貌:这就证明每个人的心灵在未受改造之前,根本不认识公共利益,更不认识公共意志,或者只能利用公共利益来为自己谋利,从而从根本上把个人利益这种个别性的东西理解为原则,把公共利益置于手段的位置。于是,市场经济、私有财产制度、个人自由等等都无一例外地使公共意志丧失了其本体地位。那么,怎样才能让公共意志这一最高善的概念能够获得现实的力量,在世俗之国中营造一个道德理想国呢?卢梭说,这就是要改造人。自然世界没有创造这样的人,人的自然本性中并不含有这样的道德之根;社会状态的人则是腐化的,社会是恶劣的情欲的角斗场,其社会性格中更没有这样的道德之根可以培植。所以,关键在于要改造人性:

"敢于为一国人民进行创制的人,——可以这样说——必须自己觉得有把握能够改变人性,能够把每个自身都是一个完整而孤立的个人转化为一个更大的整体的一部分,这个个人就以一定的方式从整体里获得自己的生命与存在;能够改变人的素质,使之得到加强;能够以作为全体一部分的有道德的生命来代替我们人人得之于自然界的生理上的独立的生命。总之,必须抽掉人类本身固有的力量,才能赋予他们以他们本身之外的、而且非靠别人帮助便无法运用的力量。这些天然的力量消灭得越多,则所获得的力量也就越大、越持久,制度也就越巩固、越完美"。①

这样一来,霍布斯政治伦理逻辑中的悖论就奇妙地消除了。在霍布斯那里,由于意志只能是具体的,所以他设想,公共意志只能由一人来代表,否则就

---

① 卢梭著,何兆武译:《社会契约论》,商务印书馆 1980 年版,第 50—51 页。

没有公共意志。同时,在他那里,政治权威实际上可以为道德奠基,然而道德的本意却是要消除这种人民对君主的臣服状态。于是,在霍布斯那里,意志概念还是处于"物理"状态,也就是不去理解意志本身性质的提升。而在卢梭这里,意志学说似乎经过了一种化学作用,即出现了一种高于个人意志的公共意志,它不是所有人意志的总和,而是一种道德化了的普遍意志。卢梭的公共意志学说建立在一种个人意志与公共意志的二分之上,这就有善与恶之对立,和人性中的普遍理性与人性中的个别性的情欲之对立。在这种二极对立的思考方法中,没有任何中介过程,没有任何过渡,只能是非此即彼。而且,卢梭的公共意志本身就是正义的化身,永远不会错的。公共意志的特点是普遍性,于是它的本质是理想的、凭空蹈虚的概念自同,只有激情、宗教信仰才能自证,任何世俗化的个别性世界都无法与之相合,甚至可以说是相反的。一旦让这种普遍性的、理想性的概念领域取得意志品质,它就必然会以极端的道德高调压向个别意志的欲求。

然而,公共意志也必须是能够显露真身的,它的落实也只能是具体化的人。于是对公共意志的承载者和发布者的要求就只能是这个人是异乎常人的个人——"那敢为一国人民进行创制的人"。但是,如果说,公共意志只能是某个异乎常人的个人的意志,而不是社会契约论者所主张的普遍同意,那么这就违背了社会契约论的本意,因为在契约中,是所有人都让渡所有的个人权利,以求能够结合在一个更大的整体中。于是,卢梭就这样设想:如若大家都能自觉地发挥自己的理性能力,那么,个人意志就表明了其公共意志的成分,也就不需要具形的公共意志的约束;但是,人们都是在世俗世界中追求自己的个人利益,展示其个人意志中的个别性追求的人,所以就需要有一个具形的公共意志来改变人性,使人性都成为具有公共美德的人性。于是,这个具形的公共意志,就是这样一个道德英雄,他完全能遵照普遍理性而行事,从而体现为公共意志。从本质意义上说,所有人都内涵了公共意志,因为每个人都是有理性的人。若是"我们每个人都以其自身及其全部的力量置于公共意志的最高指导之下,并且我们在共同体中接纳每一个成员作为全体不可分割的一部分",那么,就只需要一瞬间,"这一结合行为就产生了一个道德的与集体的共同体"，就产生了"公共的大我"、"公共的人格。"①

卢梭很清楚，这种"公意"的本性实际上就是理想的概念自同，它的普遍性不在于众人的个别意志的相同之点，而是与个别性处于不同层次的东西，从其存在特征上说是超验的，从其发生形态上说是先验的，这就保证了普遍性与个别性没有任何瓜葛。所以，公意不同于众意，因为众意是各个个别性意志内容的相同性，而相同的个别性意志的内容也仍然是个别性的。

他要求的是所有私人意志都要与公共意志相符合。我们说过，这只能通过深入人的内心，发掘其内心的人道、理性，并排斥个人利益的个别性考虑，才有可能达到。换言之，让我们先组成一个道德理想国，然后由掌握理性规则的国家来分配个人利益，而不是通过拥有私产而进行市场竞争去获得自己的私人利益——这是唤醒个人的利益打算。他认为，这是一个应然的、也是可以强力出现的秩序，只有这种秩序才有道德价值，因为它消除了个人的个别性意志的利益打算。他要使这种秩序不折不扣地成为现实。这里表现出一个极强的压迫性（表象为提升式）的意志："你希望公共意志得到实现吗？那就使所有的个人意愿与之同化。既然道德不是别的，而是个人意志与公共意志的一致，那么同样的事情可以换句话说，那就是创造了一个道德王国。"②这里个人消失了。

他也有过一些犹豫："除了这个公共人格外，我们还得考虑构成公共人格的那些私人，他们的生活和自由是天然地独立于公共人格之外的。因此，问题就在于要很好地区别与公民相应的权利和与主权者相应的权利，并区别前者以臣民的资格所应尽的义务和他们以人的资格所应享的自然权利。"③

我们知道，他认为在自然状态下，人的本性是善的，那么，在社会契约的状态下，这些以人的资格所应享的自然权利如饮食男女还是可以独立存在的。比如，卢梭还不至于主张妇女儿童公有（如柏拉图一样）。而至于个人自由包

① 卢梭著，何兆武译：《社会契约论》，商务印书馆1980年版，第21页。
② 卢梭：《对波兰政府及其1772年4月改革计划的考察》，转引自朱学勤著：《道德理想国的覆灭》，上海三联书店1994年版，第79页。
③ 卢梭著，何兆武译：《社会契约论》，商务印书馆1980年版，第37—38页。

括思想自由、经济自由、政治自由等,却是卢梭所要根除的。正是这一点,才是真正要命的,因为这实际上主张国家对公民的压迫和强制的全面合理性:"为了使社会公约不至于成为一纸空文,它就默契地包含着这样一种规定,——唯有这一规定才能使得其他规定具有力量——即任何人拒不服从公意的,全体就要迫使他服从公意。这恰好就是说,人们要迫使他自由。"①

这种凭空蹈虚的道德救赎观的危险性,就在于这种概念自同上。这种道德意识把个人利益本质上的个别性从根本上视为恶。他认为,只有通过公意之手,才能获得道德善的属性,这在思维中的确是在一瞬间完成的。因为它没有过渡,不允许个人利益的争取和整合过程,它要改变的是利益的生成和分配方式,只有这样才能服从理性的普遍性秩序,而不是听凭自然的演进秩序。这样的强力扭转,的确是在改变人性,它有一种不同寻常的道德纯洁癖,只能表达为上帝式的语言。清除公共意志的阻力,在他那里就是在除恶。当发现人们的行为方式不能与公共意志相合时,就必然会生发出一种道德救赎的使命感,并引发一种嗜血的狂热。

卢梭的公共意志学说在学理上必然会要求在社会生活中消除一切对立、一切异化、生活在别处的疏离感,清除一切中间团体如工会、自愿团体等,从而走向一种概念自同的道德理想国的设计。也就是要求个人以公心取代私心,一切都从公心起念,而坚持压制私人打算;从制度层面上说,就只能依赖所谓直接民主和领袖个人的巨大权威——它来自领袖自己的道德纯洁。这里没有任何制度性的制衡,只有一种道德期望,在遇到阻力时就只能是强制和压服直至消灭。所以,这种思想不可能留下任何制度成果。那种对人性进行实事求是的理解和促进的努力,在他看来,是屈服于邪恶。

更大的问题是,从公共意志的存在方式及其执行来说,必须有一个承担者,所以,在这里出现了一个特别的个人——"敢为一国人民进行创制的人",这是公共意志必须有一个承担者这个逻辑所要求的。霍布斯的逻辑又起作用了。

---

① 卢梭著,何兆武译:《社会契约论》,商务印书馆1980年版,第24—25页。

　　这就需要个人从心灵存在的自然层面上升到一种道德的生命,需要把自己融入到一个整体之中,放弃自己,成就新我。于是,关键在于"抽掉人类本身固有的力量"。但是,这里有一个明显的悖论:那就是,既然这种新人的造就需要抽掉人类本身固有的力量,那么,抽掉了这种力量之后,人还剩下什么呢?而且,新的力量又从哪里产生呢?合乎逻辑的解答只能是:这种拥有新力量的人一定是不同于一般人的人,即半神式的人物,他是公共意志的代言人。这种"创制"真是重新打造,太需要大胆、敢作敢为了,一般有人之常情之念的人根本无法承当这样的角色。可是,这种大胆、敢作敢为地进行的创制,会给芸芸众生以何等的压力!它采取那样一种俯视的角度,看上去是悲天悯人,实际上是对人群的蔑视。正如朱学勤所说,这是一颗世俗的教士心,卢梭掰开中世纪教会文化的死手,去救活的就是这种热诚的救赎传统。公共意志与日常意志完全是相悖的,一旦这种意志取得了统治权能,个人的意志就只能痛苦呻吟了。

　　卢梭对公共意志的现实形成做过一个非常暧昧的解释,他说,公意不等于众意,公共意志不是所有公民的意志中的相同成分,而是各个个人的意志在相互抵消之后而出现的一个意志,这就是说,是各个意志相互作用起了化学反应之后而形成的一个意志。这就是他所设想的通过公共舆论和民主方法而凝聚成的一个新意志。众意可以表达个人的不同意见,并通过协商和民主程序而达成行动意志,但同时,众意还要求对少数人的意见予以足够的尊重,也就是说,形成众意,不需要彻底放弃自己的意志,而是自由表达自己的意见,这种权利是受到公共法律保护的。而公意,则需要个人意见的彻底放弃,或者说,个人意见在争夺话语权而进行激烈的斗争,相互吞没之后而留下的意志就是公共意志。我们根本无法想象这是一种什么样的情形,这里没有任何逻辑的清晰,只有混乱,因而这种公共意志最后不通过铡刀则无法达成。

　　在我们看来,卢梭公共意志学说的根本谬误就在于:(1)概念自同的道德理性自觉,却取得了一种意志强力。本应只能是理想形态的灯塔,只应制定否定性的、约束性的公共规则,却取得了强力扭转社会物质生活和人性本相的肯定性权能。(2)公共意志的公共性被置于个人的个别意志、个人利益追求的彼岸,同时由于其垄断了道德价值,并取得了统治权能,个人利益追求就处于道德高调的严厉拷问之下。

二、公共意志的理性维度

康德对卢梭公共意志学说的贡献和问题相当深思熟虑。他认为,摆脱这种公共意志学说内在困境之途是让纯粹理性的领域和私人生活的领域分离开,而不能让两者纠结在一起。用纯粹理性的命令来限制个人的经验生活领域,那肯定是一种压迫。所以,一方面,他接过了卢梭关于纯粹道德的学说,另一方面,又把它与群众的经验生活领域分开,从而使得两者各得其宜。

康德知道,公共意志的提法蕴涵着一种狂热。但是,把公共意志的价值性质看作是理性,则值得重视,只是必须把理性作为一种颁布绝对命令的立法者,是决定意志的动机的根据。这是从一个人行为的道德价值的来源上来立论的。但是,在道德实践的意义上,康德其实也十分重视感觉、趣味、审美能力的培养成型,对个人利益并不持排斥的态度。换句话说,康德并不想建立一个道德理想国,而是认为,一个人要获得作为人的尊严,就需要能够把自己看作是一个理性存在者,并让理性所颁布的道德法则成为我们社会生活中的基本人伦关系结构,如每个人都是自由、平等的公民和道德主体。在这个结构下,容纳人们对自己个人幸福生活的追求。所以,如果说还有公共意志的话,那就是社会的这种正规的、制度性的社会基本结构和价值信念,它只对违背这种基本结构和价值信念的行为掌握惩罚和纠正的权力,所以,表现为一种刚性的公共制度。它并不想改变人性,而是对人性作实事求是的理解,并加以因势利导。正是在这一点上,他避免了卢梭的那种把理性本性与欲望本性看作善与恶的二元对立的观点,从而有效地捍卫了民主制度的根本,那就是个人的世俗自由和追求世俗利益的权利。

在《道德形而上学》的第一部《法的形而上学原理——权利的科学》中,他也认为,在做了这些界定以后,"公共意志"的观念还是有意义的。也就是说,这一概念为国家公共法律特定化自身而加于具体的人和事情身上提供了途径,而不是让个人的意志单方面地加在别人身上。康德把公共意志叫做全方位意志(omnilateral will),"因为大家必须赞同这一点:要制定那些能够使权利得以可能的程序,所有的人都必须同意,因为没有这样的程序,平等的自由就是不可能的,而且这样一来,每个人的外在自由也是不可能的。"①当然,说他们必须同意,并不仅仅是在他们应该同意的意义上说的。换句话说,这实际上包含了这样一层意思:由于保护权利是大家的公共利益,所以,大家都要服从那些使这些权利得以可能的程序,于是,它构成了对我们的客观强制性。他们不能反对自己被强制性地接受这些程序,因为一个人反对这些程序,只不过是自己单个意志的表达罢了,认为自己单方面有权利用强力的方式反对其他人。

康德式的"公共意志"还有一层深意:它可以对权利状况提供进一步的限制,甚至可以解释国家合法强制公民去合理地行动的方式,而不只是纠正私人错误,因为国家的存在是为了处理全面性、公共性的关系。本来他应该更深入地论述"公共权利",但事实上在这个问题上却有点马虎,因为他对私人权利论述得十分仔细。②

如果说,康德对于卢梭的公共意志学说加以了某种辨证的深化,但还处于较为粗浅的阶段,那么,黑格尔掰开卢梭的死手,救出的是卢梭对"普遍性"的伦理价值的确认。他通过尖锐批评卢梭二元对立的知性主义的思考方法,而以思辨的、辨证的思维方法来理解道德、历史、社会的发展。其中最为重要的就是,中介是事物发展的一个重要一环,没有中介,事物就没有展开的空间,就没有整体地向更高阶段发展的可能性。

卢梭在公共意志学说方面的失误,黑格尔在哲学的高度上把握到了,他高度重视中介,从而使异化成为精神发展的一个积极的环节。他认为,精神的进展就是通过不断地分化出环节,而又不断地向自身回归的过程。

首先,他从分析卢梭采取的理论方法——契约论开始,认为,纯粹契约论并不能产生公共意志。卢梭"提出意志作为国家的原则。然而他所理解的意

---

① Arthur Ripstein: Authority and Coercion, Philosophy And Public Affairs, Spring 2004, Volume 32, Number 1, p.33

② Arthur Ripstein: Authority and Coercion, Philosophy And Public Affairs, Spring 2004, Volume 32, Number 1, p.33

志,仅仅是特定形式的单个人意志(后来的费希特亦同),他所理解的普遍意志也不是意志中绝对合乎理性的东西而只是共同的东西,即从作为自觉意志的这种单个人意志中产生出来的。"①

当然,黑格尔认为,卢梭在探求公共意志这一概念中作出了他的贡献,他所提出的国家原则不仅在形式上(好比合群的本能、神的权威),而且在内容上也是思想,而且是思维本身,这就是说,他提出意志作为国家的原则。然而黑格尔批评了卢梭在这个问题上的思想方法:(1)这些单个人的结合成为国家就变成了一种契约,结果只能是任性、意见和随心所欲表达的同意。(2)它只能产生其他纯粹理智的结果。② 于是,卢梭思想的实践后果是:随着一切现存的东西被推翻后,人们根据抽象思想,从头开始建立国家制度,并希求仅仅以它想象中的东西为其基础,从而酿成最可怕和残酷的事变。

公共意志是普遍性的,也就是说,它的本质是具有了越来越高的自我认识,或者说合理性或伦理性。它不是情绪的表达,也不是冲动或偏好。公共意志并不是与个别性意志相互对立的,而是要通过个别性意志表现出来的,这就需要个别性意志受到普遍事物的陶冶、教化而获得普遍性的素质。与个别性意志相对立、相隔绝的普遍性意志是一种抽象,是想象中的事物。这是对着卢梭说的。关键是,为了理解公共意志,那就要反对单个人意志的原则,国家意志是公共意志而不是单个人的意志,它是意志中合乎理性的东西,而不是任性的产物。这就是说,卢梭不得不诉诸一个异乎寻常的人作为公共意志的承担者,是他的思维或精神还没有发展到一个更高的高度所限。因为他说,公共意志是纯粹理性的,但个人也是有理性的,只是大多数人不能自觉运用,而只有那种敢为一国人民创制的个人,才能完整地把公共意志实现出来。黑格尔认为,卢梭在这里犯了一个巨大的错误,那就是把一种历史理性、制度理性、现实理性与个人理性、心灵功能的理性、抽象理性等同起来。

黑格尔对这一点把握得特准。所以,他把道德看作绝对精神的主观理性

---

① 黑格尔著,范扬、张企泰译:《法哲学原理》,商务印书馆 1961 年版,第 254—255 页。
② 黑格尔著,范扬、张企泰译:《法哲学原理》,商务印书馆 1961 年版,第 255 页。

阶段,而把伦理才看作其客观理性阶段。客观理性是一种历史理性、制度理性、现实理性,它是生成着的,后一个阶段消化了前一个阶段的成果,什么都没有丢弃,所以它容纳着丰富的历史和现实内涵。公共意志在他这里,不是国家作为一个高高在上的权力,对个人发号施令,或任意侵犯,而是"理性的规律和特殊自由的规律必须相互渗透,以及个人的特殊目的必使同普遍目的同一,否则国家就等于空中楼阁。个人的自信构成国家的现实性,个人目的与普遍目的这双方面的同一则构成国家的稳定性。人们常说,国家的目的在于为公民谋取幸福。这当然是真确的。如果一切对他们来说不妙,他们的主观目的得不到满足,又如果他们看不到国家本身是这种满足的终结,那么国家就会站不住脚的。"①普遍与特殊的这种统一,才是真正现实的合理性。

从这里可以看出,黑格尔对社会现实十分重视,他不是那种只在头脑里爆发革命的理论家。他把社会现实中的各种机构、环节的功能分化和整合看作是自由的逐步实现和合理性程度的逐渐提高,特别高度评价个人与国家之间的中介组织——同业公会等。所以,他看到了异化的肯定方面,而不像卢梭那样对异化现象痛心疾首。

黑格尔把卢梭的公共意志的道德性质转换成了伦理性质,所以,他不是诉诸君主和人民的道德良心或道德意识,而是把道德下降为精神的主观阶段,把伦理视为主、客观统一的现实性阶段,从而把伦理性等同于现实的合理性,让国家成为一个伦理实体,并成为体现公共意志的绝对精神。所以,公共意志本身具有合理性,体现在国家的合伦理性中,而不是具体公民理性的相互作用、对话、商谈而达成的理性共识。随着黑格尔构建的绝对精神的幻觉的破灭,公共意志学说必然会得到松解。强调公共意志,逻辑地蕴涵着全权政治。好在黑格尔只认为君主只是一个代表人,而并不是公共意志的化身。公共意志体现在普遍性与个别性利益的相互结合之中。

黑格尔把卢梭的公共意志观念从主观的道德领域转向了客观的伦理领域,这是一个巨大的理论贡献,而且是以一整套的正义学说作为框架的。但

---

① 黑格尔著,范扬、张企泰译:《法哲学原理》,商务印书馆1961年版,第266页。

是,他过分沉迷于伦理实体的整合作用,就是说,把国家这样的最高伦理实体看作一个完全实现了的伦理理念,而遗忘了它也是公民自由的实现场所,而且应该是更高的实现,只有这样,国家才能成为正义的国家。黑格尔的国家学说,正是在这一点上出现了严重偏差,同样有让国家的公共意志凌驾于个人的意志之上的倾向,并且认为,个人的命运在国家的整体命运的发展过程中,实在是微不足道。这显然违背了他的权利哲学的起点:即每个人的抽象的平等权利,最初的命令就是:尊重每个人,把人当人看。以后的伦理实体各个阶段的发展,实际上是要使这种权利在制度实在中得到实现,这正是人的自由的现实化过程,也体现了制度的正义价值。但他在论述权利在各个制度中现实展开时,由于发现在越来越复杂的制度中,利益关系也越来越复杂,所以,他认为,似乎需要不断加强强制的力量,才能维护这种制度的存在和发展。而在作为最高伦理实体的国家中,他最后就把个人的自由遗忘得相当干净,虽然他也声称,这是个人自由的最高实现:"成为国家成员,是单个人的最高义务。"①所以,他主张君主制度,而对民主制度抱有很大偏见。

我们认为,自由民主政体是公民权利在政治国家中要得到实现的必然选择。在一个自由民主政体中,为了捍卫其政治原则,人们作出公共行动的决定,必然需要诉诸公民的对话、商讨、辩论,从而实现从公共意志到公共理性的过渡。

三、罗尔斯"公共理性"概念的含义及其公共伦理关怀

罗尔斯对黑格尔国家理论的实质非常了解,他晚年在论述政治自由主义的基本原理时,就不再像在他产生过巨大影响的著作《正义论》中那样想为正义理论奠定一个完备哲学学说的基础,而是直接以民主自由的社会作为思考背景,干脆就对理查德·迪恩·文菲尔德说的预定一个先在价值作了坦率承认,而且,明确地把自己的学说限定在政治领域中,也就是说,他是在处理黑格尔所说的国家伦理实体的正义性问题,这是公共伦理问题的归结点。同时,他

---

① 黑格尔著,范扬、张企泰译:《法哲学原理》,商务印书馆1961年版,第253页。

也化解了理查德·迪恩·文菲尔德对他的批评,即预先设置了一些基本的价值观念作为前提。因为按照黑格尔的观点,国家是比财产、道德、家庭和市民社会更高的伦理实体,所以,在处理国家的伦理正义问题时,前面的伦理实体的特点都已经是其价值前提,于是,把自己的正义观念限定在公共政治领域中,就不存在预设价值观念的问题,因为在市民社会中,人们本来就是作为自由平等的市民身份进入其中的。罗尔斯在这个问题上,吸收了黑格尔政治哲学的某些方面。当然,罗尔斯以后发表《万民法》,实际上是在处理国际伦理正义,对此本书不拟涉及。

他的问题是,完备性学说从不同的哲学基础出发,来形成不同的世界观、社会历史观、伦理、政治观念,并有一种深层的价值信仰。这些信仰之间也许是无法通约的。但是,在政治思维的层面,在确定了自由平等的人伦关系的社会基本结构中,人们秉承各自的完备性学说信仰这一事实是存在的,所以,现在的目标是:如何让持这些不同完备性学说的人们能够进入一个互惠的合作体系,这个体系又如何能达到长治久安?

完备性的学说信仰,在一个政治自由主义的政治框架中,可以是个人的自由选择,但是,这些完备性学说也必须是合理的,也就是说,它们不能是反理性的,比如说不能是反现代的基本价值观念的。如果它们信奉奴隶制、钳制思想自由、残酷排斥异己、采取愚民政策、实行种族歧视甚至种族灭绝等,并力图在制度层面上实现这种思想,那是必须加以反对的。合理的完备性学说必定也尊重人的生命、尊重人们追求自己的幸福的权利、并爱好和平,也愿意相互理解等。可以说,也许完备性学说可能成为我们在进入公共政治领域中的一种思想能力素养以及情感欲望的基础,虽然人们会对自己的价值信仰的特质有各自的坚守,从学说基础上说无法达成一致,但是,这并不会妨碍他们要在一个自由平等的公民社会的基础结构框架中进入互惠合作的体系之中。只有在政治事务中撑开一片能够理性地进行公共讨论的基础领域,政治的公共领域才能形成。而对它的思考,又必须采取康德式的思考方法。

人们常常说,道德领域实际上是意志领域,那么,在一个民主自由的社会中,如果注重公共理性,对其社会基本结构和公共行动还能够作伦理的考量吗？答案是：能。因为意志实现其自由的活动必须特定化在各种现实的伦理实体中，在政治的公共领域这一客观伦理世界中，只有公共理性才能彰显其公共伦理价值——正义。

在罗尔斯看来，公共理性的内容是：第一，它具体规定着某些基本的权利、自由和机会（即立宪政体所熟悉的那些权利、自由和机会）；第二，它赋予这些权利、自由和机会以一种特殊优先性，尤其是相对于普遍善和完善论价值的优先性；第三，它认可各种确保着所有公民能有效利用其基本自由和机会的充分并适用于所有目的的手段。

他说："公共理性之理想的关键是，公民将在每个人都视之为政治正义观念的框架内展开他们的基本讨论，而这一政治正义观念则建基于那些可以合乎理性地期待他人认可的价值，和每个人都准备真诚捍卫的观念上。这意味着，我们每一个人都必须具有、且准备接受我们认为可以合乎理性地期待其他公民（他们也是自由而平等的）与我们一道认可的那些原则和指南的标准。"[1]

像康德一样，罗尔斯也想把公共理性展开讨论的基本价值纯粹化，即"确认一类该观念的政治价值可以提供理性答案的基本问题"。[2] 他大概确定了以下几条：一是宪法根本的理念。它们关涉到具体规定政府的一般结构和政治过程的根本性价值，以及具体规定公民的平等之基本权利和自由。另一个是属于基本正义的问题，它们关涉到调节着基本分配正义问题——诸如移居的自由、机会均等、社会和经济的不平等、自尊的社会基础的原则。这些价值，我们可以设想是自由而平等的公民们可以一致同意的。确定第一种基本价值的主要目的是使政府的基本结构摆脱某些暂时占上风的派别或集团的政治利益的驱使，否则，就会导致削弱立宪政府之根基的不信任甚至动乱；第二种基本价值是人们的自由和平等权利所要求的，同时也是在处理社会和经济的不平等时人们一致同意的条款。

---

[1] 罗尔斯著，万俊人译：《政治自由主义》，译林出版社2000年版，第240页。
[2] 罗尔斯著，万俊人译：《政治自由主义》，译林出版社2000年版，第241页。

　　从公共伦理学的角度看,罗尔斯的"公共理性"观念确定了公共伦理的道德性要求的前提,这符合黑格尔的伦理领域中其实包括了道德的主观要求和平等的道德人格的想法。他说,"那些能够终生参与社会合作的人和那些愿意尊重适当公平合作项目的人,均可视之为平等的公民。"①而实质的公共伦理价值理念就是:实现秩序良好和正义的社会。在他看来,公共利益是我们要努力追求的目标。而只有在确立公民平等自由的社会基本结构的基础上,才能为公共利益的追求撑开一片公共空间。否则,就有可能让公共利益(公共善)的追求挤压了个人的自由,牺牲了公民的平等权利。这样,公共利益就有伪公共善的性质,因为这种利益并不是服务于所有人,而可能是服务于某些强势的社会利益集团的。所以,并不是任何表面上是非私人的行动都是公共行动,公共利益的公共性作为一种价值,是以更为基本的政治、伦理价值为基础的。除非我们想好了如何公平、正义地分配社会财富,社会财富的增加是无意义的。

　　公共理性有如下特点:第一,公共理性的观念意味着,"在基本政治问题上,按照各种完备学说明确给定的理由永远无法进入公共理性。这种学说当然可以给出公共的理性,但这种公共的理性却不是支持该学说本身的理性。"②

　　第二,公共理性是一个民主国家的基本特征。它是公民的理性,是那些共享平等公民身份的人的理性。他们的理性目标是公共善,此乃政治正义观念对社会之基本制度结构的要求所在,也是这些制度所服务的目标和目的所在。作为对照,我们可以看到,在贵族政体和独裁政体中,不是通过公共理性,而是通过统治者(不管他们是谁)来考虑社会善的。

　　公共理性能够在三个方面是公共的:作为自身的理性,它是公共的理性能力;它的目标是公共的善和根本性的正义;它的本性和内容是公共的。

　　第三,公共理性的功用:在公民社会里,公共理性是平等公民的理性,作为

① 罗尔斯著,万俊人译:《政治自由主义》,译林出版社2000年版,第320—321页。
② 罗尔斯著,万俊人译:《政治自由主义》,译林出版社2000年版,第262页。

一个集体性的实体,他们在制定法律和修正其法律时相互发挥着最终的和强制性的权力。它不适合于所有的政治问题,而只使用于那些包含着我们可以称之为"宪法根本"和基本正义问题的政治问题:谁有权利选举、什么样的宗教应当宽容、应该保障谁有机会均等、应该保障谁的财产等等。因为它们关涉到一个国家的基本政治结构。它们有着优先性,所以,我们要尊重公共理性的限制。

第四,公共理性不适用于我们对政治问题的个人性沉思和反思,但是当公民们在公共论坛上介入政治拥护时,公共理性就适用于他们。

人们在一个平等自由、秩序良好的社会中,应该拥有起点上的平等和受到尊重的平等。这就是说,公民们的完备学说也有同等的存在资格。但是,如果在社会公共领域、政治领域中让个人的完备性学说起支配作用,那么,就很难有公共行为,也很难形成共识。

对这个社会的公民来说,良序社会的基本结构、基本政治价值、道德人格等,都是相同的,这种结构可以保证公民们在其中安全、正常地度过一生。这是我们公共思考的前提;同时我们又要承认一个事实,那就是人们拥有不同的信仰、价值观念(也许不可通约)。正是以这两点作为条件,我们来思考公共理性的运用问题。他说:"懂得如何作为一位民主公民来表现自己的行为,包含着对公共理性之理想的理解。"[1]

在一个良序社会中,最重要的事情是使公民义务与重大价值相结合,当然,这种结合应该以每一个人都认为可以合乎理性地期待他人能够接受的方式,去产生这种支配他们自己的公民理想,而这种理想又反过来得到公民们所持的完备性学说的支持。公民对公共理性的理想的认肯,不是把它作为一种政治妥协的结果,也不是把它作为临时协定,而是从他们自己合乎理性的学说内部出发的。

公共理性的本质在于:它以那些大家都能一致认肯的价值作为目标,并可以化为具体的否定性操作规则。如在审判中,我们限制证据的引入方式,主要

---

[1]　罗尔斯著,万俊人译:《政治自由主义》,译林出版社 2000 年版,第 231 页。

要排除道听途说的证据,用不适当的搜查手段和窃取方式所获得的证据,滥用逮捕被告的权力,或不告诉他们该有的权利,也不能强迫被告自证有罪,等等。我们大家也都同意要保卫家庭生活的重大价值,并表现出对爱情关系价值的公共尊重,所以,不能要求夫妻去互作不利于对方的证词。显然,这些最基本的限制,在一些完备性学说看来,是可以被牺牲的。如为了破案,为了给被害者一个公正,我们就曾视严刑逼供为合理,重视口供,而不是只以证据说话。我们也曾为了一个冠冕堂皇的政治目标而诱使夫妻互控。在这个意义上,公共理性学说所保卫的是一种公共伦理价值。

当然,我们必须假定,我们所讨论的基本权利、义务和价值都具有足够的重要性,当社会中完备性学说被用于正义观念本身,那么,公共理性的价值就可以通过各种合乎理性的完备学说的全面评价而获得正当性证明。换句话说,各种合乎理性的完备学说,在重大的基本价值上是可以达成某些共识的。

我们很容易就事论事,纠缠于罗尔斯的公共理性学说的细节,而遗忘了其问题的真正重要性。他的问题的实质关系到公共伦理学的主导概念从公共意志转变为公共理性(这是一个自由平等的公民社会所必然要求的)之后,我们的公共行动如何作出,我们的公共利益如何保护和促进,政府公共权威组织的公共政策的正当合理性如何得到辩护等等重大理论问题。

在一个自由平等的公民社会国家中,政府组织的公共权威是如何被赋予的? 既然我们是在正义论视域中论述公共伦理学,就需要对此问题进行切实的考察。政府组织与公民之间的关系是一种公共伦理关系。但这种公共伦理关系的正义性何在?

罗尔斯观点相当韦伯化,他认为,"政治权利永远是强制性的——由政府对法律力量的垄断来支持。"①于是,公共理性的要求更严格地用在那些拥有统治别人的权力和对他人的责任的人身上,这些人就是公共官员,因为他们是

---

① John Rawls: Justice as Fairness: A Restatement, edited by Erin Kelly, The Belknap Press of Harvard University, 2001, p.90

以其他国民的名义来行事的。也就是说，那些有权作出有约束力的决定的人有更大的责任去符合公共理性的要求。① 于是，公共理性本身的约束力主要要在政府的行政过程和政治生活的其他部分上表现出来，而对最高法庭则要求最严。这是公共伦理所要规范的主要对象。

如何实现公共理性的要求呢？第一，它的前提是有一个稳定的民主政府。在民主制中，国家的强迫性力量应该处于作为一个合作体系的自由平等公民的最终控制之下。② 既然如此，每个公民都期望政治权威能够根据自己的公开授权来合乎自己的理性。这属于公共理性的要求。人们带着自己的利益打算、兴趣、信仰来到社会合作体系中，在如何作出公共政策和公共行动的问题上，可以走到公共平台上进行讨论。在一个不是由自由平等的公民所组成的民主政府之中，每个人的理由难有可通约之处，政治权威就只能依靠暴力来树立，政治文化则可能是对一个等级制度的合理性的宣传，或者公共善的分配就只能建立在优点之上而不是公民普遍的平等权利之上。他提出，公共讨论的最后基础只能追溯到宪法根本和基本正义的要求。

第二，对公共官员来说，公共理性要求他们应该如何行动呢？罗尔斯的想法是：他们不能按照自己已有的哲学的、道德的、宗教的完备价值观念来作出决定。这是一个否定性的规定。当然，这首先就得把完备学说与公共理性分开，否则无法满足这个要求。

罗尔斯举的堕胎的例子不容易解决，比如公共官员不应听从任何宗教、道德的完备学说的价值观念，有的宗教价值观念认为胎儿的产生是有神圣的根源的，它就是一个人的生命，享有人的基本权利，而堕胎就无异于谋杀（不管是在胎儿发育的哪个阶段都是如此）；或者有时候公共官员比如大法官本人就持有这种完备观念，那怎么办呢？罗尔斯只能说，作为公共官员的人们不能采用自己所持有的完备学说来对这一问题作出裁决，这样做就会违背公共理

① Dennis F. Thompson: Public Reason and Precluded Reason, Fordham Law Review, Volume lxxii, April 2004, Number 5, New York, p. 2077

② See John Rawls: Justice as Fairness: A Restatement, edited by Erin Kelly, The Belknap Press of Harvard University, 2001, p. 90

性。但在这个问题上的公共理性有什么内容呢？他只能说,宪法没有宣布胎儿是否有人的权利,所以恐怕只能诉诸对妇女的宪法权利方面的利益的考量,给妇女本人以更大的慎思取舍的自由,只有这样才是符合公共理性的。这个问题当然不是妇女的私事,它也有一张公共的面孔。

丹尼丝·F·汤普逊(Dennis F. Thompson)所提供的一个例子恐怕更有说服力。在美国田纳西洲,有些奉行基督教原教旨主义的父母,认为学生课本的内容与他们的宗教习惯观念有冲突,因为课本鼓励他们的孩子在《圣经》提供了答案的领域提出自己批判性的判断。对这一问题,我们可以用公共理性的理由来拒绝这类主张:在民主社会中,没有任何父母能理所当然地根据《圣经》的解释而有权剥夺他们的孩子成为未来民主社会公民的机会(这是所有公民都能认同的理由),而其他孩子却享有这种机会。学校当局和终审法院否定了这些父母的主张,他们所根据的就是以上公共理性的理由。但要明白,这并不是判定《圣经》的解释是错的,而只是拒绝那些父母的主张。公共理性要求民主社会的人们尊重各种完备的宗教、道德学说,但却坚决拒绝用完备学说为根据来作出公共决定,如果这样做,公共官员实际上是在任性地行使自己的权力。①

第三,作为一个理想概念,公共理性的实现需要许多前提性的制度条件。他在《政治自由主义》的第二版中,设计了一套完备的制度,认为只有符合这些条件,公共理性才能起作用。他认为其制度条件大致要包括竞选的公共财政、教育改革、收入的二次分配、福利支持、普遍的健康关怀等,主要目的是说明,公共理性要能得到应用,其制度形式必须是慎思的民主,因为它可以保证公民有一个平等的立足点。

第四,公共理性要能取得规范性价值,公民对它取得某些共识是必需的。由于公民抱有各种完备学说是一个民主社会的事实,他们之间在某些问题上可能是不可通约的。但这并不是说,他们的完备学说可以是全然不合理的。

① Dennis F. Thompson: Public Reason and Precluded Reason, Fordham Law Review, Volume lxxii, April 2004, Number 5, New York, p. 2078

于是,公民们在公共论坛上进行公共讨论时所根据的必须是合理的价值观念。而且,从公共理性发挥作用的角度看,公共理性所表达的政治概念应该由一些重叠的共识来支撑。这种共识是由这些完备性观点所能认同的合理性观念所组成的,这些合理性观念是每一个公民所能公共认同的全部真理,虽然他们还各自拥有自己所确认的真理。只有有了重叠的共识,公共理性才能发挥作用。同时,他也认识到,必须有能够为慎思提供公共空间并支持人们使用自己的能力去达成有意义的选择的社会条件,个体的自律才能存在。所以,从公共伦理的层面上看,公共理性要发挥作用,肯定需要个体广泛地参与公共讨论,行使自己作为政治——伦理主体的职能,但同时,又要营造浓厚的公民社会文化氛围,发挥家庭、学校和更大范围里的文化环境在培育公民自律能力方面的作用。如果公民们对公共事务根本就没有广泛参与和进行公共讨论的行动和能力,公共理性也无法体现出自己作为政治价值的地位。

四、对罗尔斯的公共理性观念的进一步思考

(1)如何区分政治价值和完备的政治、道德观念?

罗尔斯的这一学说,受到了广泛关注,同时也受到很多深入的批评,考察这些批评对这个问题所展示的深度,对我们从公共伦理学的角度去思考实行民主政治的国家中如何作出公共决定和公共行动有很大帮助。

德沃金对罗尔斯的公共理性学说的实质做出了两点很准确的概括:罗尔斯发展了一种公共理性学说,公共官员可以用这种学说来正当地为自己的决定进行合理性证明。[①] 他认为,这个学说很难去定义。首先,最基本的是,诉诸"互惠性"这一概念,这个学说仅仅承诺那些公共官员可以凭此作出一个政治共同体中所有有理性的成员能合理地接受的证明;其次,把公共理性设定在一个更基本的检验的射程范围之外,只主张,公共理性要求公共官员所提供的正当理由是建立在这个共同体的政治价值观念之上的,而不是建立在完备性

---

① Ronald Dworkin: Rawls and the Law, Fordham Law Review, Volume LXXII, April 2004, Number 5, p.1388

的宗教和哲学学说之上。

的确,要区分这两者是很困难的。比如说,完备性学说包含道德和政治的模型,而道德和政治的学说一定会涵盖合作的原则。而这些完备性学说又被假定是通过相当良好的推理才达到的。于是,要压制这些完备学说显然是不合理的。按罗尔斯的观点,持不同完备学说的个人之间会有不可通约的意见产生,也就是说,有许多问题达不成一致,并有可能产生根本的分歧。如果人们在基本层次上意见分歧,那我们能有什么共享的原则在基本层次上对这些分歧进行裁定?而任何这样的裁定性原则本身就在争论之中。这是问题的根本。罗尔斯只能建构出另一种在范围上与完备观念不同的观念,即公共理性。但它的标准是什么呢?或者说有这样的标准吗?罗尔斯的回答是,这个标准不是一个僵硬的标准,而是一种文化的蕴涵。他认为,这种标准应该到民主社会的公共文化中去寻找。这是为解决这个问题而回溯到民主社会长期发展过程中所形成的公共文化土壤中,从这个意义上说,罗尔斯的公共理性学说借用了黑格尔学说的某个侧面。

(2)公共理性观念也满足自由主义的中立性要求吗?罗尔斯的用意是说,政府主要是一个强制性的机构,不能从自己的负责人的特定世界观、价值观念立场出发,因为这样一来,他们在处理公共事务时就很难公正不偏了。所以,公共理性概念的根本特点就是要使得每个自由平等的公民都同意。这就是它的规范性所在了。

但是,在人们的价值观念如此多样化的情况下,实在没有一个大家都能共同接受的前提,于是在敏感的政治决定方面就更是难以统一。所以,罗尔斯的主要解决办法是说:公共理性对公共事务的决定所做出的辩护,如果人们是理性的(rational),那么就会接受。问题是,这个"理性的"一词,却需要一个彻底的分析。在这里,罗尔斯为了使公共理性的辩护让每个人都能被期望同意,就加上了一个限制,那就是他们必须是"理性的"。然而,什么样的理性才能让他们同意公共理性呢?罗尔斯却从来没有做过分析。他的最初进路是:完备(所谓"完备",实际上就是"系统"的意思)的宗教的、非宗教的学说不能充当作出公共决定时的推论工具,然而,完备学说当然要包括伦理和政治的组成部分,所以,限制完备学说就引起一个悖论。但这个悖论并不是据他自己认为的范围上的大小问题,而是"公共理性"和"非公共理性"的区分问题。因为完备学说也都是依据理性而形成的,同时其根据也是由面向所有人的理由和证据而形成的,那些拿奇想和怪谈来作为自己基础的完备学说,肯定是行而不远的。但是,罗尔斯并没有正视这个悖论的深度。他的解决办法,就是把平等自由的公民生活于其中的宪政民主的价值原则作为其立论的大前提,而对这个价值原则则不再作过多的追究。他在1999年,就明确地说,他的公共理性观念适合于北美、英国和欧洲大陆、印度等的民主政体的公共生活,而至于其他政体,它们要自己去发现适合于自己特点的公共理性,虽然万民法的观念可以扩展到"合宜文明的人民"的社会之中。①

这一守卫的姿态,在有些人看来,是有点任性的。实际上,真正要解决的问题是,为什么公共理性是公民应当使用的? 这才是它的规范性所在。其标准何在呢? 我们认为,它应该是可分享的理性,这才是公共理性的实质。同时,这种公共理性不能说是由政治——公共的实体机构自身所拥有,如果这样的话,那么公共理性学说就后退到了卢梭的"公共意志"学说。罗尔斯当然不愿意这样做,所以,他一直强调,公共理性是向公共讨论敞开的,是公民在讨论过程的互动中所达到的某种平衡,而不是一个真理状态。他在《公共理性观念再探》一文中就说:"我建议在公共理性观念中,有关真理和对的观念的完备学说应该为向作为公民的公民宣示的政治合理性观念所替代……那种要在政治学中彰显完整真理的热忱与属于民主的公民的公共理性观念是不协调的。"②

(3)关于公共理性如何实现的问题,丹尼丝·F·汤普逊提出了自己的看法。罗尔斯曾经提出过互惠的合作体系中会出现一些公共的需要,要求大家

---

① 罗尔斯说,《万民法》主要适合于采用自由的民主制度的国家,但也可以扩展到"合宜文明的人民"(decent people)的社会中。See John Rawls, The Law Of Peoples, Harvard University, 1999, pp.4—5

② John Rawls: Collected Papers, Samuel Freeman ed. 1999, Harvard University Press, pp. 573—574

在这个现实问题上不要固守各自的完备学说而争执不下,而要寻求一种公共的、大家可分享的理由。显然从完备学说的整体而言,也许不能完全赞同它,但是应该说公共理性在合理的完备学说的持有者看来也是合理的、可接受的,并考虑到互惠合作体系的需要。因为在民主制中,国家的强迫性力量应该处于"作为一个合作体系的自由平等的公民"的最终控制之下,从这个意义上说,在民主社会中公民们遵守公共理性(理由),实际上是在遵从自己的理由。但是,对什么是公共理性,我们还是很难得到一个明确的概念。说公共理性是各种合理的完备学说之间"重叠的共识",又使得公共理性概念像是一个奇怪的观念,就是说它不让大家讲述全部真理,而发誓只说部分真理,并且除了部分真理之外什么都不说。更为关键的是,像这类誓言式的东西却是所有公民的道德责任。① 那么,这种公共理性如何去实现呢?

罗尔斯的态度是犹疑的。有时他诉诸合理的平等自由的公民主观的真诚即所谓"有良知,信息充分,有道德动机",这是一种主观上的要求,认为人们只要做到这些要求,那么就能遵守多数性的标准这一民主法则,但这对公共理性的实现几乎并没有说出其他更多东西;有时他又诉诸客观的标准,那就是公共理性的行使以"宪法根本"与"基本正义"为基准。这样两种态度难以得到统一。其实,这也说明,在国家这一个高度发展的公共伦理实体中,由于所有最基本的公共问题都集中到了这里,因此它的结构及其运转机制是高度复杂的,而且它们不能还原到家庭正义、经济正义和非政府公共组织的正义的层面上。罗尔斯的犹疑显示了问题的深度。

迈克尔·保尔(Michael Baur)对这个问题作了一个形式性的说明。他说,既然"共识"不容易说清楚,那么我们就从分歧说起。假如说在两个人中关于什么是公共理性所要求于他们的产生了实质性分歧,而他们都相互指责对方违背了公共理性的要求,那么就会有如下情况:首先这二者都相信有公共理性的存在,只是在什么是其要求的问题上有不同看法。如果甲主张乙违反了,那

---

① See Dennis F. Thompson: Public Reason and Precluded Reason, Fordham Law Review, Volume lxxii, April 2004, Number 5, New York, p. 2073

么就有两种情况:即(1)甲说对了,那么,公共理性就是甲所理解的那样,他有资格批评乙;(2)甲说错了,那么甲本人就违背了公共理性的要求,而乙是符合公共理性的要求的。反过来对乙而言,情况也同甲一样。也就是说,在这种情况下,至少有一个是违反的,至少有一个是对的。"当然,两个人在关于对方违反公共要求方面的看法可以都是正确的,但是,对特定的被宣称的违反行动的看法不可能两个人同时都对,"①因为这违反矛盾律。他的这番分析,实际上是想说明对这个问题有一种内在的判断基础,而不依赖于一个外在的标准如"多数原则"或"真理"。这样他就通过"分歧"的存在这一简单事实为公共理性这一观念的意义奠定了基础。他认为,这摆脱了罗尔斯要通过一大堆的前提性信仰来确定公共理性的困境。

从这一点出发,迈克尔·保尔对公共理性的实现就进行了一种纯粹形式性的说明。也就是说,公共理性之为"公共",其实质就是公共讨论,每个人都能对公共问题发表意见,而且可以说犯错误也是一项"公共自由"或"公民权利",至于能达成什么共识则我们不可能预先设定什么价值基础。于是,公共理性的规范性就只能是:甲、乙可以相互抱怨对方没有符合公共理性的要求,但两个人对这些要求是什么可以有不同意见。而在这些不同意见中,有一个意见将可能是正确的。既然会出现分歧和争执,那么就需要援引外在的客观的标准来裁决,这些外在的客观标准是什么呢? 是多数人的意见吗? 抑或"在真理的基础上"? 迈克尔·保尔认为,罗尔斯的公共理性不能简单地用这两者来决定。他认为,我们回到大家对会有分歧这一事实,从这里我们可以获得一个坚实的基础。那就是:大家都会对民主社会的成员之间存在分歧这一点有共识。他说:"如果罗尔斯式的公共理性的精神教给了我们什么的话,它教导了这一点:那就是我们应该把公共理性看作是加在我们身上的持续不断的命令,它甚至(并也许是特别地)在关于对公共理性的违反已经发生和我们自己没有违反它的坚定信心的知识中要求公开性。"②换句话说,公共理性实

---

① Fordham Law Review, Volume lxxii, April 2004, Number 5, New York, p. 2171
② Fordham Law Review, Volume lxxii, April 2004, Number 5, New York, p. 2174

际上类似于康德的绝对定言命令,它不推论我们实际应该做什么,但它对我们的行为准则是否合乎伦理则可以检验。迈克尔·保尔的基本认识是:公共理性是在公共行动领域彰显出来的,而没有一个绝对真理的基础,也就是说,我们永远无法预先固定地说什么是对的,合理的公共决定永远要在制造的过程中来作出。所以他对罗尔斯有时认为公共理性的规范性内容需要由参照现存的信念或现在被广泛接受的真理来确定这一看法表示不满。也就是说,在他那里,公共理性的规范性就只是一个绝对命令,唯一要求就是公开性,要求大家进入公共讨论,在这个过程中彰显什么是可以合理采纳的公共政策。他认为,一种公共道德的氛围就是"公民友谊"(civic friendship)。①

我们认为,罗尔斯的公共理性概念的确是对现代民主国家平等自由的公民的政治伦理地位的确认,而所有批评罗尔斯这一概念的学者对这一点都不否定。他们的批评使人们对这一观念的认识深化了。从公共伦理学的层面看,公共理性概念虽然仍然要保持公共权威机构的某种强制性,但是,它已经不是公共意志那样的所谓真理在握的独断。在公共理性的理念中,合理性取代了真理,正义取代了强力,权利与权力取得了一种良性互动,从而保障了公民对政治的参与权,以及公民对主权的分享。从制度性的公共伦理学的演进来看,民主制度是国家制度的合理形式。当然民主制度的实行形式有不同,西方的民主制度有自己的特色(甚至在它们内部也表现为不同形式,比如美国和英国),中国的人民民主制度也有自己的特点,我们的人民代表大会制度、政治协商制度也较好地保障了公民的民主权利,而这种权利的实现,实际上也是公民尽义务的过程。所以,在国家的政治生活中,权利和义务达到统一的唯一形式也就是民主制度。如果迈克尔·保尔所说的公共理性是一种绝对命令的想法有合理性,那么,实现公共理性的要求当然可以有不同的形式,它可以在不同的文化背景下采取不同的形式,并援引这个国家在长期发展过程中所形成的合理性的文化价值观念作为共识的基础,其实并不违背公共理性的绝对命令地位。所以,罗尔斯关于公共理性的规范性内容需

---

① Fordham Law Review, Volume lxxii, April 2004, Number 5, New York, p. 2175

要由参照现存的信念或现在被广泛接受的真理来确定的看法也是可取的。但是，这些只是公民共识的基础。有关公共议题的公开性、公共讨论、公民的广泛参与和对主权的广泛分享却是达到合理的共同决策的合乎公共伦理要求的道路。

第六章 公共治道的转型与公共管理伦理

国家作为一个政治实体,在阶级对抗的社会中,的确反映的是统治阶级的意志,是一个阶级压迫另一个阶级的暴力工具。但是,当阶级对抗已经不是国家政治生活的主要内容的时候,我们认为国家的政治生活就取得了一种实质性的进步,它的政治目标中拥有了更多的为民众的公共利益着想的内容并发展出一系列服务于公共利益的执政理念、制度设置、行政技术和伦理观念。

第一节 政治与行政的关联及其伦理维度的开显

一、民主:现代政治与公共行政的关节点

老公共行政运动有一个重大的理论贡献,那就是明确地把公共行政作为一门有相对独立性的学科来研究。它从威尔逊(Woodrow Wilson)的论文"行政之研究"发端。此文于1887年6月发表于《政治科学季刊》第2期,当时并没有引起很大反响。50年以后,当老公共行政运动进行得如火如荼时,此文才被奉为行政学的经典。它从建立学科的角度,把公共行政作为一门专门的学科从政治科学中独立出来。他认为,行政学脱胎于政治学,但是,我们必须明确地看到,政治与行政是有区别的。他把行政学的对象限定为:"第一,政府能够恰当地和成功地做的事情;第二,政府如何以尽可能最大的效率和以尽

可能最小的金钱和精力的代价去做这些恰当的事情。"①行政是政府的一部分,是采取行动的政府,它是政府的执行性、操作性最明显的一面,而且它与政府一样古老。所以,它与政治国家是有区别的。当然,行政管理的任务是政治加以确定的,但是行政问题却不是政治问题,也就是说,政治不必去操纵行政管理机构。

他认识到,在他那个时代,就已经出现了这么一种情况:"运行宪法比制定一部宪法要困难得多"②。政治决策的具体操作和执行成了异常繁杂的工作,需要建立一门行政科学来研究它。

弗兰克·J·古德诺(Frank J. Goodnow)也谈到政治与行政的联系和区别。他认为,"政治与政策或国家意志的表达相关,行政则与这些政策的执行相关"。③ 实际的政治需要必然要求在国家意志的表达和执行上达成一致,否则就会造成政治上的瘫痪。

从行政学的两位创始人的有关论述中可以看出,虽然其意图是论证行政对政治的相对独立性,但是,这种独立性是以政治与行政的密切关系为前提的。政治国家的执政理念、国家意志及其利益要求必须化为具体的政策措施来加以执行,这就需要一整套的行政机构,并在具体的行政过程中,不断总结行政经验,升华为成体系的行政技术和智慧。中国古代社会对此就十分自觉,首先注意到要政令统一,不能政出多门,同时注意到要有相应的行政管理机构来"行其政令"。在长期的发展过程中,逐渐形成了一套规制严整的行政设置,包括行政区划、各级行政机构的设立和运行、行政官员的遴选与任用、行政责任的确定和追究制度,等等。但由于古代中国政权的权源不是来自人民,而是由君主垄断,所以,其政治并没有一种公共利益的理念,也没有真正的公共领域,其行政机构也非公共权力机构,而是代表型公共领域,它们的执政理念

①　Woodrow Wilson: The Study of Administration, in Selected Classic Readings of Public Administration, edited by Du Qaunwei, Fudan University Press, 2001, p. 7

②　Woodrow Wilson: The Study of Administration, in Selected Classic Readings of Public Administration, edited by Du Qaunwei, Fudan University Press, 2001, p. 10

③　Frank Goodnow: The Study of Administration , in Selected Classic Readings of Public Administration, edited by Du Qaunwei, Fudan University Press, 2001, p. 32

是要维护一家一姓之天下,希望其王朝能延续到百世,以至千秋万代。所以,那个时代的行政是统治行政,而非公共行政,当然也就不能形成系统的公共行政的伦理观念。

行政理念的发展以国家的政治变革为先导。在西方,近代资本主义社会的政治变革,形成了一整套的自由、平等、民主共和、法治的政治理念,并向精神文化价值的深处植根,而形成了显发为道德人格和伦理结构的自由、平等、民主共和、法治的价值底蕴。资产阶级在夺得政权以后,努力彰显其政治理念,在经济上实现自由的市场经济制度,从而使人们的平等、自由在经济交换的秩序得到了扩展;在发展过程中,由于经济必然性产生了垄断行为,造成了经济不平等,妨碍了经济自由,从而引起了政治国家对这种趋势的扭转,即以法律的方式来反垄断,促使自由、平等的理念在经济运作的过程中得到体现,目的是让经济体制成为人们可以平等地共同参与并分享利益的体制;政治上三权分立的制度设置,则是为了防止权力的垄断,进行了以权力制约权力的政治体制安排,因为他们深知人性的弱点,体察到权力会产生腐败,而绝对的权力会产生绝对的腐败。其目的仍然在于提高权力的共享性及其公共性。但是,我们要看到,资产阶级取得政权之初,对政权也有独享的动机和制度,比如当时在选举权方面就有财产数量的限制、性别的限制、人种的限制等等,民主政治的不断推进、公民基本权利的形成和保障、经济利益的社会分享等等都是广大人民不断斗争的结果。所以,近代思想家们的政治主张如天赋人权、人生而平等、自由、民主等,在具体的资本主义政治过程中并不是一开始就实现了的,而是人民通过不懈斗争而取得的。

可以说,只有政治权利有了较高的分享性之后,公共利益才能成为社会公共舆论讨论的中心,才会获得对政权的规范性力量,这时,民主就能进入日常的政治过程,并对政治决策的执行即行政过程产生塑造性的影响。

我们说过,有关正义这一公共伦理的核心价值的学说一定是一种权利哲学。顺着这一思路,我们认为,正义这一公共伦理的核心价值必定要在民主政治体制中才能得到实现。因为,权利是本书的出发点,但权利开始只是一种空无内容的概念,其实就是对人格的抽象尊重,其命令是尊重他人为人,当然也自己尊重自己为人。在抽象层次上，就是人格平等。然而，这种平等空无内容，只是一个概念而已，因为它还没有具体的规定性。它要发展出规定性来，首先还要借助于不平等。从人类社会发展史中可以看出，人类是以一种不平等的社会制度来开始自己的文明史的。

人类历史发展到近代以来，权利平等成为一个切近的、并进入操作的政治目标，如何保障并行使这种平等权利成为公共讨论的中心话题。显然，只有民主的政治制度可以保障这一点，所以，民主制度是权利哲学所必然主张的公共伦理制度。因为现代民主制度在政治上、经济上、社会活动的层次上为保障公民平等权利并使公民们能够行使平等权利提供了一种公共制度平台。因此，我们同意罗尔斯的立场，那就是以民主制度作为我们公共伦理思考的政治制度背景，它规定着我们现实的人伦关系结构，对那些正在向民主政体继续迈进的国家而言，这种人伦关系的结构也是正在努力实现的，并应成为改革政治结构中的非民主因素的方向。可以说，这是权利哲学中的起点概念——权利——所必然含蕴的。权利作为其自我决定性的展开，必定走向民主制度，因为只有在民主制度中，公民的平等权利才能得到现实的行使和制度性保障。所以，就权利哲学来说，平等权利在其伦理现实中，并不是任何政体都是可以采取的，唯有民主政体是其必然形式。黑格尔似乎不明白这一点，他认为，由于权利在政治世界（国家）中的展开，必须含有三个环节，即普遍性，特殊性和单一性，相应的制度设置就是立法权、行政权和王权。换言之，他认为，权利的完全实现必须采取君主政体。他批评三权分立的理论，认为孟德斯鸠的"立法权、司法权、行政权"三权分立有两大缺陷：一是把政治弄得支离破碎，无法成为一个整体，二是司法权其实就包含在行政权之中，所以，所谓三权分立实际上是两权分立。黑格尔认为，君主其实是一个国家的政治权力的象征，他除了宣布战争状态之外，实际上并没有太多的实际事情要做，但是所有的有关国家的总体事务，都必须有他的签字才能产生正式生效。所以，君主在平时的工作只是签字而已，但这是表明国家统一和国家权力的必经程序。①

---

①　黑格尔著，范扬、张企泰译：《法哲学原理》，商务印书馆1961年版，第210页。

为什么我们认为民主政体是权利哲学的必然主张呢？我们认为,作为权利哲学的起点的平等权利概念,必须在一系列的自我决定性的展开中获得自己的内容并加以实现。在家庭、市民社会和国家中,人们的权利得到了越来越高程度的实现,在国家中,则实现了自己作为一个国家公民的平等权利。我们要明白,在国家中,不仅仅是要实现一般的善,如物质财富、国防和国民教育等等,而更要实现公民们的政治本质。这不能还原为其他的善,如经济利益等,而是有其自己的特点和价值。我们知道,任何政体都可能实现一般的善,比如专制政体可以凭借政治高压为国民提供社会秩序、和平环境,甚至一定范围的自由,但是只有民主政体才能够实现平等的公民权利,并且使之成为理性的公共讨论的对象,影响政府的公共政策。也只有在这个层次上,才会有公共人伦结构和公共伦理问题。因为真正的公共领域需要以个人的独立、自由、平等为基础的私人领域的存在才能得以形成并得到发展。公民们不仅作为独立平等的个人自由地参与经济过程和社会活动,也应该以一个自由、平等的公民身份参与国家的政治事务和公共政策的制定过程,每个公民的声音都应该有同等地位和价值,除非被证明是错误的。公民这种平等的政治地位只有在民主政体中才能存在并得到保障,同时这正是我们公共伦理学所依凭的政治人伦结构的现实,黑格尔的《法哲学原理》正是在这个问题上思维出现了迷乱。不确定这一基础,我们就无法对公共行政进行伦理学的考量。

二、法治:公共行政的价值理念

适应于民主政体的性质,社会治理的方式必须是法治。我们对法治的实质必须有一个正确的理解。它不仅仅意味着以法律为准绳来治理社会,更为重要的是法治精神,这表现为:法律本身必须是良法,也就是说,法律本身必须体现出公平、正义的公共伦理价值。它对社会中强势力量的存在特别敏感,从作为公平的正义的标准来衡量,应该在法律中体现出对强者的制约,特别是对社会中的最强势存在,也就是政府更是要加以细致的、正规的、刚性的制约。这是保证人民主权,维护并运转民主政体的根本途径。哈耶克有关法治的本质的论述,的确闪烁着许多真知灼见。首先他认为,法治不仅是合法性问题,

"如果法律赋予政府以无限的权力,可以为所欲为,那么,政府的一切都会是合法的,但这肯定不是在法治之下的状况。所以,法治也不仅仅是宪政制度而已,法治要求:一切法律都符合某些原则。"①换言之,法律必须是对更为基本的、文明的、体现人性特点的公共伦理价值的具体化。② 其人伦关系结构的基础就是每个人都是自由平等的公民,所以,对这些自由平等的基本权利就有了一项最高的约束,那就是"勿侵害"的原则,这是公共正义的最根本要求,它应该成为法律最基本的价值指针。在它的指导下制定的法律,那就是良法,依照良法进行的治理就是"良法之治"。他着重指出,"法治是对政府的限制,只限制于它的强制性活动。"③所以,法治就意味着政府除非是为了执行一项已知的规则,否则就绝不能对一个个人实行强制,法治就是对任何政府的权力,包括对立法机关的权力的一种限制。④ 其次,法治并不是法律的统治,而是有关法律应当如何的规则,是一个"元法律"的学说,或是一个政治理想。换句话说,法治必须预先确定执行法律的程序规则。这种理性的程序规则是对所有人一视同仁的,有同等的约束作用。其基本精神是"法律面前人人平等",没有任何人享有法外的特权,立法者也不能例外。唯有立法者感到自己受到它的约束,法律才能是有效的。这就意味着,在一个民主制度中,法治除非成了群体道义传统的一部分,成了大多数人所共识与毫无异议地接受的一个共同理想,否则,它是不会占上风的。⑤

　　所以,法治离开了对政府的限制,就不可能得到贯彻。我们不能认为,既然采取民主制度,广大公民都拥有自己的民主权利,公共权力就不会被滥用。这是不切实际的幻想。实际上,只要组成政府,它就是强势的,法治精神就要求对它加以制约。哈耶克提到了法国大革命的教训。他说,法国大革命原先是朝着加强个人自由的方向努力的,但努力却失败了,造成如此失败的决定性

---

① 哈耶克著,杨玉生等译:《自由宪章》,中国社会科学出版社1998年版,第324页。
② 见詹世友:"现代道德规范的两大类型",《南昌大学学报》2003年第1期,第34—36页。
③ 哈耶克著,杨玉生等译:《自由宪章》,中国社会科学出版社1998年版,第326页。
④ 哈耶克著,杨玉生等译:《自由宪章》,中国社会科学出版社1998年版,第324页。
⑤ 哈耶克著,杨玉生等译:《自由宪章》,中国社会科学出版社1998年版,第325页。

因素,就是这场革命造成了一个信念,以为既然一切权力都已经到了人民手中,那么一切防止这一权力被滥用的保障,就都成为不必要了。当时以为,民主的来临,会自动地对权力的专擅使用加以防止。然而,人民选出的代表们很快就表现出,他们更为热衷追求的是行政机关权力的侵害。尽管法国大革命在许多方面是受到美国革命所启发的,但是它从未取得美国革命的主要结果,即一部对立法机关的权力施加限制的宪法。①

这就是说,法治要求一切强势集团必须在法律规范的范围内行事,做到有法可依,和有法必依。因为法律是一种预先制定的针对一般可能情况的行动规范,是公共理性的体现,从而它具有普遍性和客观性。这样,它就排除了人治所必然产生的个人的情绪波动的主观性以及人情偏私性。所以,人治的本质是听凭人的任性来作出公共决定。由于公共决定本质上就是要调整各种利益关系,从而必然会对个人的自由权利带来干预。也就是说,政府的行为必然会有某种强制性。法治主要就是要限制政府的强制活动。这就特别需要遵循一种根据普遍的合理性的理由来制定的、有着稳定的可预期性的法律。诺依曼指出:"自由主义最重要的而且也许是最有决定意义的要求就是:对于保留给个人的权利,是不能允许根据个别性的法律来干预,而只能根据一般性的法律方得干预","国家对个人权利的干预,唯有当国家能援引某一部对无限多的未来个案具有约束力的一般性法律来证明其主张之时,方得行之;这就排除了立法上的追溯既往,而且要求立法职能同司法职能分离"。②

总之,我们要避免一个误解,认为法治就是"依法治国"或曰"法治国"。我们必须明白,法律有良法、恶法之分。在这个问题上有一个道德形而上学的根据问题。也就是说,只有从对权利的超验理解出发,才能为法律奠定一种有正当价值的基础,实际上就是要对一种高于人的自然正义抱有一种绝对尊崇。唯有自然法是绝对的,人为的法律都只有相对的意义,它们都要受到自然法的基础价值的衡量,被判断为良法还是恶法。这是法治的根本特征。它形成于

---

① 哈耶克著,杨玉生等译:《自由宪章》,中国社会科学出版社 1998 年版,第 302 页。

② 哈耶克著,杨玉生等译:《自由宪章》,中国社会科学出版社 1998 年版,第 326 页底注 1。

12、13 世纪的欧洲,那时的欧洲具备了一种高水平的法律意识,特别是拥有了一种超验的法律价值观。它们来源于古希腊斯多亚学派的自然理性学说,罗马斯多亚学派继续发扬这种思想,并形成了自然法思想,认为自然法是普遍存在的根本性法则。这个传统特别适合于法律所需要的一种高于人的、非情感性的普遍理性特征。从这一观点出发,孟德斯鸠就认为,从最基本的意义上说,(自然)法就是由事物的本性中产生出来的必然关系。对人而言,自然法就是指全人类所共同维护的一整套权利或正义。这种超验价值观就体现在对人权、正义、自由、尊严等普世价值的坚定信念之中,一切人订的法律都要受到这些基本价值的衡量。它是"元法律"(即法律之"上",或法律之"后"),也可以说是超验的公共伦理价值,因为它们判断人为的法律是否正当,是良法还是恶法。

这就是说,自然法作为宇宙秩序的产物,高于一切人的法律制作,任何人或团体的权能都必须受到自然法的制约。正如西塞罗所明确表述的:"法律乃是自然中固有的最高理性,它允许做应该做的事情,禁止相反的行为。当这种理性确立于人的心智并得到实现,便是法律。"①只有出于自然的正确理性的法才是正义的,那些人为法必须受到自然法的价值指导才能是正义的,因此,"把所有基于人民的决议和法律的东西都视为正义的这种想法是最愚蠢的。甚至也包括僭主颁布的法律? ……那法律使独裁者可以随心所欲地不经法庭审判,任意处死他想处死的公民。要知道,只存在一种法,一种使人类社会联合起来,并由一种法律规定的法,那法律是允许禁止的正确理性。谁不知道那法律,谁就不是一个公正的人,无论那法律是已经在某个时候成文或从未成文"。②

这种法治思想的精髓就是认为,主权者所制定的实在法,若不受人的基本权利或自然正义、理性、上帝的约束,在实际操作过程中必然会危害到个人的自由及财产权利和其他基本人权。让我们来看看洛克的运思路向:基本正义

---

① 西塞罗著,王焕生译:《论共和国·论法律》,中国政法大学出版社 1997 版,第 189 页。
② 西塞罗著,王焕生译:《论共和国·论法律》,中国政法大学出版社 1997 版,第 200—201 页。

和人的权利需要一个受托者,在洛克那里就是英国议会。既然议会只是受托者,当然就无权通过立法活动来废除这些基本权利,不管以什么名义。总之,主权者必须以符合正义和人权的法律的方式来行事。由于人的基本权利主要体现在人民身上,所以,统治和法律的合法性和正当性根据就在于符合正义并得到人民的同意。人民的同意是主权者在进行具体的政治过程时所必须获得的。在这个前提下,统治者就不能表现出其专横的意志,因为他们如果不凭人民的同意而凭借武力来实行统治,就是违背正义和自然法的。所以,法治是专制的对立物,当然也是无政府主义的对立物。

而"法治国"的思想则缺乏绝对的自然理性和自然正义的这一公共伦理的价值前提。康德的《道德形而上学》的第一部就是权利哲学,这本是非常有见地的。但是,在康德那里,这个权利不是从自然法的普遍正义而来的,而是一种预设,所以,它们无法获得一种前提性的地位,即以任何理由都不能侵害的性质。他可以假设个人都是有独立、平等的道德人格和政治资格的个人,但是,这是以此为出发点来设计社会管理的权威。于是,他认为,"国家采取这样一种联合形式,即这个联合是由每个生活在权利状态中的人们的共同利益所创造的",①是许多人以法律为根据的联合。其关键在于,这里的法律不是来自法治中的自然法,而是人民的联合意志,所以,是标准的人本主义。也就是说,这个学说认为,人的意志是最高的,在它之上没有什么别的绝对价值。这样一来,其理论逻辑就是:人们的联合意志需要一个机构或者个人来表达,这就是立法者。但由于在人之上没有更高的绝对价值的约束,于是,法律就是作为主权者的立法者的产物,亦即法律所要服从的就只能是立法者的权力意志,而不是自然正义。这样,法律随着立法者的意志波动而频繁废立,就是一种必然现象,并且,在这种频繁废立中,个人的基本权利必然要受到立法者任性意志的侵扰。一句话,在法治国的思想中,"正义"价值的源头就只能是立法者的意志。我们需要时刻警醒的是,所谓"公意"或"人民主权",若无自然法的正义和理性价值的约束,极易凌驾于法律之上。

---

① Kant Political Writing, edited by H.S.Reiss, Cambridge University Press,1970, p.136

有了以上认识,我们就获得了一个对公共行政的伦理特征进行分析的基点,因为我们已经明白,民主政治和法治的本质就是对政府公共权力的限制,换言之,政府必须在法律的约束下行动,并应该引导公民积极参与公共政策的制定和执行;政府的功能和使命就是为公民服务,创造公共利益,这就是公共行政中政府与公民的伦理关系定位。

三、行政制度的伦理关系结构及行政人员的职责分析

在行政问题空前繁杂的情况下,行政的公共性质就凸显出来了。因为随着经济的市场化和社会化的不断推进,作为私人领域的市场经济交换过程,是经济主体自主自决,并对财富自由支配的领域,受到人们的广泛珍视,因为这个领域不能得到保障的话,那么,市场交易的发展、市场经济秩序的扩展就是不可想象的,这样一来,就产生了越来越多的公共需要,人们对公共机构提供、促进公共利益的诉求也越来越强烈,其中包括对私有产权的保护、提供经济竞争的公平、正义的制度环境,和规模庞大的公共设施,建设受惠长远的公共工程,当然也包括巩固国防等等。这一切,都是政府的职责范围内的事情。所以,公共行政的公共性质逐渐从阶级性的遮蔽中彰显出来,而成为社会“公器”。政府不能再以武力来获得自己存在的合理性,而是必须把自己的存在合理性置于为公共利益服务之上。在政治的层次上,正义的核心,正如罗尔斯所说,是“社会成员基本权利与义务的合理分配,且政治正义必须通过制度化的方式存在,这种政治正义的制度一方面在社会成员间合理地分配权力和义务,另一方面则对那些违反正义原则的行为加以惩罚。”[1]也就是说,政府负有维护社会平等自由权利和秩序的职责。正因为如此,现在,各类公共学科应运而生,对公共利益的特质、公共利益的种类以及如何获得并促进公共利益等问题进行理智上的探索,从而为政府的公共服务提供智力支援。

公共行政时代,必然要求法治和民主秩序。因为提供公共产品和公共服务被普遍视为行政机构的存在理由,所以,公共行政实际上内含着道德价值的

---

① 罗尔斯著,万俊人译:《政治自由主义》,译林出版社 2000 年版,第 58 页。

前提,即,公共行政机构和行政人员的行动动机不是自利,而是服务于社会公众。当然,每个人都有自利动机,它对每个人都是一种内在驱动力,行政人员当然也不例外,但是,在公共行政机关中,自利动机会被包含在一个合理的制度机制中而得到满足,如行政人员能得到薪资和其他规定了的福利,但行政机构的真正驱动力不能是这种自利动机,而必须是一种较自利动机远为普遍的服务社会公众的动机。行政人员若不能习得这种普遍动机,那么,他们的行为就不可能与行政机构的公共性指向相适应。现实生活中存在着大量的严重腐败现象,如行政官员的损公肥私、化公为私的现象,甚至卖官鬻爵以肥己的现象,这并不对我们上面所阐明的行政机构的公共性本质构成反驳,反而说明有些行政人员对此没有形成应有的道德意识,同时也表明对这些腐败现象进行严厉惩治的合理性和必要性。进一步,我们认为,行政制度的设计和运行必须受到"公共服务"这一总体公共伦理价值的引导,从权力的制衡(包括以权力制约权力和以社会制约权力)的制度安排,行政工作的透明性,提供公共产品和服务过程的公正、公平、公开性的要求,到行政人员的录用方面的德行考察、能力考察以及行政人员绩效考核机制等等方面,使行政的整个过程凸显出服务公共利益的公共伦理价值要求。

我们看到,在当代民主政治中,为了使公共行政的公共性这种伦理价值要求获得一种刚性的制度保障,法律在这方面起了很好的作用。比如在行政方面的立法,就着眼于把行政人员的行为规范在服务于公共利益的范围之内。同时,我们要明白,公共行政对于从业者来说,当然也是一种职业活动,所以,对行政人员的法律要求是对他们作为行政从业者的特定职业责任的要求。由于公共行政所负担的公共责任的特殊重要性,于是,对公共权力与对私人权利是有不同法律要求的。因为对公共权力,重在约束,对私人权利则重在保护。因此,刘作翔先生提出的两个原则,我认为是对法律所要维护和促进的公共伦理价值作了充分考虑之后得出的,思维敏锐而透彻。他认为:"我们在实现法治的进程中,就必须坚持两个法治原则:对公权力,法无明文规定(授权),不得行之;对私权利,法无明文禁止(限制),不得惩之"。①

公共利益是我们之所欲,然而公共权力却是我们之所惕。具有某种悲剧性意义的是:它们不可能完全重合。我们不能对人性抱有太高的期望,因为,大家都认为,一个人为着自己的私利去忙碌,从普遍意义上说,是一种自然而然的倾向,用不着教。诚然,从事公共行政事务,也能得到收入,也许能过一种相当体面的生活,而且较为稳定,但是,公共行政的职责却是要行政人员获得一种更高、更为普遍的行为动机,才能胜任,因为公共行政人员拥有公共权力,手中握有公共资源,很容易诱发损公肥私、化公为私等腐败行为。对于腐败,没有哪个国家有很好的免疫力,它会像传染病一样有传染性;而且,由于行政机构设置的繁杂和重叠,也可能使行政人员丧失工作的主动性,从而人浮于事,效率低下。总之,服务于公共利益的动机似乎不是人们的自然倾向,而是需要靠制度化的安排、约束、引导、教化等才能获得,而且受到的诱惑非常多,这类动机难以成为稳定的品德和素质。于是,在公共行政的本质要求的衡量下,在公众的舆论压力下,许多行政人员受到了法律的制裁,甚至丢掉了性命。这确实具有悲剧性意义。但是,正是在这二者的张力中,公共行政和公共伦理得到了一片广阔的空间以展开。

政治体制改革和行政制度设计,其主要目的就是为了让这种张力得到尽可能合理的释放。首先要把政府置于法治之下,以制约政府权力为主要基点的宪政体制的设立,将把政府权力的使用规范在一种合理而有效的范围之内。这就要用规则导向型取代以往的权力导向型;其次,要重塑政府与公民的关系,使政府服务公共利益的职能得到较好的实现。所以,政府不能自比为社会的智慧头脑,替社会思考,替社会作决定,而是要倾听社会的声音,和公民的公共利益意愿的表达,从而以一种合作的姿态与社会协同一致地提供公共产品和公共服务,所以,应该以服务型取代政府中心主义。在这种改革中,政府的工作和公共决策过程就会变得更加透明,更加阳光化。有一句谚语说得非常

① 刘作翔:"私权利:一个值得重视的法治领域",董郁玉、施滨海编:《政治中国》,今日中国出版社1998年版,第277页。

好:阳光是最好的消毒剂。从伦理学的角度说,这是一种公共伦理关系的塑造。合乎伦理的制度一定有着全面的合理性。从政府的组织存在而言,它不能是价值的垄断者,而必须受到更高的公共伦理价值——自然法的公共价值如人的基本自由平等权利要求和正义原则的制约和引导,这就是政府这一公共权力组织的正确的伦理定位。如果让政府乾纲独断,那么,实际上就把政府的领导者放到了伦理差等的顶端,而表现为一种等级制的伦理关系形态;从政府与公民的关系而言,从指导型转向合作型、服务型,可以说是政府本性的实现。因为这里体现了公共利益的相关性,也体现了一种平等的现代人伦关系的特点。

就行政组织内部而言,行政人员的独特职责也体现了其伦理义务性。行政人员是从复杂的社会生活中分化出来的一批承担提供社会的公共产品,从事社会公共事务管理和服务的专门人员;从整个社会的分工布局来说,这是一种客观的公共伦理关系结构,与个人无关,这些职位的承担者是经常变动的,但是这些职位所代表的职责却是长久存在的,虽然具体的服务内容和对象也在变化着。所以,这些职位有着客观性的价值要求或职能。

第一,行政人员是政治或政策的具体执行者,所以,在我们看来,行政人员要具备政治伦理的修养。因为政治或政策的任务就是对国家出现的急迫的公共需要和中期、长远的公共利益进行协商、确认,并把它们分解为具体的公共项目,由对口的行政人员组织实施,并负责管理事务,所以,只有在行政人员对政治或政策的公共价值的性质有了很好的理解之后,政策才能得到更好的执行。虽然,政治家和行政人员的角色应该有分离,但是,这两类职责显然是不应该相互彻底分隔的,而应该是协作、互动的关系。

第二,行政人员可以说是行政领域的从业者,所以,他们负有自己的职业责任,这是他们的具体角色。行政组织责任的特殊重要性和行政事务的复杂性,行政组织的发展有一种组织结构规模、科层制的责任层次体系、分工的细化和专业化,以及管理的科学化等的特点,要求对行政人员的具体责任进行分解,并使之变得明确而具体,目的是把总体的行政目标分解成一个个小的、责任明确的、可操作的项目,让专人负责,从而可以实现责任追究制度。所以,对具体行政组织中的行政人员来说,他们必须忠于职守、服从组织、服从上级。因为组织有总体的行政目标,具体的行政人员要服从这一总体目标,同时上级领导负有更大的行政责任,他们的指挥、调遣和协调,是保证本行政组织的整体目标能够得到实现的必要条件,所以,服从上级是行政人员的职责,当然可以提出自己的意见、建议。上级在作出总体决策的过程中,也应该经过充分的民主讨论。

在这个领域中,由于行政人员工作分工的片面性,以及重复性,所以,行政人员的工作甚至有时会成为例行公事,容易造成感情淡漠,行事刻板机械的后果;同时,科层制官僚体系的设计,可能造成行政人员只对上级负责而不对公众负责的官僚作风。这是行政工作的工具理性操作所必然带来的负面效应。黑格尔对这个问题早有察觉,他开出的药方是让行政人员受到更好的文艺等方面的教养,活跃心灵和道德想象力,以抵消这种机械性的日常行政工作对他们的精神所带来的负面影响。

在以公共服务为价值灵魂的公共行政学说中,行政人员的职责实际上是授权人(即公民)的理性期待,因为在现代民主政治中,行政人员的权力是公民大众自下而上授予的,换句话说,公共权力组织的权源是人民,而不是领导人。正是这种政治伦理关系结构,使得公共行政人员的职责成为客观的。也就是说,行政人员最终要向公民负责。这是必须明确的。当然,这并不排斥行政组织内部职责的分化、明确化,科层制官僚体系和管理的科学化等,重要的是要使这些安排得到一种民主价值的指导。但是,在具体运作的过程中,这两类职责有时会产生冲突。很显然,从伦理的角度说,行政人员在职责冲突时,应该服从为公众服务的职责。

第三,行政人员又是一个有独立个性和自由意志的个体。可以说,个人的独立个性和自由意志是一个人生命意义的源头,因为正是它们可以内涵个人的道德良知、自尊自律和自我负责的精神,同时也是个人进入与他人的合作,经历社会化过程,接受社会正义观念,接受社会伦理教化,习得一种社会责任感,并服务社会,创造自己的生活意义和价值的基础。我们认为,一种文明的、合乎伦理的社会制度,一定能够尊重个人的个性和自由意志,并以社会文化价值、制度的正义关怀来滋养个人的人格和自由意志。所以，从这个层次上说，对于行政人员来说，不能让科层制的工具理性结构完整地、控制性地塑造行政人员的人格和对正义秩序的感知方式，也不能让行政活动的机械程序性的工作麻木了行政人员活泼的心灵感受和活跃的道德想象力。他们也应该是有独立意志、自我良知、敏锐的是非感的社会公民，这些将使他们对组织规则运行过程中所服务的目的正当性有很好的自我判断，换言之，他们不应该失去省察的能力。在这一点上，职位的高低并不代表判断力的高低，因为，行政组织和行政领导也应该服从人类的基本正义规则和道德良知。每个人都应该能够自我负责，运用自己的良知，体现出公共正直的品质。这一客观要求，可以使行政组织的领导更好地审视和恰当地、正当地履行自己的领导责任，也可以让普通行政人员在觉察到上级的错误决定甚至腐败行为时，能以自己的良心情感和人格来对抗来自上级的淫威。可以说，这从根本意义上看，是对公共权力组织的伦理性的维护。

所以，行政制度的伦理关系结构及行政人员的职责有一种特殊的复杂性，这是由行政机构作为一个伦理实体的重要性以及行政人员所肩负责任的特殊严峻性造成的。可以说，社会生活中的重大公共利益关系最后都要集中反映到行政组织中（政治决策要由行政组织来具体实施，这是一个政策性、实践性很强的领域），并表现在对公共利益的服务过程之中。对于行政组织来说，上有政治伦理理念的指导，下有社会中广大公民的公共利益要求，中有行政组织内部的层级结构和职责体系，因此，行政组织的职责处于复杂的社会联系之中。

四、依法治国与以德治国相结合的治国方略之合理性

治国方略的选择是十分重要的，从大的方面说，关系到国家长治久安之大计，从小的方面说，关系到公共伦理是否应该存在和是否能够存在。这个问题在中国古代曾经成为重大的政治选择。详细考察这种争论及其选择和结果，不是本书的任务，但我们的确看到，古代曾经有过儒家以德治天下，以孝治天下的言论，但是在先秦时代并没有机会具体付诸实施，所以这似乎主要反映了

一种人文价值的理念；当然也有斩钉截铁的以法治天下的法家言论，并从管理技术的操作层面诉诸实施。而在秦朝以后的各朝代中，主流性的治国方略恐怕都是所谓"杂王霸而用之"，①或者说是阳儒阴法。

但是，在我国建设社会主义法治国家仍然任重而道远的今天，在治国方略的高度上提出"以德治国"，有些人担忧这会冲淡我们现在建设社会主义法治国家这一政治主题，并从学理上提出许多理由来对以德治国的方略进行质疑。这充分表明我们现在的学术空气是自由的，学术探索没有禁区，并且各种观点都有充分表达的平等机会。这是一种可喜的社会进步。

他们提出的理据，通常可以分为三大类：（1）他们认为，历史已经证明，只有真正的法治国家能够较好地治理现代民主社会，保障公民的基本权利，促进政治民主和经济发展。因为法治是一种基于自然法的普遍理性和正义价值的以法治理国家的方略，它着眼于对公共权力的理性制约，把保障公民基本权利看作是法治的基准，并且让人们的行为有一种刚性的、正式的、广为人知和有可预期性的规范可以遵循。这是国家长治久安的根本保证。所以，他们对把"以德治国"作为治理国家的方略，认为有些未安之处。因为道德规范是较为软性的，没有程序的讲究，又没有相应的公共权威机构能够强制执行；另外，在社会公共事务的管理中，如果诉诸对他人特别是公共权力持有者的德性、品质的信赖，那多半是靠不住的，因为人们对此是不能抱有一种稳定的预期的。道德只是人们的个人修养，一种良好的社会风俗，致力于在人际交往中形成一种润滑剂，以便在产生利益纠纷时，能本着互谅互让的精神，避免激烈的人际摩擦，这充其量只能降低治理国家的成本，而不能成为治理国家的方略。说穿了，道德教育和道德修养只能是法治的补充。于是，他们认为，唯有法治是治国方略的唯一选择，德治和法治是无法并存的。（2）他们认为，法治和德治的人性假设是绝对对立的，也即是说，法治是建立在人性本恶的假设基础之上，因为只有假设人性本恶，我们才会去设计一种严密的、程序上严格、公开，对所

---

①　汉元帝为太子时，曾经对宣帝说："陛下持刑太深，宜用儒生。"宣帝作色曰："汉家自有制度，本以霸王道杂之，奈何纯任德教，用周政乎！"（《汉书》，岳麓书社 1994 年版，上册，第 105 页。）

有人都一视同仁,不允许任何法外特权存在的法律体系;而德治则是建立在人性本善的假设基础之上的,因为只有认为人性有善端,并有接受善的价值的塑造和熏陶而得到涵养的可能性和内在向往,我们才会对道德教育充满期望,并对以道德改塑公共权力持有者和广大公民的心灵品质抱有一种信赖之感,力求在全社会中通过推行道德教育而实现国家的安定团结。他们抱有这样的疑问:这样两种治理国家的方略怎么能在同一层次并存呢?(3)强调德治,最终会导致人治。因为德性是对个人的要求,是通过陶冶、塑造人们的情感、欲望气质使之达到一种普遍性的状态。对这样一种道德品质的要求作为一种期望是应该的,但是作为一种制度性操作,则是很难靠得住的。另外,人们在道德上的分歧也很大,比如说有不同的正义观,对德性的理解也不同,这就使得道德很难真正普遍化。既然采取这样一种无法进行制度性操作的方式来治理国家,那么在许多问题包括重大问题上最后都只能听凭领导人的决断,就似乎是必然的了。

我们认为,这些问题的提出的确对我们进一步理解法治与德治的关系及其相互作用的态势提供了动力,也在治理国家的方略这样重大的问题上对知识界的专业见解提出了新的要求。本书力图回应这一要求,并提出自己在这方面的思考。

首先,我们认为,提出法治和德治相结合的治国方略是有着深层合理性的。因为治理国家的方略应该包含两个层面:一是价值层面,一是制度层面,因为只有这样,制度的操作才会有价值的引导,而价值也能化为具体的制度设置和措施。当我们对法律和道德加以更加具体的考察时,就会发现,它们的存在构成是非常复杂的。就法律来说,它表面看来是一套法律规条,对人们的行为加以明确的规范,并且有十分细致的程序规定供具体的法律操作来遵循,不容紊乱。但同时,我们也要明白,法律也有恶法和良法之分。良法就是体现着善的价值的法律,而恶法就是违背善的价值的法律。换言之,法律有着公共伦理价值的基础。所以,从根本上说,法律与公共伦理是紧密相连的。甚至可以说,公共伦理价值是法律的内在要素;从道德的角度来说,一方面,它要理解一个社会的正义价值的基础,它将是公共伦理学的任务,这是一般道德规范和道德德性、道德教化的指导性原则;另一方面,道德规范要协同法律规范,为实现社会的正义价值,进行软性的规范,它更注重营造人们的情感相通、共情理解的社会环境,也注重培养人们的道德品质,从而使人们的情感、欲望气质能够更加与普遍性的正义价值相适合。所以,法治与德治在治理国家的过程中是相互依存,缺一不可的。在这么一个理论框架中,法治和德治就都既是根本治,又同时是辅助治。

在价值层面上,我们就必须认为,德治是根本治,而法治是辅助治。我们知道,作为制度和操作的规范体系的法律,必须有社会正义价值的基础。而对社会正义价值的探索和慎思,主要要由公共伦理学来进行。在这个层面,德治就不是在制度和操作层面为法治的推行服务,而是对政治理念和社会正义价值进行理性的思考和建构,要化为政治家和执法者的价值理念,也要成为广大公民取得共识的公共价值基础,并在法律规范和社会管理规范中体现出来。这显示了德治作为治国方略的根本性,因为它要对整个法律、管理规范体系是否有正义价值的基础负责。我们不能因为道德在这个层次还没有化作制度和操作,就认为它不是一种治国方略,在我们看来,这是更为根本的治国方略。至于法治,我们应该这样看,由于法治理念就是要用自然法的理性的正义价值作为最高指导来约束政府,从而从根本上构造了一种公平、公正的公共价值的体系来指导法律的制定和执行,所以,法治就是让正义价值具体化为一种制度性存在,并在具体的法律执行中得到体现,因此可以说,法治在这个意义上是德治的辅助治。

在制度层面上,必须以法治作为根本治,以德治作为辅助治。因为在制度和操作层面上,治理规范必须是正规的和刚性的,使人们的日常行为有一种普遍的、明示于大家的公共规范可以遵循,这样社会才能有序发展。所以,法治在制度和操作层面上是根本治。为什么德治是辅助治呢? 这是因为,第一,我们知道,法律是为人所遵守,并为人所执行的。而人们,特别是司法官员如果没有法律德性,即他们没有法律意识,其情感、欲望气质仍然处于偏狭的个别性的状态,与法治的普遍性不相适应,那么,法律也很难得到执行。特别是在社会生活中存在着较多知法而犯法,甚至执法而犯法的现象,这就使得培养法律方面的德性显然特别重要。所以,在这方面,法治必须有德治的辅助,才能得到有效的推行。也就是说,在这个层次上,德治不是正规的制度构架和操作程序的具体体现,而是法治要得到普遍推行的主体素质要求,所以是辅助治。第二,让我们设想一下这样的情况,那就是如果公民们培养了一种法治精神,其情感、欲望气质被塑造得与普遍的法治秩序相适应,那么,法治就能得到很好的推行,比如,如果公民都能利用法律武器来捍卫自己的权益,那么,各种侵权行为就会得到有效的制止,并且受害方也能得到公平的补偿,从而使社会正义得到伸张。公民之间对各自的权益界限就会有明确的意识,一旦自己由于侵权而受到法律的制裁,他们也能够理解到这是对正义秩序的维护,从而能够把这作为自己对自己的处罚来加以认识。这些都表明了人们获得了法律方面的德性,这将能使法治得到很好的推行。

对这个问题,许多学者也作了有效的维护,其中万俊人先生的一个提法使德治的实质得到了更加合理的揭示。他在回顾了中国古代德治学说和某些德治实践后得出结论说,现代"德治的基本价值内涵是政治伦理化,而非伦理政治化。"[①]伦理政治化之弊就在于以道德的软性规范来约束社会成员的行为、把社会正义的维护信托给个人(特别是掌握公共权力的人)的道德品质,并且为了让道德获得治理社会的权威,就只能把社会成员分为治人者和治于人者,并用"贵人行为理应高尚"之类的道德理由来要求统治者应该加强德性修养,从而期望他们能够更为有效地统治民众。这两者都是靠不住的。所以,伦理政治化作为德治的方式,一方面难以奏效,另一方面,它也会倾向于实行等级制度,甚至认为其是天然合理的,故而也合乎伦理的。这一点在当代民主政治中无论如何也得不到辩护。而政治伦理化则是一个全新的德治进路。因为政法的制度及其操作如果能够体现一种公共正义的价值理念,并让获得了法律德性的主体来进行,那么,政法制度就得到有效的运转。麦金太尔曾说过:"在美德与法律之间还有另一种关键性的联系,因为只有对拥有正义美德的

---

① 万俊人:"德治"的政治伦理视角,载《学术研究》2001 年第 4 期,第 17 页。

人来说,才可能了解如何去运用法律。"①可以说,人们对政治伦理化的德治模式逐渐已经有了某种共识。

其次,断言法治的人性假设是人性本恶,而德治的人性假设是人性本善,并以此来推定法治与德治不能并存,在我们看来,并没有坚实的学理依据。第一,主张人性本恶,并不直接就会导致法治理论,荀子就是一个很典型的例子。他主张性恶,但是并没有走向建构一种法治理论,而是期望用礼法来"化性而起伪",进行道德教化,而不是走向对法律治理的期待。诚然,荀子吸取了一些法家的内容,但思想主旨仍然是儒家的,特别是以人性本恶论来作为道德教化的理论基础。在荀子那里,礼仪法正就不像法家的法律那样严苛,完全是利益定向的,而是一套含有人伦情意和理致的伦理规范,因为只有这样的规范既是普遍性的,能对本性状态的人心进行一种逆转,又是能够使人心得到悦乐的,可以陶冶人情,即养情而正行。真积力久,人的本恶之性就能逐渐得到涵养教化。当然,他也并不排斥法律,他自己就说过,毕竟有些不从教化之人,这时就应该施之刑罚,这也是这些人的咎由自取;而性善论,也并不会绝对地排斥法治。因为在思想信念上,一般来说,人们都会认为,人性中有善的成分,并有向善的可能,但是对人的软弱性也会有理解,人们往往会在权力、利益的诱惑面前把持不住自己,而做下许多恶行,所以,在促进人们的道德教化、获得德性修养的同时,也会在社会层次上,以法律的形式来界定人们的权利的正义界限,并对法律的执行规定合理的程序,赋予法律以至上的权威,使之成为维护社会正义秩序的"公器"。所以,即使是儒家的主流思想,也要主张德主刑辅。这就表明,性善与性恶的假设并不会只是导致德治或法治,而是从理论要求和实践目的来说,二者都应该并存,相互补充。

进一步说,纯粹的性善论或纯粹的性恶论在伦理学发展史上并不多见。其实,对人性的探索,大多都会走向一种我名之为"结构论的人性论"。比如,在西方,直接断言人性本恶或本善的较少,更多的是从分析人性的结构层次和成分出发,来说明人性所应该达到的良好状态,获得美德。比如,柏拉图把人

---

① Alasdair MacIntyre, After Virtue, Notre Dame: the University of Notre Dame Press, 1981, p. 152

的心灵分为三部分,即理智、欲望、激情。它们三者的功能各自有别,它们各自把自己的功能发挥得最好,达到了"优秀"的状态,就获得了各自的美德,分别为智慧、节制与勇敢。而三者功能的发挥能达到协调与和谐,就达到了整个心灵的最优秀的状态,就获得了一个完全的美德即"正义";对应于城邦国家的治理来说,就是应该把城邦军民分为三个等级,即农工商阶级、护卫者阶级和统治者,他们应该承担各自的职能,他们把自己的职能发挥好,就获得了各自的德性,分别为节制、勇敢和智慧,而且,这三个等级各司其职,各尽其分,又能够和谐协调,那么这个城邦国家就达到了公共正义的状态。这是一种德治的理想。但是,柏拉图后来也从同样的人性结构理论出发,而转而寻求"第二好"的国家,那就是法治,并用一本在他的对话体著作中篇幅最大的《法律篇》来表达自己的这一思想;而亚里士多德则把灵魂分为营养灵魂、感觉灵魂和理性灵魂三个部分,而理性灵魂又分为消极理性灵魂和积极理性灵魂。他同样认为美德就是灵魂的这些功能发挥到良好状态时所获得的品质。他特别主张要用理性灵魂来指导非理性灵魂,并使理性灵魂中的理智渗透到非理性灵魂中去,这样,人就能获得"中道"的美德,即"有理智的欲望,或有欲望的理智",这是伦理德性;如果让理性灵魂发挥自己的推理功能,那就是一种最高的实践,可以获得理智德性,其最高状态是哲学思辨。对应于国家治理,他认为,法律是无情的道德,冷静而普遍的理智是其本质特征。治理国家要实行法律治理,因为法律中含有理性本质,他认为,坚持法律治理能够培养公民守法的习惯。特别是年轻人更应该这样。遵守法律对于他们开始肯定是感到痛苦,但是形成了习惯之后,就会热爱这种法律秩序,因为习惯就是心灵中的情感欲望等非理性因素受到了理性因素的陶冶而获得的一种稳定的倾向或者品质。同时,在《政治学》中,他从同样的人性结构论出发,要求一个优良的政体必须以公共利益为旨归,并要求统治者具备服务于公共利益的良好德性。斯多亚学派认为人性的本质是理性,它可以认识宇宙自然的普遍理性,所以,他们认为人的最好生活是遵从自然而生活,认为理性的审慎是人的最高德性。罗马斯多亚学派大多是政治家,甚至是皇帝,如马可·奥勒留,他主张政治家要按照斯多亚学派的德性传统来治理国家,但是,这种思想造就的却是罗马法的自然法传统,因为他们主张自然法的理性法则是最高的,而人的心灵中却有可变、任性的成分,好在人性中有理性,能够认识宇宙大理性,所以,应该把自然的理性法则作为人类法律的最高原则,它可以衡量人为法律是否良法。

近代的西方进入了一个可被称为"人性"论的时代,洛克写了《人类理解论》,莱布尼茨写了《人类理智新论》,休谟干脆就以《人性论》为题写下了自己平生最重要的著作。他们也不是一开始就断言人性是善是恶,而是从分析人性的各个成分出发,来说明人类知识的来源、构成和检验标准,并说明人类道德的基础以及道德推理的特征。即使是被认为主张"人性本恶"的霍布斯,也是假定在自然状态没有社会性产权措施,人们会因为主张自己的权利而导致争夺,为了把各自的权利主张限制在各自的界限内,才需要国家。他的人性论学说也同样认为人既有感觉也有理性、激情,他也主张人的理性可以认识道德律——己所不欲,勿施于人。卢梭被认为是人性本善论的倡导者,即认为自然状态的人性是善良的、美好的,但是这只是为了彰现社会状态的腐败,并在一个理性基础上通过缔结社会契约来重构国家。他也向往一种法律治理的状态。当然,由于他不从普遍的自然理性法则出发来制定法律,而认为公共意志是永远正确的,而公共意志又需要一个代表者,于是他对立法者抱有一种不切实际的道德期待。在他的思想中,法治和德治也是并存的,虽然他的人性论主张偏向于所谓"性善论"。西方近代结构论的人性论,在康德那里得到了一个归结,他主张,人的心灵结构有三个层次,即知、情、意,分别相应于求知、审美、实践(道德和政治、法律)。饶有深意的是,康德的《道德形而上学》的第一部就是《法的形而上学原理——权利的科学》,讨论法律的基本价值原则。

总之,我们可以看出,在西方,思想家们基本上都采取结构论的人性论思路,同时,绝大部分思想家都有把法治与德治结合起来的倾向。

中国古代的人性论,的确大多数采取的是一种价值论的人性论思路,即直接断定人的本性状态的价值特征。从逻辑上,大致有四种类型:即性善论、性恶论、性无善无恶论、性善恶混论。事实上,中国古代的人性论的确展示了这四种人性论类型。比如孟子的"性善论"(孔子似乎并没有性善论的明确主张),法家的代表人物韩非子、儒者荀子的"性恶论",告子的"性无善无恶论",

扬雄的"性善恶混论"。还有一种较为折中的人性理论,那就是董仲舒的性三品论,认为圣人之性已善,中人之性教而可善,斗筲之人性教而不能善。实际上还是主张性善。可以说,中国古代思想家基本上穷尽了价值论的人性论的可能类型。之所以会出现这种情况,实际上表明中国古代思想家在思考人性问题时,思考方式被锁定在对人的本性进行价值判断上,想以此获得完善人性或利用人性的一个基点。的确,法家的"任刑不任德"的实践立场,与其人性本恶的假设是密切相关的;儒家"德主刑辅"的治国主张,与他们大多数人的人性本善的假设也有密切的关系。但是,这种仅仅从对人性进行价值判断出发来引申出治国主张的看法,实际上限制了我们对确定治国方略这么一个重大问题的理论准备和学术挖掘。比如说,他们把德治就仅仅理解为对统治者和官员要求有很高的道德品质,甚至要求达到道德圣人的境界,由他们去广行教化,化民成俗,从而去争止斗,使社会秩序井然,风俗淳厚。这的确是把伦理道德政治化。而法家则把法治仅仅理解为以严格的法规条例来把有着恶劣本性的人们引导到富国强兵的轨道上,即要求法内取利,法外避利。这些思想对法治和德治各自的本质,以及法治与德治的内在关联、结构的耦合和价值的整合等缺乏深入的认识。

从以上论述可以看出,以德治和法治的古代价值论的人性假设作为理由来反对在我国当代把法治和德治相结合作为治国方略的观点是有失偏颇的,不利于探索并获得对治理国家的方略的规律性认识。

最后,至于说,现在把德治上升为一种治国方略会导致人治,恐怕也是一种片面之论。的确,如果把德治作为唯一的治国方略,无疑会导致人治。但是,我们的提法是"把依法治国和以德治国相结合",其目的实际上是力图彰显德治与法治的结构耦合和价值整合在治理国家的过程中的良好效应。

所谓人治,从价值理念上说,就是排除有高于人的绝对的、普遍性的理性价值,从而在治理国家的问题上,最高的依赖就是统治者的心性修养和美德。当然,人治模式也需要法律,但是他们认为对社会治理来说,法律只是调整人们的利益关系的刚性规范。但由于利益关系的变化非常快,利益关系的结构也日益复杂化和深化,法律就要适应这种形势而变化,并且由于人们对未来利益和潜在利益以及如何追求公共利益等方面的看法多有差异,所以,这种法律就容易忽视某些绝对的基本价值,如人们的基本平等权利的确认和保护,对强势的公共权力机构如政府和立法机构的约束和限制等等。于是,从根本上说,这种治理秩序没有一个绝对的、高于人的价值标准,从而在遇到需要决定重大问题的时候,领导人的性格、偏好、能力、见识、良知等个人素质就成为决定性因素。这种治理结构看上去像法治,而实际上是人治。

从权力的归属来说,人治就是国家权力完全属于君主,所谓"普天之下,莫非王土,率土之滨,莫非王臣",或者如路易十四所说的"朕即国家"。君主的话就是具有最高权威的法律。君主不受任何法律的约束,他处于法外。他对"公共官员"的任命和运用,实际上是委派他们管理君主的私人事情。这就是我们在前面所说的代表型公共领域。其特点就是治理国家的方式以君主的任性意志为转移。历史上明智的君主也可能知道限制自己的权力,通过某种分权机制来对自己的决定和意志加以某种制约(如唐太宗李世民),但是,这样受到限制的君主,毕竟还有全权。一旦英雄迟暮,壮心失丧,就会行使自己的任性意志,因为本质上他的权力是没有限制的。他们在施展雄才大略的时候,国家可能能够得到很好的发展,但是他们一旦退出历史舞台,他们的后继者就可能由于缺乏这种治理能力,而使国家江河日下,甚至导致江山易手。所以,这种人治的结局,必然是"其兴也勃焉,其亡也忽焉",人存政举,人亡政息。

从治理国家的手段上看,人治只是诉诸对君王和公共官员的道德品质的信赖,并希望通过进行道德教化,移风易俗。比如儒家的政治思想,的确可以归入人治范畴;或者如法家所推行的法治,虽然任法不任德,但是,法家所制定的法律,其主要目的是约束引导人们的利己之心,使之能够为富国强兵的国家目的服务,而且,君主事实上处于法律的约束之外。他们缺乏对法治的普遍秩序的理解,更缺乏一个绝对的自然法的理性价值前提,所以,法家的法律治理,归根到底仍然是一种人治。

所以说,德治并不与法治相对立,但人治确实是与法治相对立的。单纯的德治的确会导致人治,但在把德治与法治紧密结合的条件下,则不但不会导致人治,反而会加强法治,完善法治。我们不能把"法治"等同于"法治国",法治有着普遍的自然法的价值理念,从而保证法律成为良法,这才能使国家的政治、经济等各个方面都处于法治精神的治理之下。而要让这种法治精神能够成为人们的普遍信念,一方面,要对法治的价值前提进行公共伦理学的研究,细致而深入地研究公民基本权利的保护和促进,从道德哲学的高度论证公平、公正、正义的本质内涵,和平等自由的现代人伦的合理性。可以说,这是在为法治奠定公共伦理的价值基础。这种作为根本治的德治是人治的最敏锐的反对者,因为其目的就是保卫法治,为法治设定价值基础。另一方面,作为辅助治的德治,则要求公民们特别是公共权力持有者,要努力培养其与法治的普遍秩序相适应的情感、欲望气质,获得正义美德。如果没有行为主体的道德品质这一基础,法治的要求就很难得到忠实的执行。而有了行为主体的道德品质这一基础,我们就能更好地运用法治精神和法律规则来治理国家。可以说,这正是在现时代提出把法治与德治相结合作为治国方略的意图,这是对治国方略的认识的进一步深化,必将产生很好的实践效果和深远的历史影响。

所以,这一治国方略的提出,实际上极大地提升了公共伦理学的地位。公共伦理学在两个重要方面都很好地结合了德治和法治:(1)确定国家治理的基本理念,规范政府行为都需要公共伦理的基本价值观念的创制和发展,比如说,正义、民主、公民资格、制约强者等,都是一种政治——公共伦理的基本价值;(2)在实行法律治理的过程中,广大公民尤其是广大公权力的持有者的公共美德的养成有着极大的意义。因为违反良法之治的行为,本质上就是公共道德的败坏。说到底,公权力的持有者违反公共法律,目的就是要得到某种形式的私利,这就需要破坏社会正义的基本准则,动用公权力、甚至扭曲公共法律来对私人权利和公共利益实施侵犯。公共权力机构的行为有巨大的道德示范效应,如果一再出现大面积公权力的腐败、道德低下,那么,公共权力就很难得到广大公民的信任,这会严重损害公共权力的道义基础。所以,现在提出把法治与德治相结合,的确是十分必要的,也是十分及时的。法治要整合德治,使法制体系不至于仅仅成为一些法律条文框架,而失却了其自然法的理性道义基础,又要通过培养公共美德,使法治不致陷入"徒法不足以自行"的困境;

德治更要整合法治,否则其公共伦理的价值基础就无法化为实际的公共法律和公共管理的刚性规范,产生实践效应。更重要的是,如果只是高倡德治,而无法治的制度环境,那么美德由于其主观性恐怕难以具体操作,只能表现为廉价的"好心肠",最后由于利益的复杂性及其冲突的激烈性,就只能让政治强人来收拾局面,走向人治。

这个治国方略,适应了现代世界范围内正在进行的治道变革的前进方向。治道变革的根本价值理念和实践方向就是要彰显公共行政的本质,那就是提供公共服务,体现其公共性的本质。从理论上说,就是要为公共行政重置公共伦理的价值基础,从而让公共行政过程的各个环节都体现出其公共道义。

第二节　公共治道的转型及其"价值奠基"

如果说,把德治与法治相结合是在确定治理我们国家的指导原则的话,那么,把这种指导原则贯彻到具体的行政理念、公共管理的价值指针、行政行为等之中就是我们在行政实践中所必须做到的。我们看到,在公共行政逐渐获得对自己本质的自觉的过程中,公共行政的研究者和实施执行者们,都在不断地探索公共事物的治理之道,可以称之为"公共治道"。在这方面,美国的公共行政学者和执政者有过多方面的探索,在促进政府提高效率,服务公益等方面,不断地发现问题,并且逐渐作出调适,并不时作出变革和转型。在这一过程中,我们可以清楚地看出其内在脉络,那就是由于公共行政所牵涉的公共事务大量增加,要调整的利益关系也日益复杂,特别是在全球化浪潮的冲击下,政府的职能和结构类型都不得不进行深刻的转型。一般说来,公共行政先是构筑一种科层制的等级结构,为的是把任务分解、细化,并让特定的人专门负责,让科层制中的行政人员都能对自己的上级负责,从而做到职、责对应,目标是让任务能够分解落实,并且对失职的行为进行责任追究。但当公共事务的性质变得越来越复杂,越来越盘根错节,并且有许多的横向联系,这时,那种传统的公共行政制度就无法适应,因为其职责难以清楚划分,最后可能造成无人负责的局面。于是,在西方,就出现了所谓的"新公共管理运动"。其宗旨是:由于市场经济的运作存在着较高的效率,而且私人企业的管理也有着许多创新,并有参与提供公共产品和服务的意向和行为,这就与老公共行政中的职责不清、效率较低形成了鲜明对照,从而激发了公共行政的理论转型。他们主张,运作政府也应该像是做生意,把政府官员和行政人员看作老板,而把公民看作是顾客,也就是说,政府官员和行政人员的工作就是向社会购买公共产品和服务并提供给公众。这里暗含的逻辑是,政府的主人是政府官员和行政人员,而公民只是顾客。他们以公共税收的形式,也可以实际货币的形式来购买公共产品和服务,并提供给广大公众。这是一种"私有化"的典型做法。撒切尔夫人的私有化改革,克林顿"重塑政府"的举措,都是在贯彻这一理论。但是,这里的关键是,我们不能忘了,实际上只有公民才是政府的真正主人。而且,更为重要的一点,如果运作政府与做生意是一回事,那么,这是在国家治理方面向市场经济的运作模式借贷,从而也引入了市场经济的利益主体的自利动机作为公共行政的驱动力。这样,政府官员和行政人员就无法觉察到自己的真正使命和职责,他们的独特价值和尊严。也就是说,这样的转型其实是使公共行政失去其公共性,并使之朝彻底的行政技术方面转变,而抛弃了公共行政的价值方面,从而表现为一种权宜之计的谋划。于是,真正的公共行政的治道变革,必须落实到把公共伦理价值灌输到公共行政之中,从而使公共行政实现从管理之术到治理之道的根本变革。

"治道"(governance),依美国行政学家唐纳德・F・可特尔(Donald F. Kettl)的说法,"是描述政府和它的边界——政治的、社会的和行政的环境之间的联结的一种方式,也是捕捉全世界的政府已经着手紧缩其规模以努力满足其公民需求的创意的一种方式。"①国内行政学者毛寿龙教授为"治道"下了一个更为简短的定义:"治道,就是人类社会治理公共事务的模式。"②他认为,人类社会的治道现在正在发生从传统治道到现代治道的变革或转型。有

---

① Donald F. Kettl:The Transformation of Governance: Public Administration for Twenty – First Century America, Baltimore and London: The Johns Hopkins University Press, 2002, p. 119
② 毛寿龙:现代治道与治道变革,《南京社会科学》2001 年第 9 期,第 44 页。

限政府、法治政府、民主政府和分权政府,是现代治道的制度平台。现代行政改革运动,不断地探索并推进着现代公共治道的实现方式。

一、"老公共行政"特征分析

我们知道,公共行政作为一门学科始于 19 世纪末威尔逊教授(后为美国总统)的论文"行政之研究"的发表。不过,此文刚发表时,并没有引起多大的注意,直到后来古德诺的著作《政治与行政》出版以后,威尔逊的论文才得到了广泛的阅读和讨论,并进入了公共行政学的经典之列。但是,实际上,如果把如何运作政府看作是公共行政学的主要内容的话,那么,这一主题在美国的立国者那里就有了相当深入的讨论。按照唐纳德·F·可特尔的研究,在威尔逊之前,行政传统有三个,即汉密尔顿的传统、杰佛逊传统、麦迪逊传统。之后经过近一百多年,出现了威尔逊传统。所以,唐纳德·F·可特尔认为,美国公共行政有四大传统。这四大传统的根本特点就是想确定政治与行政的边界和行政行为中的责任边界。这种边界意识及其对边界合理性的考量,成为了美国公共行政传统的精髓,其目的就是限制权力并明确行政责任归属。

劳罗德·D·怀特(Leonard D. White)在考察了美国官僚制度的发展之后,得出结论说:"汉密尔顿是新政府的行政建筑师。"①汉密尔顿的行政思想的主要特点是,他坚持要建立一个强有力的国民政府。他关注的主要问题是如何让国民政府足够强大到能有效运行,这就需要创造一个足够有力的行政机关,从而使政府强有力,但同时又要避免权力集中而威胁到公民的个人自由。他认为,公共行政应该包含三个原则:即独立、权力和责任。当然,法律一旦得到议会通过,那么,对行政机构就能够产生约束力。但是,行政机构在实施这些法律时也需要足够的独立性。所以,汉密尔顿的思虑实际上是集中在分权机制上,即立法机关在力量上也不能强到对政府构成阻碍,行政机关也一样不能过强。这就需要一种高度的平衡技巧。总之,立法机关要让行政机关

---

① Leonard D. White: The Federalists: A Study in Administrative History, New York: Macmillan, 1948, p. 127

有行动自由,在决定如何最好地进行行政管理的问题上拥有灵活性;同时,他也明白,其实,对行政机关来说,应该有贯彻执行有关法律的专门技能。由此,他认为,行政机关必须拥有权力,必须具备执政能力。可以说,执政能力是行政机关的主要特征。弱小的政府只能产生糟糕的政策和糟糕的结果,这样的政府是无效的政府,它最后会威胁到民主政府。有人评价道:汉密尔顿的"分析也许是美国公共行政中的第一本教科书,并且这一分析为一个世纪以后出现的公共行政学的正统的完整形式奠定了基础。"[1]他精到地分析道,一个有能力的(energy)政府需要"统一性"(unity),这就需要一个最高的行政首脑,那就是总统,他应该有明确的权威来统管行政事务。他说:"集权于一人最有利于明智审慎,最足以取信于人民,最足以保障人民的权益";第二,他认为,政府需要一个"任期"(duration),主要是为了保证行政在一段时间内的连续性,"其目的有二:关系到总统行使其宪法规定权力时个人是否坚定;也关系到总统采用的管理体制是否稳定。"[2]第三,行政机关还需要充足的能力(competence),比如拥有足够的专门知识来执行政策,达到有效结果;第四,他的最后一个原则是"责任",这是指,一方面要让政府成为一个有责任心、可以问责的政府,同时也是为了限制政府不致过强。议会可以调查行政机构的行动,并可以弹劾行政首脑。但他并不赞成行政机构向立法机构的权威投降。所以,他创立了一套新的权力平衡系统的结构。他认为,一个强有力的政府对工业和商业有利。

但杰佛逊则不同意汉密尔顿的有关强行政机构的想法。他集中关注如何避免暴政,这与他对英国统治时期美国所受到的压迫的记忆密切相关。他对权力特别是行政权力的滥用忧心忡忡。在他看来,联邦权力来自土地和人民。他的思想是明晰的,而且在某些问题上与汉密尔顿直接对立,展示了这些美国开国时期的杰出人物在一种健全政府的观念上的相互争竞,又相互彰显。汉

---

① Donald F. Kettl:The Transformation of Governance: Public Administration for Twenty – First Century America, Baltimore and London: The Johns Hopkins University Press, 2002, p. 31

② 汉密尔顿、杰伊、麦迪逊著,程逢如等译:《联邦党人文集》,商务印书馆 2004 年版,第 357、363 页。

密尔顿强烈要求一个有力量的行政机构和受限制的公民角色的强大国民政府,而杰佛逊则相信地方政府和一个强大的立法机构,所以,他主张成立一个受到限制的国民政府。他对此有一种宗教信仰般的执著。他认为,应该尽可能多地把权力交在人民手中。政府当然要行使权利,但是权力只能在州政府和地方政府,而不能在联邦政府。如果说联邦政府也有权力可以行使的话,那么议会必须拥有最高的权力。在实践中,我们又看到,作为总统的杰佛逊,由于他的理论偏好时时受到挫折,迫使他在实际行政事务中推行的却是一个强大政府的政策。唐纳德·F·可特尔甚至认为,作为总统,杰佛逊"在支持一个强大而有力量的总统职位时,真正是一个汉密尔顿主义者。"①比如,他商定了对路易斯安那州的购买,这一行动的合宪性受到质疑。

这样两种对立的行政观念,的确突出了一个问题,那就是政府到底应该做什么以及如何把应该做的事情做得最好。

麦迪逊是美国政府权力的平衡系统的建筑师。他显然有意识地平衡汉密尔顿和杰佛逊的相互冲突的观点。他的工作有以下特点:一是在发展权力的分离理论方面发出自己的最强音;二是对政府权力与经济权力的关联作出了决定性的解释。他明白,各州之间的经济差距必然孕育冲突,为了平衡、解决这些冲突,一个强有力的国民政府是必要的。所以他认为,一个强大的、有效的、得到很好平衡的国民政府能够带来稳定和繁荣。对麦迪逊来说,不可能独持一面地坚持某种观点,他明白汉密尔顿和杰佛逊各自的观点都有合理性,但是从根本上说,又是有着缺陷的。汉密尔顿只是考虑如何加强政府能力,而杰佛逊又认为,真正的政府权力应该放在人民和当地政府手中。在麦迪逊看来,如何在主要角色中把平衡的权力铰连起来,才是解决问题的根本之策。比如,如果放任社会政治和经济力量的竞争,那么,就会扰乱社会秩序,并削弱新成立的联邦政府;但如果联邦政府的权力过分强大,又必然会导致暴政。这里就既有一个权力的边界问题,又有一个如何平衡协调这些权力的问题。要构成

---

① Donald F. Kettl:The Transformation of Governance: Public Administration for Twenty – First Century America, Baltimore and London: The Johns Hopkins University Press, 2002, p. 35

一个既边界分明又平衡协调的权力系统,那是一种政治和行政的艺术。这种系统必须能够提供更为内在的平衡、更多样的制度角色、更多的派别等等,而且它们都要能更好地平衡各派的野心,阻止其行使专制权力的能力。

他认为,政府的每个部门都应该有自己的独立意志,但是必须阻止所有权力逐渐向某个部门集中。为了做到这一点,关键在于"给那些掌管每个部门的人们以必要的宪法手段和个人动机,以此来抵制来自他人的越界行为。"他主张,野心必须由野心来对抗。他说了一段著名的话:"如果人都是天使,就不需要任何政府了。如果是天使统治人,就不需要对政府有任何外来的或内在的控制了。在组织一个人统治人的政府时,最大困难在于必须首先使政府能管理被统治者,然后再使政府管理自身。"①那么,应该如何来安排权力呢?他主张,在共和政府中,立法权应该占主导地位,但又必须避免立法权的专制,于是立法权又应该分解到两院。他关注的焦点还在于如何避免行政权的专制。他的想法是:通过立法和司法部门,分解了的政府权力对行政权力施加了双重的检核。他主张,应该通过保证没有哪一部门的权力过强而避免威胁到公民自由,所以,他也反对汉密尔顿建立一个强大的国民政府的主张。

从这一点上可以看出,麦迪逊的思考的确要细致得多,同时引入了对人性的洞察,不但主张以权力制约权力,更主张以野心制约野心。这的确有较重的权谋的成分。所以,他极力对汉密尔顿和杰佛逊进行综合,并想以制度安排来确保:行政权力足够大而能完成自己的目标,但是在力量上不能超过立法权力;而立法权因为是最高权力,所以必须分解到两院;而对于行政权力,由于它是在实际掌握国家的社会经济生活,所以,防止它转化成暴政就是更为重要的任务。他主张,除了把行政权置于立法权之下,还要在政府机构的各个部门中利用人们的野心来对抗侵权的野心,从而给权力边界的维持以一种个人野心的驱动。

这三种传统,基本上可以说,都具有政治和行政纠结在一起的特征,特别是杰佛逊和麦迪逊的思想,其重心在于政治,在思考的理路上,把行政作为政

---

① 汉密尔顿、杰伊、麦迪逊著,程逢如等译:《联邦党人文集》,商务印书馆2004年版,第264页。

治的附属;汉密尔顿则主要思考如何运转一个政府,的确是以行政为主要思考对象,所以,说汉密尔顿是近代公共行政理论之父是公允的。当然,他也是在政治的背景下来展开其行政思想的。所以,从理论模式来说,下一步的发展就只能是让行政学相对独立出来,把行政学作为一种具体操作过程来考察其工具理性的品格。这一方向,是威尔逊所开创的。

可以说,这第四种老公共行政传统的形成,与19世纪末美国政府能力令人尴尬的衰退有关。在开发西部的过程中,大量新技术比如电灯、电报、电话等的采用虽然带来了方便,但由于市场的迅速扩展,竞争加剧,留下许多地带政府不能提供服务,很多事务处于一团乱麻的状态。于是,公司更信任私人力量,这样也带来对公共福祉的威胁。这迫使美国政府对此进行积极应对。提高政府效率,规范政府行为就成为当务之急。威尔逊正是在这种形势下主张行政学应该成为一门独立的学科。由于要彰显行政的独立性,所以,威尔逊的主要理论努力在于论证行政和政治的不同,而在这样做的时候,就必然要突出行政操作的理性性格,认为行政甚至可以成为一种科学的管理理论。他说:行政与政治是不同的,"行政管理的领域是一种事务性的领域,它与政治的领域的那种混乱与冲突相距甚远。在大多数问题上,它甚至与宪法研究方面那种争议甚多的场面也迥然不同";①在性质上,政治是"'在重大而且带有普遍性的'方面的国家活动,而'在另一方面','行政管理'则是'国家在个别和细微事项方面的活动。因此,政治是政治家的特殊活动范围,而行政管理则是技术性职员的事情'、'政策如果没有行政管理的帮助就将一事无成',但行政管理并不因此就是政治。"②古德诺对政治与行政可以二分的原则作出了进一步的论证,他说,"在所有的政府体制中都存在着两种主要的或基本的政府功能,即国家意志的表达功能和国家意志的执行功能。在所有的国家中,也都存在着分立的机关,每个分立的机关都用它的大部分时间行使着两种功能中的一

---

①　Woodrow Wilson: The Study of Administration, in Selected Classic Readings of Public Administration, edited by Du Qaunwei, Fudan University Press, 2001, p. 6

②　Woodrow Wilson: The Study of Administration, in Selected Classic Readings of Public Administration, edited by Du Qaunwei, Fudan University Press, 2001, p. 12

种。这两种功能分别就是:政治与行政。"①在这一前提下,行政管理才有可能被作为专门的技术化领域来看待。在寻求理论支持时,韦伯的官僚制组织理论才成为了行政管理组织模式的典型理论形态。

在《行政之研究》一文中,威尔逊明确地说出了自己的关注重心是由于"政府的功能正在每天都变得越来越复杂和困难,在数量上也大量倍增。"所以,行政过程变得十分复杂,行政规模也变得非常庞大,没有科学的管理手段是难以达到目的的。他说,"现在运转一部宪法比构造一部宪法要难得多。"所以,他希望发展一门行政科学,"致力于修直政府的道路,使政府的事务更像是商业,强化和纯化政府组织,并以尽责之心作为政府的责任之冠冕"。②

威尔逊之不同于其前辈的地方还在于,他认为,"政府领域是一个事务性的领域……,要去除掉政治的毛躁和争斗。"③他特别重视政府的具体责任,他认为,由于政治和行政相对分离之后,民选官员监督行政的能力得以加强,从而责任心也能得到提升;同时,他很重视如何使政府变得更高效,为此他关注政府的过程和结构,并且探索一些策略使之有更高的效率。这的确是威尔逊之后一个世纪的公共行政运动的焦点。但是,政治与行政是否真的可以分离,却引起了许多行政学者的怀疑。不过,威尔逊的初衷却是主张:在一个日益复杂的社会中,政府应该起到重要作用。这是公共行政学存在的恰当理由。

我们看到,老公共行政理论有以下特点:它提出了许多难以调和的观点,比如在政府责任方面,有的主张从上到下的责任(如汉密尔顿、威尔逊),也有的主张从下到上的责任(杰佛逊、麦迪逊);有的主张行政上的等级制度权威(汉密尔顿、威尔逊)。

这些原则虽然都提出来了,但是,在具体的行政过程中,他们都表现出了某种汉密尔顿主义的特点:层级制度的行政组织权威、足够强的行政功能等

---

① Frank J. Goodnow: Politics And Administration, in Selected Classic Readings of Public Administration, edited by Du Qaunwei, Fudan University Press, 2001, p. 32

② Woodrow Wilson: The Study of Administration, in Selected Classic Readings of Public Administration, edited by Du Qaunwei, Fudan University Press, 2001, p. 15

③ Woodrow Wilson: The Study of Administration, in Selected Classic Readings of Public Administration, edited by Du Qaunwei, Fudan University Press, 2001, p. 17

等。这是因为,在老公共行政时代,由于公民的广泛参与意识并不强,利益的横向联系结构网络还不十分复杂,所以采取科层制责任归属制度,加强行政机构的力量,还是可以使之能有效地协调各种利益关系的。当然,这种等级制的行政权力结构也许是行政组织的永久特征,但是,它们的功能和价值特征却是会变化的;另外,既然行政组织作为协调社会中各种利益的中枢,那么,使之足够强大而能够行使自己的功能是必要的。然而,随着社会的发展,可能会在某一个历史时期,政府的有限规模的特征使得它不可能应付过于复杂的利益关系和各种横向扩展的联系,特别是信息技术发展以后,政府对信息的垄断性也被打破,于是,一个社会自治、民众广泛参与的自我管理的时期就要来到,那时,政府当然还必须存在,因为它是专业的提供公共产品和公共服务的公共权力机构。但它又并不能提供所有的公益,于是应该发动、支持各种组织、集团包括私人来提供公共服务,这样就出现了公益提供主体多元化的局面。这时,再专注于建立一个足够强大的行政组织就是不合适的,当然,它也要能够有效地运行,能够有某种动员功能,并能与多元主体进行合作,并对其进行指导和扶持,等等。

我们看到,老公共行政运动持续了两个世纪,足见政府作为社会的指导性力量能够起到多么大的作用。同时,从公共伦理学的角度说,在伦理关系的层面上,行政组织内部是一种科层制的等级结构,在与公民的关系上,有一种相互隔离的特点,因为它把自己看作一个技术化的领域。在行动领域,老公共行政运动表现了一种较强的道德意识,那就是责任感。但是,这种责任感,不是指向公民,而是指向科层制内部的直接上级。在价值归属上,则是把效率看作最高目标,而人性道义的价值则被相对地忽略了。因而,我们看到,从公共伦理学的角度看,无论在伦理关系的特点上,还是在行动领域的责任指向上,以及价值归属上,老公共行政运动都有许多欠缺。在老公共行政运动内部,也有学者对这些问题表达了自己的异议,但并没有构造出一种新的理论。比如,马歇尔·迪牟克(Marshall Dimock)就撰文认为,机械的效率是"冰冷的计算和非人性的"，而"成功的行政则是温暖的和有活力的。"①罗伯特·K·米尔顿（Robert K. Merton）则分析了官僚机构与人格的关系。他认为，官僚制的主要优点是其技术效率，伴随精确性、速度、专家控制、连续性、判断力，和对投入的最佳回报等好处。但"这个结构是一种完全清除人格化的关系和不是理性方面的各种考虑（敌意、焦虑，等等）的探索。"②在他那个时代，有许多思想家分析了官僚体制的负面效应，比如威伯伦（Veblen）提出过"受过训练的无能"的概念，杜威（Dewey）有"职业的精神变态"的概念，沃诺特（Warnotte）有"专业畸形"的概念，都注意到这些是官僚制度依赖规则、纪律的运行方式对行政人员的人格所产生的负面影响。可以说，这是对老公共行政运动的弊病的深层感知。但是，他们的工作仅仅是批评官僚制，而对如何克服官僚制的弊端，如何对官僚制进行改造，则没有提出什么有重大价值的理论方案。

后来则有理论家提出新说，在一种新人性假设的基础上来论证公共行政组织如何能更好地达到它的目标，这个思潮我们可以称之为新公共行政。但这一思潮并没有真正脱出老公共行政学说的窠臼，所以，有学者就干脆把这一思潮仍然归于老公共行政学说的一部分。③

赫伯特·西蒙，他是一位政治科学家，后来获得了诺贝尔经济学奖。他提出了一个重要命题，那就是"管理就是决策"。决策就是政策的制定，就是政治。要制定政策，就必然把价值考虑放到第一位。而老公共行政理论奉行那种单一价值即"效率"，事实上就排除了对其他价值的考量。实际上，人们在公共管理活动中，会牵涉到许多更为重要的价值。他提出了一种颇为特殊的理性概念来解答这些问题。他认为，人类在处理他们所面对的问题的过程中，会达到一定程度的合理性，他们受到公共管理活动所达到的合理性程度的限制；但是他们会联合成为群体和组织来有效对付他们周围的世界，而且他们也

---

① Donald F. Kettl：The Transformation of Governance：Public Administration for Twenty – First Century America，Baltimore and London：The Johns Hopkins University Press，2002，p.120

② Robert K. Merton：Bureaucratic Structure and Personality，in Selected Classic Readings of Public Administration，edited by Du Qaunwei，Fudan University Press，2001，p.80

③ Janet V. Denhardt and Robert B. Denhardt：The New Public Service，Serving，Not Steering，M. E. Sharpe. Inc.，2003. pp.9—11

能以某种合理的方式这样做。西蒙的合理性概念关注通过如何协调各种合适手段来完成所欲达到的目的。在这个意义上的理性概念与效率概念是平衡的。他说,对"行政人"来说,最合理的行为就是驱使一个组织有效地朝向它的目标,他"把组织目标接受为他的决定的价值前提,他对那种加在他身上的影响如何加在组织的其他成员身上特别敏感并能作出特定的反应,并形成关于自己角色的稳定预期……对有关组织的目标有一种很高的士气。"①

公共选择学派则利用古典的"经济人"假设来解释行政行为。这个学派开初实际上是属于老公共行政学派之内的,即像西蒙一样探索如何驱使行政人员去达到其组织目标。他们认为,行政人员同样是理性自利的、追求个人效用最大化的经济人,"在其决定中,永远寻求最大可能的利益和尽可能最小的成本。在行为中,人们基本上都是利己的、关心自己的和工具性的。"②他们坚持认为,即使人们在实际上并不这样行事,这种假设也有助于我们解释人们的行为。然而,他们又不像老公共行政的代表人物那样,把着眼点放在对行政机构的结构、行政过程、投入的关注上,而是放在对作为公共机构的产出结果的"公善"概念的关注之上。最后,他们把公共机构看作是一个提供公善和服务的工具,要求它们能够在不同的社会境况中通过作出不同的决定来回应广大个体的偏好。

很显然,这两个学派,都力图以一种革新的理性概念来补救威尔逊——韦伯的官僚制的工具理性概念,从而容纳了理性自利等意志动机的基础,以此来分析公共行政机构作出决定时的动力机制。

总结一下,我们可以得到老公共行政理论的几个核心观念:1. 政府通过现存的和新近授权的政府机构来直接提供服务,也就是说,公共服务中没有中介组织(即使社会中存在着这样的中介组织,政府也不会与之合作);2. 公共政策和行政从事于对那些集中于单个的、被政治性地定义了的政策的设计和实

---

① Herbert J. Simon, Donald W. Smithburg, Victor A. Thompson: Public Administration, New York: Knopf, 1950, p. 82

② Patrick Dunleavy, Democracy, Bureaucracy and Public Choice, New York: Harvester Wheatsheaf, 1991, p. 3

施。公共行政在政策制定和治道中起一个有限的作用,它只负责政策的实施。公共服务由行政人员来提供,在工作中,他们只有有限的机断权,行政人员对民主选举的政治领导人负责。公共项目能通过等级制组织得到最好的管理,其经营人员由组织顶端的领导来控制;3.公共组织的最基本价值是效率和合理性。公共组织作为紧密的系统能得到最有效率的运行,所以,公共参与是十分有限的。行政官员的角色在很大程度上由计划、组织、人员、指导、协调、汇报和预算来定义。①

二、"新公共管理运动"对公共伦理的贡献及其局限

老公共行政学说的确有需要推进的地方,其问题在暴露出来的时候表现为等级森严、过于依赖规则和纪律、依赖领导者的权威、责任指向的内部化,对提供公共产品和服务的垄断,这一切在公共行政所处理的事情比较单一、利益关系较为简单时还比较能奏效,但是当公共行政所要处理的事情很多,利益关系较为复杂的时候,就会形成因责任不明确而互相推诿的局面;并且他们提供公共服务的动力只是个人的自利之心和合理计算,只是为了谋生,这样就容易形成这种局面,即为了谋生而屈从于官僚体制的严密控制和责任依附,从而行政人员自身丧失了人格自主性;由于公共行政机构是公共服务的直接提供者,公民的参与十分有限,所以,他们是公共产品和服务的垄断性提供者,于是很容易产生官僚主义。另外,由于官僚机构自身有一种膨胀性,所以,很容易导致机构重叠、臃肿,造成人浮于事、效率低下的情况,经常会陷入尾大不掉、运转不灵的局面之中。

针对老公共行政中的这些问题,出现了一种名为"新公共管理"的运动。新公共管理的学者和参与者继续从策略方面考虑如何使政府能够运转得更好。他们发现,私人部门和商业运作有其一套办法,使得私人部门人员得以较长久地保持其责任心(利益攸关)、上进心(竞争压力和发展的愿望)。他们致

---

① Janet V. Denhardt and Robert B. Denhardt: The New Public Service, Serving, Not Steering, M. E. Sharpe. Inc., 2003. pp.11—12

力于把这种机制运用到公共部门中去。这一运动之所以能够成为一个独立的学派,原因在于它提出了不同于老公共行政学说的理论,并使之取得了一种规范模式的地位。换言之,它思考了公共行政人员的作用、这种职业的本性以及怎么做和为什么做我们所做之事。① 这个运动的精髓就是:把市场机制和语汇引入到公共行政领域中,在这个领域中,公共机关与其服务对象的关系被看作发售方与顾客的关系。它的深刻变革在于:用基于市场的、竞争驱动的策略来代替传统的基于规则的、权威驱动的老公共行政。

这一思想,曾经引发了西方盛极一时的政府改革运动。主要做法就是把先前由政府提供的功能私有化。从撒切尔夫人的私有化改革到克林顿的重塑政府的措施,都是在这一思想的指导下进行的。当把公共工程置于市场中时,政府的作用就剩下掌舵,而不是划桨。作为策略,就是把市场竞争引入到传统的公共部门的功能中,使之在竞争的压力下能得到更积极的运作。这显然是倾向于更加信任市场方法和私人商业的方法。它进步的地方就在于打破了公共机构对公共产品和服务的垄断地位,从而使之向社会开放。并且,由于顾客的需求的实际性以及对所提供之物的评价有直接反馈,所以,能增加责任心,提高工作效率。他们就是以此为基础来重构官僚组织,重新定义组织的使命,运行行政过程,并使作出决定的过程去中心化。在这一过程中,对行政机构的有效性的衡量,对行政人员责任心及其绩效的考核,和对行政机构的具体目标的确定,都形成了一套新的标准。一句话,这种改革的矛头所向是传统的等级制的官僚体制。

唐纳德·F·克特尔(Donald F. Kettle)认为,全球范围的公共管理改革,集中关注了以下六个核心事项:(1)政府如何发现从相同的或更小的岁入基础中挤出更多的服务路径?(2)政府如何用市场型的动机把官僚制中的冷淡症连根拔出?如何用那种将能改变项目经理行为的市场策略来代替传统的官僚制的命令——控制机制?(3)政府如何用市场机制来给公民(现在通常被

---

① Janet V. Denhardt and Robert B. Denhardt: The New Public Service, Serving, Not Steering, M. E. Sharpe. Inc., 2003. p.13

说成顾客)以对服务的更大选择余地——或者至少鼓励一种对更好的服务的关注? (4)政府如何使公共工程的回应性更强? 政府如何分散责任而给前线经理人员以服务的更强动机? (5)政府如何能提高设计和追踪政策的能力? 政府如何能把自己作为服务的购买者的角色同实际提供服务的角色分离开来? (6)政府怎样才能集中关注产出和结果而不是过程或结构? 他们如何能用自下而上、结果驱动的系统替代自上而下、规则推动的系统?①

新公共管理的这种动向,看上去是排除任何伦理道德的因素,而纯粹以最少的金钱消耗来做最大的公共服务为目标,把行政行为看作是对公共项目的管理,并把自己看作一种服务的购买者,即政府以购买者身份来向社会购买价廉质优的服务,提供给广大公众。所以,政府行为及其提供服务的种类、数量和质量都与市场紧密联系在一起,并与公众的需要及其反馈紧密联系在一起。可以说,这是在塑造一种新型的政府伦理角色以及政府与公民之间的新型伦理关系。

首先,在新公共管理学说中,政府不再像老公共行政学说中那样采取严格的科层制的官僚体制,行政人员的责任心不是只指向上级,而是更着重地指向公共工程的购买过程,即对社会所能提供的公共工程的质量和价值进行权衡,尽力保证使公共工程能够完成得价廉质优,避免因原来政府的垄断性所带来的官僚作风和预算的最大化、责任心的缺乏。

其次,虽然行政机构的科层制结构在新公共管理中仍然必须存在,但是,行政人员的人格能够有更大的自主性,而不像在老公共行政的理论和实践中由于行政人员只对上级负责,而造成其人格不展,因为其业绩主要来自向市场采购公共工程时的可量化的成绩,所以,这更能激发行政人员的积极性和自主精神,他们现在通过这种方式向上级负责。上级也应该侧重以这方面的绩效来考核其属下的行政人员,而不是只看下属是否对自己忠心,是否刻意迎合。从实质意义上看,传统的严格的科层制官僚体系是一种能够败坏行政伦理的

---

① Donald F. Kettl, The Global Public Management Revolution, Washington DC: Brookings Institution, p. 2

组织结构,不但造成下属的人格委顿,主要表现就是只忠于直接上级,阿谀奉承,而对离自己更远的上级则要做表面文章,虚与应付,而且对于上级来说,也容易助长其骄横跋扈、擅权专断的人格缺陷。

再次,在政府与公民的关系上,新公共管理学说和实践也实现了一种转型,那就是不像老公共行政运动那样,政府只把自己看作是公共产品和服务的直接提供者,而公民就只能被动地接受,无论数量多少、质量优劣。新公共管理一方面打破了政府自己垄断公共产品和服务的局面,把它置于市场的竞争环境中,从而能够争取到较好的质量和较低的价格;同时,也让作为私人的公民通过市场的方式为公共工程工作,所以实际参与了公共事务。另一方面,接受公共产品和服务的公民,也能够对此进行评价和问责,对政府的公共服务的购买过程也可以提出自己的意见,从而使公民拥有对公共服务较大的选择余地;同时,公民在使用(有偿或无偿)公共产品的过程中,对其性能、质量、数量等也能提出自己的意见,并反馈到政府机关,从而促使政府作好下一步的工作。所以,新公共管理在一定意义上促进了政府和公民的双向互动,和一定程度上的公民参与,这为政府实际地体察民意民情增加了机会和渠道,同时也能增加公民对政府的信任程度。

这种伦理关系的转型,使得老公共行政中借助政治领导人的政治智慧、老练、雄才大略等等品质和行政人员的忠心、服从纪律、遵守严格规程、严格的层级责任指向等等道德意识的要求大大淡化了。这种情况,使得一些行政学者认为,在公共行政中,只需要诉诸一些货币性的动机,而不需要诉诸一些非货币性的动机,如伦理学、精神气质和社会地位等等。而实际上,在我们看来,新公共管理并没有消除对道德的需要,只是所要求的道德品质和精神气质与老公共行政所要求的不同,这主要是因为其伦理关系结构变化了,所以其道德要求也应随之而变化。

对行政人员的道德要求,在新公共管理中集中于以下几点:1.淡化过去的层级权威追求,而走向对平等人格尊严的尊重。行政机构中的各类人员,原则上都可拥有自己的伦理自主性,并且以此种道德自律意识为基础而形成责任感。因为这种责任感不再只是指向上级,所以成为更多地指向对自己所从事的有关公共事务的负责精神。而且,由于行政人员拥有伦理自主性,所以,比较容易唤起自己的道德良知。当上级明显为了自己的私利而要求他们同流合污或者保持沉默时,道德良知可以鼓励他们对抗来自上级的淫威。

2. 新公共行政侧重于使用市场驱动机制来运行公共项目,这就需要行政人员培养使公共利益最大化的能力和敏感性,加上对行政人员的绩效考核侧重于产出和结果,所以能够培养责任人的实干、审慎的道德素质,使虚于应付、做表面文章的道德虚伪不容易存身。

3. 视公民为顾客,也使得公民对政府所承担的公共事务能够得以直接参与,增加公民对公共事务的参与性。这一方面能够培养政府机构对"社会是最后雇主"的认肯,认识到公共利益的规范性力量,从而形成以公共利益为最高价值旨归、为公共利益服务的公共精神。另一方面,由于公共项目向公民开放,采用市场化方式运作,从而推广了对公民平等经济权利的尊重,并实现了公民对公共项目的知情权,这有助于培养行政正义的道德品质。正义的本质,如我们反复申明的,就是在不断发展的制度框架中,实现公民的权利。因为,从一般意义上说,公民的权利容易受到政府这一公共权力机构的忽视乃至侵害;而公民要行使权利则必然要伴随着相应义务(甚至超量义务)的履行。当公民能够以自己的经济行为参与公共事务时,他们的权利就得到了进一步的实现,而且受到政府的鼓励,从而参与了塑造新型政府职能的过程。

新公共管理在改革政府的过程中,的确起到了很好的作用,其主要目的是力图超出老公共行政的韦伯——威尔逊模式,即把公共行政从中央集权、强调科层结构的官僚体制的束缚中解放出来。在他们看来,二十世纪三四十年代设计的官僚体制面对当代日新月异的社会变革和发展,要应付信息纷繁、知识爆炸的现时代的公共管理事务的需要已是力不从心。对此,新公共管理的对策是,设计一种企业化的政府,使之能够适应新的形势,变得更加灵活,能够表现出创造性。他们从企业的转型变革中看出,企业已经通过革命性变革,对这种日新月异的变化作出了很好的适应:"去中心权威,敉平等级制,关注质量,靠近他们的顾客——所有这一切,都是力图使企业在一个新的全球市场中保持竞争性。"①他们提出的第六项要求,就是要建立顾客驱动的政府,要求政府要满足顾客的需要,而不是官僚体制的需要。② 第七项要求则是进取的政府:赚钱而不是花费③。一句话,他们认为,政府也要变得更加企业化。

这种顾客——服务运动,从比喻的角度说,有欠缺的地方,因为,实际上,个体是公民和纳税人,而不是顾客。当然,比喻不当问题并不很大,因为它本来是强调政府应该尽可能对它的公民的需要进行回应。任何能够改善政府服务的事情都是一件好事情。我们认为,真正的问题在于新公共管理的理论基础并不是以价值为中心的,没有形成有系统性的价值原则及其分解,所以,新公共管理对政府的"公共性"并没有进行全面的理解和塑造。这就需要公共管理理论进一步发展,它的切入点应该是:为公共行政进行公共伦理价值奠基,只有这样才能使公共行政的改革获得一种正确的价值指导。

三、公民中心论:新公共服务的价值奠基

1. **公共服务的政治——伦理价值考量** 我们看到,公共行政理论和实践的发展,与经济和社会的发展变化是密切相关的。经济和社会的发展逐渐网络化、组织扁平化、去中心化,加上信息产业特别是因特网技术的迅猛发展,人们能够迅速地了解各类信息,政府对有关信息也无法垄断,而且互联网还给人们展开公共讨论以广阔空间。从而,历史的发展正在逐渐实现正义的要求,那就是逐渐驱除强力(Might)而突显权利(Right)。在这个过程中,社会逐渐成为人们可以积极参与的社会,公共利益成为公民真正可以共享的好处,而各类公共机构也必然日益去除其以强力支撑的权威,而代之以为公共服务而存在的必需机构,从而使其公共性得以成为制度化的现实。同样,在这个过程中,那种建立于不平等的话语权力之上的统治被逐渐打破,正义也不再是强者利

① David Osborne & Ted Gaebler: Reinventing Government, in Selected Classic Readings of Public Administration, edited by Du Qaunwei, Fudan University Press, 2001, p. 563

② David Osborne & Ted Gaebler: Reinventing Government, in Selected Classic Readings of Public Administration, edited by Du Qaunwei, Fudan University Press, 2001, p. 571

③ David Osborne & Ted Gaebler: Reinventing Government, in Selected Classic Readings of Public Administration, edited by Du Qaunwei, Fudan University Press, 2001, p. 572

益的表达,而成为逐渐得以彰显的公共正义。这样,公共行政的价值重心落实为"公民中心论",唯有如此,公共行政机构才有可能真正成为"公器"。

在这样的背景下,我们可以从理想意义上来思考公共行政的公共伦理价值基础,这并不是说,在现实社会中,公共行政马上可以完全改革成为这个样子(实际上,现实中公共行政永远会有诸多缺陷),而是说,公共行政应该尽可能彰显这些公共伦理价值。我们看到,老公共行政和新公共管理其实都有一个特点,那就是它们都以效率为中心来设计行政行为,老公共行政的科层制的官僚体系的目的是保证任务分工明确、权责分明,但它把自己当作唯一的、直接的公共产品和服务的提供者,而民众只是被动的接受者;另外行政机构内部的责任指向上级,从而使行政机构形成一种封闭结构。它就是这样界定它和公民的伦理角色的。由于它把效率看作中心价值,于是,它只关注管理的科学化,成为规则——纪律定向的行政模式,显然表现出了很明显的强力色彩。在老公共行政中,强力几乎无处不在,权利则相对地被忽略了。而新公共管理在攻击老公共行政的科层制官僚结构时,显得特别有力,但其着眼点是老公共行政状态下的机构臃肿、运转不灵,从而主张建立企业化的政府,以顾客——服务作为其驱动力,以市场化作为其运行机制,主要目的是让政府能够体察到公民的各种需要,从而在提供公共服务时增加公民的选择空间。另外,通过市场机制来缩减政府规模,精简机构,从而增加政府机构在公共服务中的灵活性和对公民需要的回应能力。这一切都是很好的,与当今社会信息化程度日益提高、行政权力去中心化、组织扁平化的趋势是相适应的。然而,这些改革及其理论思考都没有真正以当代的政治伦理价值观念为基准来设计公共行政的目标,而这正是我们现在所要着力加以思考的。

(1)公共行政时代的价值理想是公民权利的制度化实现。这是衡量一个社会制度是否体现了当代公共正义价值的标准。这就是说,必须形成一种牢固的意识,那就是,只有公民才是政府的真正主人,政府人员的最后雇主乃是社会。但新公共管理在这个问题上还是模糊的,因为它把公民看作顾客,显然就是认为只有政治官员和行政人员才是政府的主人。这是政治伦理价值观念上的误区。认识到只有公民才是政府的真正主人,就是尊重公民的政治权利,这是一种比经济权利更为普遍的权利,因为这时,公民就不只是作为一个私人在私人空间里表达自己的偏好,而是进入到公共政治的领域,参与国家的管理,把自己的命运与国家的命运紧密联系在一起。在封建时代,民众被看作"草民",根本无资格参与国家的公共事务;而在资本统治时期,公民们只被看作是经济市民,似乎公共政治只是政治家们的事情。而且,这样的时代在历史上延续了很长一段时间,恐怕在有些地方还要部分地延续下去,它可能对公民的政治权利意识造成遮蔽。而实际上,如果能够注目于公民权利的制度化实现,那么,公共行政将能呈现出更为公义的面目。

(2)有人把公共行政的第三个形态命名为"服务行政"[①],但实际上老公共行政也说自己的使命是提供公共服务,只不过它把政府看作唯一的和直接的公共服务的提供者,公民被看作公共服务的被动的接受者。新公共管理也认为自己的任务是提供公共服务,但它以市场化的方式来提供,公民被看作顾客。其实,政府的使命当然是提供公共服务,但问题的关键是如何提供。新一代的公共管理,不仅应该以提供公共服务为核心,而且更应该激发公民个人或者其他组织参与公共服务的热情,使之成为政府的伙伴。公民不只是公共服务的被动接受者,而且也应该是创造者。有人担心,这会削弱政府,而可能使政府边缘化。其实,现在公共利益的范围太广,层次繁杂而且联系在一起,所以不能指望政府去提供这一切,而应该形成一种观念,那就是大公共服务的观念,实际上相当于全社会范围内公民们互相服务。营利组织和个人、非营利组织和个人,以各种合宜的方式结成伙伴关系,共同提供相互服务,政府组织在这个过程中,可以看作是一个有特殊功能的公民组织。而且,政府可以动员、鼓励、支持各种组织和个人参与到公共服务中来。"越来越多的政府项目,从福利改革和社会服务到环境保护和再造,都要求公民们在这个过程中成为积

---

① 张康之先生在《寻找公共行政的伦理视角》中,把行政类型发展的第三个形态命名为"公共(服务)行政",我认为,任何一种行政都要向社会提供某种公共服务,在公民取得了对公共事务的广泛参与权的今天,行政形态应该是"新公共服务"。

极的参与者。"①政府在这个过程中,功能不是被减弱了,而是得到了转型。所以,我们可以把公共行政的第三个形态命名为"新公共服务"。②

（3）新公共服务的制度安排,应该能够发挥人性中更为美好的一面。当今时代,西方发达国家的公民已经解决了基本生活问题,而进入了富裕社会;中国目前虽然还没有进入富裕社会,但是绝大部分人的生活问题也得到了解决,并且驶入了经济较快的良性发展的轨道。在这种情况下,人们的注意力可以发生两个转移:"一是他们对于个人生活问题的全心关注,就会向个人以外的世界转移。二是他们对于艰难生活的个人感受,就会向仍然处于艰难景况的社会中的人们转移。"任剑涛把这称为从"生活的道德"向"道德的生活"转移。③ 这种转变的公共伦理意义在于,我们的新公共服务的制度安排,应该能够让公民们感到公共利益与自己息息相通,感受到国家的政治权利和经济发展的成果有着公民共享性,这样,就一方面会扩大公民的眼界,提升其精神层次,从而能够以各种方式为公共利益奉献。他们可以以市场运作的方式提供优质的公共服务让政府购买,自己也可获利;也可以在市场行为之余参与各种非营利组织,利用自己的一技之长来提供公共服务;也可以把自己多余的私产公有化,捐资助学、助残、扶贫等等。这是以公民的个人自由为基础的,政府可以制定公共政策来引导公民以各种方式来服务于公共利益。

在以上价值前提下,我们才能更好地把握新公共服务的特点。美国著名的行政学专家简内特·V·登哈德(Janet V. Denhardt)和罗伯特·B·登哈德(Robert B. Denhardt)归纳了新公共服务7个最要紧的理念:

（1）服务公民,而不是顾客:公共利益是关于共享价值的对话的结果,而不是个体的自我利益堆积的结果。所以,公共雇员不只是仅仅要回应"顾客"的要求,而毋宁说要集中关注与公民建立信任和协作的关系,并在公民中间建

---

① Donald F. Kettl：The Transformation of Governance：Public Administration for Twenty – First Century America，Baltimore and London：The Johns Hopkins University Press，2002，p. 70

② Janet V. Denhardt and Robert B. Denhardt 的新著就是《新公共服务:服务,而不是掌舵》(The New Public Service, Serving, Not Steering, M. E. Sharpe. Inc., 2003)。

③ 任剑涛:道德理想·组织力量与志愿行动——简论志愿者行动的动力机制,《开放时代》2001年第11期。

立起这种关系。

（2）寻求公共利益：公共行政人员必须对建立一个关于公共利益的集体的、共享的观念作出贡献。其目的不是去发现那种由个人选择驱动的快捷方法。毋宁说，它是对共享的利益和共担的责任的创造。

（3）公民的价值高过企业家能力：从事于对社会作出有意义的贡献的公务员和公民，比起视公共款项如自己钱财的企业经理来，能更好地发展公共利益。

（4）策略地思考，民主地行动：满足公共需要的政策和项目通过集体的努力和协作过程能被最有效、最有回应性地达到。

（5）认识到责任是不简单的：公务员所关注的应该比市场更多；他们也应该关注一般法律和宪法、共同体的价值、政治规范、职业标准和公民利益。

（6）服务而不是掌舵：对公务员来说，在帮助公民表达并满足他们共享的利益而不是试图控制社会或把社会驶入一个新的方向时，使用共享的、基于价值的领导权，其重要性与日俱增。

（7）看重人，而不仅是生产力：假如那些参与其中的公共组织和网络能够通过协调和基于对所有人的尊重的共享的领导权来运行，那么，从一个长时期来看，这些公共组织和网络更容易成功。①

新公共服务的本质是为公共行政进行政治——伦理的价值奠基，并把这些价值整合到公共服务之中。说到底，新公共服务的价值前提就是民主、平等、公民身份和权利等等。以上 7 个观念也贯穿了这些公共价值。依照我们的理解，现代社会的公共正义就存在于这些价值在公共治道中得到具体的体现。这里要注意以下几点：第一，我们明白，这是一种治道理想，到现在恐怕还没有一个国家真正做得完满，只能说有些国家做得好些，有些国家还需要付出艰苦努力。而且，政府还需要不断地改革，才能对不断变化的内外环境作出有效回应，所以，这是一个永无止歇的过程；第二，这种治道本质的实现在不同国

---

① 采自 Janet V. Denhardt and Robert B. Denhardt, The New Public Service, Serving, Not Steering, M. E. Sharpe. Inc. , 2003, p42—43

家可以有不同的实现方式,比如要尊重一个民族的文化传统和基本国情,但是这种公共治道的基本价值则有着某种普遍性意义。因为我们不可能有效论证专制、等级制度、臣民身份的政治——伦理的合理性。

2. **将价值整合进公共服务** 我们必须考察"如何将这些价值最好地整合入公共组织的结构、过程和系统之中。"[①]由于新公共服务的本质是行政的伦理化,也就是在服务公民的价值目标指导下展开行政过程,所以,世界上许多政府从较早时期起就对政治官员、行政人员及其行政过程提出了许多伦理要求。当然,这些伦理要求随着公共治道的转型而有不同。从20世纪60年代起,美国和其他西方发达国家的公共行政就进入了"伦理学时期"。以后,特别是90年代以来,人们把更多注意力集中于公共服务伦理。早期人们更多注意伦理学的法则,如规则、守则、方针等,用以规范特定事项。当然,由于行政事务有其职业性,所以,其价值原则就不仅仅包括伦理价值,也包括一些行业价值,如保密、处理利益冲突等事项。在我国,对行政机构和行政人员的伦理要求也是很高的。在延安时期,毛泽东就提出了"为人民服务"作为中国共产党人和党员干部的宗旨,此后一直得到强调,并在50年代以后,在各行各业树立了许多全心全意为人民服务的党员先进典型,如县委书记的好榜样——焦裕禄,好战士——雷锋,掏粪工人时传祥等;文革结束以后进入新时期,各行各业的榜样如陈景润、李素丽、孔繁森等,就曾经激励过广大人民和行政干部。进入80年代,中共中央高度重视精神文明建设,几个六中全会都通过了关于加强精神文明建设的决议,2006年胡锦涛总书记又适时地提出了"八荣八耻"的社会主义荣辱观,与时俱进地对国民的思想道德建设提出了要求,当然也对公共行政机构和行政人员提出了更高要求。这表明,中国现代行政有鲜明的服务公众的色彩。我们需要做的事情是要继续推进我们的政治生活进入民主化、法治化的轨道。只有这样,才能真正做到以公民为中心,并在这种制度背景下,提炼核心的公共行政的伦理价值,使之整合到行政工作中,才能真正收

---

① Kenneth Kernaghan, Integrating Values into Public Service: The Values Statement as Centerpiece, Public Administration Review, November/December 2003, Vol. 63, No. 6, p. 711

到实效。

以德治国,关键在于以德行政(当然要与依法行政相互结合),所以,认真研究公共行政所要体现的伦理价值,并使之成为一种能够昭示于所有人的正规的行政伦理典则,非常有意义。在美国,就制定了《行政机构雇员的伦理行为标准》,加拿大则有《利益冲突和公共服务的后就业准则》,经济合作和发展组织(CECD)的国家则有许多文件研究"信任政府",并展示为一些核心价值。所以,在我国,这方面的工作也应该做起来,并深入地做下去,可以植根于中华政治文化和道德文明的悠久传统,并对其进行符合时代精神的创造性转换。

我们觉得,在新公共服务运动中,先要通过行政学者和伦理学者的研究,构造起当代公共服务的新模式。在我国,现在已经有许多学者在奋力开拓,取得了很多成绩。但一定得有一种政治——伦理的总体视景,因为只有这样,才能使各项行政制度改革获得价值指导。我们认为,民主、平等、公民身份和权利这些最基本价值始终是我们进行公共伦理思考的指针,离开这个指针,公共伦理思考要么就进入对行政人员主观的道德良心的诉求,要么就不得要领,只能对公共行政提出一些纯粹的职业道德要求。根据我们的基本原则,公共正义应该得到制度化的实现,所以,我们有一个关注焦点,那就是要探索我们的行政组织如何能被设计得支持伦理行为:

首先,我们的公共价值观念要实质性地把行政的日常事务与民主治道这一更广目标联系起来。事实上,我们已经看到,历次的政府改革存在的问题,其实都和一个事实有关,那就是政府把自己作为公共利益的唯一代表,从而力图设计应有尽有的职能部门,并配备越来越多的行政人员,从而导致高额的财政预算,和外表豪华而实则臃肿、运转不灵的庞大行政机构,这越来越不适应当代社会的信息流巨大、利益诉求多样化、价值多元化的现实;在全球化时代就更是如此,因为许多冲突和公害突破了国界的限制,比如遏止战争威胁和人道主义灾难,环境污染的跨国界性,全球气候变暖,某些传染病的全球蔓延等等,都不是一个国家的政府行为所能够独力控制的。比如2003年的"非典型肺炎"的爆发和流行,就只有在世界卫生组织和各国政府的通力协作下才能得到有效遏止。这就要求我们把民主治道的价值准则整合到行政事务中,其中广大民众的知情权必须得到尊重和实现,对有关公害的真实信息必须公开,而且获得信息的渠道必须畅通,而不能因为其他目标而有意掩盖和隐瞒。只有这样,政府对公共事务的治理才能调动广大公民的合作、参与和献计献策的积极性。孙中山先生有一名言可以说是一语中的:民主的根本含义就是众人的事情众人管。当然得有组织地管。也就是说,必须形成一种社会共治的局面,才有民主价值的实现。

其次,公民是政府的真正主人,社会是行政官员的最后雇主。我们以前提出过一个很好的价值理念,即"行政人员(干部)是人民的公仆"。从传统的统治行政时期奉行当官就是要"为民做主",就是要当好"父母官"的准则(这在当时是一种很高的价值追求),到现在的公民是官员的衣食父母,官员应该是公民的公共仆人的观念的转变,就很好地传达了公民是政府的主人的价值含义,可以说是行政伦理价值观念的巨大进步。但是,问题在于如何以一种制度安排的形式使之得以实现。如果这些价值观念只是停留在宣传上或者是主观的道德意识上,那还是远远不够的,如果没有做好,反而以此为幌子来为自己牟利,那就有存心欺骗的嫌疑了。我们看到,在贯彻这一价值理念的过程中,我们的确有许多需要痛下决心、努力改进的地方。即如机构改革一项,我们就发现,有些地方行政部门成为了与社会争利者。在5次大的机构改革中,都经历了精简——膨胀——再精简——再膨胀的恶性循环。在地方行政部门中,有些部门都不知道是干什么的,但始终存在,12个人养活一个吃财政饭的。还有非常严重、大面积的腐败现象,而且贪污、挪用公款或卷款逃走的数额动辄成百上千万;在提供公共产品和服务时,也有大量的面子工程、政绩工程,并因为其中有巨大的权钱交易黑幕而导致许多公共工程成为"豆腐渣工程"。这的确告诉我们,许多行政干部背弃了公民是政府的真正主人、社会是行政官员的最后雇主这一价值理念。在当今世界范围内的公共治道变革的浪潮中,政府在公民中所拥有的公信力也是综合国力的一项重要指标。

再次,平等对待每个公民。这个价值理念看上去很简单,但要把它整合进公共行政组织也是相当困难的。其关键意义在于,应该给所有公民以国家公共利益的平等共享性,在这方面我们不可能为某些歧视性政策作出有效的合理辩护。比如我们现在仍然存在的巨大城乡差别,和身份制限制,在社会保障、受教育等等方面仍然在实现不同的政策。这是需要坚决地有步骤地加以改进的。从整个国家来看,由于在市场过程中各种主、客观因素的影响,人们的生活状况会产生很大差异,那就是有较为严重的两极分化。换句话说,有些人可能拥有多得无法享用的财富,而有些人则可能沦落到贫困交加的境地,这就需要政府来加以扶助。从这个意义上说,政府又需要在这些方面对公民加以不平等的对待,但这种不平等对待是社会平等价值的题中应有之义。现在,世界范围的反贫困运动所体现的正义价值也成为了人们的共识。在学界,对贫困问题也展开了多方面的研究,从政治——伦理角度进行的研究尤其值得我们关注。丹尼尔·利特尔(Daniel Little)认为,应该把贫困问题视为一个中心关注的问题,位于清洁、安全的城市环境、环境资源的保护或提高整个人口的平均生活水平之前。这是我们在作出社会性决定的价值判断时所应该考虑的基本善。因为它具体体现了个体的自由(freedom)和所有公民的权利和自由(liberty)。① 在如何消除贫困的问题上,有许多做法,比如民间扶贫、政府扶贫、国际援助等,但从政治上和政府具体行政措施来说,保障公民的平等权利并使之得以现实的行使,恐怕是治理贫困问题的更根本渠道。

第四,政府必须是开放性的政府,能吸纳公民广泛参与,实现社会自治与政府治理相结合的治理策略。政府向广大公民开放,能让公民们更深切地感受到政府是我们大家的政府,从而能感受到公共利益与自己的紧密相关性,这样就能极大地调动公民们关注并参与公共事务的热情和责任心。在作为单个人的公民与政府之间,还需要中介,那就是公民们的自治组织,如各种行业协会、志愿团体等,它们是各类劳动者自己的组织。劳动者作为分散的个体,力量上是弱小的,一方面无法与自己的强势雇主相抗衡,有了自己的组织,就有力量使雇主公正地对待劳动者;另一方面,他们更无法与国家机构相抗衡,在利益和权利受到公共权力机构的侵犯时,也无力进行抗争,有了自己的组织,

---

① Daniel Little:"Equality And International Justice:Comments on Debra Satz", http://www - personal. umd. umich. edu/ delittle/equality. pdf

也就具备了与公共权力机构讨价还价的一定能力。当然,在这方面,更要求政府成为法治政府,也就是自己的强势权力要受到法律的约束。这对司法公正有一种最高的诉求。而在公共服务方面,个人的力量也是微小的,也需要组织起来才能与政府更好地合作,相互协调,更好地为所有公民提供优质的公共产品和公共服务。比如当代风起云涌的志愿者组织、第三部门,在现代世界各地,起了相当大的作用。就我国内地而言,第三部门也在大力发展,比如希望工程、环境保护组织等等,在现代社会生活中起到了很大的作用。上海就更是典型,第三部门与市场、政府相比,已经是三分天下有其一的局面。政府可以利用公共资金资助一些工作得好的第三部门组织,使它们发挥更大作用。这样,一方面政府可以集中力量抓好公共秩序和公共法律、国防等需要最高权威的事务,另一方面,也能控制政府的规模,加强与公民及其组织的联系和合作。如此一来,公共事务的治理就会形成一种社会共治的局面。

总之,我们现代社会的任务已经不再只是主张权利、保卫权利,而更要以现实的制度安排来实现权利,这是当代政治和行政的使命。有人说,现在政治学有一种转向,那就是从权利政治学转向公益政治学,这是侧重于突出当代政治和行政追求公益的特点,但深层次的价值追求正是对公民权利的广泛实现,作为公共伦理的基本价值的公共正义将会经历一个得以逐步实现的漫长过程。

第三节 公共组织主体的伦理要求

随着现代生活的社会化程度日益提高,各类公私组织越来越多地被建立起来,它们处于相互依赖、共生共强的态势之中。公共组织特别是政府组织一方面要通过提供公共产品和服务来促进市场经济这一私人领域的发展,另一方面又要为公民们获得民主、自由等政治价值和守法、信任等公共道德价值创造有精神意义的氛围。许多人从管理的角度上,建议在公共组织中引入市场竞争的原则,从而通过公众的公共选择给政府组织以竞争压力,促使其更有效地供给公共产品和服务。但我们认为,只从管理技术的角度不足以理解和完成公共组织的使命,所以还必须从公共伦理的角度为公共事务的治理提供价值合理性基础,所以,公共伦理学是不可或缺的。

一、公共组织的特征

组织当然是由人所组成的。组织中个人的兴趣、偏好、智慧、归属感等都各有差异,而且如果组织方式不同,即使仍然由相同人员组成,组织的特征也会不同。特别是由于组织是由人组成的,所以人们认识组织时很难像认识客观物体那样运用一些抽象的、普遍的定理、定律。本质地说,人们难以准确地知道组织是什么。美国著名行政学家尼古拉斯·亨利通过研究,给出了组织的一些开放性特征,他认为,一切私人的或公共的"组织是:有目的的、复杂的人类集合体;以非个人关系为特征的;有专门化的和有限的目标;以持续性的合作活动为特征;整合于更大的社会系统中;向它们的环境提供产品和服务;依赖于同环境的交换。"[①]他讨论的是组织一般的特征。从他所提出的组织一般的特征中可以看出,组织实际上会牵涉到道德问题:(1)组织因为牵涉到非个人性的关系,所以存在着一种超越个人的行为规范问题;(2)组织以持续的合作活动为特征,所以要求相关的人员之间有一种情感的关联性,需要信任、尊重等等情理氛围;(3)组织存在的目的是向环境提供产品和服务,所以对产品和服务质量的责任就是一项道德要求。

公共组织的公共性表现在什么地方呢? 从行为者来说,私人行为者的行为目的是为了自身利益,而人们的公共行为目的则是服务于他所管辖的公共事务;从利益的角度说,私人公司的利益一般是通过工薪和利润的形式为内部成员以及所有者谋利,而相反,"公共企业的假设目的是服务于公共利益(提供服务给社区的每一个成员)。"[②]最后,从可进入性来说,私人组织中参加活

---

① 尼古拉斯·亨利著,张昕等译:《公共行政与公共事务》,中国人民大学出版社2002年版,第95页。

② 尼古拉斯·亨利著,张昕等译:《公共行政与公共事务》,中国人民大学出版社2002年版,第72页。

动的人就是组织内部的人,而公共组织则对所有人开放;私人组织的信息是机密的,属于组织内部的,而公共组织的信息则每个人都可以得到;私人组织的资源的使用是排他性的,而公共组织的资源的使用则面向所有人。

公共组织包括政府机构、公共管理机构、自愿协会以及非营利企业。首先,相对于私人组织来说,政府公共组织特别受到任务环境的影响。所谓任务环境,是指组织"必须与之打交道的其他组织和力量的外在氛围。"①从实质的意义上说,政府公共组织不能像私人组织那样拥有绝对的主动权、自决性,而是要依任务环境的要求来为自己的行为、决策定向。这就意味着公共组织的成员不能只为组织自身谋取利益,在最终的意义上,组织成员也不能只向上级和组织负责,其最终责任和义务的来源在于公众。也就是说,公共组织的目的的实现不能像私人组织在市场经济中那样依靠个人自利愿望的驱动。

其次,市场主要是个人或者私人企业进行利益竞争的场所,他们要追求个人或企业效益最大化,这是生存和发展的压力所致,所以市场竞争主要诉诸个人的自利愿望,但是,市场这种私人领域与公共领域中某些公共事务是有密切关系的,因为现代市场经济是不断扩展着其秩序的,市场规模越来越大,而且要充分发挥市场配置资源的效率,使市场越做越厚,这就需要形成一种市场联系的普遍性纽带和市场行为的普遍规范。在我们看来,这种纽带和规范就是信用和法治。由于它们是面向所有私人的,因而它们也有公共性质,而且其普遍性质要高于私人偏好的个别性,并从而取得了对个人的约束力,而化为社会公共法律的内容。所以,在现代高度社会化的情况下,公共领域与私人领域实际上是互为前提、相互交汇、相互支持的。信用和法治对市场这一私人领域来说是一种公共要求,其表达方式是形式化的,这种形式和秩序要由公共部门来供给。但从实质上说,信用和法律要得到很好的履行,还需要培养与这种普遍秩序相适应的个人的情感、欲望气质,即德性。

私人领域从利益驱动的定向和利益的归属、决策的自主性等来说虽然完

---

① 尼古拉斯·亨利著,张昕等译:《公共行政与公共事务》,中国人民大学出版社 2002 年版,第 74 页。

全属于私人,但其活动却是在公开的、公共的社会领域中进行的,再加上现在市场秩序是一种普遍的秩序,因而私人活动要在一些大家都认可的普遍规范下来进行,这样就与公共领域紧密相关。在这种情况下,市场竞争者更需要公共德性:个人的灵活、吃苦、节俭、对潜在获利机会的敏感等等诚然十分重要,但是,在市场经济中,从总体来说,起决定性作用的还是那些公共德性——诚实守信、合法经营、理解市场普遍秩序的本质等,它们虽然都要落实到个人的内在品质上,但是较之私德,它们更有一种普遍性的视野。

再次,由于社会生活领域的扩展和交往频度的增大,人们会遇上许多值得共同关心的问题,还有由于社会时代的原因而造成人际隔阂和精神缺欠,这些都应该能够唤起我们内在的心愿,以某种组织化的行动来加以改进。这些组织的性质是民间非政府组织,其组织目的是为了解决人类所共同面临的某些问题,或者建立一个行业的公共秩序,增进人际联系,切实培养人们的道德想象力等等而建立的一种自愿组织;或者建立各种基金会、慈善机构等等非营利组织,由于它们服务于社会中潜在的某些特定需要,用以应付公共生活中出现的急难,所以,它们也是公共组织。目前,这些公共组织的发展呈勃兴之势,这本身就证明了人们的公共意识在增强,是人们在市场经济中奉行的自利动机的升华,而具备了利他特质,这种利他意识确实是公共道德的重要特征。换言之,这类公共组织所要奉行的行为准则都应该是一种基于换位思考的道德准则,而不应该是某种市场道德准则——比如合理求利、公平竞争等等,而是要有以自己的财富优势、知识优势等来帮助那些处于困境中的人,要有高度责任感来修复失衡了的生态环境等,为此要付出大量金钱和精力,而且收益却也许是长远的,并且不直接是自己的。这种行为是以人类的忧患感和生命的价值和意义感来支撑的。

二、市场演化秩序与公共管理的有效性及其限度

但是,有人认为,私人领域如市场经济和政府公共组织的社会公共事务并不需要靠伦理来维持,而要靠其自身内部的演化来形成秩序,或者靠合理性的科学管理来促进。真是这样吗?

就市场内部来看,市场经济作为一种由市场竞争者们分散决策的技巧,可以化私为公,即由市场中的利益主体按照自己的具体情况比如偏好、自利心的驱动,利用自己的专长,进入市场交易,通过向市场中的交易伙伴提供商品和服务来获得自己的利益,他们自主决策,自己根据市场的需求和供求关系变化来调整自己的行为。这样一种分散决策的体系,可以逐渐形成一种均衡,即形成市场内部比较稳定的信息反馈机制,有效地分散风险,满足市场中多样的需求,从而使社会财富的总量增加。在这里,似乎不需要伦理的存在。

有两个经典例子似乎可以说明这一点。例子之一是:80 年代,大白菜还是北京市民必备的越冬蔬菜。有一次,从乡下进城的大白菜车队很多,造成了大白菜的积压。这时政府有关部门号召市民们多买大白菜,并以道德的语言名之为"买爱国菜"。市民们纷纷响应,结果很快卖完。没想到,这一举动被大白菜的贩运者理解成了大白菜在北京很好销,于是到处收集,供应北京市场,结果可想而知,造成了大量积压,菜农们遭受了很大损失。

另一个例子是自然界的。小海龟有一个习性,在破壳后,会集体从海滩上爬入大海。有一次,一个游客看到几个小海龟爬出来,而头顶上有几只大鸟正俯冲下来,准备啄食小海龟,游客见状,奋力驱赶大鸟。可这种行为给了其他小海龟以错误信息,以为没有什么危险,一时间密密麻麻的小海龟爬出来,结果大批的海鸟出动,大肆啄食小海龟,造成了小海龟的大量死亡。

这两个例子的结果都是施与善行的人们所不愿看到的,但却是由他们的善良行为一手导致的。这是由于人们不明白,在第一个例子中,他们的行为扭曲了市场的信号反馈过程,提供了虚假信息;在第二个例子中,游客的行为则干扰了大自然长期以来形成的某种均衡秩序,从而使弱小者的自我保护机制失效。这雄辩地证明了,在一个分散决策的市场体制中,在大自然长期形成的均衡体系中,人为的单个善行是一种负面干扰。

而在公共权力机构中,人们似乎也认为,公共权力机构的有效运行,可以通过其内部的各种管理、竞争、奖惩等机制来达到。比如,通过建立科层制的官僚体系,分工明确而细化,并形成向上级直接负责的机制,从而推动官僚机器的运转。另外,官员作为有追求个人利益最大化倾向的私人,对他们来说,获得升迁的机会，达到自己所向往的职位就是其最大化的个人利益，所以，只要建立这么一个体制，即以提供公共服务的质量来衡量其工作业绩的好坏，又以工作业绩的好坏来决定官员职位的升降，就能有效地把官员的私人利益与公共利益协调起来。也就是说，只要注重公共事务的理性化操作，发展和应用公共管理技术，就能够促使公共权力机构有效运作。这与注重于个人自律、行为者的公共责任感、公共美德等等的公共伦理学似乎没有太大的关系。

这些看法都有一定道理，原因在于市场经济内部确实有某种"化私为公"的机制，通过斯密所说的"看不见的手"，个人的自利动机在市场交换中可以满足彼此的效用，从而导致增加国民财富的结果。也就是说，非道德的动机在市场机制的引导下能够达成道德性的效果。

但是，我们想说的是，这种模型毕竟有简单化的倾向。因为从理论上说，第一，由于交易主体的行为是相互的，需要彼此尊重对方的意志和人格，因而从理论上说也能够逐渐演化出一套大家都要普遍遵守的规则，即某种合乎道德的规则，也就是说，市场是一种伦理性的存在；第二，市场经济只有作为一种和平、平等竞利的经济形式，才能发挥它的应有效率。实际上，市场外部环境的和平、平等本身就是一种伦理要求。从理论到现实，还有一段长长的距离，而在这段距离中，正有着伦理的地位。比如，信用是市场联系的纽带，但是，对信用的诚实信守却是一种道德要求。在现实中，许多采取市场经济体制的社会中却存在着大面积的信用损失，如果单靠市场自身演化出信用秩序，那么在这个过程中，经济效用的损失是不堪忍受的。而且，单凭自利动机的博弈，而没有自觉的信用建设的话，能否最终达到目的还很难说。

而至于在公共权力机构内部，若是只注重工具合理性的科学管理，那最多只能保证它表面上有序地运转，而外部效应即它所提供的公共产品和公共服务的数量和质量就只能带上一种数字化的管理特征，最终将导致供应不足或者成本过高。所以，从目标上说，行政过程应该从以管理为核心的管理行政转化为以公民为中心的新公共服务行政；从价值基点上说，应该从关心事向关心人转变。这涉及到公共道德的公共利益基点和公共伦理主体基点的重置。

三、出现公共道德问题的现实原因分析

我们看到,现在公共领域越来越广大,跟每个人的关系也越来越密切。私人领域也离不开公共领域,它需要公共组织所提供的公共法律保障、管理制度设置以及公共设施。于是,即使是在私人领域中的活动,也有一个与公共领域相互联系的问题,特别重要的是,应该为自己享用的公共产品和服务自觉付费,因为只有这样,才能维持公共产品的生产和再生产,这就是一个公共道德问题。而在公共机构内部,也存在着维护民主的基本政治价值和服务大众、服务公益的自觉性问题。在公共行政机构中,行政人员有保持公共权力的公共性质的义务,这是公共权力的本性所决定的;而在自愿组织中,要避免其沦丧为一种狭隘的畸形团体,比如内部运作的黑箱操作化、黑社会化、邪教化;另外非营利团体则要杜绝其负责人的贪污现象。所以各种公共道德问题必定会产生。

首先,市场和营利性企业不能有效供给公共商品。对于以盈利为目的的竞争性企业来说,生产和供给公共产品的结果是"效益外部化而成本内部化",是赔钱的买卖,这与追求自身利益最大化的原则相背离,不划算,所以企业不愿意搞,即使搞也搞不好。就是说,尽管生产和供给公共商品这件事对他人有利、对社会有利、最终对企业自身也有利,但竞争性企业却没有兴趣也没有积极性去做这件于人于己都有利的好事。然而,竞争性营利企业,必定要使用公共产品,可以说,公共产品质量越高,数量越多,对营利性企业来说就越是方便。所以,从根本上说,公共产品也是为它们提供的。然而,正是在使用公共产品的问题上,存在一个道德与不道德的问题。

市场经济作为一种和平竞利的体制,是一种巨大的体系性存在,它就必然有着公共性,比如大量的优质公共基础设施、公共法律制度、信息和公共政策等,这一切,都是市场本身所难以提供的,所以就需要一个强大的专门提供公共产品和公共服务的政府,并设立对因为市场经济所造成的贫富分化进行某种程度纠正的社会救济机构。许多人对一些社会公共问题的第一个反应就是:这样的事情政府也不管管?政府哪里去了?

政府负责提供公共产品和服务,但营利性企业和个人在消费公共产品时有"搭便车"动机和不愿主动付款的问题。追求效用最大化的个人和以赢利为目的的企业,内在地缺乏自觉付款、自觉纳税的主动性,因为逃税漏税可以降低私人成本和企业成本,相应地提高私人企业的效率。从道德的立场上看,搭便车和不愿主动付款行为是一种特殊方式的损人利己行为,会减少国家财政收入,给公共商品的再生产、再供给带来困难,降低社会效率,降低全体社会成员的效用水平。所以,逃税漏税行为会对公共利益造成一种侵害,其侵害的对象是"全民"。但是,"全民"却没有办法依靠市场制度和市场机制去惩罚和遏制逃税漏税行为。市场对此无能为力,因为市场通行的原则是等价交换、自愿付款,市场机制不具有向企业和个人收缴消费公共商品费用的能力,因而也就不具有生产和再生产公共商品的能力。另外,企业在生产过程中,不可避免地要产生污染物,如废料、废水、废气等等,由于企业作为市场主体,有追求效益最大化的倾向,有价值的产品为企业自身所有,而废料、废水、废气则向周边环境中排放,污染的是公共环境。也就是说,企业生产的外部负效应需要周围的人们承担,在环境污染较为普遍而且较为严重的时候,这种负效应要由全体人们承担,这样,生产厂家就没有积极性来治理污染,所以,存在一个环境道德问题——实际上也是公共道德问题。总之,"在公共商品领域,财产的公有制安排、公共商品效用的平均化分配,与人力资源(天然)私有制、赢利性企业制度以及市场交易制度不相兼容,如果硬把它们搞到一起,会内生地产生一种诱发损人利己的不良机制,导致公共商品供给的无效"。①

正因为存在着市场所无法解决的问题,也就是无法利用市场机制办好于己、于人、于社会、于国家都有利的好事,所以,道德就是一个重要的参数。道德是一种重要的自律形式,它促进利益主体认同社会公共产品的特殊性质,明白公共产品与一般私益产品的不同之处,即私益产品的供给可以通过市场等价交换、自愿付款的原则得到解决,而公共产品的提供则不适用这个原则,个

① 张广柱:《制度评论之六十一:市场和竞争性企业不能有效供给公共商品》,http://www.wiapp.org/duanping/duanping61.html

人与公共产品的关系不是契约性的,而是有某种事后订约的意味。如果按照市场规则,那么很难调动个人付款的自觉性。但是这种费用又是不得不付的,所以,就只能依法强行收取。在这个问题上,如果大家都有充分的道德自觉的话,则根本不需要付出其他的额外成本。也就是说,讲道德在经济上也是合算的。

其次,市场内部也难以发展出交易所需要的信任环境。如果市场经济外部有一种良好的信任环境的话,那么,市场作为一个复杂的信号反馈过程,可以代价较小地达到均衡,从而从总体上表现为一种市场理性,包括对市场信息的反应的灵敏度、市场交易网络和惯例等。这些显然都是一个市场在逐渐发育的过程中必定会逐渐形成的。而至于这些网络、惯例的有效性当然在各个市场中会有不同。如果不具备这种信任环境的话,交易者之间的信任度低,那么,市场运转的效率就会比较低,而且交易成本就会增大,而至于会增大到何种程度,那就要看这种增加的交易成本在何种程度上能抵消不信任的忧虑。各种各样的为抵消不信任的忧虑而采取的做法,逐渐就会成为一种惯例,这是一种很浪费的惯例。于是,从市场外部来说,如何生长一种相互信任的道德生态,对市场经济本身的健康发展来说,是十分必需的。

再次,行政过程会产生伦理困境。从政府这一边来说,它是以税收来支撑的、合法的、有权威的向社会提供公共产品和公共服务的公共机构。从知识的层面上来说,现在人们通过长期的政府实践,达到了这么一个共识:那就是政府不能是个全能政府。托克维尔说过:"一个中央政府,不管它如何精明强干,也不能明察秋毫,不能依靠自己去了解一个大国生活的一切细节。它办不到这一点,因为这样的工作超过了人力之所及。当它要独力创造那么多发条并使它们发动的时候,其结果不是很不完美,就是徒劳无益地消耗自己的精力。"①另外,政府也不应该成为一个福利政府,那样,它的财政负担就会过于巨大,以致难以支持。因此,政府要进入与市场的分工合作。这正是西方政府的治道变革的方向。但是,这里仍然会存在道德问题:一是政府官员也是有着

---

① 托克维尔著,董果良译:《论美国的民主》,商务印书馆 1995 年版,上卷第 114 页。

自利倾向的个人,也会去追求效用最大化。于是,把政府与市场主体置于法律的对等约束之中是必要的。另外,政府决策事关重大,它的审慎、深谋远虑、目光远大、高效有序就是对政府的道德要求,并要求政治官员承担政治责任;在具体的行政过程中,也要求公共行政人员承担行政责任,有勤于事、敏于行和服务于民的智慧才干和道德品质。如果政府运作效率低下,人浮于事,追求预算最大化,提供的公共产品的价格和服务成本高昂,或者不合乎公众的需要,那么,就是政府的失效。政府失效既是管理出了问题,同时也是应该进行公共行政伦理建设的重要理由。

从政府的具体运作来说,我们看到,具体的行政人员会由于以下几个原因而面临各种伦理困境。

1. 他们同时承担着多元化的角色,在面对需要做出决策的事情时,他们会受到这些角色有某种对抗性的困扰,比如对家庭的义务和对工作单位的义务,职业义务和组织义务,公民义务和公共行政人员的义务等,这些义务何者应该优先,有时是难以决策的,这就需要培养和锻炼公共行政人员的伦理决策技巧,形成公共行政道德品质。

2. 社会的多元化。社会的多元化意味着"传统社会同质性及其统一、稳定的文化系统解体了,其中只有极少一部分得到承认或被认为是理所当然的。"①这样,政府就必须采取新的组织形式和方法来适应广大范围内不同人群的生活方式、喜好、政治观点、交换模式的需要。在这么一个时代,有些政治伦理学家表现出了某种悲观情绪,即在他们看来,由于社会生活的多元化这一事实,人们的价值观念的多元化就是必然的,于是,这种社会中就不再存在一种共同的价值态度和行为型式,这样社会成员要培养出稳定的品质和内在统一的人格就是困难的,而对提供公共产品和公共服务的公共行政人员来说,也就没有一个明确的、统一的行为准则和价值理念,因而他们甚至无法真正断定自己的决策是否合乎正义。麦金太尔就曾说,在美国,目前的正义观念就是多

---

① 特里·L·库伯著,张秀琴译:《行政伦理学:实现行政责任的途径》,中国人民大学出版社2001年版,第39页。

元的,比如有两种难以协调的正义观,那就是罗尔斯和诺齐克的正义观相互抗衡。麦金太尔曾经分析过罗尔斯和诺齐克的正义理论之所以对立的原因。他指出,罗尔斯是把涉及到需要的平等原则设定为起始物,而诺齐克则把权利的平等原则设定为起始物。① 罗尔斯更注意现实状态下的分配的公平,也就是某种结果的公平(不是平均,而是对一定范围内的社会平衡的关注),所以主张社会的基本善要平均分配,而不平等的社会权利则要么有利于社会中获利最少的人,要么就应该平等地向所有社会成员开放;而诺齐克则注重过程的公平,也就是竞争规则的公平。这样一来,一个人只要其起点财产来路正当,又合法经营,那么他们获得再多的财富就都是正当的,而不能以任何理由来加以剥夺。而至于社会上的竞争失利者,一方面他们要自强自立,另一方面,富有者也可以发扬自己的仁慈之心,予以自愿的救济。显然,如果一个社会只能在这两种不可通约的正义观念中进行选择的话,那么就会举步维艰。

然而政府组织必须为持日益多元化价值观的公众提供服务。当公共行政人员试图实现自己的利益时,总是能发现自己的利益与那些持有与自己不甚相同的价值观的人们的利益息息相关。这需要更加审慎的伦理决策技巧。一个社会应该兼顾这两种正义观念,使之达到某种动态平衡:我们当然要保证竞争规则的平等,这应该是有着优先地位的,但是对社会财富实行某种扶危济困式的再分配也是必要的。但怎样才能做得合适,则需要对具体情境做出合乎时宜、能够与公众的意志和行为取得协调的安排。

3. 公共行政组织作为一种机构一旦建立,其成员就会通过社会关系和交往去追求自我实现的目标,但同时,公共行政组织又是为公众实现他们的目的服务的,这二者之间会形成一种紧张关系,这就要求通过机构内、外部力量不停地进行政治性的互动来缓解这种紧张。也就是说,公共行政人员的活动不可避免地有着政治性,在这种情形下,就会产生伦理关怀。行政人员的决策活动大部分是在行政组织内进行的,所以,很容易发生行政决策的暗箱操作,这

① 麦金太尔著,龚群、戴扬毅等译:《德性之后》,中国社会科学出版社 1993 年版,第 312—313 页。

一过程是难以监控的;当行政人员被纠缠于上、下级关系和同事之间的关系中,行政机构内部的权力运作有可能会失效,而当行政人员不能善用手中权力,就会导致权力的滥用;另外行政人员还要与市场经济中的公民发生关系,很容易造成金钱通过腐蚀权力而占得市场先机的腐败和不公正现象。所以,在具体行政过程中,我们的伦理关怀主要集中于以下三种类型:腐败、失效和权力滥用。①这就是说,在现代条件下,公共道德问题的产生是必然的。从理论上认识到这一点,我们就不会再度陷入这种理论幻想:以为只要能够构想一种符合科学理性的原则,并进而设计一套严密合理的管理制度,就能彻底解决公共行政中的道德问题。

四、公共伦理建设:制度安排与德行效用

(一)建设市场经济的公共伦理生态。对市场交易中的人们来说,一个硬道理就是:人们之间如果相互信任,那么,市场交易的信用纽带就会较为牢固,商业契约就能够得到成本较低的履行;但它受到各种各样因素的制约,其中最基本因素就是个人自利心的个别性与这信用体系的普遍性的不适应,另外信用链条的断裂也会把那些本来愿意守信用之人拖入一种结构性的颓坏之中,也就是说产生传染性,从而造成大面积的信用损失。于是信用建设就是一个很大的问题,它关系到市场经济的效率和健康运转。自利之心的个别性与信用体系的普遍性不相适应之间的矛盾,只能这样来缓和:即促使个人明智地寻求自利之心的满足,感知到市场经济是一个互利的体系,因而应该能诚实地面对自己的交易伙伴。这是一种道德理智。认识到这一点并不难,问题是如何把这种普遍性的认识渗透到自己的情感和欲望之中,从而使自己的情感和欲望获得一种普遍性本质;而信用体系的断裂,对市场经济的效率来说,是一种具备公共性质的外部负效应。所以,建设信任伦理生态当属于公共伦理建设的范畴。

---

① 特里·L·库伯著,张秀琴译:《行政伦理学:实现行政责任的途径》,中国人民大学出版社2001年版,第43页。

伦理生态的建设是一项系统工程。进行纯粹的道德理论教育恐怕难以奏效,而是应该进行综合治理、提供土壤、培育根苗、风俗熏陶等等。所以,要保证信用能够得以遵守,首先就要有一种能使背信者的贪心受到摧折的可操作的制度,因为它可以直接打击背信者的非分求利之心,阻止他的非分求利欲望的得逞,甚至使背信者因为他的恶意而要付出比他由背信而得的利益更大的代价,使之得不偿失。比如说其行径被公之于众,他的信誉就会一落千丈,以后他的市场行为将会变得十分困难。我们相信,现在开始采用的信用登记制度将会在这方面起到一定作用。这是市场的一种外部制度安排。它的难题有:(1)怎样建立这样一个信息畅通的查询网络? (2)怎样对一件件背信事件进行登记? (3)如何保证这种信息的可靠性? 总之,它还是存在着一个信息不完全的问题。所有的外部制度设置其实都有这个问题。

而在伦理道德的层面上,市场经济的道德生态的培养,就应该从交易主体之间的信用联系深化到培养人们之间的信任这种情感性的氛围、形成信任这一社会资本上来。我们认为,人与人之间的相互信任,不仅是市场经济所需要的道德生态,而且是人性的需要,是我们扩大心智、涵养德性的需要。培养人们的信任度,要从儿童抓起,这件事不存在是否为时已晚的问题。家庭生活是一个人道德人格形成的最直接之地,所以,恢复家庭道德的文化传统及其道德教育功能是十分重要的,血缘情感、家庭氛围、耳濡目染、言传身教是家庭道德涵化的途径;在日常生活中建立各种自愿组织来培养社会服务意识和责任感,增进人际情感联系,这种健康的群体生活对青少年的道德素质的塑造是有深刻影响的,能够使他们在他们进入市场经济之前就培养起对市场经济本质的理性认识,培养合理求利的情操和普遍的规则意识等;道德还是自修的,需要形成他人意识,途径是培养对他人的敏感活跃的想象力,在这方面,流露着优美情感和触及人类命运的激情主题的文学作品能够成为很好的教化素材,涵泳于其中,能学会站在任何他人的立场上看待利益,这就是共情(sympathy)、互信、公平、正直的品质。培养了这种品质的人,总是更倾向于信任他人。

信任作为高级的社会资本,有着共享性、非消费性和增殖积累的倾向,对市场经济发展又有巨大的效用。因此,信任资源的创造和积累,可以说是公共伦理建设的重要任务。

（二）公共行政人员的伦理关怀及其德业。现在,在西方行政系统内,韦伯式的典型官僚制理论已经被突破,"人们拒绝以一种不完全的方式参与到组织机构中来。"①也就是说,公共行政人员不再像以前科层制中的官员那样,把自己的角色限制于对上级承担责任,而是要作为一个人格整体来参与组织机构的活动,也就是说,他们把自己的公共行政事业与国家的法律、上级和自己的委托者——公众整体地联系在一起,从而可以避免因片面的服从而引起人格弱化,并形成一种整体的、灵敏的责任感。所以,在当代行政中,由于科层制作为行政体系的标准模式的失效,行政组织及其运作方式越来越直接面向公众,并处理越来越多的公共问题。这样,公共行政人员除了必须履行的组织规则之外,还拥有了比以前更大的"自由裁量权",这是公共行政人员个人自律的领域,可以体现他们自己的自由意志,它以自己的道德心、良知为向导。

从制度安排上说,在以权力制约权力的基础上,重视以社会制约权力。西方近代分权理论一般强调以权力制约权力,也就是说通过把国家权力分为立法权、行政权和对外权(洛克,这种分法有些问题,因为对外权可以包括在行政权之中)或者立法权、行政权和司法权(孟德斯鸠),这就是所谓的"三权分立"学说,也就是说,这些机构的权力都不是国家的全权,而是部分权力,当然这些权力之间还要有相互制约,同时也是相互补充和协调。这种权力制约机制有较多内部性,会漠视公民参与的要求。在当代,西方国家政府行为也越来越向公民开放,鼓励公民参与,在政策制定上,倾听公民的意愿、利益的表达;另外,鼓励公民们成立各种基于共同兴趣、志愿的自愿团体,参与社会公共事务,如环境保护、慈善事业等;而由于业缘而形成的各种行业协会也能很好地管理同业者的事务。由于这些非政府组织为政府分担了许多公共事务,并在公民个人同政府之间架起沟通的桥梁,所以,它们取得了在提供公共产品方面与政府竞争的能力,从而通过民众的公共产品选择给政府施加了竞争压力,这

---

① 特里·L·库伯著,张秀琴译:《行政伦理学:实现行政责任的途径》,中国人民大学出版社2001年版,第42页。

样,就能较好地对政府的权力形成一种制约。这就是一种以社会制约权力的机制。它为公共行政人员的行为更多地面向公众,追求提供更优质的公共产品和服务提供了某种外部动力。

制度安排总是有限的,而且,制度还需要靠有相应品质的人来执行。这就意味着在公共行政时代,道德的重要性在日益突显。然而,也就是在这个问题上,现在社会的道德资源呈现一种匮乏之态。原因是由于现代行政人员角色的多元化和社会的多元化,社会的价值观念也多元化了。在这种情况下,本来应该用于支持社会法律和管理制度的道德共识也分崩离析了,从这个意义上说,我们今天面临的是一场道德危机。美国现代思想家巴尔说,"解决危机的办法主要不是取决于政府的行动,而是取决于个人的行动,不是依靠新的法律,而是依靠道德的复兴"。①

从德行效用来看,公共道德良知、道德原则、道德情感、道德理智的培养是绝对必需的,它是对政府失效的一种防止和补救。可以说,在公共行政时代,正是公共权力的公共性质、公共利益的社会伦理关怀、公民的政治参与等构成了公共行政的道德目标。所以,在当代,要复兴道德,就应该实现如下道德思考的转向。

1. 从注重组织责任观念转到更多注重个人伦理自主性 如果一个公共行政人员眼中只有科层制组织,只有组织内部的层层负责的意识,那么,他的道德责任观念就是狭隘的,与公共行政的本质和需要是不相适应的。所以,应该更注重培养公共行政人员的伦理自主性。这一点是与个人丰富而健全的人格相互关联着的。也就是说,行政人员应该在组织之外也能进行更为丰富具体的自我身份认同,比如家庭身份认同、社区身份认同、自愿组织身份认同、国家公民的身份认同等,只有这样才能培养起一种丰富、敏感、活跃、忠诚于做人原则的人格,这样的公共行政人员能超出组织规则和权威而诉诸自己道德心的判断,这对维护他个人的伦理自主性是十分重要的。有实验表明,一个受到催眠的人,可以按照催眠者的许多指令去做,但是,"如果被催眠的人被告知去

---

① 巴尔:《三种不同竞争的价值观念体系》,《现代外国哲学社会科学文摘》,1993 年第 9 期。

否定一种强烈坚持着的身份的情感,比如告诉他做某些违反坚定道德信念的事,他将清醒过来而不执行命令。"①可见,对一个人来说,形成自己的深层人格是多么重要。而一种健康人格的培养,是需要借助于多种多样的活生生的责任、情感联系、价值理念、信念等等来滋养的。如果一个行政人员只能按照组织内部的日常重复、单调、机械的程式办事,那么,他是不可能培养起内在丰盈的人格与个性的。而只有那些有着内在丰盈的个性与人格的行政人员,才能把公众的利益放在第一位,并抵制来自组织内部惯例的压力和行事错误的上级的淫威。

2. 从行政组织的总体目标上,应该从管理行政转到注重服务行政、以德行政　管理行政注重的是效率、形式合理、工具理性,采取一种单向度的性恶论的人性假设和"经济人"的理论模型,这是与工业化中的规模化、标准化、批量化的要求相适应的,它力图使一种"化私为公"的理性狡计得以实现。而在当代,工业化的增长模式已经式微,而进入了一个公共时代。公共利益,成为了我们这个时代的社会大义,古老的义利之辩,在日益广泛的公共利益的价值诉求中得到了新的统一。公平对于效率来说应该取得优先地位,而且,也只有注重社会公平,才能使效率得到持续的增进和发展。政府若是腐败了,则会造成对社会公平的极大损害,它会使政府丧失公众的信任,这样一来,政府本身的能力也会遭到极大的削弱。在经济全球化时代,我们需要一个强大的政府,这就需要政府与公民社会共生共强,双向互动,在服务社会、以德行政的过程中,增强政府能力。公众的信任是政府能力强大的重要标志,同时也是公民社会得到了健康发展的重要标志。

只有很好地重视了当代社会生活的公共背景,我们才能自觉地重视公共道德问题,从而使我国政府的公共行政在应对公共事务时顺利地实现从管理之术到治理之道的转化。

---

① Edward G. Ballard: Man and Technology: toward the Measurement of A Culture, Duqesen Univ. Press, Pittsburgh, 1978, p. 44

第七章　公共推理和公共美德

正义的价值要体现在各种制度中,但是,在正义的制度中,正义价值要得到实现,还必须有培养了公共推理能力和公共正义美德的人。所谓公共推理,是指我们形成和发挥道德思维能力,从正义价值的前提出发,对在公共制度中人人相与的公共道理进行合理性的理解和推论。在这方面,人类的道德发展史中就充满了对这一类公共道理的推论,由于各自的道德主体立场不同,对正义的理解、情怀境界有别,产生了许多种类的公共推理模式,也有许多不同表达形式。在世界各文明民族中,就存在着多种多样的被西方人称作"黄金法则"的人人相与的公共道理的表达形式,这里以我国的"忠恕之道"的各种表达为例,并批判性反思康德的"可普遍化原则",找出康德伦理学的真正力量之所在;进一步说,要使正义制度得到很好的推行,人们必须塑造、教化成有公共美德的公民。有许多人认为正义和美德是相互外在的,正义凭借其制度化的力量就能给社会以好秩序,在这一点上,美德是不必要的。美德是个人自己超出正义要求之上的道德追求。我们认为,这对正义和美德都是一种误解。我们将证明,正义和美德有着深层的关联,可以给出统一的理解,并且正义自身也就是一种美德。我们将通过对中国古代"义"德的考察,来阐明正义原则所蕴涵的情理性质,也即公共美德。

在这一章中,我们首先要考察在公共伦理的层面上与美德相关的公共推理的特点,我们主张,公共推理实际上是公共美德中理性部分的功能的发挥,这种理性不是一般的逻辑理性,而是在公共法律和公共管理规范的前提下的对人人相与之道的共情想象,它对培养人们活跃的道德想象力,形成对公共理性的切实感知能力和社会情感有十分重要的意义,它本身就是公共美德;同时,我们还要考察公共美德的一般美德论基础,并考察公共美德的培养途径。

第一节 "忠恕"之道的义理规模

几乎所有的文明民族，都曾经形成过人与人之间最基本的道德规则，这就是西方人所谓的"黄金规则"（Golden Rule）。英国现代伦理学家 H. T. D. 罗斯特（H. T. D. Rost）列举了印度教、耆那教、佛教、道教、儒教、索罗亚斯德教、犹太教、基督教、伊斯兰教、锡克教和巴哈教等对"黄金规则"的种种表述。① "黄金规则"的基本精神是行为主体禀承一种对他人的善意，来推己及人地想象人与人之间如何相互对待之道理。我国古代的"忠恕之道"从孔子提出来以后，得到了众多思想家的关注和阐扬，逐渐展开了此一规则所蕴涵的各种致思方向。本节将分析儒家"忠恕之道"的逻辑表达类型，认为"忠恕之道"本质上是一种善意地想象他人的方式，它能启发并形成人们的社会情感，培养社会性的"共情"能力和相互理解的能力，增强人际情意相通的敏感性，形成仁爱、正直、公平、正义等德性。在当今"公民社会"时代，"忠恕"之道主要是在"公共领域"中实行的，所以应该也可以作公共伦理学的改造。

一、对中国古代"忠恕之道"的分类考察

从逻辑上说，如果纯粹贯彻"推己及人"的精神，"忠恕之道"的表达式可以从以下几个方面加以分析：（1）以自己作为行为主体来设想如何对待他人，可以有"己所不欲，勿施于人"和"己所欲，施于人"。至于"己所不欲，施于人"和"己所欲，不施于人"则难以体现恕道。当然，"己所欲，不施于人"可以对"己所欲，施于人"的主观性进行某种限制，但不能独立地作为一种普遍的

---

① H. T. D. 罗斯特著，赵稀方译：《黄金法则》，华夏出版社 2000 年版，第 3 页。

原则①；（2）以他人的感受和欲望为基点来设想自己如何对待他人，可以有"人所不欲，勿施于人"②和"人所欲，施于人"。至于"人所不欲，施于人"和"人所欲，不施于人"则没能体现"恕"道；（3）把自己作为自己行为的对象，可以有"己所不欲，勿施于己"（此所谓"恕己"）和"己所欲，施于己"。至于"己所不欲，施于己"和"己所欲，不施于己"则不能体现恕道；（4）从自己也会成为他人行为的受动者出发来设想自己的反应，有"人施诸己而不愿，亦以此施诸人"（"以怨报怨"）和"人施诸己之所愿，亦以此施诸人"（以德报德）。而至于"人施诸己而不愿，亦无欲施诸人"，既可以导致"以直报怨"，这是有公准的恕；也可以导致"以德报怨"，它是对"恕"的超越（详后）；而"人施诸己之所愿，亦不施诸人"（狭隘、自闭）则违背了恕道。

我们将看到，中国古代"忠恕之道"多种多样的表达式正是在以上逻辑框架中展开其义理规模的。我们以这个框架对之进行分类考察，思路会清晰得多，可以较好地理解：古代恕道表达的各种形式的具体含义；超出"恕道"是怎么回事；传统恕道表达式的局限性到底在哪里以及如何进行公共伦理学的改造。

（一）"忠"、"恕"连文使用、相互参照，是因为我国古代的"黄金规则"的确是以"忠"为基础的"恕"道。离开"忠"，"恕"道无以保证其起点的正确。"忠"按朱熹的说法是"尽己之心为忠。"它表现在思想情感上是全身心地集中关注和从事于自己所应该做的事情，以职责为己任，而不夹杂私欲考虑。"为人谋而不忠乎？""忠"就思想动机上说是以"事之成"为唯一目的。但"事"是在人际中进行的，所以，"忠"关联着他人，从而应该仔细酌量事之"当然"之理，否则，忠即为盲目的"忠"。

"恕"专对人—我关系而言（人还可以把自己当作一个他人来对待，所以，

---

① 张宇燕鉴于"利他主义"有可能出现强制，主要是利他的施与者要了解接受者的偏好有万般困难，所以存在好心办错事的可能。从经济学上说，利他行为是稀缺资源的浪费。于是作者主张"己所欲，不施与人。"见《说服自我》，三联书店1997年版，第63页。但我认为，"己所欲，施与人"只是需要受到"人所不欲，勿施与人"的限制，而不应该把它的否定命题"己所欲，不施与人"作为一个普遍的行为原则。

② 这是赵汀阳先生所贡献的一种表达式。见"我们与你们"，《哲学研究》2000年第1期。

有"恕己"之说),而且是行为主体从自己的欲望、愿望出发来将心比心、推己及人,也就是对自己的施予与忍受做出设想,不欲者、不愿者则不施行到他人身上,即所谓"己所不欲,勿施于人";而至于自己所愿者、所欲者是否要施行到他人身上(即所谓"己所欲,施于人"),则是一个需要十分谨慎的事情。显然,只有前者才是一个绝对的起点,因为它的实行本身就是对自己的任性进行限制,这样,人才不会在自己的行为中表现出个别性的、本能的盲目冲动。由于其表述是否定性的,所以,它不会产生任何负面后果,也就是说,把它推广到极致也不会导致自相矛盾。这是从消极的意义上说的。

那么,"恕道"就没有积极意义吗?从纯粹形式逻辑上看,的确没有。但是,它实际上有着十分重要的积极意义。因为第一,从思想立场来说,它是一种"换位思考"。这是一种把别人视同自己的"共情"和想象他人的方式,能切实地扩展自己的理智空间和增进情感敏感度,从而使自己不至狭隘、自我幽闭;第二,由于它的实行不会带来任何不好的后果,所以,它可以作为一个基础规则而终身行之,也就是在扩展自己的理解和共情的范围,获得对人情事理的感受和经验;第三,我们要明白,"恕道"本身在道德修养上是一种基础方法,而不是最高的道德境界。所以,孔子把"恕"作为一以贯之、终身行之的基本道理,并把"能近取譬"看作为仁之方,表明他的道德思维十分深入而透彻。"子贡问曰:'有一言而可以终身行之乎?'子曰:'其恕乎!己所不欲,勿施于人'"。①

孔子对"恕"道的表述成为一个基点,从此,儒家道德之弦的音准被调好了,后面的演奏都是基于这个音准而进行的。

"己所不欲,勿施于人"作为"恕"的经典表达被提出后,许多思想家从各个方面对此进行了解释和扩展。

(二)许多儒家学者认为,"恕道"包括"己所欲,施于人"。陈北溪谓:"要如己心之所欲者便是恕。夫子谓'己所不欲,勿施于人',只是就一边论,其实

---

① 《论语·卫灵公》,见《诸子集成》(第1卷),上海书店1984年版,第343页。

不止是勿施己所不欲者；凡己之所欲者，须要施于人方可。"①元代史伯璿解《中庸》，亦云恕道包括"己所欲而施之于人。"

但吕坤对此提出了异议，他说："处世只一恕字，可谓以己及人，视人如己矣。然有不足以尽者。天下之事，有己所不欲而人欲者，有己所欲而人不欲者。这里还须理会，有无限妙处。"②怎么"理会"？就是要加强人际的情感沟通、商谈和相互理解，尊重他人，既以己及人，也以人照己，这样，我们才能尽可能地把事情办好。

王夫之也以陈北溪和史伯璿之论为蛇足，认为只"己所不欲，勿施于人"一句，就尽了恕道，因为"盖己所不欲，凡百皆不可施于人。"然所谓"己所欲而施之于人"则颇有疑问，因为"若己所欲，则其不能推与不可推、不当推者多矣。"③这证明王夫之的确明白"己所欲，施于人"与"己欲立而立人，己欲达而达人"的仁德不是一回事。王夫之对"忠恕"作了这样一种解释："己所不愿，则推人之必不愿而勿施之，是恕。推己所不愿，而必然其勿施，则忠矣。"④把忠看作是必施"恕道"用心如一的意志力。

吕坤和王夫之都认识到不能把"己所欲，施于人"绝对化，因为己之所欲未必是人之所欲，强行推己及人，就会导致"温柔的压迫"。这种思考确是真知卓识。但是，他们都没有明确地发展出"人所不欲，勿施于人"、"人所欲，施于人"的表达式，因为他们不可能有公民权利概念。

（三）刘宗周曾经提出过"己所不欲，勿施于己"的"恕己"公式，他的学生陈确对此加以发挥说："欲善而恶恶，人之性也。以其所恶，夺其所欲，可谓之恕乎？不能恕己，能恕物乎？无为其所不为，无欲其所不欲，斯可谓能恕己矣。故惟知恕己，然后能不恕己；能不恕己，然后能不恕物。"⑤这段话讲得比较曲折，必须加以疏解。他的意思是说，所谓"恕己"，是指不要因为厌恶某些东

---

① 陈淳：《北溪字义·忠恕》，台湾商务印书馆《四库全书》709 卷第 24 页。
② 吕坤、洪自诚：《呻吟语·菜根谭》，岳麓书社 1991 年版，第 145—146 页。
③ 王夫之：《读四书大全说》上册，商务印书馆 1975 年版，第 107—108 页。
④ 王夫之：《读四书大全说》上册，商务印书馆 1975 年版，第 107 页。
⑤ 《陈确集》上册，中华书局 1979 年版，第 259 页。

西,就把自己的正常欲望也给摒绝了。这里说的恕己,就是说我们不要把我们自己之所不欲加于己而勉强为之,这样对自己行恕,就可以保证自己有正常的欲望和愿望,即有追求善的欲望和愿望(这是人之性)。于是,如果人之性沉沦了,失去了追求善的欲望和愿望,那么就是不可恕的。所以说,"惟知恕己,然后能不恕己";而能做到不恕己,也就不会对他人不追求善表示宽恕。故曰:"能不恕己,然后能不恕物。"君子爱人以德,不以姑息。

(四)孔子弟子子贡发展出一种恕道的表达式,子贡曰:"我不欲人之加诸我也,吾亦欲无加诸人。"子曰:"赐也,非尔所及也。"这是"恕"道的一种变式。为什么孔子说子贡难以做到呢?后人做了许多解释。孔安国认为,孔子的意思是子贡难以阻止别人加于他的非义行为("言不能止人使不加非义于己"),①显然不得其意;程子说:"'我不欲人之加诸我,吾亦欲无加诸人',仁也;'施诸己而不愿,亦勿施于人',恕也。恕则子贡或能勉强之,仁则非所及。"朱子认为,"无"者自然而然,"勿"者禁止之谓,此所以仁、恕之别。② 程、朱都把"仁"和"恕"的区别看作是自自然然还是勉强地不把己之所不欲施于他人。王阳明在给黄宗贤的信中,也详细阐释了这一表达式的主要意旨:"夫加诸我者,我所不欲也,无加诸人;我所欲也,出乎其心之所欲,皆自然而然,非有所强。勿施于人,则勉而后能:此仁恕之别也。然恕,求仁之方,正吾侪之所有事也。"③在"无"和"勿"的问题上,他显然继承了程朱的解释。

我认为,从逻辑分析来看,"我不欲人之加诸我,吾亦欲无加诸人"与"施诸己而不愿,亦勿施于人"二者等价,说它们有区别,并且是仁恕之别,恐有未安。子贡"利口巧辞"、"好废举"④,过于聪明,恐怕难以做到不回敬他人加于自己身上的不欲,孔子说"恕道"非子贡"所及",表明他很了解自己学生的性情。自自然然地行"忠恕"之道当然是"仁"的一种表现,但终究不是"仁"的正解。孔子明确地说过:"仁者己欲立而立人,己欲达而达人。能近取譬,可

---

① 《十三经注疏》下册,中华书局,1980 年版,第 2474 页。
② 朱熹:《四书集注》,岳麓书社 1991 年版,第 112 页。
③ 《王阳明全集》上册,上海古籍出版社 1992 年版,第 149 页。
④ 司马迁:《史记》,中华书局 2006 年版,第 411 页、413 页。

谓仁之方也已。"①这只是说恕本近仁,而没有说恕得自自然然就是"仁"。关键在于,"仁"体现的是一种爱意,而不只是一种不伤害原则,它是一种积极助人原则。所以,仁者要能闻道以分人,要能启示对方"闻道而喜","见善而从",即要以塑造对方的精神为目的。行恕道,对孔子来说,只是成就仁德的一种基础性的途径。仁是德,而且是全德之名,而恕则只是"方",即"方法"或"规则"。

其实,孔子已经考虑了自己也可以是他人行为的受动者的情形,他特别要求:对别人施与自己之所不愿的行为,应该以正直的原则处理之,即"以直报怨",而既不"以德报怨",也不"以怨报怨"。"或曰:'报怨以德,何如?'子曰:'何以报德?以直报怨,以德报德。'"②孔子要求的是一种世间的公正,目的是使失常的秩序重新归于正常;另外,他特别希望人们能够生活在一个有着共同的价值态度和行为型式的共同体中,从而以德性相互对待("以德报德")。"以怨报怨"是一种初级正义,而"以德报怨"则是一种无限制的宽恕,孔子认为,在处理人与己的关系时,应该遵循普遍的、正直的公准。这表明,孔子已经明白,在行"恕"道时,需要一个高于个人的普遍性公准指导我们如何推己及人。这是一个十分富有启示性的方面。

(五)《大学》提供了"恕道"的另一种表述:"有诸己而后求诸人,无诸己而后非诸人。"③它是从"己所欲,施于人"中发展出来的,是一种变式,其实质是从自己出发而对他人行为所进行的评价和要求。意思是说,我身上有的特点包括情感、欲望倾向,就可以要求于他人;而我如果没有某些我认为是恶劣的性情或心理倾向,而别人身上具有,我就可以对他进行批评与指责。此是积极的行动。一切以己之特点度他人,它有很强的主观性,它的不当发展,直有强天下与己同之弊。

《尸子·恕》显然对此有深切理解,提供了另外一种表述式来修正它:"恕者,以身为度者也。己所不欲,毋加诸人;恶诸人则去诸己,欲诸人则求诸己,

---

① 《论语·雍也》,见《诸子集成》(第1卷),上海书店1984年版,第134页。
② 《论语·宪问》,见《诸子集成》(第1卷),上海书店1984年版,第321页。
③ 《大学》第九章,见朱熹:《四书集注》,岳麓书社1993年版,第14页。

此恕也。"他认为恕是制定评价自己行为的标准,意思是说,如果你感觉到对方身上具有的某些性情、行为是令人厌恶的,那就要反省自己,如果自己也有相同的性情、行为就应该力去之;你想要别人做到的事情,先要自己做到。这确实是有道德意识的人经常使用的一种有效方法,他念兹在兹的是要自己的行为符合一个客观的道德标准即"义",而并不想匆忙地把自己之所欲加于他人。尸佼说:"虑中义,则智为上;言中义,则言为师;事中义,则行为法。射不善而欲教人,人不学也;行不修而欲谈人,人不听也。"①此是内省式的自修,并以之为进德之基。

吕坤也看到了这一点,提出"有诸己而不求诸人,无诸己而不非诸人"。他认为,《大学》所云"有诸己而后求诸人,无诸己而后非诸人"是"为居上者言",而对于一般士君子而言,他认为他的说法可以成为"守身之常法"和"蓄德之道"②。他强调的也是自我反省,彻底体现"勿加诸人"的精神。

我们看到,恕道一旦变得以己心苛求于人,就变得主观性太强,有违"恕"之推己及人之本意;而当恕道变得以对方照己,就能严于责己,对善慎守勿失,于"恕道"就能发扬光大。

所以,行"恕"道就是要把它推广到方方面面,彻上彻下,彻里彻外地贯通。《大学》对此有较为充分的自觉:"所恶于上,勿以使下;所恶于下,勿以事上;所恶于前,勿以先后;所恶于后,勿以从前;所恶于右,勿以交于左;所恶于左,勿以交于右:此所谓絜矩之道。"朱熹注曰:"如不欲上之无礼于我,则必以此度下之心,而亦不敢以此无礼使之。不欲下之不忠于我,则必以此度上之心,而亦不敢以此不忠事之。至于前后左右无不皆然,则身之所处,上下、四旁、广狭,彼此如一而无不方矣。彼同有是心而兴起焉者,又岂有一夫之不获哉? 所抄者约,而所及者广,此平天下之要道也。"③总之,朱熹认为,行恕道就是要推己之"不欲"之常心于事事物物而无遗。

那么,为什么能推己及人就有助于人的道德修养呢,或者说,为什么行

---

① 《尸子》,中华书局1991年版,第15页。
② 吕坤、洪自诚:《呻吟语、菜根谭》,岳麓书社1991年版,第81页。
③ 朱熹:《四书集注》,岳麓书社1991年版,第16页。

"恕"道就有道德意义呢？古代思想家思考过这一问题。朱熹注《中庸》曰："尽己之心为忠，推己及人为恕。""'施诸己而不愿，亦勿施于人。'忠恕之事也。以己之心度人之心，未尝不同，则道之不远于人者可见。故己之所不欲，则勿以施于人，亦不远人以为道之事。张子所谓'以爱己之心爱人，则尽人'，是也。"又说："道不远人，凡己之所以责人者，皆道之所当然也，故反之以自责而自修焉。""张子所谓'以责人之心责己，则尽道'，是也。"①所以，行恕道是自我修养德性的基本方法，因为能够"以爱己之心爱人"，并能"以责人之心责己"，就是躬自厚而自修，它能够锻炼我们的道德想象力，能把自己个别性的本能情感、欲望提升到普遍性的状态，而能与他人取得协调和沟通，从而防止自己只去追求一己之私的欲望满足——它经不起"推己及人"的检验。

恕道的哲学基础是认为人基本的、健康的欲望及追求大体上是相同的，从而可以以己观人，推己及人。所以，《大学》说："好人之所恶，恶人之所好，是谓拂人之性，灾必逮乎身。是故君子有大道，必忠信以得之，骄泰以失之。"②既然"恕道"是推己及人，因此，行"恕"道就是在培养人的道德理解力，以及将心比心的"共情"能力。人情之同感或者人之常情就是道之所在，道不远人。因此，"忠恕"违道不远，它以一种基础性的形式遵道而行。

人确实有某些基本相同的普遍需要，比如有保全生命、获取物质财富、自尊等等方面的欲望，也会追求得到社会承认，发展自己的才能，获得精神自我完善等等，让一个人能够实现这些愿望，那当然是做人愿望的达成。但是，这仅仅是就作为人的基本的、普遍的欲望而言的，至于具体的两个人之间，要把自己具体的欲求无条件地推到他人身上，必然造成乖谬。孟子显然明白这一点："夫物之不齐，物之情也。"③唯其不齐，所以不得以己之性情，例诸天下之性情。这层意思，上引吕坤、王夫之也都明确提到过，兹不再述。

而且，即使在基本的、普遍的欲望面前，"恕道"也只是一种做事的规则，所以，"恕道"还必须受到更高的价值观念的指导。"子张问崇德、辩惑。子

---

① 朱熹：《四书集注》，岳麓书社 1991 年版，第 34 页。
② 《大学》第十章，见朱熹：《四书集注》，岳麓书社 1991 年版，第 16 页。
③ 《孟子·滕文公章句上》，见《诸子集成》(第 1 卷)，上海书店 1984 年版，第 234 页。

曰：'主忠信，徙义，崇德也。爱之欲其生，恶之欲其死；既欲其生，又欲其死：是惑也。'"[1]如果纯由自己的情感欲望来决定行为取舍，就会导致自相矛盾的行为，故行恕道也要以忠诚信义为准。

文天祥更加自觉地论述过这一问题。他认为，"恕"不仅仅要"如心"，关键是要依理，这样，在行"恕道"时才能获得一种价值指导。行恕道必须以正心穷理为价值皈依，因为对恕道的形式描述若无最高的价值指导，就会无所归向。比如，如果你以狭隘不正之心推诸人，如此待人接物，就有可能走向沆瀣一气，使人人同于己之不正，从而沦胥以陷。他认为"忠恕"并称，是因为"忠"就是"中心"之准，就是正心穷理。而只有以正心穷理为价值指导，然后以此心之正行恕，才能使一切言行都归于正，尽此中正之心，才能使"所如之心，无往非正"，[2]而不至流于姑息、苟容。这一提醒是及时的。二程"体贴"出"天理"二字，理学家们对此加以大力阐扬，确有此追求，只不过直到文天祥才正式地把这种追求与恕道联系在一起，使恕道有了一个公准，开掘了"恕道"思考的新理路，这是对孔子的"以直报怨"的恕道的发展。这个"理"，显然要高于个人当下的感受和欲望。可惜，儒家没有对此一理路作进一步思考。公共伦理学立场上的"忠恕之道"应该继承这种思考方向，但要以现代公民社会的正义秩序为价值背景。

二、"恕道"的转换形式

如前所述，"恕道"的本质是推己及人，是想象他人的一种方式，因而可以阻止自己的任性，而能将心比心，设身处地。所谓"能近取譬"，就正是说善于拿自己打比方，来设想别人的内心情感、感受。我们的道德想象力当然需要训练，才能形成对他人的理解力。所以，"恕道"是发展出优秀品德的可以一以贯之的途径。从恕道出发，就会具备一种他人意识，把这种他人意识发展为一种有根基的爱人意识，就会形成仁德；而达到在本原层次上万物齐一的超理智

① 《论语·颜渊》，见《诸子集成》（第 1 卷），上海书店 1984 年版，第 270 页。
② 《文天祥全集》，江西人民出版社 1988 年版，第 400 页。

对立的领悟和在宇宙原始生命的层次上众人一体的宗教情怀,就能形成"以德报怨"和"爱仇敌"的超越性道德等。对这些品德的表述可以从"恕道"的表达式中转换出来。

(一)我们曾经说过,"己所欲,施于人"并不是"仁"的表达式,而是"恕"的表达式(当然需要某种限制)。仁恕之别,不在于行恕的自然或勉强,而在于"仁"本身伟大的人道情怀和修养。诚然,仁也是在人际关系中实现的。"仁",从字形上看是"二人",正是人际关系最为凝练的概括形式。但是,仁是已成之德,它要在人际中发用和表现。仁表现为有博大的胸怀,能泛爱众而亲仁。但是仁不只是主观的爱意,而是以"孝悌"这种自然的亲情为根基而发展起来的,仁为生意流注周遍,所以可以比做树的生长,孝悌这种自然情感就是根,认真看护、培养这种根系,它就会生枝生叶,成就一个整体的仁德,所以,仁的根本特点是成己利人。也正因为如此,孔子才会说"唯仁者能好人,能恶人。"①仁者看到道德行为,当然会由衷地高兴;但看到有人沉溺于恶,践踏人们所珍视的价值,就必然会对之表示义愤,并促使他幡然悔悟,回归为一个道德意义上的人。而没有根基的泛爱和博爱,并不是仁。韩愈《原道》开篇即说"博爱之谓仁",王夫之评论他"一开口便错"。孔子的"仁者己欲立而立人,己欲达而达人"命题,确为中正之论,这是令人赞叹的。"己立立人"和"己达达人"并不指要他人和自己思考得一样,追求得一样,而是指要帮助他人内在、自由地生长,所以不会造成一种强制;而"己所欲,施于人"则可能造成强制,即使是出于好意。孔子教人,既有教无类,又因材施教,确实体现了一种仁者胸襟。

(二)孟子提出了一个新颖的表达:"取诸人以为善,是与人为善者也,故君子莫大乎与人为善。"②也就是说,从别人那里发现优点,就是对他人的鼓励和肯定,从而使他人找到并能走上成人之路,这就是与人为善。君子所应该做的事情中最重要的就是"与人为善"。孔子也讲过:"君子成人之美,不成人之

---

① 《论语·里仁》,见《诸子集成》(第1卷),上海书店1984年版,第75页。

② 《孟子·公孙丑章句上》,见《诸子集成》(第1卷),上海书店1984年版,第143页。

恶。"而要能做到这一点,显然必须先通过将心比心、推己及人的共情想象,逐渐形成一种能够理解他人、感受他人的情感和欲望的素质,与此同时,我们的情感和欲望的任性就受到了限制和改塑,逐渐使自己的心灵变得丰满、深厚、有力起来。一个有着丰富、健康、有深度的个性的人,一定会产生一种他人意识,并力图与他人一起进步,因为他人的进步对他来说,是形成了一种良好的成德环境,所以,是成己。

(三)恕道可以越出人与人之间的关系,而进入到与生命大本原的联系之中。佛教就获得了这个深度。佛陀是一位在菩提树下参透生命苦难的王子,他深深系心于消除广布于世间的痛苦和不幸。印度佛教道德的基本要求有五戒:不杀生,不说谎,不偷盗,不奸淫,不用麻醉品等玷污心灵的东西。这些规则的基本用意在于保持人的善念,是对他人、自己和一切生命的尊重。只有在这个基础上,才能进一步建立冥思活动,即所谓"念佛三昧"。

佛教对基本的人人相与之道的表达式的本质内涵是视人如己。比如在印度佛教经典素怛缆藏(《经藏》)的长部中,就说:"对待他们就像对待自己,做到言行一致。"这是从忠诚的角度说的;中部说:"请想一想:'这种行为会伤害自己,还是会伤害别人? 果然如此,那就是种坏的行为,会导致痛苦。这种行为一定不能做。'"这是要求绝对的勿伤害。小部则进一步阐明"勿伤害"的价值前提,那就是人人都有同样的爱生畏苦的天然欲望:"都畏惧痛苦,都热爱生活。记住你与他们都一样;用他人的尺度来衡量自己,就不会再去伤害别人。"最后,推论到了一个所有人生命同一的原则:"谁知道这个伟大的真理——生命是同一的;痛苦的根源都一样,谁也不会用自己的一只手伤害另一只手,那样他自己会感到痛苦。"①这种所有人生命同一的信念背后,则是把各种生命形式都看作同一个生命本源共同流转的不同表现。这就是说,所有生命形式都是我们的前生后世,亦即我们的亲属,这种思想在"投生"这一观念中得以强化。

---

① 佛教黄金法则的这些表述,均转引自 H. T. D. 斯罗特著,赵稀方译:《黄金法则》,华夏出版社2000 年版,第39—41 页。

所以,"生命的共同流转"和"对苦难的敏锐体察",是佛教的黄金规则的两大支点。前者是生命一体同源的信仰基础,后者是产生共情想象的心理基础。于是,我们可以理解,伤害他人甚至伤害其他生命,都是在伤害自身。每一个人都会很爱自己,所以,在宗教的意义上说,就应该爱所有的生命。这样,我们就借助于这一信仰贯通了现实生活中人与人、人与其他生命相互分立的状态,而获得了与他人、其他生命一体同源的形上感受。佛教道德智慧以此为根,其黄金规则由此得以成型。从修养的过程来说,首先就是要从对自己的钟爱中转出来,空出心灵空间以容纳他人和其他生命,从而培养了一种"共情"的美德。我们对他人和其他生命都抱有一种怜惜之心,实际上就是对我们自己的怜惜。这种情感能使我们对于他人的感觉就像对待我们自己一样。这就可以根除伤害他人的心灵倾向。伤害的冲动是一种病态,因为除非自己处于这种本能的混乱状态,人不会伤害自己。

(四)超越恕道,可至无偿的善,即可以在任何情况下都对他人保持爱意和善意,而不以对方行为的善恶为念。这是道家的哲学理念,也为耶稣所实践了。

老子说:"善者善之,不善者亦善之,德善矣。信者信之,不信者亦信之,德信矣。"①又说:"为无为,事无事,味无味,大小多少,报怨以德。"②

耶稣在圣餐上,对门徒说:"我赐你们一条新命令,乃是叫你们彼此相爱;我怎样爱你们,你们也要怎样相爱。你们若有彼此相爱的心,众人因此就认出你们是我的门徒。"③这条命令是要求信徒在爱上帝的前提下"爱人如己"。它发展到无有限制的地步,就可以要求"爱仇敌":"你们的仇敌,要爱他;恨你们的,要待他好;咒诅你们的,要祝福他;凌辱你们的,要为他祷告。有人打你这边的脸,连那边的脸也由他打。有人夺你的外衣,连里衣也由他拿去……你们若爱那爱你们的人,有甚么可酬谢的呢?"④

---

① 《老子》王弼注本四十九章,见《诸子集成》(第3卷),上海书店1984年版,第30页。
② 《老子》王弼注本六十三章,见《诸子集成》(第3卷),上海书店1984年版,第30页。
③ 《圣经·新约·约翰福音》,南京:中国基督教会1994年印发本,第121页。
④ 《圣经·新约·约翰福音》,南京:中国基督教会1994年印发本,第70页。

这些表达可以从"施诸己而不愿,亦勿施诸人"中转换出来,但却是以一种高远的哲学观念和宗教信念为基础的。道家认为,世界本原是和现实事物不同层次的东西,它不可名状,你不能用任何理智概念描述它,于是,面对它只能无言,它的存在状态就是一种"本无"。这种"本无"不是"没有、不存在",因为"没有、不存在"是与"有、存在"相对的理智概念。现实生活中的所有理智概念其实都是相对的,善恶也一样,它们的对立没有绝对意义。而"道"作为世界本原是没有任何对立的,所以,为了体道,就要放弃理智性的对立的思考方式。当然,在现实生活中,你就只能采取与众人相反的方式,比如说众人肯定、赞扬"大、好、善、美"等正价值,那么,立志体道之人则应同时也肯定相应的负价值,居于别人所不愿居之地,这样,就没有人与你相争,就能泯灭对立。于是,道家和道教就提倡"人施诸己而不愿,亦勿施诸人"即"以德报怨",当然,他们的目的不是要人软弱的逆来顺受,而是为了从根本上消除对立与争斗。在实践中,"报怨以德",就是这样一种姿态。这确实是一种智慧追求。

对基督教来说,爱人如己是以爱上帝为前提的。所谓爱上帝,就是能体会生命的一个至上的统一原则——"道",也即上帝:"太初有道,道与上帝同在,道就是上帝……生命在他里头。"①也就是说,在源头上,生命是整一的、不可分割、没有对立的。但在现实生活中,生命却散为碎片。整一生命的破碎是我们现实中的人所必须承担的命运,但是那些不能回首观照生命全体的人,就悲哀地堕落了。而能体验到生命在源头上是相通的人,就不会自己采取任何行动而伤害他人,包括压迫、凌辱他的人,而是对他们也怀有爱心。在这种意识中,任何人受了损失,都是我自己受了损失,也是整个生命受了损失,因而,应该"爱仇敌"。

面对这样的哲学智慧和生命体悟,你心里能不感到震动吗?

三、传统"忠恕"之道的局限性及其公共伦理学改造

各个民族在其文明的早期,均形成了所谓"黄金规则",这充分说明,道德

---

① 《圣经·新约·约翰福音》,南京:中国基督教会1994年印发本,第101页。

之为道德,有其共通的心理基础和文化意义。其实,"忠恕"之道在本质上就是人们的道德想象力发挥的结果,它的各种表达方式都代表了道德想象力的性质和程度。道德想象力是我们的社会性存在方式所必需的,这是因为,我们必须获得社会的普遍性本质才能成就我们自己,"正是通过想象别人,我们的人格才得以形成。"①我们会想象别人的心灵情感、欲望趋向、理解事物的方式等等,而且,他人也只有在我们所想象的意义上才是真实的,因为我同他人的交往只能是建立在我想象他人的方式和能力基础上,当然包括想象的修正和调整。卢梭曾经归纳过道德想象力的三个原理:1.人在心中设身处地想到的不是那些比我们更幸福的人,而是那些比我们更可同情的人;2.在他人的痛苦中,我们所同情的只是我们认为我们也难免要遭到的那些痛苦;3.我们对他人痛苦的同情程度,不决定于痛苦的数量,而决定于我们为那个遭受痛苦的人所设想的感觉。② 这确实是对人之常情的恰当分析。

　　但是,想象力还可以突破对自己当下能接触到的人的想象,而进入到与历史上所有伟大人物的想象性交流中,也正因为如此,我们可以接触到人类心灵情感和内心活动的丰富多彩的样式和各种深度、层次,一个人的想象力越是丰富而强大,就越是能形成对自己和他人的内心生活的理解,就越具有"共情"能力,这样,他就越能够正确地行"恕道"。"恕道"的各种表达式是形式性的,其实质则是人的理智的自爱(而不是出于无用的虚荣心)和对他人的想象能力的程度和活跃度。可以说:"丧失想象别人的能力就成了白痴;意识缺乏这种能力的程度就是它衰退的程度。没有这种意识中的交往,就没有智慧、力量和正义,就根本没有高级的存在。"③所以,儒家总是讲:"不患人之不己知,患不知人也。"这是说,君子自己应该具备很好的理解他人的能力,而获得这种能力的过程同时也就是成己。所以,孔子很强调"为己之学"。

---

　　① 查尔斯·霍顿·库利著,包凡一、王源译:《人类本性与社会秩序》,华夏出版社1999年版,第70页。

　　② 卢梭著,李平沤译:《爱弥尔》上册,商务印书馆1991年版,第306—309页。

　　③ 查尔斯·霍顿·库利著,包凡一、王源译:《人类本性与社会秩序》,华夏出版社1999年版,第70页。

在道德层面上,古代伦理学家对行"恕道"是培养道德想象力这一点,有相当程度的自觉。孟子的"四心"学说,就是发挥道德想象力的结果,他认为恻隐、羞恶、恭敬、是非之心,"人皆有之";在政治上,要求君王推不忍人之心,行不忍人之政,甚至看到将要被屠宰的牛的恐惧战栗也起不忍之心,从而要求君王与民同乐、与民同遂其欲等等,都是在启发人们的道德想象力。儒家讲"恕"即为"能近取譬"、"推己及人",就从哲学概括的高度说明了行恕道就是在锻炼人们的道德想象力。这些都是传统"恕道"对我们的宝贵启示。

但在伦理关系层面上,传统的恕道表达有两大缺陷:(1)"他人"主体从来没有进入哲人们的视野,这从表达上说是一种缺陷,这是时代使然。由于宗法伦理的社会关系构架,古代伦理关系是沿"家——国——天下"这个路子逐步扩展的,个人隐而不现;而在道德上,则是成己,求诸己。于是作为同等主体的他人不能出现在道德主体视界的地平线上,从而不能让"恕道"发展出"人所不欲,勿施于人"、"人所欲,施于人"的表达式。(2)只能从自己出发,不能采取社会立场思考我们的"推己及人"的方式。传统恕道的精神是从行为者本人之所欲出发来构想个人与个人相互对待之理,而不能把社会看作一个互惠合作的体系,并以维护、促进这一体系为目的来设想一种人人都要遵守的普遍道理,这是最为本质的局限性;而认识到完全从个人的欲望出发不能保证"恕道"的普遍性和真理性的思想家,又只能诉诸"直"、"天理"等,这是时代的局限。也就是说,"恕道"的内涵展开,要求在平等、自由和建立在理性的契约制度基础上的广泛社会合作的伦理关系中得到实现,但传统社会的家国同构、宗法制度、交往范围狭小的伦理范型与忠恕的普遍道德精神难以契合。

现在我们处于"公民社会"时代,恕道的现代形式应该具备公共伦理学性质。公共伦理学的基本点是:道德思考要取"非个人性"的社会性立场,也就是说,公共伦理学主张社会是一个可以不断扩展秩序的合作体系,每个人都平等地参与了社会的组成,而社会的存在和发展是我们个人存在和发展的前提条件。从这一点出发,现代"恕道"必须包括以下精神实质:(1)恕道的推己及人需要一个社会的普遍公准,它就是社会生活的最普遍价值如自由、平等、正义和自尊而尊人的人际情意联系,以及这些基本价值的体现者和操作技术即法律规范和社会管理规范体系;(2)能够把自己和他人视为社会合作中的平等成员,在具体境况中以社会的普遍公准为标准,来设身处地地设想对待他人的方式。

"恕道"如果只是注目于个人与个人之间的"如心",就怎么也不能摆脱其表达式的实质局限性。德国伦理学家汉斯－乌尔利希·荷彻(Hans－Ulrich Hoche)对传统"黄金规则"进行了一种现代表述:"假如我希望在此种情况下无人以此种方式对待任何人,那么,我就决不应该在此种情况下以此种方式对待任何人。"(If I will that no one treat anyone at all in such a manner in such a situation, then I ought to treat no one in such a manner in such a situation.①)这个表达式是否定性的,所以是普遍的。它对传统表达式的实质性的改造就在于:虽然这里的"我"仍然是行为主体,但却是被看作所有人中的一个,所以它涵盖并化通了"己所不欲,勿施于人"、"人所不欲,勿施于人"、"己所不欲,勿施于己"三种形式,并对我们的行为构造出一种客观的"义务",可以凝练地表达为:"己不欲人人如此待人,务不如此待人。"现代的"恕道"必须取一种社会立场(即非个人性立场),把自己和他人同等地视为社会的一分子,从而理解到大家都要服从的平等的人人相与的普遍性道理。这样,个人的"欲望"就必须普遍化,它不仅是指个人的"愿望"(wishes),而更是指他的真正"利益"(interests)。个人愿望是主观的,但一个人的真正利益则是有社会意义的,因而是客观的。对人的真正利益的保护和争取可以构成我们的道德义务。打一极端的比方:吸毒者自己的愿望是得到毒品,而他真正的利益则是戒除毒瘾。

所以,普遍性状态的情感、欲望就只能是社会性的,当然,它要受到理性的审核。也就是说,社会性的情感、欲望并不是所有人的情感、欲望之间的共同性,而是对所有个人的情感、欲望进行理性的整合和提升,也正因为如此,社会才可把这种普遍性状态的情感、欲望定型为社会的法律和管理规范体系,体现为社会正义价值,这构成了对我们个人来说的客观义务,因为它们是社会生活

---

① Contemporary German Philosophy(Volume 1),edited by Darrel E. Christensen, Pennsylvania State University Press,1982, p. 83

的常规、常理。对现代人来说,行恕道就是要把社会性的普遍情感欲望变成自己的情感欲望,并推己及人。正因为这一点,现代"恕道"克服了古代"恕道"难以摆脱的主观性。

现代恕道,首先,对权力持有者和处于社会中有利地位(包括财富和知识)的人是一种重要的自律形式。也就是说,他们应该培养这种道德想象力,即能把自己视为一个与他人平等地组成了社会合作的人,从而能够思考他在社会合作中的位置并恪守自己的职责。也正是在这个意义上,他可以反思到,自己的以权谋私行为、以金钱和知识优势侵犯权利的行为都是经不起恕道检验的;其次,对普通人来说,则应该培养"将心比心、设身处地"的道德想象力,想象、体验"公道自在人心",形成社会正义观念,公道和正义就是我们的道德想象力得到相当高度发展的产物,因为,公道和正义不只是站在我的立场可以存在,而且站在任何一个可能的他人的立场(也即社会的立场)上都可以存在,它们才能真正普遍地"推己及人"。这是现代社会的公民的做人之则,进德之方。

显然,这个规则容纳并保护了个人表达自己的偏好和个性的自由,恕道作为以社会性的情感、欲望推己及人的规则,是通过培养人们的社会想象力而建立社会联系纽带的道德原理。比如,人们若都能守法、诚信、公平、正义、自尊而尊人等,就能维护和促进社会的存在和健康发展。如果忘记了这一点,我们的"恕道"在现实生活中也是不可行的。所以,培养道德想象力就是使"恕道"得到贯彻的现实途径。自私、狭隘就是道德想象力缺乏的表现,其恰当对立面不是利他,而是宽容、公正、正义、高尚等,自私和狭隘是理智不能调整、管理本能而让本能处于混乱状态的表现,从而丧失了正确地想象他人的能力,是一种精神的病态。而至于道家的哲学智慧和基督教的生命体悟则是对恕道的超越。从日常生活的角度看,我们应该切实地行恕道,培养自己的社会想象力。因此,在当今社会,传统"忠恕"之道只有得到了公共伦理学的改造,才能真正地指导人们的道德实践。

而且,只有在这个基础上,我们才能进一步地前进,由此生发一种切实地爱他人和爱社会的情怀,这表现为树立成己利人的奋进志向,通过刻苦自砺以

成就自己的德性、才能,力争有德得以维护正义,有学得以启示后贤,有财得以
帮助急难,有能得以奉献社会。

第二节 "康德伦理学的真正力量"

康德的伦理学说以其"可普遍化原理"影响最为深广。然而,这种影响却
是康德伦理学在被接受的过程中所产生的偏差所致。许多思想家如米尔恩、
麦金太尔等人就把"可普遍化原理"看作是康德确定道德行为的价值的原则
标准,从而对康德进行了批评。其实,在康德那里,"可普遍化原理"只是某种
检验性标准,而不是对价值的证明。这是康德伦理学所必然涵蕴的一个面向。
从这一点出发,我们能够发现康德伦理学的真正力量之所在,并可以进一步阐
述康德道德原则学说所蕴涵的对公共伦理思考而言的重要意义和价值。因为
"可普遍化原理"似乎是一种面对所有人的普遍规则,许多人就把这看作是制
定公共领域中甚至是全球范围的交往规则的指针。但实际上,并不是任何可
普遍化的准则都是有道德价值的准则,比如以欲望的共同性及其推己及人性
为基础的规则,就并不能获得公共伦理性的价值。这一点,我们在上一节论述
"忠恕之道"的过程中已经指明;而至于许多批评者认为康德会把许多非道德
性的规则如"三月份的每个星期天永远吃淡菜"之类看作道德律令,也明显不
合康德的道德律令学说的意图。

正如罗尔斯所指出的,"人们强调一般性和普遍性在康德伦理学中的地
位是一个错误。道德原则是一般和普遍的观点很难说是康德的新观点。……
在这样一个狭窄的基础上建树一个道德理论是不可能的,因此,把有关康德学
说的讨论限制在这些观点上就使康德学说变得平庸肤浅了。"[①]他认为,康德
伦理学的真正力量在别处。在我们看来,康德伦理学的新颖之处是他确立了
道德最高价值在于理性的自证,即人的自由、平等和人格尊严,从而实际上把

---

① 罗尔斯著,何怀宏等译:《正义论》,中国社会科学出版社 1987 年版,第 241—242 页。

"可普遍化原理"下降为检验性标准,并无价值构成的能力;在人的自由、平等和人格尊严的价值前提这一基础上,人们会发现,在大家都作为目的看待的目的王国中,道德必定是理性选择的目标,而不是个人任性的选择目标,这些道德律必定对大家都有约束力,能够控制我们的行为。它们不仅为所有人所接受,而且是公开的,还是能够让人们合理向往的。康德伦理学的真正力量在于:一是把道德的领域分为两个领域即权利的领域和伦理的领域,从而把个人平等的道德人格权和平等的政治权利作为社会的纲维;二是消除了忠恕之道、黄金规则的以欲望为基础的推己及人的共情想象形式,而使人人相与之道获得了一种理性的普遍形式。并且,它适应于近代的自由平等的公共伦理秩序,并在制定道德原则之后,能够让人们产生一种依赖于原则的欲望,从而使公共正义秩序原则成为现实可欲的。

一、"可普遍化原理"只是一个检验标准

从康德伦理学的本质特征来看,它的出身有着斯多亚学派的古老血统,那就是认为人本性中最为本质的成分是理性,它是人性中的更为完善的成分,而且有独立的立法能力。

在康德看来,道德价值之根源在于人是个理性存在者,所以,道德的价值性特征就表现在理性的原则成为决定意志行为的至上理由。这样的意志才是一个善良意志。这样,如果一个理性存在者应该将他的准则思想为普遍的实践法则,那么,他就只能把这些准则思想为一种原则:它们不是依照质料而是依照自身的形式包含着决定意志的动机的根据。

于是,推论自己的行为准则是否有道德价值的方法就是要看这个准则有否自明性。而自明性就表现在它必须是一个同一性命题,也即意志是自己服从自己,这就要求我的意志从属于一条实践法则,这样我就不能引用我的禀好,比如说我个人的感性爱好、癖性来作为适用于决定意志的根据。原因在于,感性爱好、癖性等等均是个别性的,而实践法则则是普遍性的。前者并没有道理好讲,而且人们的感性爱好、癖性之间存在着不可通约性是很自然的。显然,在非道德的领域中,人们按照自己的爱好去做事是个人自由的领域,在

这个领域中,人们表现着他们的独特性格,从而造成人们生活世界的丰富多彩性。但是,在这个领域之上,却有着一个大家都要遵守的普遍法则,是它使得自己的自由不至于损害他人的自由。这种普遍规则并没有自然的或经验的来源,而是我们作为理性存在者慎思的结果。

但是,说我们是理性存在者,就必须说明理性的存在方式。理性是人的一种本质,然而从它自身来说,它不是现象界中的一个存在者,因为它没有质料,是一种纯粹的形式。要说明它的存在,就只能从它不是现象这个意义上来领会它的存在方式,即摆脱了必然性的自由。所以,自由是理性的存在条件,这是从消极的角度说的。从认识的意义上说,我们可以看到理性功能的发挥,那就是在科学知识中,我们可以发现现象界规律的普遍必然性,也就是说,我们推论到,没有理性功能的发挥,我们将无法做成知识(知识是以现象的范围为界的)。理性在认识上是有积极意义的,这让我们知道了理性的存在。

如何让理性功能得到进一步的发挥(即越出经验界限)呢? 那就要让我们的理性自我呈现出来。这种自我显现的途径就是让理性进行自身同一的推理,它可以消除质料的成分而成为普遍立法的单纯形式,是全称的、普遍的、绝对的,这只有在超现象的领域才是可能的。在这个领域中,人们彼此把对方作为一个同样的有理性者相互对待,从这个领域得出的就是一些前提性的道德原则。因为理性是人的最高本质和人的尊严之所在,它超越了任何功利方面的衡量。在这个领域中,没有差等,不可比较,所以,人与人之间的人格都平等的,每个人都有内在的尊严。因为它是人伦生活中的前提性价值,所以,它应该在现实的政治、道德生活中体现出来,理性自身的这些价值由于其前提地位,对人们现实的实践行为有着指导性和约束性,从而具备了实践能力。康德通过坚持这一点,为道德争得了一个独立的纯净空间。

理解了这一点,我们才能理解,为什么康德的道德命令都是注目于人类的最普遍的道德价值。他的第一律令就是:"要只按照你同时认为也能成为普遍规则的准则去行动。"①他把它看作唯一的命令。这一条被人们误称为"可

---

① 康德著,苗力田译:《道德形而上学基础》,上海人民出版社 1986 年版,第 39 页。

普遍化原理";由这一条推出第二律令:"你的行动,要把你自己人身中的人性,和其他人身中的人性,在任何时候都同样看作是目的,永远不能只看作是手段。"①可简称为"人是目的";并由此推出第三律令:"作为自己和全部普遍实践理性相协调的最高条件,每个有理性东西的意志都是普遍立法意志的观念。"②可简称为"意志自律"。

从康德伦理学的深层结构看,我们发现,第一条律令并不是一个检验标准,而是有实质内涵的。此即主观准则与客观规则的关系,他要求的是二者同一,而不仅仅是"相符合"。也就是说,我们主观的行为动机所遵循的原则不能来自现象界的经验事物,如欲望对象、情感感受等等,而必须是理性自身的规律。换言之,一个动机的道德价值来源于我们用对理性普遍规律的表象来决定自己的意志。我们有能力形成对理性规律的表象,如果我们立志用这种表象(而不是对感性好恶的表象)来决定我们意志的动机,我们就能形成这种主观准则,但这种主观准则由于它遵从普遍的理性规律,所以,它本身就是普遍规则,也就是道德法则。我们知道,如果我们的主观准则是从吸收感性好恶的原则而形成的,那么在康德看来,是永远不能成为普遍规则即道德法则的,因为它们的来源不同。感性好恶的原则不会因为其通得过"可普遍化"的标准的检验,就变成了客观的道德法则。所以,把这一律令理解为"主观准则只要可普遍化就是道德法则"的看法是对康德伦理学的本质的一种误解。

当然,这种误解又不是空穴来风。由于纯粹的道德法则来源于本体界,现象界没有任何东西能够与之等同,于是,为了说明道德法则的特点,康德也只好举一些例子。正是在举这些例子的过程中,他使用了"可普遍化原理"。比如他的"不许许假诺"的例子。他是说,人们在处境艰难的情况下,为了度过难关可能会作一个无法兑现的诺言。这是一种利己原则,也许这样做将来永远会占便宜。他说,这时的真正问题是:这样做是对的吗? 如果"我要把这样的利己打算变成一条普遍规律,事情会怎么样呢? 从这里我们可以看到,这一

---

① 康德著,苗力田译:《道德形而上学基础》,上海人民出版社1986年版,第48页。
② 康德著,苗力田译:《道德形而上学基础》,上海人民出版社1986年版,第51页。

准则永远不会被当成普遍的自然规律，而不必然陷入自相矛盾。因为，如果一个人认为自己在困难的时候，可以把随便作不负责任的诺言变成一条普遍规律，那就会使人们所有的一切诺言和保证成为不可能。"①这种例子被人们称作"可普遍化原理"的例证。

这种例证起什么作用呢？我认为，这是说，我们从感性好恶出发而形成的准则无法普遍化而不自相矛盾。这证明了许假诺的不道德性。它可以证明，不能通过可普遍化原理检验的行为准则肯定是不道德的。然而，这并没有证明，所有能通过可普遍化原理检验的准则都是有道德价值的，当然，有道德价值的准则必然能通过可普遍化原理的检验，但反过来说则未必。这牵涉到可普遍化原则的形式特征问题，也就是说，行为准则的道德性不是来自其可以通过可普遍化原理的检验，而是另有来源。

道德上善的价值来源于何处呢？康德认为来自纯粹理性的规律。纯粹理性是本体界的，与感性好恶这些现象界的东西处于不同层次，我们只有用对理性规律的表象即观念来作为决定我们意志的动机的根据，我们的意志才是善良的，这种理性规律对意志动机的决定性原则就是道德的原则。可以说，这是一切道德价值的源头。理性的规律必定是全称性、普遍性、绝对性的。在这个层面上，每个人的理性都是同样的，因为它们都是形式性的，没有质料，所以，就没有差别性或多样性，这表明每个人的理性人格都是有无上尊严的，应该得到同等的尊重。这种无上价值就是最高的道德原则。在具体的行为范围内，这一最高道德原则应该被化为各种具体的道德规则。正如康德本人所说："道德原则是不以人性所固有的特点为基础，是自身先天常住的。从而，一切有理性东西的，包括人的实践规则，都来自这些原则。"②道德规则的善良价值来自最高的道德原则。而对行为者本身来说，他对自己要做的行为会形成一些主观的准则。这些主观的准则要具备道德价值，就要使它能够成为客观的道德规则。

---

① 康德著，苗力田译：《道德形而上学基础》，上海人民出版社 1986 年版，第 41 页。
② 康德著，苗力田译：《道德形而上学基础》，上海人民出版社 1986 年版，第 67 页注释 1。

在这一点上,米尔恩的认识是正确的。他说,我们应该区分行为准则和规则,并区分规则和原则。由于上述原因,一项原则可以证明违反一项规则为正当。比如,"人是目的"为什么是一项有绝对道德价值的道德原则,实际上其本质不在于其符合可普遍化原理,而在于它所包含的实在的道德原则——人道原则,即如果"把一个人仅仅作为一种手段来对待,就是把他作为缺少一切内在价值的人来对待。"①于是,如果我们的某些道德规则把人当作手段,比如为了获得某些团体利益而侵犯某些个人的人格尊严,就违反了道德原则,这可以证明这种规则是错的。有一种情况我们需要辨明,那就是"牺牲自己的生命以保卫社会共同体,这可能是一个成员的责任,但是,要求他尽这种责任是把他作为一个道德主体而不只是作为一种手段来对待。"②

另外,由于"可普遍化原理"牵涉到的只是逻辑上的不自相矛盾,所以,它不能保证"可普遍化"的准则是有道德意义的。所以,正如麦金太尔所说,"很多不道德的和无足轻重的非道德准则都可以被康德的检验证明得与他所要坚持的道德准则一样正确,在某些情况下,甚至更有说服力。比如,'除一种诺言外终生信守所有诺言','迫害虐待所有持虚假宗教信仰者','三月份的星期天永远吃淡菜'等等,都可以通过康德的检验,因为它们都可以前后一致地被普遍化。"③当然,麦金太尔也承认,作如此推论并非康德的本意,所以,康德加上了第二个律令即"人是目的",它确实含有道德内容。

再来考察一下康德所喜欢举的例子,那就是诚信规则。从逻辑上说,订立契约就意味着应该遵守、履行契约。如果容许每个人都违背契约,那么,订立契约这件事情就难以存在了。所以,诚实守约是一个道德规则,因为守约推到所有人身上不会导致自相矛盾,而毁约推到所有人身上在逻辑上则是不可能的。但是,诚实守信这一规则在道德上是正确的,并不是因为它在逻辑上是可

① 米尔恩著,夏勇等译:《人的权利与人的多样性》,中国大百科全书出版社1995年版,第102页。
② 米尔恩著,夏勇等译:《人的权利与人的多样性》,中国大百科全书出版社1995年版,第102页。
③ 麦金太尔著,龚群等译:《德性之后》,中国社会科学出版社1995年版,第60页。

普遍化的,而是因为它符合更高的道德原则,比如把人当作目的。而如果契约本身有违背道德原则的内容,则在最高道德原则的指导下,我们可以不信守这种契约。比如,如果有人生活很困难,愿意与一个有钱人订立契约卖身为奴,这种契约就不但不是我们需要信守的,而更是要加以根除的。契约只有作为平等自由的双方为了互惠而应付未知的正式策略,才对双方都有同等的约束力,在这种情况下,不守契约在道德上是不正当的,因为这种做法的本质是不尊重他人,把他人看作可被损害的、没有内在尊严和价值的对象,看作一个物件。但是,对那种显失公平、甚至以人身权利为抵押的所谓契约,国家法律就要宣布其为无效,就根本不需要信守。

所以,我们认为,把康德的第一律令看作是"可普遍化原理"的确是一种广泛的误解。但这些当代思想家的讨论的确使得问题更加明朗化了。康德所举的例子的确会有让人产生"能够通过可普遍化原理检验的准则就是客观的道德法则"的联想,但他实际上并不包含这种意思。这从他坚持道德价值来源的完全脱离经验的彻底立场中可以看到。这才是行为准则的道德价值之源。

从康德伦理学的这个特质中,我们发现,他能很好地确证人格尊严和人人平等。他说,应该"永远把人类(无论是你自身还是他人)当作一种目的而绝不仅仅是一种手段来对待。"这里实际上并不牵涉所谓每个人既是目的又是手段的问题,而是从人的最高本质来说,人只能是目的,它是一个人伦的前提,只有有了这个前提,生活才是有理性者的道德生活。何谓"目的"? 这就是说,每个人都有其内在的尊严和不可让渡的完整性、独特性,社会生活的制度安排都应该服务于个人的人格的完整和个性的发展。这当然是有道德价值的,但其本质不在于其符合可普遍化原则,而在于它所包含的实在的道德原则——人道原则,即如果把一个人仅仅作为一种手段来对待,就是把他作为缺少一切内在价值的人来对待。

从实质意义上说,康德的"人是目的"这一道德原则,在政治的意义上就表现为,每个人都是自由而平等的公民,有着基本的平等权利。这种平等权利是组成理想社会关系的前提条件。基本的平等权利并不是每个人都愿意追求的个别性的善,而是理性所自身拥有的普遍公共价值。对平等权利的认肯,就确证了作为一个人的最高尊严,一旦认识到就会永远坚守。平等权利作为现代社会前提性的公共价值,对善必须取得优先地位。个人所追求的善,包括共同体的善,都要在尊重并保卫个人的基本平等权利的前提下,才能获得正当性。所以,它可以成为道德原则,在它的指导和约束下,可以推论出具体的道德行为规则。规则没有自足的意义,也不能把它们普遍化,因为如果一定要把它们普遍化,就一定会遭到许多无法回避的例外。这一点为罗尔斯揭明了,从此康德道德学的精髓天光大开,井井有条了。

至于第三个律令,即自律,那是说,以理性来完整地决定自己的意志,这样理性就成为实践理性,也即善良意志了,于是,意志服从理性所颁布的法则就是在服从自己。自律之所以是有道德价值的,是因为自律是道德法则与内在动机的合一,它是道德的内在本质。一个自律的人,一定是真正唤醒了自己理性中的隐默之知的人,即体会到了人类的内在价值和尊严的人,所以,他能由衷地服膺理性的道德法则。

这三个律令是一致的。第一条是形式,那是指理性的无质料的形式特征,所以,它要求把主观准则的经验性质料去掉,从而跃升为客观的道德法则;第二条是"质料",这是指每个人都是有理性存在者,作为道德主体,按照理性的普遍规律相互对待的问题,它要求把自己和他人一样作为目的,并能尊重自己的人格,也尊重他人的人格。有理性的人组成了一个目的世界。所谓"质料",是从这个意义上说的;第三条为形式和质料的统一。也就是说,形式原则指明了我们的社会安排和行动必须遵循的客观法则,而质料原则则把道德王国看作是由一个个的有同等人格尊严的人组成的,并应当把所有人都当作目的来对待的目的王国,那么形式和质料统一的原则则表现在这种普遍的道德法则实际上是目的性的个人自己颁布并自我遵守的。

二、"可普遍化原理"对道德原则的从属性:以市场规则为例

"可普遍化原理"当然是有用的,它的使用要在前提性的价值原则的指导下来进行,使用它的适当场所就是那种在以彼此尊重对方的平等、自由、尊严

为前提的可以无限扩展自己的体系的市场中制定普遍化规则的场合。也即是说,在前提性的价值原则的指导下来制定市场交易规则的时候,"可普遍化原理"是可以使用的。

德国著名经济伦理学家彼德·科斯洛夫斯基认为,伦理学是协调社会的形式。在经济市场化、社会化的情况下,人与人之间的社会联系简化成了利益联系,也就是一种量的关系。这样,伦理学的协调准则就应该是普遍的准则。他分析道:"康德的可普遍化原则包含两个条件:一个是行为准则(不是行为本身),必须是普遍的并允许其成为普遍化。生活准则必须具有特性,由此而产生的行为与遵守同样生活准则的其他人的行为应能并存。另一个是,决策者必须做到使其生活准则普遍化。"这样说的意图是依照这种准则作出的行为会走向存在,而不是走向虚无。比如,作恶者可以这样辩解,他愿意作恶,并甘愿忍受由此而来的痛苦,而且每个人都可以这样做,因而也符合可普遍化原则,但是,对这种可普遍化原理的限制是:你依据准则的行为要与其他任何人依据同一准则的行为能够并存。正是这一点,使康德的可普遍化原则既避免了把自己除外的情形,又避免了走向虚无和毁灭的情形,因而体现的是实践理性的普遍性本质。他总结说,"普遍化的纯形式主义超越了自己,达到了自然本体论的守恒境界。"显然,这是建立在对社会公共规则的尊重之上的。在现实的经济运作过程中,由于市场控制有缺陷或者会出现市场失灵的情况,比如存在着每个人都愿意花团体的钱为自己搞特殊的可能,或者形象地说大家都愿意当"逃票乘客"。这就是所谓"囚徒困境"所阐述的一般情况。这是因为很难以一种体制的方式对个人利益的追求进行有效的协调。所以,伦理学必须存在,而康德的可普遍化原则也可以是解决囚徒困境的答案。[1] 我们认为,彼德·科斯洛夫斯基的观点在他所论及的范围内是正确的,他把"可普遍化原理"看作是协调性的,它要能起作用,必须以社会基本人伦结构的基础性价值——也即道德原则为前提。在道德原则的指导下,市场规则才能以可普遍化的方式来推定。正如彼德·科斯洛夫斯基自己所表述的:"我们如何使普

[1] 麦金太尔著,龚群等译:《德性之后》,中国社会科学出版社1995年版,第60页。

遍规则也能成为个人行为的准则?"①这才是道德问题的正确提法。

这里就牵涉到了这么一个问题:在道德法则的指导下,如何推定人们在追求感性利益时所应遵守的规则。注意,它不是指感性利益本身的可普遍化,也不是我想要获得某种感性利益的动机要普遍化,而是尊重每个人追求自己的物质利益的权利这种要求需要普遍化,从这里就能导出市场交往中对平等自由的经济主体有普遍约束性的道德性规则。也就是说,市场作为一个文明的制度,正是一种以利己心为主要原动力的和平竞利的经济运行体制,所以,追求个人的利己心的满足也要考虑到他人利己心的满足。这些个人必须是平等自主的个人。个人利益有着主观性,但同时在进行和平竞利的过程中,又必须同等地尊重他人的利益,于是,在确定自己的行为准则时,具备一种理性的反思立场和他人意识,就是题中应有之义。也就是说,面对平等独立的利益主体追求自己的利益的广大市场体系,我们的理性必须取得对感性欲望而言的先决条件的地位。

我们上面已经说过,道德原则和在政治领域中的个人基本平等权利,不是从个人之所欲中引导出来的,而是从理性的超验立场所导出的前提性公共价值。市场中的人们当然必须以此为最高的道德原则和价值导向,指导形成经济活动中的道德行为规则。这一领域的行为规则要获得道德价值,必须是拥有平等自由的人格尊严的人们在一个能不断扩展秩序的和平竞利的体系中相互对待的规则。平等自由是竞利者的道德和政治人格,是进入市场交换的前提条件。这一点不能由市场本身来保证,而要由国家的政治原则和政治制度的安排来保证。而和平竞利的性质就意味着市场经济体制是一种文明的经济体制,它排除了不公平交换,如用地租的形式使社会财富向地产主手中集中的非正义形式,也排除了侵占、抢夺等野蛮形式。这就意味着,交易者要利用自己的资金、才能、经验,在遵守市场交换规则的前提下来交换彼此的劳动,达到双方利益的增进,互惠是市场经济能增进社会财富的奥秘之所在。它的文明

---

① 彼德·科斯洛夫斯基著,孙瑜译:《伦理经济学原理》,中国社会科学出版社1997年版,第63—65页。

性质也同样表现于此。由于市场交换所牵涉到的都是物品,这些东西与道德人格等形上价值处于两个层次,而主体人格的意识、素质又直接支配交换过程,所以,市场经济的内在本质应该是人役物,而不役于物。由于市场经济体制是一个能不断扩展其秩序的文明体制,它把所有人都视为平等的交易伙伴,交易范围可能及于每个人,因此,市场交换的规则必须是从平等的人格这一前提中推论出的普遍适用的交易规则。它们必须是理性的,也就是说,它们不考虑个人的偏好、才能等现实的质料性因素,这些质料性因素都要在遵守这些普遍规则的基础上才能得到有效运用,而不能只是它们的盲目冲动。规则是秩序的外观,规则与质料的结合则是秩序的具体表现及其现实扩展。

这样,经济伦理就集中于规则意识之上。这些规则之所以是伦理性的,是因为它们关乎竞争互惠的主体之间的人伦关系的性质,而不是传统意义上的利己、利他的道德意识或道德良心。这些意识或良心在现实的、能不断扩展其秩序的市场经济结构面前,只是一种主观精神,而成为某种个人性的东西。个人的主观精神要受到现实的经济伦理关系结构、市场经济运作机制的客观制衡才能成为现实而有力量的品质。其实,康德认为道德规律是理性自身的规律,人是目的,自律等等,就是致力于构造这样一种平等、自由、尊重人格的社会结构秩序,这是有绝对的伦理价值的。在这个前提下,我们的市场交往规则才可以通过可普遍化原理推导出来。康德显然意识到,这样一个广阔的市场,它不断扩展自己的秩序,带来匿名化、人际关系的抽象化,这一切都要求把交往规则上升到一个理性的普遍化的水平,这与传统的熟人间、亲族间的紧密共同体中的交往规则有很大的不同,它是理性良心的真正发用之所。情感欲望、偏好气质等都应该以此规则为向导、为执持、为内核,从而形成一种牢固的规则意识,使心灵情感禀有普遍的理性特质,使理性规则能得到普遍性情感的促动,从而形成一种普遍性的主体德性品质。也就是说,理性规则意识具有一种认识性的本质,以此为前提,对情感欲望进行指导和塑造,只有这样,才能培养起现实的市场伦理品质。康德就说过,道德情感首先是对理性法则的敬重。

通过以上分疏,我们可以看出,在市场经济的环境中,人们的道德原则仍然是那种应该加以普遍保障的平等自由的道德人格和政治人格,市场中的道德规则就是道德原则在进行物的交换中的应用。所谓"看不见的手"这一市场机制要发挥作用,也必须依靠对这些道德规则的遵守。其含义是说,市场并不对个人的计算失误、才能的缺乏等负责(这是个人才华的领域,为了能够利用市场体制追求到个人的利益,就应该努力培养这方面的素质如开拓精神、对潜在的获利机会的敏感这种企业家精神),市场对人们的伦理命令则是:平等地遵守市场规则。它不保证每个人都能成功,它能保证的是市场体制的存在和扩展,从而为市场体制发挥自己的应有功能提供一种秩序的外观。

在有关市场运作规则的问题上,在人是目的,平等地尊重人格尊严的道德原则的指导下,我们可以通过可普遍化原理来确定规则。进入市场的人们都是自由平等的公民,应该彼此以理性人格来相互对待,结合市场经济的本性即独立的利益主体之间的劳动交换过程,在这个前提下,可以使用"可普遍化原理"来形成比如合法经营、公平竞争、信守合约等市场规则。因为只有这样的行为准则是可普遍化的,可以逻辑地要求所有的交易主体都同等遵守。这里,就牵涉到欲望的不同种类的问题。在对道德原则抱有一种高度敬重的人的内心里,他有一种依赖于原则的欲望,这种欲望是后起的;而如果仅仅把个人的主观准则加以普遍化,实际上,其欲望仍然是依赖于对象的自然欲望,这种欲望是个别性的。从本质上说,个别性的欲望是不能普遍化的。这里有两种情况需要弄清楚:一是它们是千差万别的,所以一定有己所欲而人所不欲的情况,这是这种欲望不能普遍化的直接证据;二是我们要廓清一种迷思,那就是把个别性欲望之间的共同性当作普遍性。个别性的欲望之间当然有共同性,但欲望之间的共同性并不因为其大致相同而成为普遍性。普遍性的东西是合乎理性的,而有着共同性则是指个别性的东西之间的相同之点。人心之同欲,可以是人们共同的个别性欲望,而不一定是有着理性理由的普遍化的欲望。① 所以,道德原则的普遍性并不来自欲望的共同性,而是来自理性。在普遍原则的约束下,个人可以追求个别的欲望满足,这才是市场经济中求利者的

---

① 彼德·科斯洛夫斯基基著,孙瑜译:《伦理经济学原理》,中国社会科学出版社 1997 年版,第 66页。

真实愿望。市场体制作为一种文明制度,并不表现在它是一种能够照顾所有人利益,有着一心为他人的主观善良情感的制度,相反,如果从道德情感上要求市场体制发挥这种道德功能,那是对市场体制的伦理特质的破坏。康德很清楚,从人的本性来说,偏好总是抢先发言的,也就是说,人们有自利的强烈动机。理性原则的提出,并不是要人们去除这种动机,而是要让这种动机在可以行之久远的普遍原则的约束下来发挥作用。利己、利他并不是道德意识的出发点,只有纯粹理性颁布的普遍道德原则才是道德意识的直接见证。利己固然是从"躯壳"上起念,利他又何尝不是如此。只有从道德原则上起念才是人作为一个有理性者的尊严之所在。这就是说,利益问题从逻辑上说是后起的,虽然从时间上说可以是先在的。只有确定道德原则的逻辑优先性,利益的争取才能在一个有着独立的优先地位的普遍规则的约束下来进行。它是一种纯正的格心、正心之学,能使心灵有一种公正的指向。

三、康德道德学的真正力量之抉发

从以上可以看出,诚如罗尔斯所说,注重普遍性并不是康德伦理学的真正特点之所在,可普遍化原理也并不是康德道德学的核心。康德伦理学由于彰显了纯粹理性的本体特征,所以,实际上就彰显了这一点:人作为有理性者的高尚就体现在发挥理性对意志的立法功能上。人们生活的应然秩序是由善良意志所确定的,它是一种自由规律。所以,任何以欲望情感为基点的所谓推己及人的规则都是不完善的,甚至没有道德价值。这样,西方的"金律"和中国的"忠恕之道"的推己及人的方式就都缺乏一种客观的道德原则的指导;康德伦理学的平等的道德人格学说,也就成了我们构造一个正义的社会结构和政治结构的理论基础。

第一,康德的善良意志学说实质性地改造了所谓"金律":你愿怎样被人对待,就以同样的方式待人(Treat other people in the same way as you want to be treated yourself)。在康德看来,"金律"的问题恐怕还在于它的表达式是假言的,并假定人与人之间的真实意愿、欲望是相同的。康德对此确实有所改进。他认为推己及人的基础不是人的欲望的相同性,而是要以理性的普遍规律为根据来设计人们都要遵守的道德原则,并进而构造面对具体问题的道德规则。他认为,欲望由于是个别性的、感性性质的,所以,以感性好恶作为决定我们意志的动机的根据,就只能是相互冲突、变幻无常的,而不可能形成人人都应同等遵守的道德原则。

于是,康德的道德学说突显了这样一种道德的必要性,那就是我们的欲望必须依赖于理性原则,才能被合理地追求。而且,我们意志的动机必须依系于理性的普遍规律而被决定,而不能用感性好恶来作为决定意志的动机的根据。在他看来,一个人的行为是否有道德,所争在此一线。人心中必须有此"向上超转之一机",方才算是有道德追求。这一点是抗拒各种道德相对主义、道德怀疑主义和虚无主义的基点。我们只有自觉到纯粹理性的道德规律,才能用所谓可普遍化原理来制定具体的道德规则。

第二,康德从人是有理性存在者这一点出发,确立人的道德使命就是要确证并彰显我们理性的尊严。作为一个有理性者,人人都有同等的人格尊严,它是不可比较的,不能化为价格,而是有无比的尊严。所有的文明制度的设置都应该以尊重和保卫人们的人格尊严为前提,从而确立在社会中人们的基本平等权利。所以,他的《道德形而上学》的第一部是《法的形而上学原理》,其副题就是"权利的科学"。他认为,"权利科学研究的是有关自然权利原则的哲学上的并且是有系统的知识。"①也就是说,他要讨论权利一般。由于权利是作为有理性者的人所必然拥有的,于是在现实中,对权利的考察,就应该在作为有理性者的人们的自由意志之间的相互关系中来进行,这是一种人伦关系,换句话说,只有那能让自己的行为与每一个人的自由意志并存的公共制度设置才具有正义价值,这本来就蕴涵着对实际上可能侵犯权利的任何人施加强制。也只有这样,我们每个人的权利才得到到尊重和保障。于是,他对权利的存在方式作了这样的规定:"严格的权利也可以表示为这样一种可能性:根据普遍法则,普遍的相互的强制,能够与所有人的自由相协调。"②这实际上也是

---

① 康德著,沈叔平译:《法的形而上学原理——权利的科学》,商务印书馆 1997 年版,第 38 页。
② 康德著,沈叔平译:《法的形而上学原理——权利的科学》,商务印书馆 1997 年版,第 42 页。

康德正义论的基本特点。

这种权利论所关注的实际上是文明状态下的权利,它不需要借助"自然状态"的假设。他认为从自然状态出发是无法进到文明状态的。所以,他对自然状态进行了谴责,这主要是因为自然状态是无法律的状态。当然,他也认为,我们不一定要把自然状态描述为不正义的状态,但是,自然状态一定是无法律的状态。它不一定都充满了暴力,但肯定包含着不断使用暴力的可能性,因为没有公共法律来制止这一点。"一旦发生权利的争执,便找不到一个有强制性的法官对该争执作出有权威性的法律裁判。如果任何人必须使用武力来抑制别人,那么,从这种没有法律的生活状态进入有法律的文明状态就是合情合理的。"①从这个意义上说,法律权利的法则与伦理的道德法则是不同的。伦理的道德法则是决定人们意志的内在根据,而法律权利的法则则规定人们意志行为(即自由选择行为)的外在表现。也就是说,即使我不想尊重别人的权利,我也受到一种普遍的法律的约束,这不是一个自己的主观意愿如何的问题。所以,所谓法律权利,就是指按照普遍的法则"以每个人自己的自由与每个个别人的自由之协调一致为条件而限制每个人的自由。"②这是康德所构造的正义的社会结构的纲领。

可以说,外在的普遍的法律也正是理性的普遍规律,只是因为在现实生活中,人们并不能自动地相互尊重,所以,在日常行为中,我们首先要用法律的方式加以有权威的强制。而如果我们形成了对理性规律的尊重,并以此作为决定自己意志的根据,那么,我们就有了道德自觉,这时我们就能自觉地遵守法律,能够达到对他人权利的内在尊重。这样,我们也就能内在地、禀着自己的善良意志来实现正义。

康德关于正义问题的公共推论,是以权利为前提的,同时也关涉到公共制度通过法律强制力来使每个人的自由相互协调一致,所以,这是一种公共伦理学的视野。由于他要求我们对公共法律的遵守也应该出于我们的善良意志,

---

① 康德著,沈叔平译:《法的形而上学原理——权利的科学》,商务印书馆 1997 年版,第 138 页。
② 康德著,何兆武译:《历史理性批判文集》,商务印书馆 1997 年版,第 181 页。

所以,他实际上也关注了公共美德的形成问题。正是在这一点上,康德伦理学具备了公共伦理学的内在特质。

第三节 "义"之精神及"义"—"宜"之相融

凡是人伦关系中的事情,都有一种正当而合宜的分寸或道理,遵守或体现它,就能够和睦人际、激励人心,导向事之良性发展和心灵的塑造成型,它就是"义"。儒家在与"仁"、"智"、"礼"、"信"诸德的关联境域中,对"义"加以大力阐扬,使之成为了道德精神的代名词。它的长期发展和对国人的长期浸润,塑造了中华民族独特的道德感知方式和道德精神气质。人们对"义"的最通常解释是"宜"或者"合宜"。中国传统道德理论中就蕴涵着这种精神,即"义"与"宜"是相通和互相融合的,也即理性与情感的相互渗透、融合,这是"正义"德性的根本特征,否则"义"(正义)就只是一种行为规则,可以是理性理解和建构的对象,却未必有相应情感、欲望气质等德性基础。"义"(正义)作为美德,其"美"就表现在我们产生了一种与之相适应的普遍性的情感欲望品质。所以,在中国传统道德论的语境中,"义"和"宜"是相通相融的,这就已经给我们开启了体认正义美德的正确思路。我们认为,正义作为公共美德,表明的是我们的理智、欲望、情感得到扩展、涵厚和化通之后而形成的心灵品质,能够体现并实现作为公共伦理价值的正义。的确,光是正义的制度安排还不足以使正义价值得到实现。

一、"义"德的内涵之展开

古代"义"(義)字也用作"威仪"字,"义"与"仪"古相通,盖因义可以正己美身之故。"义"(義)的结构是由"羊"、"我"二字会意而成。《说文解字》释"义"为"己之威仪",充分说明,义是人伦中的行为举止的合乎人情的仪态。段玉裁注曰:"言己者,以字之从我也。仪者,度也。……义之本训,谓礼容各得其宜。礼容得宜则善矣。……威仪出于己,故从我。董子曰:'仁者人也;

义者我也。'谓仁必及人,义必由中断制也。从羊者,与美善同意。"在一般的使用中,义所表示的都是正态价值。

"义"的语境是明白的,使用也十分普遍,我们可以通过对古代哲人之"义"论进行一种有层次的分析,来总体地判断"义"的价值意涵。

1. 义利之辨语境中的"义"　在孔子的使用中,"义"大都是相对于"利"而言的。在孔子看来,"义"是就是通过正当的手段来求取利益。对物质利益的追求当然终归是我们要做的事情,但是不能以这一目的的正当性来论证所有的手段都是可以采取的。从道德上说,最为重要的正是对手段的正当性进行考量,而以正当的方式去求取利益就是"义"。所以,"义"是一种道德思维的立场,是一种志向,面对"得"或者"利"的时候要考虑是否正当或者应该。正当的或应该的就可以求取,反之则要决断地放弃。

孔子说:"富而可求也,虽为执鞭之士,吾亦为也。"①但是,要"见得思义"。也就是说,利益当然是一种善,但是这种善并不是自足的,即不是能自成目的的善,其主原因之一就是利益的求取是人的一项活动,是与人的自由意志联系在一起的,同时又是在人际关系中进行的,所以必然会关联到他人的利益,这才有一个如何追求才是正当的问题,亦即"义"的问题。也就是说,对"利"这种善的追求是需要有价值指导的,这就是"义"。

这样,我们就可理解孔子为什么说"君子义以为上。"②首先,利益作为一种善,主要是因为它是我们"可欲"的一种"好"东西,但是,利益却不是现成摆在那里的,而是逐渐生成的,并且是关联着他人的,而个人对利益的追求,其结果却是个人的所得,具有独占性和排他性,所以,在追求的过程中有一个怎样才算是正当、应该的问题;其次,在获利之后,如何使用这种利益也有一个怎样才算正当、应该的问题。如果不进行这种是否"正当、应该"即"义"的考量,对物质利益的追求就是无所归向的,于是社会就会成为人欲的战场。所以,物质利益只是一种基础的善,而不是最高的善,只有以"义"为指导的利益追求才

---

① 《论语·述而》,见《诸子集成》(第1卷),上海书店1984年版,第140页。
② 《论语·阳货》,见《诸子集成》(第1卷),上海书店1984年版,第384页。

能成就其"善"。于是,从精神价值上讲,"义"要高于"利"。以不正当的手段求得利益,是非道德的,也是有志于道义的君子所不屑为之的。所以孔子唱出了如此高亢的调子:"不义而富且贵,于我如浮云!"孟子追思伊尹乐行尧舜之道,称颂他"非其义也,非其道也,禄之以天下,系马千驷,弗视也;非其义也,非其道也,一介不以与人,一介不以取诸人。"①可见,在孔孟那里,"义"是一种总体的道德意识,是对凡俗生活追求的价值指导原则。

关于"义以为上",孟子还有着另外一种论证。孟子主张人像有自然欲求一样有着道德欲求,义是道德精神的确证,是心灵的自许。但在他看来,利属五官,义属心官,前者是小体,后者是大体。从乎大者为大人,从乎小者为小人。所以,义以为上。他主张君子应该尊德乐义:"故士穷不失义,达不离道。穷不失义,故士得己焉;达不离道,故民不失望焉。古之人得志,泽加于民;不得志,修身见于世。穷则独善其身,达则兼善天下。"②这样,"义"就有其自足的价值,从而在以"义"求利而不得的情况下,应该守义不渝。甚至"义"与"利"的分判还被提升到"道义"与"生命"的分判之上,认为道义高于生命,从而培养出"舍生取义"的崇高道德精神:"生亦我所欲也,义亦我所欲也,二者不可得兼,舍生而取义者也"。③

2. 对义的实质及其环境条件作出明确界说的是荀子 他认为,义是源于对一种资源相对稀缺的环境和人的欲望趋向无穷这一情况所作的道德安排。他说,"夫贵为天子,富有天下,是人情之所同欲也。然则从人之欲,则执不能容,物不能赡。故先王案为之制礼义以分之,使有贵贱之等、长幼之差、知愚能不能之分,皆使人载其事而各得其宜,然后使悫禄多少厚薄之称,是夫群居和一之道也。"④所以,"义"实际上就是用以指导"分"的原则,以"义"分之,目的是达成一种人们生活的秩序。所谓"分",在荀子所给定的意义上,指的是明贵贱之等,量能授官,分职从业,从而使人们各勤本业,增进社会财富,并合乎

---

① 《孟子·万章上》,见《诸子集成》(第1卷),上海书店1984年版,第386页。
② 《孟子·尽心上》,见《诸子集成》(第1卷),上海书店1984年版,第525页。
③ 《孟子·告子上》,见《诸子集成》(第1卷),上海书店1984年版,第461页。
④ 《荀子·荣辱》,见《诸子集成》(第2卷),上海书店1984年版,第44页。

道义地分配社会财富。所以,"义"的积极意义就在于:"故仁人在上,则农以力尽田,贾以察尽财,百工以巧尽械器,士大夫以上至于公侯,莫不以仁厚知能尽官职。夫是之谓至平。"①同时,"义"还有禁止的一面:"夫义者,所以限禁人之为恶与奸也。……夫义者,内节于人而外节于万物者也;上安于主,下调于民者也。内外上下节者,义之情也。然则凡为天下之要,义为本而信次之。"②《系辞下传》也说道:"何以守位曰仁,何以聚人曰财,财理正辞禁民为非曰义。"此种议论有相当深刻的理论意义,有非常强的逻辑力量。的确,"义"是裁制事物的标准和决断,是合乎道义地分配财物,这主要是因为资源是有限的,而人的欲望是无限的,如果不对人的欲望满足加以裁制、分配的话,社会就必然会陷入纷争冲突的混乱状态之中。所以,从社会伦理的角度说,"义"是社会制度的首要价值。只有在以下两个条件能得到充分满足的情况下,"义"作为一种社会制度的价值才会消失:A,财富极大地丰富;B,人人在面对稀缺的资源环境时,能以仁慈、博爱的胸怀相互对待。但这两个条件无法得到充分满足,故荀子特别重视礼义,把它提升到治理天下之"本"的高度。

3.**"义"德何指** 从一般的意义上讲,义就是一种总体的道德价值,就是"正当"或"应该"。也就是说,"义"不仅仅在"义利"之辩的语境中突显,而且是一般行为的正当性或道德价值之所在。不管做什么,都有一个"义"与"不义"问题。所以,孔子说,"君子之仕也,行其义也。"③孟子说,"义,人之正路也"④等等。

孟子深入地从自然情感的角度来为"义"奠定基础:"义之实,从兄是也。"⑤,"敬长,义也。"⑥同时又说:"羞恶之心,义之端也。"⑦但是,对从羞恶之心出发如何获得"从兄、敬长"的实质,即从内心遵守伦理秩序,孟子没有给

---

① 《荀子·荣辱》,见《诸子集成》(第2卷),上海书店1984年版,第44页。
② 《荀子·强国》,见《诸子集成》(第2卷),上海书店1984年版,第203—204页。
③ 《论语·微子》,见《诸子集成》(第1卷),上海书店1984年版,第395页。
④ 《孟子·离娄上》,见《诸子集成》(第1卷),上海书店1984年版,第298页。
⑤ 《孟子·离娄上》,见《诸子集成》(第1卷),上海书店1984年版,第313页。
⑥ 《孟子·尽心上》,见《诸子集成》(第1卷),上海书店1984年版,第530页。
⑦ 《孟子·公孙丑上》,见《诸子集成》(第1卷),上海书店1984年版,第139页。

予明确的说明。我想这也许是在家族主义和风俗共同体中自然产生的情感。比如,在现在的农村,一个年轻人如果不能正确地称呼长辈还是一件很感羞耻的事情。耻感毕竟是一种非常重要的道德情感,有羞耻之心,就能产生明确的主体道德意识和道德追求。可以说,孟子为"义"找到了一种纯正的情感基础,不过需要不断地推扩之,才能达成"义"德。所以孟子力辟"仁内义外"之说。

第一次较为明确地把"义"界定为"宜"、"合宜"的是韩非,他在《韩非子·解老》中对"义"作了系统的说明:"义者,君臣上下之事,父子贵贱之差也,知交朋友之接也,亲疏内外之分也。臣事君宜,下怀上宜,子事父宜,贱敬贵宜,知交朋友之相助也宜,亲者内而疏者外宜。义者,谓其宜也,宜而为之。"一句话,"义"在韩非看来,是指在各种人际关系中能够行为合宜、正当。后来,儒家学者也借鉴了这种界定,但作了与儒家所规定的伦理义务相关的阐述。比如,《中庸》说:"义者,宜也,尊贤为大。"《礼记·祭义》也说:"义者,宜此者也。"儒家以人伦自然情感为基础("孝、悌")来外推各种人伦义务,以此为义——如所谓"十义":"何谓人义? 父慈,子孝,兄良,弟弟,夫义,妇听,长惠,幼顺,君仁,臣忠,十者谓之人义。"①这确实是一些十分有概括力而且有弹性的定义。这是从人的道德实践中总结出来的。显然,"义"作为反映行为正当性、善、恰当性、合宜性的理念,当然是一种道德原则,所以,以后思想家在解释"义"时,无一不遵从这个定义,当然做了许多发挥。

4. 的确,在先秦,儒家的"义"德没有发展出如仁、礼、智、信等那样明确的义理规模　如果说《礼记》(其中有托名子夏和子思的《大学》、《中庸》)果真是秦汉之际的作品,那么,我们可以推测,实际上自汉代以降,对"义"进行学理阐述才成了一项特别重要的理论任务。他们在"义"的阐释方面,有着如下贡献:

(1)董仲舒发挥了"义(義)"字的会意("义"的繁体从"羊"、"我")——"我",认为"义之法,在正我,不在正人;我不自正,虽能正人,弗与为义。"②所

---

① 《周礼·仪礼·礼记》,岳麓书社1989年版,第371页。
② 董仲舒:《春秋繁露·天人三策》,岳麓书社1997年版,第142页。

以,义有一个根本的价值标准即"正",就是正当、合宜、合理,所以,"义者,谓宜在我者。宜在我者,而后可以称义。故言义者,和我与宜以为一言。"①他甚至说,苟能正我,即使不能正人,也可许之为"义";虽能正人,却不能正己者,也不得许之为义,从而充分论证了"义"是主体的自觉道德意识和自律精神。后来陆象山非常突出地把"义"与"立志"联系起来,实际上秉承了董仲舒的这个思考方向。

(2)回复"义"之古意即"刚断"、"裁断",从而使"义"获得"裁制事物使合宜也"之意。此是治事之才德。朱熹在《语类》中说:"义者,宜也,君子见得这事合当如此,却那事合当如彼,但裁处其宜而为之,何不利之有?"②陈淳则发挥老师的学说,认为:"义就心上论则是裁制决断处。宜字乃裁断后字,裁断当理然后得宜。凡事到面前须有剖判是可是否。文公(朱熹)谓义之在心如利刃然,物来触之便成两片,若可否都不能剖判,便是此心顽钝无义了。"③也就是说,仁以养心,义以断事,断事合宜、恰当便是"义"。

后来吕坤总结说:"义,合外内之道也。外无感,则义只是浑然在中之理。见物而裁制之,则为宜。义不生于物,亦缘物而后见。告子只说义外,故孟子只是义内,各说一边以相驳,故穷年相辩而不服。孟子若说:义虽缘外而形,实根吾心而生。物不是义,而处物乃为义也。告子再怎开口?"④

(3)为"义"的正当性价值找到一个形而上的天道背景。董仲舒说:"不顺天道,谓之不义。"⑤他认为,人道之"义"实际上从领悟天道而来:"人道者,人之所由,乐而不乱,复而不厌者。万物载名而生,圣人因其象而命之。然而可易也,皆有义从也,故正名以明义也。"⑥

陈淳则发挥他老师朱熹的有关学说,同样为"义"奠定了一个形上基础:"人之性有仁义礼智,只是天地元亨利贞之理。仁在天为元,于时为春,乃生

① 董仲舒:《春秋繁露·天人三策》,岳麓书社1997年版,第143—144页。
② 黎德靖编:《朱子语类》,中华书局2004年版,第702页。
③ 陈淳:《北溪字义·仁义礼智信》,台湾商务印书馆《四库全书》709卷第35页。
④ 吕坤:《呻吟语》,岳麓书社1991年版,第66页。
⑤ 董仲舒:董仲舒:《春秋繁露·天人三策》,岳麓书社1997年版,第301页。
⑥ 董仲舒:董仲舒:《春秋繁露·天人三策》,岳麓书社1997年版,第301页。

物之始,万物于此方萌芽发露,如仁之生生,所以为众善之长也;礼在天为亨,于时为夏,万物到此时一齐盛长,众美所会聚,如经礼三百,曲礼三千,粲然文物之盛,亦众美所会聚也;义在天为利,于时为秋,盖万物到此时皆成,遂各得其所,如义断制万事,亦各得其宜。秋有肃杀气,义亦有严肃底意;智在天为贞,于时为冬,万物到此皆归根复命,收敛都定了;如智见得万事是非都一定确然不可易,便是贞。"①这种说法虽有附会之嫌疑,但以天道的崇高德性论证了"义"对人的行为的价值指导意义。

(4)义、利问题扩大为公、私问题。朱熹说,"义利"之辩,此乃儒者第一义。在他看来,义与利的问题实即"公与私"是问题。"或问'义利之别'。曰:'只是为己为人之分'","人只有一个公私,天下只有一个邪正。"②"公"诚然指公共利益,而"私"即指私人利益,也就是说如果有人能够为公共利益着想,而不是汲汲于私人利益,那确实说明他是一个有公正感的人。同时,从精神情操上说,"公"就是公正不偏,"廓然大公",而"天理流行";"私"则是所谓"人欲之私",从精神品质上说就是狭隘偏私。

所以,"义"可以说是一个总体的道德精神,或者说,它就是道德的代名词。在古代哲人心目中,任何其他德目只有行而合宜,才有道德意义。比如"仁"也有过度而不当,如"妇人之仁";"礼"若不合"义"就是繁文缛节,而且,礼作为行为规范,并没有绝对意义,它们是为了体现"义"而设的,所以,"协诸义而协,则礼虽先王未之有,可以义起也"③;"信"若不合义,不为有德:"大人者,言不必信,行不必果,唯义所在"④;勇而无义,不为勇,等等。正因为如此,所以,"义"可与许多德目连文使用:"仁义"、"礼义"、"信义"、"道义"、"理义"、"勇义"、"情义",等等。

从以上可以看出,从制度层面上看,礼是社会行为的规范体系,而仁是爱人之情、之理,义则是成己、利人、利物之得当的裁断、安排,智是是非

① 陈淳:《北溪字义·仁义礼智信》,台湾商务印书馆《四库全书》709卷第36页。
② 黎德靖编:《朱子语类》,中华书局2004年版,第228页。
③ 《周礼·仪礼·礼记》,岳麓书社1989年版,第372页。
④ 《孟子·离娄下》,见《诸子集成》(第1卷),上海书店1984年版,第327页。

判断。所以，"义"贯彻于行为的全过程，它成为道德精神、道德价值的代名词，由来有自。"义"一方面指超出个人主观性的（即西人所说的 impersonal）公共道义，另一方面，义是要在具体行为中体现出来的，也就是要使公共道义在不能重复的当下行为中合适、恰当地得到贯彻，即裁制事物使合宜。一句话是"公共道义"与"合宜"的相互融合。中国传统儒家"义"德的实质可以由以下几句话予以赅括：（1）"义"是主体自觉的道德意识和自律精神；（2）"义"是高于感性生活价值的道德价值，是涵养、塑造主体心灵的道德精神，是"廓然大公"的道德生命修养境界；（3）"义"是对事物进行合宜裁断的行动能力；（4）"义"从本质上还体现了一种公利精神，所以，义利对立只是"公义"与"私利"的对立，义之实行，何尝不利，但此利是大利，是公利。（5）总体说，"义"是行为的正当性价值理念，在极端情况下，为了实现"大义"，可以决断地放弃生命。

二、"义"之偏至及其原因

儒家的"义"德，本质上排除功利主义的利益考虑，换言之，它的评价标准不是结果的利益量的大小，而是行为的动机考虑的质的规定性，以及情怀境界的性质——公正还是偏私，宽宏还是狭隘。当然，"义"作为一种价值合理性，目的肯定也是要促进人伦秩序的和谐与完善，促进社会生活共同体的存在和发展，而不是使之走向非存在或者毁灭，所以"义"也追求"利"，但它是一种"大利"。因而，"义"会表现为对一己私利的整合与超越。所以，儒家不会一般地反对个人利益，也不主张绝对的利他主义，而是主张对个人利益的追求要正当，合乎理义，这样的个人利益，站在他人的立场上（或曰"公共的立场"）也是可以存在的，这表明它合乎公义。

"义"作为行为总体性的正当性价值理念，从哲学上说，可以成为一种普遍性的、概念性的、推理性的存在，在绝对化的理解中，"义"要求全称性、纯粹性和无条件性，特别是所谓"大义"更具有这种性质，它的崇高性、严正性就来源于此。它是哲人们为人类的行为之"好"所构造的一个属人的理念性的价值世界；但同时，"义"又是一种合宜的处置事情的尺度或办法，要求按照具体情况变通地恰当地处理。

这两者如果不能得到很好的融贯的理解,对"义"的思考和追求以及社会道德舆论就会陷入以下偏向:(1)为了保证道德的纯粹性和崇高性,"义"之价值理念会追求全称性和无条件性,于是,它会带上一种严肃的形式面孔(陈淳就曾说:"秋有肃杀气,义亦有严肃底意"),因为唯有形式化能保证其普遍性。这就为"义"取得对人的生活的统治权能预留了空间,从而"义"有可能变得僵化。"义"朝过分超迈的方面发展,有可能丧失其合理的尺度或者合适、恰当的感受性,并有可能会导致道德上的纯洁癖。比如,"义"有"公利"的一面,但发展到极端,就会要求人们摒弃一切私利或私欲,而不能正确地、历史地看待公私关系、社会与个人的关系,从而认为"私"是万恶之源,要狠斗私字一闪念;在生产关系上,也要求"一大二公"。这种偏向的实质是不能变通地、合宜地行使社会大义,使人情感觉太苦,或者说是过分违逆人情的;(2)道义是社会生活的常道,一个组织良好的社会的所有成员都应该自觉践履之。社会的道义价值要化为许多道德规范,在现代公共生活领域,它们是人与人相互对待并处理利益关系的正当性规则。我们说"义"是裁断事物而使之合宜,就是要以保卫和实现社会的正义价值为目的,因地、时、人、事制宜而采取合适、恰当的办法,否则就会导致"无可无不可"、和稀泥的所谓"合宜"办法。我们必须杜绝以这种所谓"权宜之计"来软化公共道义的企图,因为这会使公共道义成为天下虚文。这不是"宜",而是缺乏道义感的表现。(3)必须避免这样一种误解:那就是以为义是一种有层次的价值观念体系,于是,遇上道德冲突时,即使选择了价值较小的,而牺牲了价值较大的,仍然可以自我安慰说,这种行为取舍拥有次级价值。让我们看一个经典的道德冲突的例子,即孟子说的"嫂溺援以手":一方面,儒家道德规范有"男女授受不亲",另一方面,不伸手以救,嫂子就会淹死。实际上,"义"不是指这两种行为所具有的价值,而正是指在面对这样一种冲突时所要作的合宜、正当的选择,即要刚断、裁断得合理而合宜。优柔不断则无"义",裁断而不合理、不合宜则反乎"义"。如果有人因为囿于所谓"男女授受不亲"而不对溺水之嫂援手以救的话,那就根本不够一个人的资格,用孟子的话说,"是豺狼也"。但是,在现实道德生活中,反乎

"义"而自称为"义"的事情还会少吗?(4)如果不能形成对公义精神的认识和信仰,"义"有时也会流于偏狭。"义"的利人之意可能会流于小圈子里的"义气",为了小集团的利益而置公义于不顾,甚至为朋友"两肋插刀"。"义"是正大,是他人也应认同的道理,而不是一己的理由,此便是正与邪的分判。"义气"似"义"而最害义,它看上去很"合适",但却违理。

正是因为"义"在社会生活中容易出现以上偏向,所以,从哲学上对"义"的精神实质及"义"、"宜"的相互融通进行辩证的界说,是十分必要的。

三、对"义"、"宜"相互融通的哲学阐释

1. 行为的具体性要求"义"、"宜"相互融通。"义"成为道德的代名词,是因为"义"牵涉到道德的两个基本方面:第一,"义"作为公共道义是用来应事的,即"义"关乎具体的行为,或者说,它必须表现为具体行为选择中的正当、合宜;第二,"义"关乎行为主体的情感、欲望品质或者人格气质,于是,"义"德是一种受到道德教化之后形成的一种心灵品质,因为行事合宜、正当而恰当,是以主体经教化而成的心灵品质为基础的。我们说"义"以断事,已经指出了这两点。

从本质层次上讲,人的生活环境是变化的,人际关系复杂,事情的进程、结果的非唯一性等等,都意味着我们不可能占有一种普遍的、能应付一切情况的道德知识,即使有道德知识,也并没有如自然科学知识、技艺知识的那种可学性。① 这就意味着,道德是一种行为的恰当性、合宜性,是对特定环境、特定关系的合情合理的反应。然而,它又不是技术性的,而是一种情怀境界。明显地,这不是指如演戏般的分寸感,否则,高明的演员就是最有道德的了。所以,有教化的人能主动、恰当地对环境、事件作出创造性的适应,并能促进共同体的福利。他在任何环境下都能自得、承担责任、履行义务,而不是事事都"无可无不可"的乡愿先生。亚里士多德从伦理、社会习俗这一人生背景出发,认为伦理德性就是通过在习俗、礼仪中习为有常而达成的情感、感受上的中间,

---

① 伽达默尔著,洪汉鼎译:《真理与方法》,上海译文出版社1993年版,第407页。

"要在应该的时间,应该的境况,应该的关系,应该的目的,以应该的方式,这就是要在中间,这是最好的,它属于德性。"①这里所说的"应该",就是指行为、感受上的恰当、适宜。即是说,这其实是一个有教化的人对事情、方式、过程等的恰当感觉,这种感觉不是唯一的,可以有多种表现形式,特别与一个人的气质性格、涵养和知识水平密切相关,从而是高度个人性的。然而,它又是融化了普遍性因素在自己之内的,或者说,是普遍性的原理的个性化,即情感气质受到了普遍原理的陶范,并经过熏陶而获得了经验,从而,"长上了一双看得正确的眼睛",②有着对中道的敏锐感觉。它不是一种理论推理,而是一种实践智慧。比如说,并不是所有事情都能得到好的或有利的结果,但是,任何事情都会有一个相对恰当、合宜的状态,并要进行合宜的裁断或选择。显然,在这个变动和多样的世界中,所谓"正确的行为准则"肯定不是固定的、完全准确的。诚如亚里士多德所说,"凡关涉我们的行为及何者对我们更好这样一些事情,是没有确定性的,行为者必须在每一实例中自己考虑合乎时宜的方式。"③行为的道德性并不单是表现自己的技术能力,而更要体现一种人道价值,和人作为一个短暂者的尊严。所以,不是技术能力,而是人道情怀,才是道德的关键之点。情感、感受一旦被提升到了普遍状态,即受到了教化,就会对事物的合宜性有一种普遍性的内在感觉。我们通常所说的"良心"和"良知"就是这种敏锐的普遍感觉,它无法被哄瞒,它清清楚楚有对合宜、恰好的感受。也就是说,他对公共道义抱有一种信念,同时又力图把它与自己的深厚情感融合起来,所以,才形成了这种知是知非的良知。

注重教化的思想家都会注意到这一点。也就是说,在教化论看来,道德问题,其本质不在于一个人的理智能力如何强大,他的技术如何灵巧,而在是否做得合适。"合适、恰当、合宜"这些词是对他行为的整体评价。一个人对某事情应当不应当做,当然要形成判断,但这种判断并不本身就有不可怀疑的正

① 苗力田主编:《亚里士多德全集》(第8卷),中国人民大学出版社1992年版,第36页。
② 苗力田主编:《亚里士多德全集》(第8卷),中国人民大学出版社1992年版,第133页。
③ 转引自李普曼著,晓苓译:"公共哲学的复兴",载《公共论丛·市场逻辑与国家观念》,三联书店1997年版,第46页。

当性,比如说,因为某种错误的宣传,或某种偏执而对人们下的不合理的道德命令,就没有正当性。因此,人们应该把自己的精神的各种能力都加以开拓、涵厚和化通,使自己成为一个完整的、有普遍性感觉的个体,这样,他对应当做还是不应当做的判断,就是在对道德上的是非的合适感觉的指导下作出的,因而可以保证其正当性。正如伽达默尔所说:"这种德性的实践就意味着:一个人把应做的和不应做的区分开,这不单纯是实践上的灵巧和一般的聪颖。这种应当不应当的区分包含着合适与不合适的区分,因而也就预设了一种道德态度,而这种区分又在不断地发展这种态度"。①

2. 精神教化必然导致"义"、"宜"相互融通。如果人的精神被从个别性提升到了普遍性,那么,他的心灵情感就必然和豫、宽广、深厚,即获得某种理性性格,也即是情理,这是可以自我证验的。这意味着道德教化的目标是客观的,它去除了自然情感的当下性、直接性,而获得了一种客观的人际关系的结构维度,能产生一种灵魂之间的相通之感,并从与他人的情感联系中发现自己,从而回到了自身而使自己的精神得到了塑造。这样,受到教化的精神就能容纳、消融个别性的情感,和各种极端的情绪反应,使自己和顺畅达、宽广深厚起来,消除了个别性状态下的乖僻夷固、不通情理,也消除了抽象理智状态下的空疏高迈、脱离生活。这样,他就更能够应事而宜,断事而当。

儒家的确认为道德的本质是行为、感受合宜、取舍得当,即"义"。合宜,不是一种概念推演上的逻辑必然,而是有着广幅和深度方面的弹性,是在变化着的环境中的行为的适中和情感的合度。对于一个只按规范和普遍原则来行为的人来说,是不需要这种合适感的。显然,道德规范是普遍的,但事情是具体的、千变万化的,所以,在具体生活中,总是需要我们能够作出此时此刻的道德心的判断。这就需要我们培养一种普遍性的应事而宜的品质。偶尔做正确一件事情,那是容易的,但是只有真正获得了道德教化、获得了道德品质的人,才能事事做得恰当、合宜。能够对人情事理有恰当的感受力,并且情感合度、

---

① Hans - Georg Gadamer, Truth and Method, translated by Garrett Bardenand John Cumming, published by Sheed and Ward Ltd. U. S. A,1975,its introduction, viii,p. 22

行为合宜,需要经过长期的、自觉的自我教化,禀有了一种道德意义和价值。比如,孔子说:"见得思义",就是说,面对利益、好的东西,要想一想当得不当得。这里的"义"就是"得当、合宜"的意思。可以说,儒家已经用"义"这一道德原则超越了善和正当、评价和义务的分立性,把"义"看作是人的最高道德价值,值得以整个生命来践履它。之所以说"合宜",就是因为这意味着并没有一个固定的行为程式,而需要在具体的情境、冲突中作出适当的反应和选择,这正是被教化了的心灵所具备了的一种敏感性和创造素质。所谓"经权"问题的提出,证明孟子对道德上的合宜主义有着相当清楚的认识。"经"就是通行的规范,"权"就是权宜,即变通着找到适宜的办法。"权"虽不合乎经,但却合道。因为道是随处而在的,随事而显,需要我们去具体地找到恰当的处置方法,这种方法就是对事物的合宜裁断,就是"义"之所在。所以,"反经而合乎道曰权"。如果死守规范,就是行为失宜。如果不把道德规范同生命情感加以化通,在某些时候就将犯下不可饶恕的道德罪过。所以,孟子说:"执中无权,犹执一也。所以恶乎执一者,为其贼道也,举一而废百也。"[①]荀子也认为,君子"以义变应,知当曲直故也。《诗》曰:'左之右之,君子宜之。右之左之,君子有之。'言君子能以义曲信变应故也。"[②]王先谦注曰:"'以义变应'者,以义变通应事也。义本无定,随所应为通变,故曰'变应'。"[③]这证明,合宜主义是道德所必然要求的。

儒家把"义"和"仁"连文使用,表明了合宜主义的伟大人道情怀。"仁"的原则性内容就是对人类生命的尊重和关怀。因而,合宜的仁爱就表现为"能爱人",又"能恶人"。也就是说,仁即人道,在形上层次上,是"仁者爱人",而在日常生活层次上,爱人也表现为劝善,"能恶人",即对某人的道德污点、精神缺陷、恶劣行为表示愤慨,启发他的羞耻心,使他回复为一个伦理道德意义上的人。在人的一生中,并不会任何时候都是生死关头,但一旦有,那么,这种严峻时刻一定是生存的特殊严肃性造成的,这时的"义"就显得分外严

---

① 《孟子·尽心上》,见《诸子集成》(第 1 卷),上海书店 1984 年版,第 51 页。
② 《荀子·不苟》,见《诸子集成》(第 2 卷),上海书店 1984 年版,第 26 页。
③ 《诸子集成·荀子集解》,见《诸子集成》(第 1 卷),上海书店 1984 年版,第 26 页。

峻。在其合宜的情感感受中,"义"的分量有时超出生命的分量。所以,孔子说杀身以成仁,孟子说舍生而取义。

3."义"、"宜"必然相互融通。总的说来,"义"的道德含义实际上有两个层次:(1)"义"作为道德的正当性价值概念,是超越于个人的客观标准,是在具体情境中、伦理关系构架中的个人义务,它的合宜性表现在我们的道德视野必须取得一个社会性立场,而超出对自己感性欲望而言的善,即直接的个人利益。这是我们生活的社会性质所决定的。所以,"义"的标准是被社会奉为正当的最高价值,这是要求每个人都要去履行的;(2)"义"作为个人行为符合社会性"义"的标准的合宜、合适、恰当,需要个人的理智、情感、欲望相互融渗、化通才能被敏锐感受到,并被体现在行为之中。作为价值观念的"义"不会自我体现,而个人在未受教化之前也是不可能与之相符合的。所以,"义"作为合宜、恰当,不是无原则的合宜、恰当,比如在社会生活中,为了纯粹的不正当利益而沆瀣一气的人,他们置社会大义于不顾,但他们的行为也可以是很圆通、"合宜"、"恰当"的。所以,有道德意义的"合宜"不是无原则的,而是要体现社会的"正义"原则。这一点,中国古代已经有学者给予了清晰的界说。《淮南子》说:"义载乎宜之谓君子,宜遗乎义之谓小人。"[1]对个人的行为与情感来说,"义者,循理而行宜也。"[2]即是说,作为个人德性的"义"就应该遵循社会的理义并且采取适当、合宜的方式来体现它。这两个命题可以说对"义"的两重含义之间的关系作了精确的概括。《淮南子》又提到,礼义的标准或社会的正当性价值会因时而有变化,如果死守一种僵固的"义"而不知变通,就是"知义而不知宜也。"[3]

四、传统 Vs 现代:中国语境中现代"义"论之走向

冯友兰先生说:"人在某种社会中,如有一某种事,须予处置,在某种情形下,依照某种社会之理所规定之规律,必有一种本然底,最合乎道德底、至当

---

① 《淮南子·缪称训》,见《诸子集成》(第6卷),上海书店1984年版,第163页。
② 《淮南子·齐俗训》,见《诸子集成》(第6卷),上海书店1984年版,第176页。
③ 《淮南子·齐俗训》,见《诸子集成》(第6卷),上海书店1984年版,第176页。

底,处置之办法。此办法我们称之曰道德底本然办法。此办法即是义。"①这是对"义"的一种非常原则性的说明,含义十分丰富。

儒家"义"论的主要目的是维护以家庭伦理为中心并外推放大为国家的等级政治伦理秩序(后来把它形上化为所谓"天理"),它规定人伦关系的伦理义务,要求人们合宜地履行之,把此评价为"义"。这是中国传统"义"论的主流。但是,现代中国社会伦理关系的结构产生了很大变化:个人成为了自由平等独立的利益主体,社会经济运作方式采取了社会主义市场经济体制,政治上则正在朝现代法治国家迈进。所以,传统的维护等级伦理秩序的"义"论是需要加以摒弃的,而应该探讨维护并促进当代中国社会伦理关系结构特点的"正义"理论。

然而,传统"义"论中有着相当丰富的理论资源,主要表现在以下三点:(1)传统"义"论都认为"义"是一种"公共"立场,个人利益必须符合"公义"才是其所当得,或者说要以"公义"来指导利益的获取和使用。这是一个非常富有成果的理论方向;(2)"公义"之所以为"公",从精神境界来说,就是正大、"廓然大公",而不是狭隘、贪婪夷固,从而立志为义,躬身践义,将能够拓展、涵厚我们的精神空间,用荀子的话说,叫做"义以养其心"。这对我们建构当代正义理论有重要的启示意义;(3)"义"、"宜"相互融通是中国古代"义"论的一个最为重要的特点,将会为当今社会正义理论建构提供一个重要借鉴。

当代中国"义"论的发展,目前比较明显地表现为现代"义务论"之走向。在中国古代,"义"确实有着高度约束性的普遍风俗和社会规范的性质,由于"义"有普遍性(在古代还有天之"经"、地之"义"的神圣来源)和非个人性(impersonality),这似乎使对"义"的道德推论获得了一种不经批判就有的道德价值。在道德上,行为之"应当"即为"义"。换言之,"义"是我们应该尽最大努力甚至以生命来履行的道德义务。"义"之所在,既是一种道德感召,更是一种道德命令。"义"的这层含义在其现代继承者那里,就演变成了现代规范论或义务论。规范论者的立场是:一个人的行为要获得道德价值,就必须遵

① 冯友兰:《贞元六书》(上),华东师范大学 1996 年版,第 128 页。

守某些道德规范,履行道德义务。他们认为,这些规范和义务的确定,应该由纯粹理性推论来完成,而要排除对情感的考虑。于是,在规范论者那里,伦理学的中心任务就是制定一整套的道德规范体系,确立人们在各种情况下所应履行的道德义务。

然而,我们看到,道德问题恰恰不能排除对行为者的情感感受和意志品质的考虑,这就意味着,"义"必须能够具体化为个人对情势、境遇的正当、合宜的反映。如果"义"由于其过于高迈、普遍,而不能体现在行为者的思想情感和行为品质上,那么,"义"就只能表现为严苛的戒条式的面孔。所以,我们认为,现代"义"论的这个走向,在理论上的建树不多,在实践上也难以真正培育社会道德,难以真正提升社会的道德水准。

于是,我们认为,现代"义"论应该有一个"义"、"宜"相融相通的走向。其中最为核心的是"义理"与"情感"的相互融合化通。这是我们走出西方当代正义论影响的一个重要基点。在西方,无论是自由主义者的正义论,还是社群主义的正义论,其思考的主轴是西方近代以来所形成的个人主义的社会现实,其思考更为注重社会财富分配中的公平,以及个人权利与社会义务的平衡。从本体论上说,在西方,无论是个人本位论,还是社会本位论,都没有深入到人性的本体基础之中。我们确实认为,在当代社会形成了越来越广泛的公共生活领域的情况下,西方理论界所思考的社会正义、公正、公平、平等等普遍化的道义原则是必要的。但是,我们也认为,这种道义原则,只有在与人的情感感受、气质等相互融合了以后,才能成为人们现实行为中的"义"之所在。这才是我们通过回溯、反刍中国古代之"义"论所获得的新的开展方向。

所谓"'义理'与'情感'的相互融合化通",需要进行一些理论阐释。通常认为,"义理"是普遍的、公共的、理性的,而情感则是个人的、偏私的、感性的。此一区分,是缺乏学理根据的,同时又成为一切道德纯洁癖之根源。实际上,对个人来说,情感正是其根深的存在。离开情感,对人而言,又何谈"义理"? 在当代,生产的社会化程度越来越高,人与人之间的联系越来越广泛,契约成为了人们广泛联系的重要纽带。在这么一个时代中,从社会联系的外观上说,我们必须建立一套对所有人都有约束力的基本规范和义务,否则,这种社会联系的体系就有可能崩溃。这种基本规范和"义务"体系可视为"义理"。但是,我们不要忘记,这种社会联系是活生生的、有血有肉有情感的人之间的联系。如果义理不能体现为有情感之义理,则情感也无法成为合乎义理之情感,这二者,应该相互融合,相互化通。日本著名伦理学家源 了圆先生在其名著《义理与人情》中,集中关注了这个问题。他认为,义理与人情并不是对立的。义理除了我们上面所说的这层意思之外,还有另外一层意思,那就是指"在我们的情感的私人的人际关系中确立的人伦……义理一词,直至今日仍然被用于指谓维持这种关系的精神纽带。"①显然,这种义理,乃是有情感之义,是"温暖的义理"。对于义理,如果只重视它普遍的、非人情的特点,任何事情都只能是照义理办,这时的"办",就并非自觉自愿,而是不得已而为之。实际上,"义理"之实现,可以与人的心灵情感相互融合化通,这时,义理是指"情感方面的私人人际关系所确立的心情道德和内在规范。"②我们认为,这一说法表明他对道德问题的本质有深刻的洞察。

我们相信,"义"之立,从其正常的目标来说,必须内涵着对人的关怀并带着人性的温暖,因为它的对象是人。所以,"义"与"宜"必须相通相融,也就是说,"义"的普遍性,必须以合乎人情事理的方式合宜地体现出来。

理解了这一点,我们就不会只用普遍的、高迈的、人们所难以达到的道德义务来强制人、命令人。义理之立,目的在于使人的情感感受得到陶冶和提升,形成一种道德情操。这种理解在现实生活中已经得到了回应。比如,我们现在不过分要求儿童去"见义勇为",因为在这种情况下,儿童的生命健康处于无保护状态,而儿童是更需要全社会来保护的;对于成年人,我们应该强调在社会生活中切实地履行本己的义务,如在工作岗位上克尽职守,为公众提供各种合格的物质和精神产品等,这可以说是作为职分的正义,亦即"分义";维护国家尊严,培养爱国之心、报国之志、效国之才,这可以说是社会大义。从社会来说,则应该更好地维护个人生命权、财产权、自由权和人格尊严,对在为国

① 源 了圆著,李树果、王健宜译:《义理与人情》,天津人民出版社 1996 年版,第18 页。
② 源 了圆著,李树果、王健宜译:《义理与人情》,天津人民出版社 1996 年版,第19 页。

服务或见义勇为的过程中伤亡的英雄不仅要予以社会舆论的褒奖,而且必须对他们本人或他们的家属的正常生活予以保障,避免"英雄流血又流泪"的局面再度发生。这是社会对于个人之"义"举所要承担的义务。在这里,"义"与"情"相互对待,体现的是一种人道关怀,一种温暖的心情道德。

基于情感的"义",就是在一种人同此心、心同此理、以情絜情、设身处地的道德想象中形成的共同的道德价值,而不是由纯粹理性推论而来的观念体系。中国古代儒家学者已经指明了它的本质特点,那就是"因人情而为之节文"。我们认为,主张"义"与"宜"的相通与相融,将能使人性在未来获得一种切实而可贵的进步,它也将使伪善无处遁形。

在我们生活的各种制度中,正义价值表现为它们各自的合理性。在家庭中,正义表现为文明的家庭人伦结构,要求家庭成员的家庭权利得到实现,这同时要求家庭成员之间有爱情和亲情,和对家庭的责任感;在市民社会中,正义价值表现为经济制度中的文明的人伦关系,要求公平的交易起点和环境,但同时要求人们彼此对各自的经济权利予以尊重,并且培养对信用联系的尊重之情和相互的信任之感;在公民社会组织中,各种协会、自愿团体等更是培养公民友谊和人们对公共利益的热情所必需的;在政治国家中,人们要维护政治的正义秩序,在正义的政治结构中实现自己的政治权利,培养自己的公共人格,并培养理性的爱国主义情感。所有这些,都是正义作为一种公共伦理价值与我们的情感、欲望相互结合而形成的公共美德,是"义"——"宜"相通相融的结果。

总之,当今中国"义"论之正确走向应该是:以中国现实的社会伦理关系结构特点为基础,以促使它朝着更完善的方向发展为目的,继承和发扬传统"义"论之精华,并对西方博大精深的正义理论进行消化吸收而创新,以"义"——"宜"相通相融为基本致思方向、理论旨趣和实践目标,形成我们国家关于正义问题的理论论域和理论品格,并使我们现代的正义理论秉承本民族道德文化的恢弘气度。

第四节　公共美德的描述、体知和塑造

公共正义在制度的层面上表现为一种价值追求,在我们的思考中,公共正义是权利在成体系的制度环境中得以逐渐实现的过程,构成公共伦理学的框架。再进一步,我们应当研究公共正义如何为我们所认识,如何形成我们的德性品质。这一点,能表明人们在正义制度中所受到的教化。但是,我们要明白,美德作为一种通过情理相渗而形成的带有普遍性的情感、欲望品质,它有某种独立性。要形成公共美德,关于正义的公共推理是十分重要的,但是仅有公共推理能力还是不够的,更需要的是一般美德的基础。形成公共美德,必须考察一般美德的基础。我认为,美德与正义并不是属于两个不相干的言述系统,而是有着深层关联的。

昂罗娜·奥尼尔(Onora O'neill)认为,在古代许多世纪中,哲学家们都接受这一看法,没有好的法律,好的品质是脆弱的,然而,单靠正义也不能指导人们的生活,在人们的生活中,良法也必须由好的品质来支撑。[①]

然而,我们发现,近代以来,美德与正义逐渐分离的原因是多种多样的。其中最关键的原因是,他们认为,正义本身是负面性的,是对私人产权和其他权利的保护,而要达到这个目标,可以通过各种制度来制约,甚至用野心来制约野心(麦迪逊)。在他们看来,有美德固然好,但没有美德也照样达到目的。美德是额外的奢侈品,不能作为一个条件来考虑,更不能被看作一个前提条件。这种思路,突显了制度设置的重要性,这是有重要意义的。但是,过于绝对地看待这个问题,已经遮盖了公共伦理与美德的内在关联性。在伦理学领域中,正义与美德问题越来越分离,以至现在有了一种很是通行的看法,那就是认为正义和美德是无法协调的。他们认为,思考正义问题必须采取普遍主义的立场,因为正义是关涉到全体人们的一种公共价值,所以,需要从普遍主

① Onora O'neill: Towards Justice And Virtue, Cambridge University Press, 1995, p. 9

义的角度来构造形成,它必须是理念性的,并且是在构造时一次性地形成的,只有这样,才能指导现实生活中出现的一切有关权利的公平分配和义务的公平负担;而思考美德问题则必须采取特殊主义立场,因为美德是关乎道德主体的性格、欲望气质得到涵养、塑造之后达到的状态,即品质。由于每个人的性格、气质都是独特的,于是通过涵养、塑造心灵形成的品质也是特定的,没有可以通约的性质。于是,在近代以来的思考中,正义和美德是不可协调的。

罗尔斯在《正义论》中虽然注意正义和美德的关系,但是他显然是以正义的价值要求和制度安排来塑造人们的美德。在他那里,美德只是为了实现正义的一种工具,对社会来说,除了与正义的社会的普遍秩序相适应的品质是值得提倡并应该着力塑造的美德以外,其他美德都无关紧要。这样一来,美德就没有某种独立存在的资格,它是依附于正义原则之上的。

我们将证明,正义不仅与美德可以相互协调,而且,美德有其特定的基础,一般来说,培养了一般的美德,也更容易培养成正义的美德——即与正义的普遍性价值和正义制度的秩序普遍性相适应的欲望、情感气质,即品质。所以,公共美德并不是孤立的,而是以一般美德为基础的。我们看到,公共推理是美德与正义的关节点。正义从公共伦理学的层面上看,表现为社会各类制度的公共性,它指这种制度安排的公民共享性。从这个意义上看,公民的确要培养一种正义感和对公共善的感知能力。但是,公共美德作为美德,必定也是人们的情感、欲望气质的得到涵养、教化的状态,即品质,也就是说,公共美德也有一般美德的特征。

一、美德的独立性与依存性:公共美德的道德哲学定位

我们知道,人类的任何制度设置都是由人类运行的,并要成为人们的行为环境。这就要求我们要培养与正义制度的普遍性秩序相适应的品质,因为只有这样才能使这种制度有效运行;但是也有可能使人们觉得:(1)既然我们是在制度中生存,所以单是培养与制度相适应的普遍性心灵情感和欲望气质就够了,而至于其他品质则可有可无;(2)似乎建立了这种制度,把人们的生活纳入其中,人们在其中逐渐成为行为习惯,就能形成这些美德。换句话说,通

过制度约束,人的心灵就能逐渐适应这种制度。正如昂罗娜·奥尼尔所指出的,在现代道德哲学里,关注正义的作者一般都认为,"一个正义的社会或国家在其公民所可能坚持的各种各样的善概念之间要保持中立。一些作者讨论善的概念而不是善,他们所可能强调的关于正义的仅有的少数几种美德就是那些能成为他们希望建立的正义理论的前提的美德,比如公民美德、宽容和自律。"①但是,这显然是不够的。这不仅是因为这些德目本身数量不够,而更是因为这种看法并没有揭示出公共美德作为一类美德的根本特点,并且也不利于探讨公共美德的形成途径。

在当代西方伦理学界,有两类对美德的典型的形式化描述:

1. 昂罗娜·奥尼尔(Onora O'neill)为弥合正义与美德之间的鸿沟付出了巨大努力,其著作《走向正义和美德》是近年来西方出现的反思正义理论和美德理论的发展轨迹、并力图使之回复正轨的杰出作品,但她的论证目标却是:在正义关怀的范围内所需要的美德是不够的,还有超出正义关怀的美德。她认为,实际上,正义和美德是可以相互协调的,两者都可以原则化,但是要把对正义的论证从以权利为基础转到以责任(义务)为基础。正义的特征是伴随有权利的义务,而一部分美德则可以是没有相应权利的义务。在她看来,自由权利是一种普遍的权利,它们当然是对善和服务的权利,但它们并不能与一个普遍的义务相匹配,而只能与一套特定的义务相匹配,"它们涵盖了对每一个权利持有者的要求。"②也就是说,一套特定的义务才可以有效地使每个人对善与服务的肯定性主张制度化。不履行相应的义务,普遍的权利也得不到实现。从最普遍的层面上说,所谓正义,其表达就只能是否定性的,那就是"反对伤害",但它要在现实社会中得以具体化,就只能以制度性的义务来保证牵涉到公民的各项基本权利不受到成体系的、制度化的伤害。"反对伤害"不等于"无伤害",因为无伤害是做不到的,因而也是没有意义的。"反对伤害"是对伤害的一种补救,也是对伤害的一种防止。在现实生活中有许多伤害的事

① Onora O'neill: Towards Justice And Virtue, Cambridge University Press, 1995, pp.16—17
② Onora O'neill: Towards Justice And Virtue, Cambridge University Press, 1995, p.129

实存在,所以,"反对伤害"的正义原则,从否定性的方面说,就是要对伤害进行扶正;从积极预防的角度来说,就是要以制度化的方式来阻止体系性的伤害。其关键是使权利与义务对等。由于只有履行义务才能使权利得到保障和实现,所以,在她看来,义务比权利更根本。她总结道:"权利与义务的对称只有在普遍的自由权利问题上才是明显的。我们可以对此作如下抽象的考虑:假如 A 有自由权利做 X,那么,每个人都将有义务让 A 去做 X。"①当然,能够很好地形成这样一种思想情感和行为习惯,就获得了与这种正义要求相适应的美德。

但是,还是存在着某些伦理性的义务,它们缺少对应的权利。那么,我们凭什么要按照这些要求去做呢? 对此,我们要明确,作为责任的美德或美德的责任不应该被吸收进权利或正义之中。为了说明问题,她为责任或义务的类型列了一个表:

责任或义务的类型

普遍的:

完全的:由所有人持有,赋予所有人;有对应的自由权利;首先具体化在法律和经济体系中。

不完全的:由所有人持有,未赋予任何人(owed to nobody);没有对应的权利;首先体现在品质中并在多种多样的境况中得到表达。

特殊的:

完全的:有某些人持有;赋予某些人;有对应的特定权利;为特定的事务和关系结构所固定,能成为分配性地普遍的、给定性的合适制度。

不完全的:由一些人持有,未赋予任何人;没有对应的权利;具体化在特定的关系和实践的精神气质中,特定化在品质中;通常但不是排他性地在特定关系范围内,在行动中得到表达。②

换言之,如果说,对那些有对应权利的义务,我们还可以通过制度化的正

---

①　Onora O'neill: Towards Justice And Virtue, Cambridge University Press, 1995, p.135

②　Onora O'neill: Towards Justice And Virtue, Cambridge University Press, 1995, p.152

义要求来约束人们去履行,似乎培养相应的美德的任务还不是特别紧迫的话,那么,那些没有对应权利的义务就只能仰仗美德去实现。在普遍的义务中,有一类不完全的义务,必须在品质中得到体现,它超越了正义的要求;在特殊的义务中,也有一类不完全的义务,同样要在品质中才能得到特定化。比如说,帮助在社会中处境不好的人,救助危难中的人,特别是救助他人的生命,这些都只是义务,而无相应的权利。并不能以享有相应的权利为理由来论证为什么要履行这些义务,其理由只能是行为主体的人道情怀,他获得了一种广阔、深厚、灵慧的精神空间,有一种换位思考和感同身受的道德情感能力。这个分析的确说明了以义务为基础而不以权利为基础,可以协调地理解正义和美德,而以权利为基础则可能排斥美德。但是,这一理解只是揭示了美德与责任或义务的紧密联系,而并没有真正深刻地揭示美德的本质,也没有真正揭示公共美德之为美德的固有特点。因为,在她的理论视野中,只是把美德分为了两大类,其标准是作为责任的美德有否对应的权利。

我们认为,真正要理解美德的本质,就要从美德作为心灵品质的特点出发来进行,这才落实到了美德的存在论地基上。根据我的研究,美德是心灵受到教化的一项成就。其"存在论基础就表现为:(1)精神获得了一个空间;(2)情感能够充实这一空间,并与理智和意志相互化通,从而使自己变得深厚、清明而有生气,并且有一种敏锐的感受力。借此,人的心灵获得了提升,这才真正有所得,即成就了德性。"[①]公共美德既然是一种美德,也建立在这种存在论基础上。这个问题关乎美德的存在性质:什么是美德,或者什么样的心灵品质将能成为美德? 我认为,迈克尔·斯罗特(Micheal Slote)对此问题的探究能够给我们以有益的启示。

2. 另一类形式化描述是由迈克尔·斯罗特(Micheal Slote)作出的。他说,令人钦慕的行为、令人钦佩的人,或气质上的优点等等,这些都是美德的观念(至少在希腊是这样),与特定的道德评价没有关系。在这个意义上,美德伦理学有着独立于正当和不正当、应该和不应该、对和错等的来源。一个对道德

---

① 詹世友:《道德教化与经济技术时代》,江西人民出版社2002年版,第250页。

主体有用或有利的行为,不一定是道德上可以评价为好的行为,但我们可以对这种行为表示钦佩。比如沉着、冷静、勇武、娴静等等,就是这样的美德,但它们并不是道德性的美德;而真正道德性的美德,在他看来,如果从与所涉及的对象的关系来说,通常有"关己"(self—regarding)的美德和"关他"(other—regarding)的美德。一种气质、性格等要真正算得上"美德",必须具有合理性。而合理性就是要能够像看待自己的利益一样看待他人的利益,就是要能够将心比心、设身处地、共情想象。所以,美德如果是关己的,并不是说,这种美德就是只为自己谋取利益的情感、欲望气质,而是说,行为表现方面的好、受益的对象基本上都落实在行为主体上。从这个标准来看,才能说明为什么自私不是一种美德。从表面上,自私毕竟能够"使得一个人为他自己做好事,并似乎与自私者的艺术的、智力的、甚至政治的才能的发展相协调,只是他仅仅关心这些才能怎样影响自身:他自己的力量、知识、成就。"①但自私为什么不能算是一种美德呢? 至少其部分原因是自私排除了关他和有利于他人的美德,因为一个自私的人,也可能偶尔为他人做一些事情,但通常是把此事作为达到其自己成就的手段,而没有一种对他人的所需和自尊的基本关注。

于是, 我们知道, 一种品质要有美德的特质,从其相对应的心灵状态来说, 就是要具备一种他人的视野和道德思维的指向结构。我们对它的直接描述就是:它相对应的心灵状态是具有相通于人或与他人的情理联系的向度,而不是局促于己, 从而限制了自己的精神的开拓和展开。在某种意义上说,有着相通于他人的情理联系的心灵向度,需要通过一种道德理智的培养才能达到。在我们考察道德理智的培养的过程中, 将会发现, 它是与公共正义的价值视野相应的。也就是说, 一个人假如能够具备广阔的理智空间,那么他将能够较为顺利地获得公共伦理美德。而且, 我们还将说明,只有具备了公共伦理美德, 一般的关己的和关他的美德才能更好地表现出来,并保证这种美德的道德性质。

---

① Micheal Slote: From Morality to Virtue, Oxford University Press, 1991, pp. 105—106

二、公共美德的心灵结构基础和制度环境

公共伦理美德的一个根本维度就是能够获得一种非个人性的立场考虑人人相与的根本道理。可以说,这对主体的基本要求就是首先要能把自己和他人都视为一个政治上有平等资格和道德上有平等人格的公民,而社会是我们的一种广泛的互惠合作体系,我们要从这一点出发,来认识那些经过审慎思考得来的正义原则。我们认为,这种政治资格平等和道德人格平等的意识是培养公共伦理美德的基础,并要求社会的基本结构能够确保个人的这种平等地位。所以,在以前存在着人身依附的等级制度下,人们根本无法培养一种真正的公共伦理意识,因为其所处的社会的基本结构并不具有真正的公共性,所以,无法塑造人们对公共利益的切身感知,从而也就无法塑造起一种适合于公共正义制度的心灵结构。现代民主制度的产生和发展,其基点就是构建并保护公民的政治资格和道德人格的平等。所以,我们说,国家制度的历史发展走向民主制度是必然的。我们国家作为一个人民民主的国家,致力于建构和保护公民的政治平等和人格平等,从而为培养公民们的公共伦理美德准备了基础条件。在这个基础上,我们认为,要培养公民的公共伦理美德,不仅仅是个个人自我道德教化问题,而是一个社会道德教化的大问题,它与制度设置、公民信任和友谊等密切相关。

所以,在我们看来,公共伦理美德的塑造成型的过程,可以构成这么一个系统:(1)心灵结构基础:理智培养(知识获取、推理力和判断力)、情感熏陶、意志磨炼等(可由礼仪节文、艺术形式、宪章典籍、日常实践等等来进行)。这是个人自我教化,专注于使心灵得以文饰,专注于精神空间的开拓、涵厚、化通。故而人文教化能够培养一个人相当高深的人文素质与高雅和畅的精神气质。虽然这种人文素养和精神气质并不直接就能成为公共伦理美德,但是有了自我道德教化的人,一般说来,总是比较容易地培养起公共伦理美德;(2)公共伦理美德本质上是政治性的,换句话说,它关涉到公民的政治伦理范型和制度本身的公共性质。所以,公共伦理美德的成型,不是仅仅通过自我教化就能成型的,而是一种系统的公共伦理和公共道德建设的伟大工程。对这个问

题,罗尔斯给予了相当深切的关注。他对正义原则和制度设置的正义性的审慎思考,归根到底是想让它们能够塑造人们的正常欲望秩序。换言之,对正义原则的认知,正义制度的功能发挥、回馈系统能对人们的性格、精神气质和道德情操产生塑造性影响。我们看到,一个有较高文化教养的民族和个人,总是相对容易地培养公共伦理美德。原因在于,公共伦理美德本质上同样是人的精神空间得到开拓、涵厚和化通的结果,虽然,这种涵养塑造更多地指向正义原则和正义的社会基本结构、正义制度的长效机制发挥作用的过程。于是我们可以考察一下,这些因素从价值上说是如何与美德状态的品质特点相互适应的。

第一,正义原则的抽象性、普遍性和巨大的包容性同人的理智空间的开拓有密切的关系。我们知道,理智不成熟的时候是不能理解普遍的正义原则的,也不能培养应用正义原则和忠诚于正义原则的意志、情感和精神气质。这一点,可以由道德心理学的成果来证实。① 因为正义原则关乎一个社会的基本结构的正义性特点,而一个社会的基本结构又是最为广泛且具有高度的抽象性的,且涵盖家庭结构、经济秩序、社群交往结构和国家的政治结构甚至国际政治经济结构,有较明显的非个人性的立场,从而需要相应程度的理智能力才能认识;另外,一种仅仅注重实用、局限于世俗生活和日常行为的实用理性也是难以开拓这一维度的,这种实用理性不容易确定一种行之久远的公共伦理价值和公共秩序原理。在这个意义上,培养一种抽象思维能力即超越任何日常生活的具体信息和环境特点的前提性条件的思考能力就是十分必要的,它的学科形态就是逻辑学,其精神成果就是形成了这种思考习惯,并且把这种思考结果作为社会制度安排的指针。否则,就会在社会的制度设置中容纳太多的权宜之计,可以为了某些事或人而随意改变社会治理的正义原则。

---

① 柯尔伯格认为,个人的智能达到一定水平,是相应的道德意识发展水平的必要条件,但不是充分条件。他说,"几乎没有儿童能够理解或说明比他们自己的阶段高两个以上阶段的推理。"(劳伦斯·柯尔伯格:"道德教育的心理学观点",《外国教育资料》1985 年第 5 期)又有统计材料证明,未成年的犯罪人员的智商比同龄的正常人的智商要低得多。见科恩著,佟景韩译:《自我论》,三联书店 1986 年版,第 451 页。

　　这种思维能力看上去只是一个智力习惯,但是它却指向对一个社会的正义秩序和共享性的公共利益的感知方式的形成,因而是一种十分重要的实践智慧的养成过程。在存在论层次上,它对应的就是精神的理智空间的广大而深厚,和一种严整的心灵秩序。可以说,这是公共伦理美德的理智品质基础。

　　第二,我们认为,正义原则随着人的权利在各种社会制度中的展开而得到表露和实现,而社会制度对人们有着强大的归化性影响和熏陶作用。人的权利在各种制度中得到不同层面的实现,这也是正义价值的实现过程。人们濡染于其中,实际上也就是精神提升的过程。比如在家庭这一社会基本结构中,人们可以习得一种情感性的利他意向,比如夫妇之爱、亲子之爱,而且家庭的存在是民主社会的平等而自由的公民的结合方式,并要把小孩培养成未来的社会公民。由于在家庭中,各种自然因素的任性影响可能是最多的,所以,家庭成员的责任感是最为切身而具体的。家庭成员的权利也需要得到实现,当然有相关的义务。在一个家庭中,权利和义务的分布并不是对称的,比如说父母与小孩的权利和义务就是不对等的;如果从每个父母也都曾经是孩子这一点看,在代际传递的意义上,人们的家庭权利和义务又是对等的。由于孩子的理智、情感、意志还不成熟,而正常地成长为一个社会的公民是孩子的最基本权利,然而他们在成年之前并不能承担相应的义务,所以,培养孩子就是父母的义务。这是从比较抽象的角度说的。进一步说,家庭是一个有着自然血缘纽带的小型共同体(特别是现代核心家庭),适应着孩子不能自立的特点,在道德上,孩子有一个被引导关怀、模仿、学习和塑造的过程。这个时期,孩子需要父母的权威,从感觉和情绪上学习什么是对的,什么是错的。如果孩子感觉到父母真的爱他,并且对家庭有很好的归属感时,父母的权威就是孩子道德学习的向导。孩子的道德学习是由感觉和情感反应来引导的,还不可能有成熟的判断力。所以,对父母所不喜悦的事,孩子逐渐会形成一种避免去做的规范意识,对父母所喜悦的事,则会努力去做。在这方面,父母如果有不慎,有可能会违背孩子的天然兴趣倾向和气质特点(这同样是一种自然因素,需要使之发展到一种文明状态),所以,父母在行使自己的权威时,的确有一种责任,那就是发现并尊重孩子的这种爱好倾向和气质特点,引导他们朝这方面努力,并把这种爱好倾向、气质特点塑造成型。在为人方面,如果父母的处世方式较为成功,家庭和谐、上进,人际关系友好、和睦,那么父母将成为他的榜样,并使之产生以后也要成为这样的人的愿望。这将决定以后孩子的品质特征,并获得一种发展美德的基础。

既然家庭是人们生活的第一个共同体,它对孩子的影响是原初性的和塑造性的,而社会在从家庭伦理教育中获利最多,所以,社会有很大的必要性来关注家庭美德并为此承担相应的义务。家庭在孩子的道德学习上有着不可替代的作用,因为它有得天独厚的优势,社会有责任保护、支持、引导好。首先,家庭成员有天然的情感联系,而且是孩子第一批熟悉的少数人并长期朝夕相处,所以,与在社会交往中熟悉一些人相比,家庭成员之间的熟悉的性质有很大不同,而且对社会来说还是不费成本的。家庭成员之间的道德情感联系的意义实在是不可估量的;其次,家庭成员是天然的利益共同体。利益的共同性和很大的连带程度,很容易让家庭成员们产生一种归属感。在家庭里,人们不是一个个独立的、被假设为自足的个体,而是血浓于水、荣辱与共的共同体成员;再次,家长有最大的耐心、最负责的精神、最体贴的情感、最亲切而强烈的愿望教育孩子。虽然现在社会生活的高度分工、快速的节奏,使得父母不太容易全面地教育孩子,但是他们对孩子成长的关注却是有增无减。社会应该对父母给予一定程度上的补偿,在孩子的教育上给父母以更大的自主性,使得权威的道德在比较充分的意义上得以发挥其功能。而且社会对家庭美德塑造的保护、支持、引导,使得家庭伦理获得了社会公共伦理的意义,从而让家庭领域与社会公共领域关联起来,孩子在这个过程中也会习得公共生活的维度,并初步感觉到社会基本结构的存在,体验到其正义性价值。

第三,当然,家庭的情感联系是有限的,而且,当家庭逐渐失去了其扩展为社会关系的功能之后,在社会生活中,家庭不再有塑造我们在社会中的行为举止的力量。我们必须接受一种联系宽泛得多的共同体的伦理环境的塑造,这从社会学的意义上说是一个社会化的过程,从伦理学的角度上说,则是我们培养塑造公共伦理美德的一个重要步骤。我们知道,社团仍然是在国家政治原则的指导下活动的,并在实质意义上是培养公民友谊、信任情感的必要结构。

我们在社会中的享有自治性的共同生活就是社团生活。它的组织原则不再是血缘联系纽带，而是共同的职业利益、共同的社会关注、甚至共同的兴趣爱好等。它的基点是参加者的自愿，人们在社团中展示和发展自己能力，获得同伴承认和社会荣誉。这是公共美德生长的极好基础。从可能性上说，单个公民只能成为某些公民的朋友，而不可能成为所有公民的朋友。而友谊是需要在共同活动中才能培养形成的。友谊和信任是一个社团的必要条件。

就公共美德培养来说，社团活动有以下意义。首先，社团是一个公民获得成就感的合适环境条件，它有合适的范围，太小如家庭受到限制，太大如整个社会又不可能建立其实际的人际联系；从其人伦性质上说，它不再是血缘联系纽带，服从家庭式的情感利他原则，而是共同的职业、对社会问题的共同关注、相似的兴趣爱好等非血缘情感的社会性因素。在此中生活，并进行实质性的交往活动，能够很好地拓展我们的精神空间，并引发一种超出自然的新的情感，那就是公民友谊和人际情意。其次，虽然个人有独立性，但实际上在社团中不是表现独立性的恰当场所，其更重要的功能是参与合作，以协同的安排来整合成员的智慧和才能，来达到一种凭单个人所无法达到的目标。所以，在这里，个人能够分享到所有参加者的贡献，如同扩大了自己的能力，也就是说，它提高了我们的共同善。这就是社团组织及其活动为什么能塑造人们的公共道德精神的原因。再次，由于社团的社会性质，没有自然血缘情感联系的纽带，其进入和退出的成本不高或者几乎没有，于是，它就必须被置于一种较为普遍的规则和宗旨的指导之下才能存在和发展。这种宗旨和规则保障社团目标的健全意义和价值，并且使人们的日常行为遵循一套正式的普遍规则，它体现一种基本的公平、公正。在这种规则和宗旨的指导下，社团中人们的活动依此而行，并对他人也会这样做抱有一个稳定的预期，这样人们的活动就能整合为一个个具体的共同目标，这种交互行动能够培养成员对此社团的普遍规则与宗旨的信赖和对社团的依恋。最后，由于社团活动与更广泛的社会生活相连系，与各种社会活动的意义有着深刻的相互关联性，所以，社团活动本身必然会专注于超出自己的更高意义，并接受更普遍的社会法律的约束。社团活动是我们习得对社会基本结构的正义原则的感知和理解能力的恰当途径。这样我们的特殊性性格就会受到普遍物的塑造,而培养着一种普遍的情感态度和欲望气质。正如黑格尔所说的:"所以,普遍物——它首先只是法——必须扩展到特殊性的全部范围。在市民社会中,正义是一件大事。好的法律可以使国家昌盛,而自由所有制是国家繁荣的基本条件。但是,因为我是完全交织在特殊性中的,我就有权要求,在这种联系中的我的特殊福利也应该增进。我的福利、我的特殊性应该被考虑到,而这是通过警察和同业公会做到的。"①在这个范围内,正义就体现在一种能够照顾并能够促进个人的特殊福利的制度中。

在社团中,美德的形成实际上是某种习惯形成的过程。对社团的普遍规则和宗旨,成员要做的最重要的事情就是对它们的服从。通过对它们的践履,以及社团成员之间的协同和相互信赖,他们逐渐形成了一种依此而行的心理习惯,对他人违背其规则和宗旨的行为会产生一种义愤;对自己的此类行为则会产生一种自责和羞愧。义愤、自责与羞愧是一种道德情感态度。所以,柯尔伯格把这个阶段称为"习惯的阶段",罗尔斯则直接称之为"社团的道德"。

第四,接下去的阶段必然是对国家的道德意识。罗尔斯认为这个阶段应该是"原则的道德"。我们认为,的确这个阶段显然牵涉到对最普遍的原则的衡定,但最重要的还是这种普遍的正义原则如何体现在国家制度中。在这个层面上,人们要获得国家的普遍性本质,从而成为一个真正公正的人。正如罗尔斯所说:"正如在上一个阶段的社团的道德中他可能想成为一个好运动员一样,现在他想成为一个公正的人。在这里,行为公正的观念,以及发展公正的制度的观念,慢慢对他具有了与以前那些次要的理想的类似的吸引力。"②罗尔斯把这个层面的道德称作"原则的道德",这可能会引起一个深刻的问题:那就是我们怎么能产生一种按照正当和正义的观念去行动的欲望? 或者道德原则怎么能进入我们的感情之中呢? 他承认,这个问题听上去有些奇怪。③他从三个方面对这个问题作了探索。一是说正义的道德原则是有理性的人们为调节相互冲突的要求而选择的,从而规定着发展人们利益的共同方

---

① 黑格尔著,范扬、张企泰译:《法哲学原理》,商务印书馆 1961 年版,第 237 页。
② 罗尔斯著,何怀宏等译:《正义论》,中国社会科学出版社 1988 年版,第 460 页。
③ 见罗尔斯著,何怀宏等译:《正义论》,中国社会科学出版社 1988 年版,第 462—463 页。

式。换言之,既然正义原则是人们普遍同意的,而且人们要以之作为大家发展
自己利益的共同方式,所以,人们形成按照这种道德原则而行动的意愿应该是
可能的;二是说正义感与人类之爱总是联系在一起的。由于爱是一种情感,在
面临具体问题时不能有一个判剖,所以,它将会有许多目标,并有可能会相互
冲突,在这个时候,"仁慈就不知所措"。于是,人们的博爱、仁爱之情应该受
到正义原则的指导。三是说,如果我们或他人受到不公正的对待,我们都会产
生一种义愤和负罪的道德情感,这种情感就会加强我们的正义感。总的来说,
正义原则关涉到我们作为平等自由的公民的尊严,我们的共同幸福和对公共
善的理解和实践追求,所以,公民们可能产生共同的或重合的正义感。他是从
正义原则与人们的情感相互融渗的关系中来说明正义原则为什么会成为可欲
的,并且塑造着我们的情感、欲望气质,即成就相应的公共伦理美德。

　　但在我们看来,原则的道德实际上要落实为国家伦理中的美德。在罗尔
斯那里,公民的平等政治权利和平等的道德人格是在"原初状态"的"无知之
幕"下假定的,并用于一次性地形成两大正义原则,从而显示出理想的抽象性
质。我们认为,公民的平等政治权利和平等的道德人格是权利在民主的国家
制度中得到实现的具体体现。它们不只是一种形式性的程序正义的需要,而
是由民主政体下的国家伦理塑造教化而成的。它是由于国家政治伦理从自然
性的国家暴力、争权夺利,靠强力和权谋来维持和巩固政治统治的野蛮状态中
提升出来而达到的政治文明状态。其文明性就表现在:(1)它去除了国家政
治运行中的自然因素和社会因素的偶然性对人们的生活前景的任性影响,公
民们不分性别、种族、个人素质、出身、教育和社会地位而平等地拥有基本的平
等政治权利和平等的道德人格。(2)国家成为一种真正服务于可分享的公共
利益的公共机构,即"公器"。在为公共利益服务的过程中,国家以尊重和保
护公民的基本政治权利和道德人格的平等为前提,并遵循公共正义原则来在
公民中公正地分配权利和负担。(3)在国家的政治和行政运作的过程中,存
在着合理的政治权威和行政机构的层级结构和责任归属体系,广泛的政治参
与权利,并有充分的公共讨论空间,通过民主过程来作出公共政策。(4)国家
对社会上的弱势群体实现政策性倾斜,并且有着正规、长效的、成体系的公共

政策保障,充分体现国家的公共性质。在体现着公共正义的国家制度中,国民们就不仅是经济市民,更成为了国家公民。换言之,在这种国家制度中,人们将能很好地涵养、塑造公民美德。在理智上,我们将能理解民主体制下普遍的正义原则,并能够超出纯粹个人的立场,而能够获得一种视人如己的普遍的公共立场,一种开阔的理智空间;在民主政体下,我们也能获得一种新的公共性情感。我们认为,罗尔斯说正义原则直接地与人类之爱的情感相连系是一种论证策略,因为他必须说明为什么普遍的正义原则如何能进入人的情感之中。而在我们看来,在现实的民主政体下,公民之间是平等的,而在其他政体下,国民的政治地位甚至道德人格都是不平等的。应该说,平等的公民之间更容易产生一种将心比心和换位思考的能力,以及公民之间的情感联系,也能获得对正义的国家的一种依恋之情;还有,公民们对国家政治有平等的参与权,能体会到在体现着公共正义的国家中我们有着促进大家利益的共同方式,于是我们也将能塑造培养出一种依照公共正义原则行动的欲望和意愿。这种理智空间、公共情感和欲望意愿能够相互涵容、化通为我们深厚的公共伦理美德。

三、公共节操:公共美德的集中表现

我们的公共制度必须是能体现出公共正义原则及其价值的,并且也必须能让人们产生出维护并促进这种公共制度的较为强烈的愿望和心理倾向。在这个制度中,人们可以培养、塑造、陶冶出公共节操(public integrity)。

"节操"(integrity)在英文中的含义就是"整体"、"结合"等,在伦理学中,它是指人心灵中的各种成分是相互协调的,能够协同地指向一个目标,而不会在心灵内部造成分裂,所以也可以译为"正直"或"人格统一性",我们把它译为"节操"能更加显示出其道德意义。在公共生活中,我们要培养一种"公共节操",就是要能够在公共事务的纷繁复杂性面前也能保持自己的正直和人格统一性。这就意味着,一个社会中的正义原则和公共制度在逻辑上必须是自洽的,并且其要求是合乎人们的本性的。如果一种正义原则和公共制度是相互矛盾的,或者它们是需要诉诸人们无法稳定、持续地拥有的动机的话,那显然不容易培养人们的人格统一性,从而也就难以培养人们的公共节操。

　　让我们来检验一下各种道德学说在这方面的功用,如常识道德的特点、功利主义道德的特点和康德主义道德的特点。

　　按照迈克尔·斯罗特的归类,常识道德属于"忽视自我"的"人——我不对称"型的道德观念。在常识道德看来,考虑和谋取自己的利益不属于道德的,当这种考虑和谋取是以损害他人为条件时就是不道德的,只有利他的行为才能是有道德价值的。这种学说在日常的个别行为中也许是行得通的,但是在牵涉到所有人的公共制度中,这种学说的不合理性就比较明显了,也无法得到一种持之以恒的坚持。原因在于:第一,它没有一种公共的视角,自我的利益始终在它之外,这就没有把自己也看作与他人一样的自由平等的公民。因而,它从道德思维的品质上说是不广阔的,无法理解公共制度的公共性质;第二,从情感上说,也没有进入一种视人如己、视己如人的公共情感领域,所以,也是较为狭窄的,而且只是表现了一种主观性的好心肠;第三,人们的这类动机无法真正持久地成为自己行为的驱动力,况且在现实生活中,也不是所有人都能遵循的。这种动机在人性中不能与其他动机有机整合而塑造自己的人格同一性。当我们超出自己的主观感受,我们不得不说,常识道德不利于培养人们的公共节操。

　　功利主义的确是"自我中立"的"人——我对称"型道德。但是,它在理论上有许多问题甚至不自洽的地方。其中最为主要的是两点:第一,它从人——我对称上推出公正的旁观者的立场,因为他们要求,衡量一个行为或一项公共政策是否正义,应该看它们是否导致了最大多数人的最大利益。至于增加的是我的利益还是他人的利益,从价值上说是同等的。这个说法对人性的要求过高,不容易成为人们的普遍动机。因为如果只以最大多数人的最大利益为正义,那么,社会中必然会有某些人的利益受到损失,或者得不到增进。要求这些人去产生遵循这样的正义原则的欲望和意愿是不切合实际的。第二,于是,功利主义者就要从正义原则之外去寻求道德情操的支持。比如仁慈和同情。在这一点上,罗尔斯的批评是中肯的。他认为,仁慈即使在某些情况下会成为人们行为的动机,它也既不可能很强烈,也不可能很持久,人们只有有限的慷慨和仁慈,所以,这一动机不能成为我们持续的、坚定的、制度性的行为动机。另外,关于同情,罗尔斯说得好:"功利主义者为什么要强调同情能力是显而易见的。那些没有从他人的更好境况中受益的人,必定和更大数量(或平均水准)的满足相一致,否则他们就不会希望遵循功利标准,因而无疑存在着利他主义倾向。然而,这些倾向远不及由三条心理学法则产生的表达为互惠原则的那些倾向强烈。而且,一种明显的情感统一的能力是极为罕见的。所以,这些情感没有给社会基本结构提供多少支持。另外,我们已经看到,实行功利主义原则会破坏失败者的自尊,尤其是当他们已经陷于不幸的时候。"①也就是说,功利主义的正义原则由于有这些不足,故而在将之制度化的时候,很难让人们产生遵循它而行动的正常欲望,也就难以培养相应的公共伦理美德。

康德主义伦理学认为人的尊严在于人的理性。它从培养、成就、发挥自己的理性能力就是道德的来立论,所以它认为对自己的责任就是保护自己的生命和发展自己的天赋能力,对他人的责任则是真诚对待和帮助危难。这是理性的普遍命令,与对感性利益的考虑无关。从道德主体来说,任何从利益考虑而得的动机都是非道德的(因为它们是假言命令),只有纯粹理性的命令才能成为决定我们意志的动机。他把道德美德仅仅看作是发挥我们的理性能力,以及具有践履纯粹理性的实践法则的意志品质。于是,道德教育就是在纯粹的主观世界中来进行,即在任何时候都摧折我们的感性爱好,学会让纯粹理性决定我们意志的动机,于是,由于情感是感性的,所以在美德的培养中没有它的位置,只有一种情感是有道德意义的:那就是敬重或者敬畏,即对高迈的道德律令的既怕又爱的情感。他认为,至于自己的利益,每个人都会自然而然地加以考虑,这一点用不着教。换言之,对于自己的利益的考虑,没有什么道理好讲。显然,这种学说,无法很好地培养人们对公共正义原则的感情,也不利于让人们产生按照公共正义原则行动的强烈欲望和意愿。

罗尔斯虽然自言其正义理论是康德主义的,从他在推论正义原则时对抽象程度的追求来看,他的确继承了康德道德学的本质要素,但是,他在原初状

---

① 罗尔斯著,何怀宏等译:《正义论》,中国社会科学出版社 1988 年版,第 487 页。

态中，却假设了人们的自利动机。这其实是对康德伦理学的实质修正。我们看到，正因为如此，罗尔斯能够较为顺利地讨论为什么正义原则和相应的制度安排能让人们产生遵循的欲望和依恋的情感。这主要是因为罗尔斯把道德主体置于人——我对称的合理立场上。可以说，他找到了培养公共节操的有效途径。但是有一点，他在理论出发点上，同样首先确定绝对普遍的道德命令，即两大正义原则。所以，他同样面临一个理论难题，即如何让这种理性推论出来的正义原则进入我们的情感之中。他的解决方法在我们看来，理论上借助自利假设，即在正义制度中人们的利益都能得到可期望的有效增进，来说明我们为什么将会爱好这种正义原则。他也注意到这一点在理论上有一个缺环。因为，在无知之幕撤去之后，自利动机会指导那些在社会中处于有利地位的人去谋取自己利益的最大化，并钻制度的空子。这一点他也意识到了，比如他在谈到制度不可能完全正义的时候，只能说，不钻制度的空子才是体面的。① 但是体面不是对这种行为的有力约束条件，而是一种伦理教养的结果。

　　在我们看来，对罗尔斯理论缺环的补足，就需要诉诸伦理教化理论。罗尔斯意识到了，他的理论实际上要求公民必须有一种公共美德的教养，正义制度才能真正起作用。我们认为，要让公民获得这种教养，必须做到以下两点：即一方面我们要让权利在各种制度的层面上得到体现和实现，另一方面我们也知道，只有在国家这种公共制度中才能实现权利与义务的全面平衡，或者说，在民主制的国家中，行使了权利就尽了相应的义务，也就是说，正义的价值在此才能得到较好的实现，这与家庭和市民社会这些制度中的情况不一样。因为在民主的国家政体中，人们成为国家的公民，就获得了作为公民的政治权利，而行使公民的政治权利就是公民所要对国家尽的义务。比如行使选举权和被选举权，对公共机构实行舆论监督权，对公共事务展开公共讨论并行使广泛的公民参与权等等的同时，就是在对国家履行着公共义务。在这个过程中，公民们实际参与了国家的政治过程和公共事务的管理过程，他们将能获得一种在其他制度的活动中所无法获得的公共政治品质，这是公民们提升自己的

---

① 罗尔斯著，何怀宏等译：《正义论》，中国社会科学出版社1988年版，第434页。

精神层次,获得更高意义的公共伦理美德的正常途径。这样,公民们不仅会获得罗尔斯所要求的体面的教养,而且,公共节操也能在这个层面上得到有效的培养。

1. 诚实是公共节操的基础性美德 我们看到,任何历史上被看作美德的品质,在保障社会作为一个平等自由的人们的互惠合作体系的民主制度的国家中,也能成为一种美德,但却被赋予了特定的内容。同时,我们也将看到,拥有了一般意义上的美德的人,也较有可能发展出一种符合正义原则的公共节操。一般的美德要成为公共节操,其内容必须是现代民主制国家中的正义价值。这充分证明了,只有在现代民主体制中,才更容易培养人们的真正意义上的美德。比如诚实,从其形式上看,就是表里如一,不弄虚作假。但其内容和所遵循的原则却可能千差万别。罗尔斯注意到这一点,这与康德注意到某些一般的好品质若无善良意志就有可能更加可怕是一脉相承的。① 罗尔斯说,"诚实德性当然还是德性,而且是自由的人们的美德。然而尽管它们是必要的德性,它们却不是充分的,因为它们的定义使它们可以包括可能的任何内容:一个独裁者可以把这些内容特性以极端形式表现出来,并且在这样做时表现出某种魅力,而不是用政治伪装和侥幸的借口欺骗自己。只靠这些德性不可能建立起一种道德观。作为形式的德性,它们是间接意义上的德性。但是当和恰当的正义观念,即一种使我们能正确理解自律和客观性的正义观念联系在一起时,它们便成为德性本身。"②这就要求我们的正义观念是一种大家都可欲的正当价值,而且我们的公共制度体现并实现了这种价值。比如说,为什么独裁是不正当的? 原因在于独裁的政治体制是偏狭的,不容公民的广泛

---

① 康德曾说,"在世界之中,一般地,甚至在世界之外,除了善良意志,不可能设想一个无条件善的东西。理解、明智、判断力等,或者说那些精神上的才能勇敢、果断、忍耐等,或者说那些性格上的素质,毫无疑问,从很多方面看是善的并且令人称羡。然而,它们也可能是极大的恶,非常有害,如若那些使用这些自然禀赋,其固有属性称为品质的意志不是善良的话。"(苗力田译:《道德形而上学原理》,上海人民出版社1986年版,第42页)罗尔斯也认为,诚实是否能够成为真正的美德,也要看它是否以普遍的正义原则为根据。美德不仅仅是那些优秀的性格、欲望气质,而是与正义原则的普遍性本质相适应的性格、欲望,即品质。

② 罗尔斯著,何怀宏等译:《正义论》,中国社会科学出版社1988年版,第507页。

参与的,所以,这种政治体制是没有公共性的;为什么一种等级制度不是正当的? 原因在于在这种国家中,人们不能拥有平等的政治权利和平等的道德人格,也许在缺乏民主思想启蒙的情况下,人们可以接受这种社会秩序,但是说它能成为真心诚意的欲望对象那是难以想象的。民主体制,在罗尔斯看来,是通过自由平等的人们在原初状态中在"无知之幕"后面一次性地确定的,但有点"乞求问题"(question - begging)之嫌疑,因为他假定了在原初状态中的人们已经是平等自由的。在我们看来,这种制度是人的权利在政治国家中得到较充分地展开的过程中所必然要实现的,我们的出发点是一种空无内容的权利概念,它在各种制度中发展出自己的内容,到国家制度中,我们发现它必然要求实现现代民主体制。

独裁者的"诚实"是因为他们有恃无恐,通常是有武力作为后盾;等级制度中的统治者的"诚实",通常是由于他们以某种诡辩的方式来论证等级制度是天然合理的,故而会"诚实"地说出"劳心者治人,劳力者治于人"。在现代民主制度中,如果诚实,就必然能够尊重并保护公民平等的政治权利和道德人格。所以,在这种制度中,不可能再有人会"诚实"地说出独裁有理,等级制度合理,而只能以民主、平等为幌子,来行独裁或等级歧视之实,所以,表现出一种欺骗,这是一种政治上的恶;在经济生活中,现在盛行的道德罪恶不再是明火执仗的豪夺巧取,或残酷压榨,而是以各种隐蔽的方式来弄虚作假,比如假冒伪劣、作假账、金融诈骗、招投标时的暗中串通等不诚实,这严重败坏了公共信任的道德氛围,既需要利用严格的制度设置来预防并处罚,又需要培养诚实的美德。

从诚实美德自身的意义来说,只有现代民主制度中平等自由的公共人伦关系的特点才与之最为符合,也最能培养诚实或公共正直的美德。诚实,是现代公共节操的美德之母,因为诚实在现代民主制度中有着正义原则和价值的依靠,又是其本质要求。

2. 个人节操是主体获得伦理自主性的基础条件 我们拒绝任何把个体还原为仅仅是一个身份和角色的产物的做法。也就是说,角色和身份是个体的社会面貌,但是这些社会面貌的基础是个体的内在情感和及其人格。这表明,我们在履行社会职位和角色时,必定会带有个人的性格和最深刻的道德心的判断,他对自己应该成为的人的理解和追求,这些都组成了个人节操。

J·帕契克·多贝尔(J. Patrick Dobel)说:"个人节操的理想是这么一种状态,在这种状态中,当人们在他们的行动和生活中保持某种连贯性时,他们一定会拥有某种处于紧张状态的判断的多元领域。"原因是,他所要处理的利益关系是复杂的,甚至是相互冲突的,这样,他只有形成并保持自己的人格统一性即个人节操,才能对各种利益关系进行合理的裁断,所以说,"节操提供了一个活跃的框架,在这个框架中,讨论个体如何能够自动地执行一些行为并在它们中间达到一种道德上可辩护的平衡。"①这种自动性可名之为"伦理自主性"。面对多种多样的判断和义务的冲突,个人的伦理自主性就显得十分关键。伦理自主性是一种具有普遍性的道德品质,在我们进入到具体的社会生活领域时,我们就遇到许多权利和义务的分配和权衡甚至取舍,而且还会承受一些不道德的决定的压力。这时,如果只按某些形式性要求来做,那么,我们就有可能要违背我们的道德心的判断和良知。比如,某些来自组织的不正确的决定,和来自上级的淫威,会把执行具体任务的个人拖入非常棘手的两难境地。这时,个人的伦理自主性就会起到十分关键性的作用。

这种伦理自主性来自对社会公共利益的实现方式的认识和对某些行为是否公正的合理判断。一个培养了广阔、深厚而灵慧的精神空间的个人,通常不会出于一种偏狭的理由而作出相应的行为。这表明他已经获得了认同和服膺非个人性的普遍理由的道德品质,这将是他对具体决定是否道德作出判断的根据,也将对其行为倾向起到支配性作用。所以,作为公民或作为行政人员,他对合乎公共正义的决定会努力执行并出色地完成,因为这与其心灵状态的性质是相应的,并且是他的志趣之所在。而对那些偏私的决定,他就将坚决地抵制,并通过合法的程序表达自己的不同意见。他会将那些不道德的决定和行为视为反趣味的,这是一种敏锐而稳定的道德感。当然,对那些超出自己的

---

① J. Patrick Dobel: Public Integrity, Baltimore and London: The Johns Hopkins University Press, 1999, p.3

信息范围和经验理解的事情,他们不能有明晰的判断,这是由他们的社会分工及其相应责任范围所决定的。在这一方面,他们的伦理自主性也是有限度的。

3. **公共节操的培养**　在当今时代,许多人认为,由于国家对公民个人所持的好生活观念应保持中立,所以,国家不要鼓励一些特定的个人美德,因为鼓励了一些,就会相对地忽略另一些,而受到忽略的美德则可能得不到成长。的确,在遵守公共法律和公共管理规范的前提下,个人在如何培养自己的气质,在自己性情的基础上培养自己的心灵品质的问题上,的确拥有自决权。但是,在事关公共事务特别是公共利益的创造问题上,我们发现,公共事务有一种"非个人性"(impersonal)的特点,发现、创造公共利益,提供公共服务是政治官员和公务员的职责,这是一种客观的规范力量。但具体的公共行政行为又必然要由行政人员个人作出,所以,对他们的内心品质就有客观的要求,于是,公共美德在这一过程中有其突出地位。公共美德的集中表达就是公共节操。

公共节操必须以个人节操为基础,也就是说,公共节操虽然是处理公共事务时所需要的美德,但它必须落实为行政人员个人的心灵品格和情怀境界。它并不需要以损害个人的偏好、兴趣、个人的特定美德追求为前提,而是以公共制度和现代人伦关系结构为前提,要求培养与其普遍性本质相适应的情感、欲望气质,在这个意义上,公共美德似乎只有第二位的、工具性的、派生的价值。但实际上,健全的公共秩序和平等自由的人伦关系结构是有利于公共美德的形成的。和其他美德一样,公共美德也要依事而表现出来,它也具备德之为德的本质特征。所以,在培养公共节操的过程中,个人节操是其基础。个人节操是指在日常生活中形成的在多种角色领域中都能保持自己判断的连贯性和协调性的品质,而在公共事务中,行政人员要面对更为复杂的情境和事态,特别是多种利益的诉求,这需要公共官员和行政人员整合多种利益诉求,并创造公共利益。这就要求他们能够站在一个公平、公正而且是非个人性的立场上。公共美德与一般美德相比,它们所分别关联着的利益的性质是不同的。按 J·帕契克·多贝尔的说法,公共行政过程实际上是在一个"三角形"空间中进行的:一角是公共制度的法律义务,一角是行政人员的负责任行为,一角是政治的谨慎。在这个三角形中,始终保持判断的连贯性和协调性,就是公共节操的本质。它是一种整体性的公共美德。在这个过程中,他们要面对权力的诱惑,任何人对此都没有天然的免疫力;而由于具体的日常政务的重复性、机械性,人们的道德感也会经历某种磨损;还有公共法律不可能规定行政的所有细节,必然会给公共行政人员留下自由裁量的空间等。于是,培养公共节操就是行政过程的内在要求,应该对权利的诱惑加以制度化的约束,要用各种方法唤起行政人员的公共责任感,从而使之在其自由裁量权范围内仍然保持着出于自己品质的公共价值判断。

在个人节操的基础上,我们认为,公民特别是政治官员和公共行政人员培养公共节操可以在以下三个方面进行,即"识公理"、"志公义"、"乐公行",它们关涉到人们整体的心灵品质,涵盖了道德认知、道德意志和道德情操,并且是它们相互涵容、化通的状态。现分述如下。

从认识层面上说,公共官员应该按照那种赋予宪政政府的合法权威的基本原则或主要价值去行动。掌握权力的人应该把所有人都视作拥有尊严和基本权利、在法律面前平等的公民;个人的判断要服从由合法过程而得出的结果,并且在其权限内由合法的原则和职业的指导来构造自己的判断。① 此为"识公理"。

从意志的层面上说,平等的社会基本结构更能够发挥道德主体意志的自律意愿。意志是我们的最深存在,反映的是我们的深层愿望和性格特征。如果外界社会是弱肉强食的世界,与他人的关系是人人自危的状态,不存在任何信任和友谊,那么意志就将只能表现得最为恶劣,而且永远是混乱的、无条理的。只有社会保障个人的基本权利和独立平等,而且人们对社会的正义原则和制度设置抱有一种信赖,与他人的关系处于一种大致可以信任的状态,这时个人的意志才能舒展开来,才会按照外界的正义规则来塑造自己的正常欲望秩序。因为所有人都是平等的,所以,这种普遍的正义原则就不是某些人的权势的独白,而是由大家的公共声音(比如公共讨论)来表达的,从而是公民自

① See J. Patrick Dobel: Public Integrity, Baltimore and London: The Johns Hopkins University Press, 1999, p.7

己的意志在自立法度,因而他们必然是在遵守自己所同意的普遍法律,这就是自律。

意志自律的实质就是志公义。遵循公共正义就是其意志内容,公共正义是人们志其所意、又行其所志的对象。志公义,就是在普遍的公共正义原则的指导下,在选择作出公共决定的相关理由时,能够排除自己的个人偏好,努力保持独立和客观。因为只有超出个人的偏私立场,我们的意志才能保持独立和客观,去执行普遍的公共正义的理由;同时,意志自律也是责任心的基础。只有按照自己拳拳服膺的道德理由去行动的时候,我们才能产生有效地达到目的的自觉性和强制性的决心。在这个过程中,我们享受到的是一种道德性的自许,即使完成这些任务要经历许多艰难困苦。

从情感层面上看,在一个公民具有平等的政治资格和道德人格的社会基本结构中,人们更容易培养一种自尊而尊人的广泛的道德情感,因为在社会的基本制度构造和它们所蕴涵并体现的公共正义价值中,已经有可能使人们突破仅仅从个人的立场去感知社会之善的维度,而获得一种把社会感知为一个平等互惠的合作体系的心灵向度。平等互惠的合作体系是从其基本结构和总体目标来说的,在社会具体的运行过程中,竞争当然是其主要推动力。但是,竞争是在互惠的前提下展开的,而不是听任竞争的自然结果的发生和发展。这里就有一种人道的情怀,保证社会体系能够促进每个人的生活前景。这与个人的政治资格的平等和道德人格的平等结合在一起,保证着公共利益的可分享性,充分体现社会制度的公共性。

事实上,个人的独立和平等也内涵着一种倾向,那就是社会的原子化、个人之间的离散倾向。这个问题在历史和现实中都是实实在在的现象,但是,从原则上说,这并不是个人的独立和平等所必然带来的。古代的团契主义和家族主义使人们之间的联系程度较为紧密,但它可能是以某种人身依附和基本权利的不平等为代价的,个人忠诚于自己的领主,或者忠诚于家族这种小型共同体,而不是忠诚于社会的基本制度和公共正义原则和价值。从团契到社会,从身份到契约,对个人来说,绝对是一种解放,也为个人获得健全的社会感情提供了一种全新的人伦关系结构。首先,这种人伦关系结构能够使个人获得一种自主自立,能够更好地规划自己的生活前景,能够自爱,这是一个人真正获得自尊的情感基础。相反,一种依附型人格,是不太可能获得一种健康的自爱和自尊的情感的;对于被依附者来说,由于他的非平等的地位,也不可能培养出健康的自爱和自尊,只会表现出其颐指气使、居高临下的情感特征。其次,真正的自爱和自尊,若是能够在自由平等的人伦关系结构中生长,那么必然会获得相通于他人的情感向度,因为这种社会结构必然要走向合作和对社会成就的共享,公共利益存在的目的必然是促进每个人的生活前景,包括政治的、经济的、社会的、文化的等生活前景。这样一来,人们对公共利益的共享性都会有一种理性的预期,并时时处于与公共利益的互动之中。于是,公民们将逐渐培养起对社会的依恋和热爱之情,就会努力服务于公共利益。另外,由于每个人都是平等的公民,又是生活于一种互惠的合作体系之中,于是,公民们更有可能培养一种换位思考、设身处地的共情能力,从而与其他公民形成一种伙伴和友谊的关系。所以,J·帕契克·多贝尔说,"公共节操的观念来源于自尊的概念和作为一个公民的自己的视角。"①基于这样一种公共情感,公民之间就更能够产生一种彼此尊重并广泛参与公共活动的积极性。此为"乐公行"。

① J. Patrick Dobel: Public Integrity, Baltimore and London: The Johns Hopkins University Press, 1999, p. 21

结　　论

公共伦理学研究公共领域中的伦理关系结构的正义价值观念并展示权利如何在各种制度中得到实现。这一学科的建立有其特定的历史背景,这就是:我们这个时代公共领域的范围变得越来越广大,有着越来越多的公共利益诉求,从而要求各种公共制度能够体现出公共性。公共伦理学正是要反映这种时代精神,它属于道德哲学,所以,它要从理论上思考这个时代的公共正义价值理念,并从各种公共制度的发展中来考察权利如何逐步得到实现,也即考察公共制度的正义性价值如何得到实现,从而呈现出公共制度作为"公器"的性质。从根本上说,权利是一个人要获得作为一个人的本质所必须拥有的,包括他们平等的道德人格和尊严,财产权、家庭权利、经济权利和公民权利等等。社会制度的正义性就表现在能使这些权利得到较为实质性的实现。总的来说,社会制度的文明进步就表现在它们越来越去除了"强力"(might)的色彩而在越来越大的程度上尊重并实现"权利"(right)。公共权力的权源应该是广大公民,所以,政治官员和公务员应该忠实地履行自己职位的义务,发现和创造公共利益并提供公共服务;广大公民广泛参与政治的决策过程,就重大公共事务进行理性的公共讨论,并具体参与公共利益的创造过程,从而形成政府与社会共治的局面。通过研究,本书达到以下结论:

一、权利是公共伦理学研究的恰当出发点

1. 权利是人的生存论事实。我们不把自由平等权利仅仅视为一种政治信念,并从抽象的层次上来规定它,而是在人的生存的深层次上来展示自由和平等的根源,把它们坐实为一种生存论事实。我们的生存本体就是生命,它是各种意识、观念、情感等相互融合、渗透的生长着的整体。它是我们的理智所不

能认识的,因为理智只能认识死的事物,对观念、意识状态的认识也要在把它们进行分解并弄得边界分明后才能进行,所以,用理智来认识生命,那是用错了工具。这就是说,我们只能用直觉来体验生命之流的流动。我们的本体自我是一切行动的主体,它不再受其他东西的决定,所以是自由的;同时,我们的本体自我是难以被公共化的,有着自己不可让渡的独特性。所以,每个人的本体自我都是独特的、有平等尊严的。这就要求社会能对所有人的本体自我加以平等的尊重。但是我们的本体自我是需要涵养、教育而得到成长的,所以,我们的社会制度安排必须能让我们的本真意愿得到自由的表达,从而在社会生活中吸收各种各样符合本体自我的意趣的观念、意识、情感样式,并使之渗透进本体自我的意识状态,从而使本体自我得到内在的整体成长。

当我们认识到这一点之后,我们才能更自觉地把社会制度的结构安排建立在这一生存论的基础上。这就要求我们实现社会自由。它要求社会制度保卫个人的基本平等权利,并使权利在各种制度中得到实现。而这正是社会公共正义之所在。

2. 从权利出发才能思考一种社会人伦关系结构的正义性价值,并且不会忽视义务。上面我们论证了人的平等、自由是一个生存论事实,在社会中人的平等权利是我们制度的前提性价值。它不是一种虚构,即把人抽象成一种原子式的个体,而是一种事实。既然权利只有在社会制度中才能得到保卫和实现,那么个人在获得并实现权利的过程中,必然要承担相应的义务,比如同等地尊重别人的权利就构成了我们的义务。而对那些掌握了一定权力的人来说,利用制度的力量来促进公民的权利的实现,也必然是他们的职责和义务。

有人说,康德的伦理学是从义务出发的,比如在《道德形而上学基础》中,就认为尽四种责任(对自己的完全责任和不完全责任;对他人的完全责任和不完全责任)就是在践行道德律令。但实际上,康德的道德学包括两个部分,即权利的部分和伦理的部分。他的《道德形而上学》分为两部分:上卷是《法的形而上学基础——权利的科学》;下卷是《道德形而上学》。权利的部分论述权利是一种不同的理性立法的系统,它只处理外在行为和权利方面的责任。他主张,在真正文明的社会制度中,人们必然被赋予平等的道德人格权利和平等的政治资格,所以,他十分重视人们的私人权利和公共权利;而伦理的部分则论述一种由理性的存在者给予自己的规律系统(即道德规律),要求通过履行责任的动机和行为来实行内在的自我控制。许多研究康德道德哲学的学者都遗忘了这一点。我们认为,如果要让人们的道德美德能够得到现实的塑造,那么,现实社会制度的正义性即人们的平等权利能够得到保障和实现就是一个前提条件。

3.从义务出发则有可能忽视权利。从义务出发而使权利来伴随相应义务的伦理学说,实际上是以特定社会的人伦结构的特点为前提,以维护和促进这个社会的存在、和谐、发展为目的来规定人们的符合其社会地位的义务和职责,这样,社会人伦关系的性质就得不到批判的审视。但显然,在复杂的社会生活中,义务与权利并不是一一对应的。而对基本平等权利的保障,是一个正义社会的基本纲维,也是其前提性价值,促进人们的权利在各种制度中的实现,则是一个社会正义价值的实现。而从义务出发,则有可能会忽视权利,因为在义务论的视野中,并不能把平等权利放在前提性、基础性的地位上。换句话说,在我们的公共伦理学建构中,实际上必须思考什么样的社会人伦关系结构是合乎正义要求的,即要对社会结构进行批判性的审视。而从义务出发,就有可能默认各种性质的社会人伦关系结构,包括等级制度。

二、人伦关系结构的改变带来了深刻的伦理变革

1.人伦关系的间接化是在市场不断扩展自己的秩序并形成多层次的复杂网络的过程中必然要产生的,同时,在这个过程中,也会产生越来越多的公共利益诉求。这就要求大家必须生活中一种普遍的法治状态下,只有这样,才能维护和促进广大的市场体系和保证公共权力的公共性使用。于是,从社会人伦结构来说,人们之间的关系不会再停留在"我与你"式的熟人关系中,而是逐渐形成了"我与他"式的结构。只有"我与他"的结构是一种普遍性的结构,在这种关系中,社会的发展才能依赖于契约和制度,人与人之间才能通过制度和规则来建立彼此的信任关系。而如果人们的心态总是去锚定一种熟人关系来进入广泛的社会交往中,我们就发现,这种特殊主义的态度与社会生活的普

遍化本质是相违背的。

2.经济的市场化和社会化,必然要使人们成为独立的利益主体。这正是人们平等经济权利的实现。在这种社会现实中,人们获得平等的道德人格和平等的政治资格就是势所必然的。正因为如此,这个社会状态就是以权利为其纲维的,这是事关一个政体的正义性质和公民权利的大问题。我们认为,相比于传统社会,现代社会在更大程度上具备了正义性,并对我们具体的家庭制度、市民社会的经济制度、各种自愿组织、国家的政治制度提出了实现正义价值的要求;同时,这又符合涵养我们的本体自由、深层自我的要求和促进道德人格成长的要求。只有这样,我们的各种公共制度才能成为"公器"。

三、各种公共制度的存在目的就是为了实现人们的权利

没有制度环境的权利实际上是抽象权利。权利要得到保障和实现,就需要建立并运行各种制度。

我们认为,家庭制度就是实现人们权利的第一个制度。它本身确实有一定的私人性,但这并不表明家庭是一种私人性制度,相反,它也是公共制度。这主要是因为从最高的层次上说,我们的家庭制度实际上与政治制度有着密切关系,它受到社会文化传统和政治价值观念的深刻影响。所以,西谚有云:"个人的即是政治的(Personal is political)"。在一个平等自由的公民社会中,家庭是两个平等自由的异性公民的结合形式,而小孩也要成长为未来的国家公民。正因为如此,家庭不是男女双方任性的结合形式。比如说,实现一夫一妻制度规定:婚姻是男女双方自由意志的相互对待和结合方式,而一夫多妻或一妻多夫就会贬低夫或妻的自由意志和人格。同时,不能把小孩看作是夫妻的私有财产,可以任意处置和对待,而是负有把他们培养成未来社会合格公民的公共义务。同时,家庭的情感联系与这个公共目的是相互协调的,我们看到,还没有哪一种公民的结合形式能像家庭那样培养夫妻和亲子之间的亲密情感和利他意向,这对社会的发展和人们人格的成长是十分有利的。所以,家庭制度是一种非常重要的公共制度。

市场制度的存在是为了使人们的权利在经济领域得到实现。市场制度的

文明性就表现在它是平等自由的公民们相互交换自己的效用,而获得彼此利益增进的领域。这个领域也是公民们的自由意志相互作用的领域,所以,一方面要彼此尊重对方的财产权利,同时经济交换必须是出于双方的自愿,不能容许强买强卖,也不能容许欺诈和假冒伪劣。这是市场本身的文明性质所决定的;另一方面,我们发现市场作为一个能不断扩展自己体系的制度,它要求一种道德性的联系纽带,那就是信用。信用是市场经济本身所必然要求的,无之必不可。因为没有信用,市场的联系纽带就会断裂,从而使其体系得不到扩展。从这一必然要求出发,我们认识到,培养对合同、契约的诚实信守的品德,就是十分必要的。同时,我们发现,在这方面,如果以强迫或欺骗对方来为自己谋取不当利益,就是贬低对方的人格,这就是在破坏市场的文明性质,理应受到公共权威机构的惩罚,也会受到市场规则本身的排挤。

自愿组织是实现人们社会权利的一种公共制度设置。这同样要在文明的政治结构中才能得到实现。一方面,公民们由于共同志趣而组成团体,比如出于对弱势群体的关注,出于对社会公害或环境公害的忧虑,出于促进公共利益的目的,以团体的协作形式,去完成比个人所能完成的更伟大的事业;另一方面,政府由于其规模的限制,也不可能巨细无遗地提供公共产品和公共服务,所以需要与公民团体合作,在更大范围内促进公共利益的实现,从而出现了一种政府与社会共治的局面。在这个过程中,公民们扩展了自己的心胸,超越了个我的狭隘眼界,获得一种服务于公共利益的行为动机,从而获得了一种公共美德。

四、国家制度是一种高度政治智慧和行政管理技术的产物,是一种伦理实体

从其文明的性质来说,国家和政府是一种握有公共权力、享有公共权威的组织,因为它们是全体国民公共利益诉求的最高对象,所以,国家和政府应该体现出其公共性就是其公共伦理要求,其正义性就表现在它们能够使其公共性在公共管理过程中得到实质性的体现。这一方面要保证公权公用,同时又要求权力持有者培养其公共节操。

1.权力与权利。本质上说,权力的设置是为了能够使权利得到实现。这是因为权利必须在制度中得到实现,而制度是一种整合人们公共利益的实体,使个人在此中能够获得个人性状态下所无法获得的好处,包括经济利益和人格完善、精神提升。但在公共制度中,人们必须对有能力的管理者授予权力,权力持有者能支配更多的人力、物力、财力资源,但目的是为了科学、合理、负责任地创造公共利益,而不是公权私用。

政治和行政的相对分离,也反映了某种分权的考虑。政治制定政策,反映国家的意志,而行政作为国家意志的执行,可以看作一种事务性的领域。但是,行政体制的设置,本身就需要体现政治的正义价值的要求。也就是说,公共行政的使命就是在具体公共事务领域中发现、创造公共利益,使公民的各种权利得到实现,纠正和惩罚各种侵害权利的行为。在这个过程中,行政权力就是必要的设置。但是,权力作为一种分配社会资源的权限,必须得到广大公民的授权,而它所拥有的合法强制力的使用也必须最终得到广大公民的许可,也就是说,公共权力的权源来自广大公民。这是对滥用权力的最终制约,可以保证权力的行使是用于保卫和促进公民的权利上,从而实现公共行政机构的正义性价值。

相对于公民个人来说,政府当然是强势存在。而由于政府又是由政治官员和公务员运转的,这就意味着他们处于比一般公民更为有利的地位,所以有一种侵害一般公民权利的内在倾向。但是,政府权力的存在目的就是提供公共服务,这才是它的伦理价值之所在。所以,政治官员和公务员应该履行自己的法定义务和职责,培养实际工作的才干,并保持政治上的审慎,而防止自己把公共权力用于谋取私人利益或小团体的利益。这就要求他们必须获得一种公平、正直的品质。

2.政治官员与公务员必须培养公共节操。法律规定公共官员和公务员的义务和职责,但是在具体的行政行为中,最要紧的还是个人负责任的行为过程。因为他们是行政行为的主体,所以,主体的公共道德素质必定在行政过程中占有重要地位。我们认为,制度安排诚然是最重要的,因为它是行政理性的一种制度化体现,它涉及了行政体制的价值原则、行政过程的监督和问责机制,绩效考核机制等,注重的是管理的科学化和合理化。这是行政活动的规则体系,是刚性的。遵守这些规则,是对行政人员的法定要求。但是,行政人员的人格统一性即个人节操对具体的行政过程来说也十分重要。所谓个人节操(personal integrity),就是指我们的人格统一性,也就是说,他们即使在可能不利于自己的情境中仍然按照他们的道德观念去行事,而不是违背他们的道德价值观念,这表明他们的理性认识与情感、欲望品质是融合为一、整体协调的。

　　行政工作的复杂性就在于,单是这种制度安排还不能确保行政机构的顺利运转。行政事务是在一个"三角"中进行的,即法律的义务和职责要求、个人具体的负责任行为与政治的审慎构成这个"三角"。在这个过程中,并不是任何事情都被预定了的,相反,由于行政事务的具体情境很复杂,许多情况是法律所无法细致规定的,于是必然为行政人员留下了一些机断权和自由裁量权。而要让行政人员在这些方面也出于责任感行事,就离不开他们个人的责任心和公共道德品质。这样,就需要把公共行政人员的个人节操发展为公共节操(public integrity)。获得公共节操就表明他们获得了总体的公共道德品质,能在公共行政领域的复杂利益关系中,在面对各种可能的公共选择的时候,总是能够以服务公共利益作为自己行为的总体原则,形成一种依赖于这种正义原则的欲望倾向。只有这样,他们才能在行政过程的"三角"结构中,始终保持明确的、统一协调的道德目标和道德动机,从而使他们的行为有着理性的可预期性,符合公民的理性期待。

五、公共伦理学统一性理解正义与美德

　　近代以来,的确经历了一个正义与美德的分离过程。人们普遍认为,正义偏重于规则,而美德则是人的品质的优秀状态。其实,正义当然有规则的维度,但同时,正义也是一种美德。本书的结论是,作为一种美德的正义有着作为美德的基本性质,与其他美德是相通的。

　　美德是一个本身就好的东西,而不是仅有第二位或派生性价值。这主要是因为美德是一种优秀的品质状态,是精神空间的广阔、深厚、灵慧,是理智、情感、欲望的融合和化通,并获得了与他人情感相通的维度,即能够自尊而尊

人。我认为,这是所有美德的共同基础,比如诚实、明智、审慎、自制、勇敢、友爱等等都是这样。当然,它们所循以表现出来的对象、事情、情境不同,完成任务的阻力也不同等等。德是心之德,但是都得依事而得以表现出来。公共美德就是依公共管理事务的义务和职责而表现出来的。

美德作为精神空间的广大、深厚的状态,有一种人际相通的向度。所以,它内涵着自尊而尊人的立场,这种立场从其概念来说,就包含着平等地对待每个人,尊重每个人的自由平等权利。美德作为个人的优秀品质,并不意味着拥有美德的人可以在现代人伦关系结构中高人一等,如果是这样,那就损害了美德的优秀特质。传统的那种贵族德性当然是他们的优秀品质,但是其等级制的人伦结构肯定损害了美德的深厚性和人情相通的广度。虽然古今美德可能使用着同样的名称,但是其相应的心灵品质的性质其实是不同的。

当今的正义之德更是明显地关联着平等自由的公民社会的人伦结构的特点。它是在人与人的平等关系中,公平地分配权利和公平地分担社会的义务方面的美德。这种美德的表现就是人与人之间的公平对待,而不站在偏狭、偏私的立场上。这是尊重所有人的平等权利的表现,也是心灵达到了一种广阔、深厚的状态的表现。即不仅理智认识到了这一点,情感、欲望的品质也与这一认识相互协调、相互适应。正义之为德,有着德之为德的一般本质。

现代美德的特点是:只有平等自由的人伦关系结构适合于塑造美德,比如个人的自主、意志的自由都会受到平等的尊重。平等自由的人之间总是较容易培养起彼此尊重的情感,而等级制的人伦关系结构并不尊重每个人平等的道德人格和政治资格,因而难以真正培养起人们之间互尊的情感。等级制度以制度化的方式区分治人者和治于人者、大人和小人,并要求后者事奉前者,恭顺地服从前者。对居下位者来说,其"美德"就是以对居上位者的敬畏、恭顺情感为基础的,这是一种暴力背景下的情感要求;而居上位者则要培养与其等级地位所适应的情感、欲望品质,并以此为美德。古代所谓节制、勇敢、智慧、正义、仁、宽、信、敏、惠等等美德,无一不有等级制的背景。我们认为,等级制的人伦关系结构必然对人情的真正相通造成阻隔,从而对真正的美德的塑造培养构成妨碍。我相信,美德就其本身特点而言,要求的正是一种平等自由的人伦关系结构。正因为这一事实,正义规则实际上是从正义美德的性质及其对人们的要求中推论出来的。

　　诚然,平等、自由、独立的利益主体的人伦关系结构会导致人与人之间关系的疏离,这一点对美德的培养也是不利的。社群主义有见于此,故而重视共同体的生活。但他们走到了另一极端,即攻击自由平等的权利是一种类似于独角兽的虚构物,从而深情回望古代的人际联系紧密的小型共同体生活。我们认为,实际上,在现代自由平等的人伦关系结构中,独立的个体们由于利益交往和内在精神交往的需要而组成团体,恐怕是更为合适而文明的团体性生活。在此之中,我们可以培养人际的情意联系,并能关注更广阔的公共事务,获得一种更高的动机,从而形成公共美德。

参考书目

1.《马克思恩格斯选集》(1—4册),人民出版社1972年版。

2.《列宁选集》(1—4册),人民出版社1972年版。

3.马克思:《1844年经济学哲学手稿》,人民出版社1978年版。

4.摩尔根著,杨东莼等译:《古代社会》(上、下册),商务印书馆1977年版。

5.尼古拉斯·亨利著,张昕等译:《公共行政与公共事务》,中国人民大学出版社2002年版。

6.特里·L·库伯著,张秀琴译:《行政伦理学:实现行政责任的途径》,中国人民大学出版社2001年版。

7.柏拉图著,张竹林译:《理想国》,商务印书馆1984年版。

8.亚里士多德著,吴寿彭译:《政治学》,商务印书馆1961年版。

9.苗力田主编:《亚里士多德全集》第8卷,中国人民大学出版社1992年版。

10.康德著,沈叔平译:《法的形而上学原理》,商务印书馆1991年版。

11.约翰·密尔著,程崇华译:《论自由》,商务印书馆1959年版。

12.弗朗西斯·福山著,彭志华译:《信任:社会美德与创造经济繁荣》,海南出版社2001年版。

13.诺尔曼·P·巴利著,竺乾威译:《古典自由主义与自由至上主义》,上海人民出版社1999年版。

14.菲利克斯·格罗斯著,王建娥、魏强译:《公民与国家、部族和族属身份》,新华出版社2003年版。

15.威廉·冯·洪堡特著,林荣远、冯兴元译:《论国家的作用》,中国社会科学出版社 1998 年版。

16. 威廉·冯·洪堡特著,姚小平译:《论人类语言结构的差异及其对人类精神发展的影响》,商务印书馆 1997 年版。

17. 亚当·斯密著,杨敬年译:《国富论》(上、下册),陕西人民出版社 2001 年版。

18. 黑格尔著,范扬、张企泰译:《法哲学原理》,商务印书馆 1961 年版。

19. 黑格尔著,王造时译:《历史哲学》,上海书店 1999 年版。

20. 黑格尔著,贺麟、王太庆译:《哲学史讲演录》第 4 卷,商务印书馆 1978 年版。

21. 托克维尔著,董果良译:《论美国的民主》,商务印书馆 1988 年版。

22. 柏格森著,吴士栋译:《时间与自由意志》,商务印书馆 1958 年版。

23. 霍布豪斯著,朱曾汶译:《自由主义》商务印书馆 1984 年版。

24. 皮埃尔·勒鲁著,王允道译:《论平等》,商务印书馆 1988 年版。

25. 阿瑟·奥肯著,王奔洲等译:《平等与效率》,华夏出版社 1999 年版。

26. 米尔恩著,夏勇、张志铭译:《人的权利与人的多样性》,中国大百科全书出版社,2000 年版。

27. 罗尔斯著,万俊人译:《政治自由主义》,译林出版社 2000 年版。

28. 罗尔斯著,何怀宏等译:《正义论》,中国社会科学出版社 1988 年版。

29. 哈贝马斯著,曹卫东等译:《公共领域的结构转型》,学林出版社 1999 年版。

30. 马基雅维里著、惠泉泽译:《君王论》,湖南人民出版社 1987 版。

31. 坎南编:《亚当·斯密关于法律、警察、岁入及军备的演讲》,商务印书馆 1962 版。

32. 海德格尔著,陈嘉映等译:《存在与时间》,三联书店 1999 年第 2 版。

33. 麦金太尔著,龚群等译:《德性之后》,中国社会科学出版社 1995 年版。

34. 德沃金等著,朱伟一等译:《认真对待人权》,广西师范大学出版社 2003 版。

35. 达巍等编:《消极自由有什么错?》,文化艺术出版社2001年版。

36. 赖因哈德·西德尔著,王志乐等译:《家庭的社会演变》,商务印书馆1996年版。

37. 海伦·费什著,刘建伟等译:《人类的浪漫之旅——迷恋、婚姻、婚外情、离婚的本质透析》,深圳:海天出版社1998版。

38. 伊冯娜·卡斯泰兰著,陈森等译:《家庭》,商务印书馆2001年版。

39. 川岛武宜著,王志安等译:《现代化与法》,中国政法大学出版社1994年版。

40. 博洛尔著,蒋庆等译:《政治中的罪恶》,改革出版社1999年版。

41. 何增科主编:《公民社会与第三部门》,社会科学文献出版社,2000年版。

42. 迈克尔·沃尔泽著,褚松燕译:《正义诸领域》,译林出版社2002年版。

43. J.C.亚历山大、邓正来编:《国家与市民社会》,中央编译出版社2002年版。

44. 斯宾塞著,谭小勤等译:《国家权力与个人自由》,华夏出版社2000年版。

45. 米歇尔·鲍曼著,肖君等译:《道德的市场》,中国社会科学出版社2003年版。

46. H.T.D.斯罗特著,赵稀方译:《黄金法则》,华夏出版社2000年版。

47. 哈耶克著,杨玉生等译:《自由宪章》,中国社会科学出版社1998年版。

48. 尼布尔著,蒋庆等译:《道德的人与不道德的社会》,贵州人民出版社1998年版。

49. 阿克顿著,胡传胜译:《自由的历史》,译林出版社2001年版。

50. 安东尼·德·雅赛著,陈茅等译:《重申自由主义》,商务印书馆2003年版。

51. 托马斯·雅诺斯基著,柯雄译:《公民与文明社会》,辽宁教育出版社

2000 年版。

52.《圣经·新约》,南京:中国基督教会 1994 年印发本。

53. 查尔斯·霍顿·库利著,包凡一、王源译:《人类本性与社会秩序》,华夏出版社 1999 年版。

54. 卢梭著,李平沤译:《爱弥尔》上、下册,商务印书馆 1991 年版。

55. 康德著,苗力田译:《道德形而上学基础》,上海人民出版社 1986 年版。

56. 彼德·科斯洛夫斯基著,孙瑜译:《伦理经济学原理》,中国社会科学出版社 1997 年版。

57. 科恩著,佟景韩译:《自我论》,三联书店 1986 年版。

58. 吕坤、洪自诚:《呻吟语、菜根谭》,岳麓书社 1991 年版。

59. 王夫之:《读四书大全说》上、下册,商务印书馆 1975 年版。

60.《陈确集》上下册,中华书局 1979 年版。

61.《十三经注疏》上、下册,中华书局,1980 年版。

62. 朱熹:《四书集注》,岳麓书社 1991 年版。

63.《王阳明全集》上册,上海古籍出版社 1992 年版。

64.《尸子》,中华书局 1991 年版。

65.《文天祥全集》,江西人民出版社 1988 年版。

66. 冯友兰:《贞元六书》,华东师范大学 1996 年版。

67. 源 了圆著,李树果、王健宜译:《义理与人情》,天津人民出版社 1996 年版。

68.《陈天华集》,湖南人民出版社 1958 年版。

69.《诸子集成》(1—8 册),上海书店 1984 年版。

70.《汉书》(上、下册),岳麓书社 1994 年版。

71. 黄建中编著:《比较伦理学》,台北:国立编译馆出版,正中书局印行,1962 年版。

72. 梁漱溟著:《人心与人生》,学林出版社 1984 年版。

73. 费成康主编:《中国的家法族规》,上海社会科学院出版社 2002 年版。

74. 刘泽华、张荣明等著：《公私观念与中国社会》，中国人民大学出版社 2003 年版。

75. 宋希仁著：《伦理与人生》，教育科学出版社 2000 年版。

76. 仲大军著：《国民待遇不平等审视》，中国工人出版社 2002 年版。

78. 李惠斌、杨雪冬主编：《社会资本与社会发展》，社会科学文献出版社 2000 年版。

79. 郑也夫著：《信任论》，中国广播电视出版社 2001 年版。

80. 李建德著：《经济制度演进大纲》，中国财政经济出版社 2000 年版。

81. 董郁玉、施滨海编：《政治中国》，今日中国出版社 1998 年版。

82. 汪晖、陈燕谷主编：《文化与公共性》，读书·生活·新知三联书店 1998 年版。

83. 张宇燕著：《说服自我》，读书·生活·新知三联书店 1997 年版。

84. 慈继伟著：《正义的两面》，生活·读书·新知三联书店 2001 年版。

85. 何怀宏著：《底线伦理》，辽宁大学出版社 1998 年版。

86. 谢维扬著：《中国早期国家》，浙江人民出版社 1995 年版。

87. 毛寿龙著：《政治社会学》，中国社会科学出版社 2001 年版。

88. 席恒著：《公与私：公共事业运行机制研究》，商务印书馆 2003 年版。

89. 马长山著：《国家、市民社会与法治》，商务印书馆 2001 年版。

90. 高力主编：《公共伦理学》，高等教育出版社 2002 年版。

91. 张康之著：《公共管理伦理学》，中国人民大学出版社 2003 年版。

92. 张康之著：《寻找公共行政的伦理视角》，中国人民大学出版社 2002 年版。

93. John Rawls, The Law Of Peoples, Harvard University, 1999

94. John Rawls: Justice as Fairness: A Restatement, edited by Erin Kelly, The Belknap Press of Harvard University, 2001

95. Patrick T. Murray, Hegel's Philosophy Of Mind And Will, Lewiston/Queenston/Lampeter: The Edwin Mellen Press, 1991

96. Michael Edwards, Civil Society, published by Polity Press in association

with Blackwell Publishing Lt. ,2004

97. John Rawls: Collected Papers, edited by Samuel Freeman, Harvard University Press, 1999

98. Selected Classic Readings of Public Administration, edited by Du Qaunwei, Shanghai: Fudan University Press, 2001

99. Kant Political Writing, edited by H. S . Reiss, Cambridge University Press,1970

100. Alasdair MacIntyre, After Virtue, Notre Dame: The University of Notre Dame Press, 1981

101. Donald F. Kettl: The Transformation of Governance: Public Administration for Twenty – First Century America, Baltimore and London: The Johns Hopkins University Press, 2002

102. Leonard D. White: The Federalists: A Study in Administrative History, New York: Macmillan, 1948

103. Herbert J. Simon, Donald W. Smithburg, Victor A. Thompson: Public Administration, New York: Knopf, 1950

104. Patrick Dunleavy, Democracy, Bureaucracy and Public Choice, New York: Harvester Wheatsheaf,1991

105. Donald F. Kettl, The Global Public Management Revolution, Washington DC: Brookings Institution,1998

106. Edward G. Ballard, Man and Technology: toward the measurement of a culture, Duqesen Univ. Press, Pittsburgh, 1978

107. Contemporary German Philosophy (Volume 1), edited by Darrel E. Christensen, Pennsylvania State University Press,1982

108. Onora O' neill, Towards Justice And Virtue, Cambridge University Press, 1995

109. Micheal Slote, From Morality to Virtue, Oxford University Press, 1991

110. John C. Harsanyi: Essays on Ethics, Social Behavior, And Scientific Ex-

planation, Holland: D. Reidel publishing Company, 1984

111. J. Patrick Dobel: Public Integrity, Baltimore and London: The Johns Hopkins University Press, 1999

112. C. W. F. Hegel, System of Ethical Life And First Philosophy of Spirit, edited and translated by H. S. Harris and T. M. Knox, Albany: State University of New York Press, 1979

113. David P. Levine, Self – Seeking And The Pursuit Of Justice, Ashgate Publishing Limited, Gower House, 1997

114. Richard Dien Winfield, Reason And Justice, New York: State University of New York Press, 1988

115. Ronald P. Hesselgrave, Public Ethics For A Pluralistic Society, International Scholars Publications, Bethesda, 1998

116. Solzhenitsyn at Harvard, edited by Ronald Berman, Ethics and Public Policy Center, Washington, D. C. , 1980

117. Immanuel Kant, Lectures on ethics, translated by Louis Infield, Hackett Publishing Company, 1963

118. Beyond Liberalism And Communitarianism: Studies in Hegel's Philosophy of Right, ed. by Robert Williams, State University of New York Press, 2001

119. Kant, Political Writings, ed. By H. S. Reiss, Cambridge University Press, 2001

120. Paul Ricoeur, The Just, translated by David Pellauer, The Universtiy of Chicago Press, 2000

121. Freedom And Virtue, edited by George W. Carey, ISI, Inc. and University Press of America, 1984

123. Jame Bohman, Public Deliberation: Pluralism, Complexity and Democracy, The MIT Press, 2001

124. Ludvig Beckman, Liberal State And The Politics of Virtue, Transaction Publishers, 2001

125. Raymond Geuss: Public Goods, Private Goods, Princeton University Press,2001

126. Janet V. Denhardt, Robert B. Denhardt: The New Public Service,M. E. Sharpe Inc. ,2003

127. S. J. Ellis and K. K. Noyes, By the People: A History of Americans as Volunteers, San Francisco, Califernia: Jossey – Bass Publishers, 1990

128. B. Crick, In Defence of Politics,Polity Press, 1964

129. Jeffrey Reiman, Justice And Modern Moral Philosophy, New Haven and London: Yale University Press, 1990

后　记

　　本书是国家社会科学基金项目"公共管理伦理研究"(02BZX056)的最终成果。3 年多来,夙兴夜寐,念兹在兹。所幸有机会负笈美国,于 2004 年 6 月至 12 月,作为高级访问学者在斯坦福大学哲学系教授 Debra Satz 女士的指导下进行研究。她热心提供有关资料并为我争取到位于图书馆(Green Library)地下层的一个书房,使我得以安心工作,本书的一些重要章节就是在那里完成的。为了得到她更切实的指导,书中的个别章节是用英文写成的(回国后译为汉语),Satz 教授亲自审阅,做了旁批,并贡献了她的若干想法。这种无私帮助和真诚友谊,令我永远铭记在心。所憾英文表达能力仍有局限,未能更深地进入到英语的哲学语境之中。

　　在伦理学领域耕耘多年,形成了一些总体想法。依我之见,伦理学应该研究道德主体的心灵品质的塑造,这是道德教化论的研究主题;还应该研究客观的公共伦理关系及其现实的正义制度安排,从而使我们的心灵品质能够在公共伦理关系中得到现实的塑造,这是公共伦理学的主题。这两部分都要以教化哲学为基础,即分别考察道德教化和伦理教化,因而,本书的落脚点就是"公共推理和公共美德"。本书是我继完成《道德教化与经济技术时代》(国家社会科学基金项目"经济与技术时代的道德教化问题研究"(99CZX007)的最终成果)之后对伦理学的基本课题所作的进一步研究。两书合在一起,代表了我对伦理学的两部分主体内容的基本理解。显然,对美德的存在论性质、美德的自身价值、美德的结构、美德与正义的统一性、美德对人生与社会的意义等等进行研究,就是美德伦理学的主题。因之,下一步,我拟以专书的形式对美德伦理学作出全面论述。

　　自 10 年前进入伦理学研究领域,而今已过不惑之年。回望研究历程,成果有益于世道人心者几何,经自修而自得者几何? 中夜思之,能不慨然? 著述乃大事,能不慎乎?

　　本书的一些内容在《天津社会科学》、《社会科学》、《学术季刊》、《南昌大学学报》、《孔孟月刊》等刊物上发表过,部分文章为人大复印资料《伦理学》转载过,并为《光明日报》转摘过。在此向以上刊物致谢。另外,在我的工作单位南昌大学哲学系的双周学术讲座上,本系同事对本书某些相关内容进行过诚恳而深入的讨论,得此之赐,本人能够对本书主题作进一步的深化。

　　本书得到南昌大学学术著作出版基金资助,学校这一举措,必将如春风化雨,滋养学术之花灿烂开放。

　　感谢人民出版社的陈寒节先生,是他的关注使本书能顺利地与读者见面。感激之情,非言语所能尽述。

詹世友 谨识
2006 年 4 月